AF238052

ACCESO GRATIS a la Lectura en la Nube

Para visualizar el libro electrónico en la nube de lectura envíe junto a su nombre y apellidos una fotografía del código de barras situado en la contraportada del libro y otra del ticket de compra a la dirección:

ebooktirant@tirant.com

En un máximo de 72 horas laborales le enviaremos el código de acceso con sus instrucciones.

DERECHO SINDICAL

4ª Edición

DERECHO SINDICAL

4ª Edición

TOMÁS SALA FRANCO

Catedrático Emérito de Derecho del Trabajo y de la Seguridad Social
Universidad de Valencia. Estudio General

tirant lo blanch
Valencia, 2022

© Tomás Sala Franco

© TIRANT LO BLANCH
  EDITA: TIRANT LO BLANCH
  C/ Artes Gráficas, 14 - 46010 - Valencia
  TELFS.: 96/361 00 48 - 50
  FAX: 96/369 41 51
  Email: tlb@tirant.com
  www.tirant.com
  Librería virtual: www.tirant.es
  DEPÓSITO LEGAL: V-1530-2022
  ISBN: 978-84-1130-460-3

Si tiene alguna queja o sugerencia, envíenos un mail a: *atencioncliente@tirant.com*. En caso de no
ser atendida su sugerencia, por favor, lea en *www.tirant.net/index.php/empresa/politicas-de-empresa*
nuestro procedimiento de quejas.

Responsabilidad Social Corporativa: http://www.tirant.net/Docs/RSCTirant.pdf

A mi buen amigo y compañero durante tantos años
Ignacio Albiol Montesinos

Índice

Tema 1
EL DERECHO SINDICAL

I. EL DERECHO SINDICAL: CONTENIDO Y CARACTERES 17
II. LAS FUENTES DEL DERECHO SINDICAL ESPAÑOL 20
   1. Fuentes comunitarias 20
   2. Fuentes internacionales 21
   3. Fuentes nacionales 23

Tema 2
LA LIBERTAD SINDICAL Y EL ASOCIACIONISMO EMPRESARIAL

I. CONSIDERACIONES GENERALES 27
   1. La conquista de la libertad sindical: etapas históricas 27
   2. Primera etapa: la prohibición de los sindicatos 27
   3. Segunda etapa: la tolerancia sindical 29
   4. Tercera etapa: el reconocimiento jurídico de la libertad sindical .. 29
II. LA LIBERTAD SINDICAL EN EL DERECHO ESPAÑOL 31
   1. La normativa vigente 31
   2. La libertad sindical individual 32
      2.1. La libertad de constitución 33
         a) El ámbito subjetivo 33
         b) El ámbito objetivo: la actividad política del sindicato 38
         c) La constitución de sindicatos 40
      2.2. La libertad de afiliación 41
         a) Las garantías frente al sindicato 41
         b) Las garantías frente al empresario 44
      2.3. La libertad sindical negativa 46
         a) La libertad de no afiliación sindical y de abandono del sindicato 46
         b) Las cláusulas de seguridad sindical 46
         c) Otras cláusulas potenciadoras de la presencia sindical en la empresa 49
   3. La libertad sindical colectiva o autonomía sindical 52
      3.1. La libertad de reglamentación 52
      3.2. La libertad de representación 53
      3.3. La libertad de gestión 54
         a) Libertad de gestión interna 54
         b) Libertad de gestión externa 58
      3.4. La libertad de suspensión y disolución 58
      3.5. La libertad de federación 59
   4. La unidad-pluralidad sindical 61
      4.1. Consideraciones generales 61
      4.2. Los sindicatos más representativos en la LOLS 63
      4.3. Las prerrogativas legales atribuidas a los sindicatos más representativos 68
      4.4. Las prerrogativas legales atribuidas a los sindicatos simplemente representa-
         tivos 76
   5. El régimen jurídico sindical 76

5.1. Consideraciones generales 76
5.2. La adquisición de la personalidad jurídica 77
    a) Depósito de los estatutos 77
    b) El contenido mínimo de los Estatutos 78
    c) La actuación de la oficina pública 79
    d) La impugnación de los estatutos sindicales 82
5.3. Las consecuencias de la adquisición de la personalidad jurídica por el sindi-
    cato. La responsabilidad sindical 83
6. El asociacionismo empresarial 86

Tema 3
LA REPRESENTACIÓN DE LOS TRABAJADORES EN LA EMPRESA

I. CUESTIONES GENERALES 89
1. Dos modelos organizativos de representación de los trabajadores en la empresa. 89
2. La protección internacional de la acción colectiva de los trabajadores en la empresa 93
II. LA REPRESENTACIÓN DE LOS TRABAJADORES EN LA EMPRESA EN EL
DERECHO ESPAÑOL 97
1. Normativa vigente 97
2. La representación unitaria: el comité de empresa y los delegados de personal 97
   2.1. Empresas obligadas a contar con estructuras representativas 97
   2.2. El número de representantes 101
   2.3. Criterios de funcionamiento de los órganos de representación 104
   2.4. El procedimiento electoral 108
   2.5. El mandato representativo 125
   2.6. Competencias 129
   2.7. Garantías 135
      a) Despidos y sanciones 136
      b) La no discriminación en la promoción económica y profesional del re-
        presentante 141
      c) La prioridad de permanencia en la empresa 142
   2.8. Facilidades a otorgar a los representantes legales de los trabajadores 143
      a) La libertad de expresión de opiniones 144
      b) La libertad de publicación y distribución 145
      c) El derecho a un tablón de anuncios 146
      d) El derecho a un local adecuado 146
      e) El derecho a un crédito de horas laborales retribuidas 147
3. La representación sindical 153
   3.1. Los derechos de los afiliados a los sindicatos 153
   3.2. Las secciones sindicales de empresa 154
      a) Normativa aplicable 155
      b) Constitución 155
      c) Derechos 156
   3.3. Los delegados sindicales 159
      a) Criterios organizativos 159
      b) Designación de los delegados sindicales 162
      c) Número de delegados sindicales 162
      d) Garantías y facilidades 163
      e) Derechos de los delegados sindicales 164

4. La representación y participación en empresas de dimensión comunitaria.......... 167
    4.1. El comité de empresa europeo 167
    4.2. La implicación de los trabajadores en las sociedades anónimas y cooperativas europeas 172

Tema 4
EL DERECHO DE REUNIÓN

I. LA NORMATIVA VIGENTE 177
II. EL RÉGIMEN JURÍDICO 177
    1. El lugar de reunión 177
    2. El tiempo de la reunión 177
    3. El procedimiento de la reunión 178
    4. Las limitaciones al derecho de reunión 180
III. EL DERECHO DE REUNIÓN DEL PERSONAL LABORAL DE LAS ADMINISTRACIONES PÚBLICAS 180

Tema 5
LA ACCIÓN INSTITUCIONAL

I. LA ACCIÓN INSTITUCIONAL 183
II. LA PARTICIPACIÓN EN ÓRGANOS DE LA ADMINISTRACIÓN PÚBLICA 183
    1. El Consejo Económico y Social y los Consejos Autonómicos.............. 183
        1.1. El Consejo Económico y Social 183
        1.2. Los Consejos Autonómicos 185
    2. Otras formas de participación institucional.................................... 187
III. LA CONCERTACIÓN SOCIAL.. 189
    1. Significado de la concertación social... 189
    2. Las experiencias históricas de concertación social en España 191
    3. La naturaleza jurídica de la concertación social............................... 193
    4. Naturaleza de las comisiones previstas en los pactos sociales 195

Tema 6
LA NEGOCIACIÓN COLECTIVA

I. CONSIDERACIONES GENERALES 197
II. LOS PRINCIPIOS CONSTITUCIONALES EN MATERIA DE NEGOCIACIÓN COLECTIVA 203
III. LOS CONVENIOS COLECTIVOS EN EL ESTATUTO DE LOS TRABAJADORES.. 208
    1. Los distintos tipos de convenios colectivos...................................... 208
        1.1. Los acuerdos interprofesionales sobre materias concretas 208
        1.2. Los convenios marco 209
        1.3. Los convenios colectivos ordinarios 210
            a) Las partes contratantes 210
                a') Capacidad negocial general.. 211
                    a") Del lado de los trabajadores 211
                    b") Del lado de los empresarios 211

b') Legitimación negocial 212
   a") Convenios colectivos supraempresariales 212
   b") Convenios colectivos empresariales o de ámbito inferior.......... 215
   c") Convenios colectivos de franja o de grupo de trabajadores 217
   d") Convenios colectivos de grupos de empresas o de una pluralidad
      de empresas vinculadas por razones organizativas o productivas
      y nominativamente identificadas 217
c') El control de la representatividad de las partes contratantes 218
b) Las unidades de negociación.. 219
  a') El principio de libre elección de las mismas y sus límites 219
  b') Los límites a la libertad de elección 221
c) El contenido de los convenios 229
  a') El contenido normativo... 229
  b') El contenido obligacional.. 235
  c') El contenido mínimo.. 235
  d') Remisiones de la ley a la negociación colectiva 236
d) El procedimiento negociador 246
  a') La iniciativa de las negociaciones por la parte promotora 246
  b') El deber de negociar de la parte receptora............................... 248
  c') La constitución de la comisión negociadora 250
  d') La obligación de negociar de buena fe.................................... 253
  e') La incomparecencia de las partes 255
  f') La toma de acuerdos en la negociación 256
  g') La ruptura de las negociaciones 257
  h') La forma escrita del convenio 257
  i') Los trámites administrativos posteriores a la aprobación de un con-
    venio colectivo 258
e) La impugnación del convenio colectivo 260
  a') La impugnación de oficio 260
    a") Las causas posibles de impugnación 260
    b") El plazo de impugnación 261
    c") El procedimiento de impugnación 261
  b') El proceso de conflicto colectivo 262
  c') Los efectos de la impugnación judicial de un convenio................. 263
  d') La inaplicación singular a través del proceso ordinario................. 264
f) El control administrativo del cumplimiento del convenio colectivo........ 264
g) La eficacia jurídica del convenio colectivo 265
h) La eficacia personal del convenio colectivo 266
i) La duración del convenio colectivo... 267
  a') La duración y la entrada en vigor del convenio 267
  b') La denuncia del convenio.. 268
  c') La ultraactividad normativa del convenio colectivo (art. 86.3 del
    ET) 269
  d') La sucesión de convenios colectivos 271
j) La aplicación e interpretación de los convenios 271
  a') La interpretación general de los convenios colectivos.................... 271
  b') La función interpretativa de las comisiones paritarias................... 272
  c') Los procedimientos extrajudiciales pactados de solución de los con-
    flictos de interpretación de los convenios colectivos 272
  d') Las reglas generales de interpretación de los convenios colectivos.... 273
k) La adhesión y extensión de los convenios colectivos 274

a') La adhesión a convenios 274
b') La extensión de convenios.. 275
a") La finalidad de la extensión: motivaciones 275

IV. LOS CONVENIOS COLECTIVOS EXTRAESTATUTARIOS 277
   1. Su fundamentación jurídica.. 277
   2. Los supuestos posibles de negociación colectiva extraestatutaria........................ 281
   3. Contenido posible 283
   4. La normativa aplicable.. 283
   5. La naturaleza jurídica... 284
      5.1. La eficacia jurídica 284
      5.2. La eficacia personal 287
   6. Régimen jurídico 289
      6.1. Las relaciones con otras fuentes normativas 289
      6.2. El deber de negociar 291
      6.3. El derecho de huelga 291
      6.4. El procedimiento de negociación 292
      6.5. El control de la legalidad.. 292
         a) La publicidad.. 292
         b) La impugnación judicial 293
      6.6. La responsabilidad empresarial por incumplimiento 293
      6.7. La duración del convenio 294
      6.8. La adhesión y extensión 295
      6.9. La administración del convenio colectivo 295

V. LOS ACUERDOS COLECTIVOS DE EMPRESA... 296
   1. Los acuerdos de empresa sustitutivos de convenios colectivos estatutarios 296
   2. Los acuerdos colectivos que ponen fin a una huelga 298
   3. Los acuerdos colectivos que ponen fin a un conflicto colectivo....................... 301
   4. Los acuerdos colectivos de empresa de inaplicación de un convenio colectivo
      estatutario 303
   5. Los acuerdos colectivos de empresa de modificación sustancial de condiciones
      contractuales de carácter colectivo 307
   6. Los acuerdos colectivos de empresa de fusión y absorción de empresas.............. 309

VI. LA NEGOCIACIÓN COLECTIVA DEL PERSONAL LABORAL DE LAS ADMI-
    NISTRACIONES PÚBLICAS 310

VII. LA NEGOCIACIÓN COLECTIVA COMUNITARIA.. 313

Tema 7
LA HUELGA

I. CONSIDERACIONES GENERALES 321

II. NORMATIVA APLICABLE 323

III. LA TITULARIDAD DEL DERECHO DE HUELGA... 325
   1. La titularidad individual o colectiva del derecho de huelga 326
   2. Los concretos titulares del derecho de huelga 326

IV. LAS MOTIVACIONES DE LA HUELGA.. 327
   1. El art. 11 del RDLRT y las motivaciones de las huelgas 327
   2. La huelga política... 327
   3. La huelga de solidaridad 330
   4. La huelga motivada por conflictos jurídicos 331

    5. La huelga novatoria 332
 V. EL PROCEDIMIENTO DE ACTUACIÓN HUELGUÍSTICA 335
    1. La declaración de huelga: las huelgas salvajes y las huelgas sorpresa 336
    2. La constitución del Comité de huelga 340
    3. Los piquetes 342
    4. La política de información de la empresa 344
    5. El esquirolaje 344
    6. La huelga con ocupación de locales 348
    7. Las modalidades abusivas del ejercicio del derecho de huelga 349
    8. El respeto de los servicios de seguridad y mantenimiento 351
 VI. EL MANTENIMIENTO DE LOS SERVICIOS ESENCIALES PARA LA COMUNIDAD 362
    1. Diferencias con los servicios de seguridad y mantenimiento 362
    2. Fundamento constitucional 362
    3. Significado de los «servicios esenciales para la comunidad» 363
    4. Las garantías del mantenimiento de los servicios esenciales 366
    5. Efectos del incumplimiento de los servicios mínimos 376
 VII. LA FINALIZACIÓN DE LA HUELGA 378
 VIII. LOS EFECTOS DE LA HUELGA 381
    1. Sobre los trabajadores no huelguistas 381
    2. Sobre los trabajadores huelguistas 386
      2.1. Los efectos de la huelga legal 386
      2.2. Los efectos de la huelga ilegal 395
    3. Sobre otras empresas 397

Tema 8
EL CIERRE PATRONAL

  I. CONSIDERACIONES GENERALES 399
 II. FUNDAMENTO CONSTITUCIONAL 400
 III. REGULACIÓN LEGAL 402
    1. Las causas del cierre patronal 402
    2. El procedimiento del cierre patronal 406
    3. La finalización del cierre patronal 406
    4. Los efectos del cierre patronal 407

Tema 9
LOS PROCEDIMIENTOS PARA LA SOLUCIÓN
DE LOS CONFLICTOS COLECTIVOS

  I. CONSIDERACIONES GENERALES 411
 II. LA NORMATIVA VIGENTE 413
 III. CONCEPTO Y CLASES DE CONFLICTO COLECTIVO 415
    1. Concepto de conflicto colectivo 415
    2. Conflictos colectivos jurídicos y de intereses 417
 IV. LOS PROCEDIMIENTOS EXTRAJUDICIALES 419
    1. El procedimiento administrativo de conflicto colectivo del RDLRT 419

1.1. Las reglas básicas 419
1.2. La legitimación para su iniciación 419
1.3. Formalización y procedimiento 422
2. Otros procedimientos de conciliación, mediación y arbitraje establecidos legal o reglamentariamente 424
3. Los procedimientos establecidos por acuerdo interprofesional y por convenio colectivo 425
4. Naturaleza y régimen jurídico de los actos de solución pacífica de los conflictos colectivos 427
V. EL PROCEDIMIENTO JUDICIAL 430
1. Normativa aplicable 430
2. Legitimación 432
2.1. Legitimación activa 432
2.2. Legitimación pasiva 435
3. El principio de incompatibilidad entre la huelga y el procedimiento de conflicto colectivo 436
4. El intento de conciliación previa 437
5. La iniciación del proceso 438
6. Carácter urgente del proceso 440
7. La sentencia 440
VI. LOS PROCEDIMIENTOS EXTRAJUDICIALES DE SOLUCIÓN DE CONFLICTOS DEL PERSONAL LABORAL DE LAS ADMINISTRACIONES PÚBLICAS 443

Tema 10
LOS DERECHOS COLECTIVOS DE LOS FUNCIONARIOS PÚBLICOS

I. LOS DERECHOS COLECTIVOS DE LOS FUNCIONARIOS PÚBLICOS: NORMAS INTERNACIONALES 445
II. EL DERECHO DE LIBERTAD SINDICAL 446
1. Normativa vigente 446
2. La libertad sindical de los funcionarios públicos 447
3. La libertad sindical de los miembros de las Fuerzas Armadas e Institutos Armados de carácter militar 450
4. La libertad sindical de jueces, magistrados y fiscales 451
5. La libertad sindical de la policía 453
6. La libertad sindical y la situación de pasividad de los funcionarios públicos exceptuados 455
III. EL DERECHO DE REPRESENTACIÓN COLECTIVA 456
1. Normativa vigente 456
2. La representación sindical 457
3. La representación unitaria 457
IV. EL DERECHO DE REUNIÓN 463
V. EL DERECHO DE PARTICIPACIÓN INSTITUCIONAL 463
VI. EL DERECHO DE NEGOCIACIÓN COLECTIVA 464
1. Problemática general 464
2. La situación española 468
2.1. La evolución histórica 468
2.2. La normativa aplicable 468
2.3. El sistema de negociación 473

a) Las partes contratantes 474
b) Las unidades de negociación.. 476
c) Contenido negocial... 476
d) El procedimiento de negociación 478
e) La naturaleza jurídica de los pactos y acuerdos colectivos 479
f) La vigencia temporal de los pactos y acuerdos colectivos...................... 480
3. La negociación colectiva conjunta del personal laboral y funcionarial................. 481
VII. EL DERECHO DE HUELGA 481
1. Normativa aplicable... 481
2. Régimen jurídico 485
VIII. EL DERECHO A PLANTEAR CONFLICTOS COLECTIVOS............................... 488

Tema 11
LA TUTELA DE LA LIBERTAD SINDICAL

I. CONSIDERACIONES GENERALES 491
II. LA TUTELA ADMINISTRATIVA DE LA LIBERTAD SINDICAL 491
III. LA TUTELA JUDICIAL DE LA LIBERTAD SINDICAL.................................. 493
1. La tutela judicial ordinaria: el procedimiento especial de tutela de la libertad sindical.. 493
2. La tutela judicial constitucional.. 501
IV. LA PROTECCIÓN INTERNACIONAL DE LA LIBERTAD SINDICAL 503
1. El control de la OIT 503
2. El control del Consejo de Europa 504
3. Otros controles internacionales 505

Tema 1
EL DERECHO SINDICAL

SUMARIO: I. EL DERECHO SINDICAL: CONTENIDO Y CARACTERES. II. LAS FUENTES DEL DERECHO SINDICAL ESPAÑOL. 1. Fuentes comunitarias. 2. Fuentes internacionales. 3. Fuentes nacionales.

I. EL DERECHO SINDICAL: CONTENIDO Y CARACTERES

1. Los centros de imputación normativa del Derecho del Trabajo. El Derecho del Trabajo comprende dos centros de imputación normativa: las relaciones laborales individuales existentes entre los empresarios y trabajadores individualmente considerados y las relaciones laborales colectivas existentes entre los empresarios, organizados profesionalmente en asociaciones o no, y las organizaciones profesionales de trabajadores, de entre las que destacan los sindicatos, si bien existan otras formas de organización profesional de los trabajadores, distintas de los sindicatos (delegados de personal, comités de empresa, coaliciones, asambleas, etc…).

Así, el Derecho Individual del Trabajo estudia la normativa reguladora de las relaciones laborales individuales. Y el Derecho Colectivo del Trabajo —también llamado Derecho Sindical— estudia la normativa reguladora de las relaciones laborales colectivas.

2. El contenido del Derecho Sindical. El estudio de las relaciones colectivas comprende dos tipos de problemas:

a) De una parte, los problemas que plantea la propia organización de los trabajadores y de los empresarios. En este sentido, la libertad sindical y sus manifestaciones, la representación de los trabajadores en la empresa, el derecho de reunión o de asamblea de estos últimos y el asociacionismo empresarial.

b) De otra parte, los problemas que plantea la acción colectiva de los trabajadores y empresarios y sus representantes. En este sentido, la participación institucional en la empresa y fuera de ella, la negociación colectiva, la huelga, el cierre patronal y los procedimientos judiciales y extrajudiciales de solución de los conflictos colectivos laborales, tales como la conciliación, la mediación y el arbitraje.

3. El carácter históricamente instrumental del Derecho Sindical respecto del Derecho Individual del Trabajo. El carácter instrumental del Derecho Colectivo o

Sindical respecto del Derecho Individual del Trabajo resulta palmario del análisis histórico del nacimiento y evolución del asociacionismo obrero.

Históricamente, el asociacionismo obrero surge con la finalidad de mejorar las condiciones del trabajo individual de los trabajadores asalariados a través de una acción colectiva que asegure el equilibrio de posiciones entre las partes contratantes.

Esta acción colectiva de defensa de intereses de grupo vendrá a realizarse pacíficamente —a través de la negociación colectiva o de la participación institucional en la empresa o fuera de ella—, o conflictivamente —mediante el recurso a la huelga o al planteamiento de conflictos colectivos—. En este sentido, el principio básico que anima el nacimiento histórico del sindicalismo no es otro que el de «*compensar con la organización y la fuerza del número la debilidad del trabajador que sólo posee su fuerza-trabajo frente al poder económico que detenta los medios de producción, permitiendo de este modo transponer las relaciones de trabajo del plano individual al colectivo donde se reconstruye nuevamente el equilibrio de fuerzas*» (OLLIER).

Evidentemente, la autonomía colectiva (el modo colectivo de regular las relaciones individuales laborales) nace sociológicamente como mecanismo corrector espontáneo de la autonomía individual (el modo individual de regular las relaciones individuales laborales). Sólo más tarde, cuando la autonomía colectiva es reconocida por el Estado como un medio técnico más para el cumplimiento de sus fines se produce su nacimiento jurídico.

El paso de una democracia liberal a una democracia social marcará el fin del abandono del ciudadano frente al Estado y de la ausencia de sociedades y grupos intermedios. En una democracia social, la justicia social se realizará no sólo a través de normas estatales sino también «*a través de la atribución constitucional de poderes a los mismos destinatarios de esta exigencia de justicia social, a la colectividad de trabajadores*» (BRANCA), siendo, concretamente, la negociación colectiva, la participación de los trabajadores en la empresa o en distintas instituciones públicas, los medios de solución extrajudicial de los conflictos laborales y la huelga los instrumentos autónomos para conseguir aquella justicia social

4. La quiebra actual del carácter instrumental del Derecho Sindical. No obstante, la autonomía colectiva, que nació con una finalidad eminentemente normativa —la corrección de la autonomía individual—, se ha convertido en objeto mismo de regulación por parte del Estado, constituyendo hoy una parte muy importante del Derecho del Trabajo. Como realidad jurídica, la autonomía colectiva resulta ser algo más que un simple apartado de las fuentes del Derecho Individual del Trabajo, poseyendo identidad propia y específica, si bien su función primordial siga siendo la normativa.

Pero, además, y sobre todo, las relaciones colectivas laborales poseen una clara especificidad en la medida en que responden a intereses distintos de los que se dan en las relaciones individuales de trabajo. En las relaciones individuales se contempla al trabajador en cuanto parte de un contrato de trabajo como titular de un «*interés individual*». En las relaciones colectivas, por el contrario, se contempla al trabajador como miembro de un grupo, como titular de un «*interés colectivo*», distinto del «*interés individual*» de cada uno de los trabajadores componentes de esa pluralidad.

Consecuencia de esto será que las técnicas jurídicas de regulación del Derecho Sindical son distintas de las del Derecho Individual del Trabajo: «*Un conflicto colectivo no es una suma de conflictos individuales y su reglamentación no puede estar organizada de manera semejante. La conclusión y los efectos de un convenio colectivo no pueden ser concebidos como los de un contrato individual*» (CAMERLYNCK y LYON CAEN).

5. La extensión del fenómeno sindical y la ampliación de los objetivos del sindicalismo. Otros dos fenómenos que contribuyen a la quiebra del carácter instrumental del Derecho Sindical respecto del Derecho Individual del Trabajo son, de un lado, la extensión subjetiva del fenómeno sindical y, de otro, la ampliación de los objetivos del sindicalismo.

Desde una perspectiva estructural resulta, ciertamente, comprobable como el sindicalismo se ha extendido más allá del trabajo subordinado por cuenta ajena instrumentado jurídicamente a través de un contrato de trabajo. La razón de ser del Derecho Sindical reside hoy en la existencia de una cierta actividad profesional y la defensa del interés profesional hace surgir el sindicato.

En esta línea, y aun superándola, se manifestó la Declaración Universal de los Derechos del Hombre de 1948, afirmando que «*toda persona tiene el derecho de fundar, con otros, sindicatos y afiliarse a los sindicatos para la defensa de sus intereses*». De este modo, el Derecho Sindical dejó de ser un derecho exclusivamente «*obrero*», generalizándose su disfrute por extensión a otras categorías de trabajadores profesionales en activo —tales como los funcionarios públicos o los trabajadores autónomos—, o en situación de pasividad laboral —desempleados y pensionistas (jubilados o discapacitados)—.

Desde una perspectiva funcional, los objetivos del sindicalismo escapan también, en ocasiones, de la defensa estricta de intereses profesionales y de los medios de acción colectiva tradicionales. Las razones que han originado tal cambio son fundamentalmente ideológicas o tácticas.

En este sentido se dirigen las experiencias de participación de los sindicatos y asociaciones empresariales en las funciones económicas y sociales del Estado. El sindicalismo ha pasado de una postura de «*contestación a otra de participación*».

A ello ha contribuido, de un lado, el ambiente de *«desideologización revoluciona-ria»* de los sindicatos y la generalizada aceptación, aunque crítica, de la economía de mercado y, de otro lado, criterios de corte pragmático. Los sindicatos han to-mado conciencia de que ocuparse de las solas relaciones en la empresa sería tanto como pretender apagar el fuego de un árbol en un bosque en llamas, entendiendo necesario, por ello, extender la acción sindical a la toma de decisiones políticas importantes.

Ahora bien, esta toma de conciencia puede llevar, y de hecho lleva, a una doble posición del sindicato frente al Estado: bien de *«colaboración estructural»*, bien de *«participación conflictiva»*. En el primer sentido, los sindicatos y las asocia-ciones empresariales participarán en organismos oficiales de carácter consultivo o gestionario. En el segundo, los sindicatos negociarán con el Estado, con la parti-cipación de las asociaciones empresariales, para conseguir pactos de muy distinta naturaleza. Planteándose, desde luego, en la realidad, actitudes mucho más mati-zadas en atención a las circunstancias y utilizándose frecuentemente ambas vías de participación (ver infra).

6. **La baja efectividad de las normas colectivas laborales**. Una característica esencial del Derecho Sindical reside en que la efectividad de sus normas es muy baja y su inaplicación muy frecuente. Consideraciones de oportunidad conducen en ocasiones a ello.

La tendencia del Derecho Sindical a desarrollarse por medios extranormativos es muy notable. Así, por ejemplo, acciones de lucha sindical que, en rigor, son ile-gítimas, acaban con frecuencia por no ser perseguidas, pudiendo en este sentido establecerse analogías entre el Derecho Sindical y lo que ocurre con el Derecho Internacional Público (GIUGNI).

II. LAS FUENTES DEL DERECHO SINDICAL ESPAÑOL

7. **Tres tipos de fuentes normativas**. Las fuentes normativas del Derecho Sindi-cal español pueden ser comunitarias, internacionales, y nacionales, no existiendo especialidad funcional o aplicativa alguna respecto de las paralelas fuentes nor-mativas del Derecho del Trabajo individual.

1. *Fuentes comunitarias*

8. **Las fuentes comunitarias**. Los Tratados Fundacionales de la Unión Europea establecen que las materias referidas al *«derecho sindical y a la negociación colec-*

tiva entre empresas y trabajadores» pueden ser objeto de intervención normativa por parte de la Unión Europea.

Hasta la fecha, se han promulgado las siguientes Directivas sobre estas materias:

- Directiva 94/45/CEE, de 22 de septiembre de 1994, del Consejo (refundida por la Directiva de 6 de mayo de 2009), sobre constitución de un comité de empresa europeo o de un procedimiento de información y consulta a los trabajadores en las empresas y grupos de empresa de dimensión comunitaria.

- Directiva 2001/86/CE, del Consejo, acerca de la implicación de los trabajadores en el Estatuto de la Sociedad Anónima Europea.

- Directiva 2002/14/CE, del Consejo y del Parlamento Europeo, sobre un marco general relativo a la información y consulta de los trabajadores de la Comunidad Europea.

En otras Directivas, referidas a la protección de derechos de los trabajadores, se alude también de pasada a mecanismos de información de los representantes de los trabajadores. Esto sucede, por ejemplo, con la Directiva 77/1987/CEE, de 14 de febrero de 1977, sobre traspasos de empresas de centros de actividades o de partes de centros de actividad (arts. 5 y 6), modificada por la Directiva 98/50/CE, de 29 de junio de 1998.

2. *Fuentes internacionales*

9. Las normas de la OIT. En el Derecho Sindical tienen una gran importancia las normas internacionales, provenientes sobre todo de la Organización Internacional del Trabajo (OIT).

Se trata de un bloque normativo de gran interés práctico por cuanto, además de su eficacia jurídica directa aplicativa, juega de un modo privilegiado en orden a la interpretación de los derechos fundamentales y libertades colectivas reconocidas por la Constitución (art. 10.2 de la CE), esto es, respecto de los derechos de libertad sindical, negociación colectiva o huelga.

Así, la propia Constitución de la OIT incluye el principio de libertad sindical entre los objetivos de su programa de acción, siendo nueve los principales Convenios referidos a estas materias ratificados por España, desarrollados las más de las veces por Recomendaciones:

1. Convenio nº 11, de 1921, sobre el derecho de asociación en la agricultura.

2. Convenio nº 84, de 1947, sobre el derecho de asociación en territorios no metropolitanos.

3. Convenio nº 87, de 1948, sobre la libertad sindical y la protección del derecho de sindicación.

4. Convenio nº 98, de 1949, sobre el derecho de sindicación y de negociación colectiva.

5. Recomendación nº 91, de 1951, sobre los convenios colectivos.

6. Recomendación nº 92, de 1952, sobre la conciliación y el arbitraje voluntarios.

7. Recomendación nº 94, de 1952, sobre la colaboración en el ámbito de la empresa.

8. Recomendación nº 113, de 1960, sobre la consulta a las organizaciones de empleadores y trabajadores por las autoridades públicas.

9. Recomendación nº 130, de 1967, sobre el examen de las reclamaciones que presenten los trabajadores dentro de la empresa.

10. Convenio nº 135, de 1971, sobre protección y facilidades a los representantes de los trabajadores en la empresa.

11. Recomendación nº 143, de 1971, desarrollando el Convenio nº 135.

12. Convenio nº 141, de 1975, sobre las organizaciones de trabajadores rurales.

13. Recomendación nº 149, de 1975, desarrollando el Convenio nº 141.

14. Convenio nº 144, de 1976, sobre la consulta tripartita.

15. Convenio nº 151, de 1978, sobre la protección del derecho de sindicación y los procedimientos para determinar las condiciones de empleo en la Administración Pública.

16. Recomendación nº 159, de 1978, desarrollando el Convenio nº 151.

17. Convenio nº 154, de 1981, sobre el fomento de la negociación colectiva.

18. Recomendación nº 163, de 1981, desarrollando el Convenio nº 154.

19. Además de los Convenios y Recomendaciones relacionados, la Conferencia Internacional del Trabajo ha adoptado diversas Resoluciones en materia sindical. Así, la Resolución de 1970, sobre los derechos sindicales y su relación con las libertades civiles.

Por lo demás, este cuerpo normativo internacional ha sido integrado por la importante doctrina interpretativa del Comité de Libertad Sindical y de la Comisión de Investigación y de Conciliación en materia de libertad sindical, como órganos de control de la OIT del cumplimiento de las anteriores normas por parte de los Estados miembros.

10. Otras normas internacionales. Otras normas internacionales en materia sindical provienen de la ONU. Así, la Declaración Universal de derechos Humanos de 1948, el Pacto Internacional de Derechos Económicos, Sociales y Culturales de 1966 y el Pacto Internacional de Derechos Civiles y Políticos de 1966. Enestos instrumentos internacionales se contienen referencias expresas a los derechos de asociación, de libertad sindical e incluso de huelga. Todos ellos han sido ratificados por España.

Finalmente, los Convenios europeos, entre los que destacan el Convenio Europeo para la protección de los Derechos Humanos y las Libertades Fundamentales de 1950 y la Carta Social Europea de 1961. Ambos han sido ratificados por España.

3. Fuentes nacionales

11. Los preceptos constitucionales. Entre las fuentes nacionales del Derecho Sindical se encuentra, en primer término, la Constitución.

Los preceptos constitucionales que específicamente afectan a materias sindicales son los siguientes:

1) Arts. 7 y 28.1, acerca de la libertad sindical.

2) Art. 22, acerca del derecho de asociación.

3) Art. 28.2, acerca del derecho de huelga.

4) Art. 37.1, acerca del derecho de negociación colectiva.

5) Art. 37.2, acerca de los conflictos colectivos.

6) Art. 103.3, sobre el estatuto de los funcionarios públicos y las peculiaridades del ejercicio de su derecho a sindicación.

7) Art. 127.1, sobre el derecho de asociación profesional de los jueces, magistrados y fiscales.

8) Art. 129.2, acerca de la participación de los trabajadores en la empresa.

9) Art. 131.2, acerca de la participación institucional de los sindicatos y organizaciones empresariales.

12. Las fuentes autonómicas: el art. 149.1.7 de la Constitución. El art. 149.1.7 de la Constitución reserva la facultad legislativa exclusiva y excluyente en materia sindical al Estado —lo que incluye, a juicio del Tribunal Constitucional, también la facultad reglamentaria, salvo en materia organizativa— permitiendo sólo a las Comunidades Autónomas la ejecución de la legislación estatal en vía administrativa.

No existirán, pues, normas sindicales autonómicas, salvo las organizativas en cuanto a organismos de participación institucional (Consejos de Relaciones Laborales o Económico Sociales), organismos de solución de conflictos (Servicios de Mediación, Arbitraje y Conciliación) o de registro de los convenios colectivos.

13. Las leyes en materia sindical. Las leyes vigentes en materia sindical son las siguientes, por orden cronológico:

1) El Real Decreto-Ley de Relaciones de Trabajo 17/1977, de 4 de marzo (RDLRT), que regula el derecho de huelga, los procedimientos pacíficos de solución de conflictos colectivos y el cierre patronal, manteniendo parcialmente vigente y sometido a interpretación por la STC de 8 de abril de 1981 y otras posteriores.

2) La Ley 19/1977, de 1 de abril, sobre derechos de asociación sindical (LAS), derogada respecto de los sindicatos de trabajadores por la Ley 11/1985, de 2 de agosto, Orgánica de Libertad Sindical y mantenida en vigor tan sólo respecto de las organizaciones empresariales.

3) El Real Decreto Legislativo 2/2015, de 23 de octubre, por el que se aprueba el Texto Refundido de la Ley del Estatuto de los Trabajadores (ET), cuyo Título II regula los derechos de representación colectiva y de reunión de los trabajadores en la empresa; y el Título III, la negociación y los convenios colectivos. Otros preceptos del ET se refieren también a materias sindicales (arts. 4.1.b), 17.1, 37.3 y Disposición Adicional Novena).

4) La Ley 11/1985, de 2 de agosto, Orgánica de Libertad Sindical (LOLS), modificada por la Ley 11/1994, de 19 de mayo, que regula la libertad sindical, el régimen jurídico sindical, la representación sindical, la acción sindical en la empresa y la tutela de la libertad sindical y represión de las conductas antisindicales, declarada constitucional por la STC de 29 de julio de 1985.

5) La ley 4/1986, de 8 de enero, de cesión de bienes del patrimonio sindical acumulado.

6) La Ley Orgánica 2/1986, de 13 de marzo, de fuerzas y cuerpos de seguridad que, en sus arts. 15 y ss. regula la situación jurídico sindical de los mismos.

7) La Ley 36/2011, de 10 de octubre, de la Jurisdicción Social (LJS).

8) La Ley Orgánica 10/1995, de 23 de noviembre, del Código Penal (arts. 314 y 315).

9) El Real Decreto Legislativo 5/2015, de 30 de octubre, por el que se aprueba el Texto Refundido de la Ley del Estatuto Básico del Empleado Público (EBEP).

14. Los reglamentos administrativos. Los reglamentos administrativos en materia sindical son de tres clases:

1) Reglamentos de desarrollo de las leyes anteriormente citadas. Así, del ET, el RD 713/2010, de 28 de mayo, sobre registro y depósito de convenios y acuerdos colectivos de trabajo; el RD 718/2005, de 20 de junio, por el que se desarrolla el art. 92.2 del ET, sobre extensión de convenios colectivos; el RD 1362/2012, de 27 de septiembre, por el que se regula la Comisión Consultiva Nacional de Convenios Colectivos (desarrollado por OM de 28 de mayo de 1984); el RD 1844/1994, de 9 de septiembre, por el que se aprueba el Reglamento de elecciones a órganos de representación de los trabajadores en la empresa. De la LAS, el RD 873/1977, de 22 de abril, sobre depósito de estatutos de las organizaciones sindicales.

2) Reglamentos organizativos.

3) Decretos sobre servicios mínimos en caso de huelgas en servicios esenciales para la Comunidad, en aplicación de lo dispuesto en los arts. 28.2 de la CE y 10 del RDLRT (ver infra).

15. Los acuerdos negociados. Una fuente normativa de gran importancia en el Derecho Sindical es la constituida por los acuerdos negociados.

Entre ellos, cabría citar, con carácter general, los pactos sociales tripartitos negociados a tres bandas por el Gobierno, las organizaciones empresariales y los sindicatos mayoritarios o los pactos sociales bipartitos negociados a dos bandas entre el Gobierno y los sindicatos mayoritarios o entre el Gobierno y las organizaciones empresariales mayoritarias (ver infra).

Otros tipos de acuerdos negociados serán los Convenios Marcos o los Acuerdos Interprofesionales sobre materias concretas previstos en el art. 83 del ET, fijando las reglas de la negociación colectiva o estableciendo procedimientos de solución extrajudicial de los conflictos colectivos laborales (ver infra).

Naturalmente, dada la libertad de contenido negocial reconocida en el art. 85.1 del ET, extensible a las «*materias de índole sindical*» y a «*cuantas otras afecten al ámbito de relaciones de los trabajadores y sus organizaciones representativas con el empresario y las asociaciones empresariales*», los convenios colectivos ordinarios se convierten también en una importante fuente normativa del Derecho Sindical (ver infra).

16. La jurisprudencia de los Tribunales. Finalmente, por su trascendencia, habrá que tener en cuenta las sentencias de los Tribunales de Justicia de la Unión Europea, Europeo de Derechos Humanos, Constitucional, Supremo, Audiencia Nacional y Superiores de Justicia de las Comunidades Autónomas, de entre las que destacan las SSTC 11/1981, de 8 de abril, acerca de la constitucionalidad del RDLRT, 98/1985, de 29 de julio, acerca de la constitucionalidad de la LOLS,

119/2014 o 119/2014, de 16 de julio, acerca de la constitucionalidad de la Ley 3/2012, de 6 de medidas urgentes para la reforma del mercado laboral.

17. El derecho estatutario. En el Derecho Sindical juegan también un papel importante los Estatutos y Reglamentos Organizativos adoptados por cada uno de los sindicatos u organizaciones empresariales en uso de su libertad de reglamentación y dentro del respeto a la legalidad general.

Tema 2
LA LIBERTAD SINDICAL Y EL ASOCIACIONISMO EMPRESARIAL

SUMARIO: I. CONSIDERACIONES GENERALES. 1. La conquista de la libertad sindical: etapas históricas. 2. Primera etapa: la prohibición de los sindicatos. 3. Segunda etapa: la tolerancia sindical. 4. Tercera etapa: el reconocimiento jurídico de la libertad sindical. II. LA LIBERTAD SINDICAL EN EL DERECHO ESPAÑOL. 1. La normativa vigente. 2. La libertad sindical individual. 2.1. La libertad de constitución. a) El ámbito subjetivo. b) El ámbito objetivo: la actividad política del sindicato. c) La constitución de sindicatos. 2.2. La libertad de afiliación. a) Las garantías frente al sindicato. b) Las garantías frente al empresario. 2.3. La libertad sindical negativa. a) La libertad de no afiliación sindical y de abandono del sindicato. b) Las cláusulas de seguridad sindical. c) Otras cláusulas potenciadoras de la presencia sindical en la empresa. 3. La libertad sindical colectiva o autonomía sindical. 3.1. La libertad de reglamentación. 3.2. La libertad de representación. 3.3. La libertad de gestión. a) Libertad de gestión interna. b) Libertad de gestión externa. 3.4. La libertad de suspensión y disolución. 3.5. La libertad de federación. 4. La unidad-pluralidad sindical. 4.1. Consideraciones generales. 4.2. Los sindicatos más representativos en la LOLS. 4.3. Las prerrogativas legales atribuidas a los sindicatos más representativos. 4.4. Las prerrogativas legales atribuidas a los sindicatos simplemente representativos. 5. El régimen jurídico sindical. 5.1. Consideraciones generales. 5.2. La adquisición de la personalidad jurídica. a) Depósito de los estatutos. b) El contenido mínimo de los Estatutos. c) La actuación de la oficina pública. d) La impugnación de los estatutos sindicales. 5.3. Las consecuencias de la adquisición de la personalidad jurídica por el sindicato. La responsabilidad sindical. 6. El asociacionismo empresarial.

I. CONSIDERACIONES GENERALES

1. *La conquista de la libertad sindical: etapas históricas*

18. Tres etapas en la conquista de la libertad sindical. La conquista de la libertad sindical, esto es, el reconocimiento por parte del Estado del derecho de sindicación es un fenómeno relativamente reciente. Data de la segunda mitad del siglo XIX o de los principios del siglo XX, según los países.

Las etapas históricas seguidas en los distintos países hasta su consecución podrían sintetizarse en las tres siguientes:

1) Etapa de prohibición.

2) Etapa de tolerancia.

3) Etapa de reconocimiento jurídico.

2. *Primera etapa: la prohibición de los sindicatos*

19. El Estado liberal capitalista y el liberalismo económico. La primera de estas etapas se corresponde con el nacimiento del Estado liberal capitalista, cuya unidad económica de producción básica es la empresa y las relaciones de producción dominantes las capitalistas.

La existencia de una gran masa de trabajadores en situación miserable (el proletariado), necesitada de una organización obrera como medio de autotutela ante un Estado abstencionista que no soluciona sus problemas, hará nacer el sindicato. El sindicato surge, así, como la expresión de la voluntad de compensar una situación de poder monopolizado por los empresarios creando una fuerza colectiva opuesta. De esta manera, aparecerán, primero, las coaliciones de carácter esporádico y las sociedades de socorros mutuos y de resistencia y, más tarde, los sindicatos propiamente dichos.

Unas y otras asociaciones fueron constreñidas a la clandestinidad debido a su prohibición legal —en los códigos penales se consideraban delitos de asociación ilícita o de conspiración—, y a la consiguiente represión gubernamental.

Las razones alegadas eran de un doble orden. En primer lugar, la concepción dogmática e individualista de la libertad individual y del poder del Estado como expresión de la voluntad general. La soberanía es transmitida, del pueblo en quien reside, al Estado, no debiendo existir entre Estado e individuo sociedad intermedia alguna (principio del liberalismo político). En segundo lugar, la defensa por parte de la sociedad burguesa del «orden constituido burgués», basado en el derecho de propiedad privada y en el libre encuentro de las fuerzas económicas individuales, contra aquellos grupos de trabajadores sospechosos de subversión de los valores establecidos (principio del liberalismo económico).

Ejemplo típico lo constituye la Exposición de Motivos de la Ley francesa Le Chapelier de 1791: «Debe, sin duda, permitirse a los ciudadanos de un mismo oficio o profesión celebrar asambleas, pero no se les debe permitir que el objetivo de esas asambleas sea la defensa de sus pretendidos intereses comunes; no existen corporaciones en el Estado, y no hay más interés que el particular de cada individuo y el general; no puede permitirse a nadie que inspire a los ciudadanos la creencia en un interés intermedio que separe a los hombres de la cosa pública por un espíritu de corporación». En su art. 1º se señalaba que «siendo una de las bases de la Constitución francesa la desaparición de todas las especies de corporaciones de un mismo estado y profesión, queda prohibido restablecerlas de hecho bajo cualquier pretexto y forma».

Así, los Códigos Penales franceses, alemanes e italianos tipificaban como delito a las organizaciones profesionales de empresarios y de trabajadores. El Código Penal español de 1848 castigaba con las penas de «arresto mayor y multa de 10 a 100 duros» a «los que se coaligaren con el fin de encarecer o abaratar abusivamente el precio del trabajo o regular sus condiciones».

3. Segunda etapa: la tolerancia sindical

20. La despenalización: el «*double standard*» y el realismo político. En una segunda etapa, las distintas legislaciones suprimirán las prohibiciones de la asociación profesional, no considerando ya la asociación como un delito y abrogando las normas que establecían sanciones penales para los asociados y sus dirigentes.

Esta tolerancia se inicia con las asociaciones profesionales empresariales. La explicación es fácil. El concierto obrero, en función del número de personas implicadas es visible, y por ello, ha de ser necesariamente formal. El concierto patronal, por el contrario, puede ser informal, bastando con un simple «*desayuno de negocios*».

Aparece, así, lo que los anglosajones han llamado el «*double standard*», esto es, mientras las leyes prohibitivas de asociaciones profesionales fueron aplicadas por los Tribunales cuando se trataba de enjuiciar acciones obreras, no ocurría lo mismo respecto de las coligaciones de empresarios, que resultaron autorizadas de hecho. Las autoridades policiales y los Tribunales de justicia preferían tolerar las asociaciones de empleadores, al estimar que éstos no tenían interés en comprometer la riqueza y prosperidad de la nación, mientras que tal tolerancia no era posible en el caso de asociaciones obreras que no representaban más que elementos de desorden social y de agitación política.

Más tarde, los poderes públicos se verán obligados por puro realismo político a revisar su postura intransigente adoptando una actitud de tolerancia con las asociaciones obreras. No obstante, de entre las distintas sociedades obreras, el Estado comenzará aceptando aquéllas que no influyen sobre la determinación del precio de la mano de obra, tales como las sociedades de ayuda mutua, las sociedades culturales o las cooperativas.

En Francia, el movimiento de tolerancia se inicia en 1864, en Alemania en 1869 y en Italia en 1891. En España, con la Ley General de Asociaciones de 1887 se permitió la actuación de las organizaciones sindicales.

4. Tercera etapa: el reconocimiento jurídico de la libertad sindical

21. El reconocimiento del derecho de libertad sindical. Finalmente, en una tercera etapa, se reconocerá expresamente el derecho de asociación profesional o sindical. Una serie de causas contribuirán a ello. Básicamente, la presión de las asociaciones obreras de hecho existentes y toleradas y de los partidos políticos obreros (internacionalismo proletario).

Este reconocimiento jurídico se produjo en fechas distintas según los países, debido, principalmente, a dos razones. En primer lugar, la aparición del sindicalismo está ligada a la revolución burguesa y ésta se produce en fechas distintas según los países. En segundo lugar, los diferentes regímenes políticos de estos países se muestran más o menos tolerantes con el movimiento obrero, en función, básicamente, de la correlación de fuerzas sociales existentes en cada país y en cada momento histórico.

Así, en Francia la libertad sindical sería reconocida en 1884, en Alemania en 1916 y en Italia en 1922. En España hay que esperar a la Ley de la II República de 8 de abril de 1932 que reconoció la legalidad de las organizaciones profesionales.

22. El reconocimiento internacional de la libertad sindical. En el orden internacional, a partir de 1919 comienzan a aparecer textos y documentos, de valor jurídico variable, en los que se reconoce el derecho de sindicación.

Así sucede, en primer término, con la Constitución de la OIT de 1919, en cuya Sección Primera se afirma el principio de libertad de sindicación. Habrá que esperar, sin embargo, a 1948 y 1949 —fechas en las que se aprueban los Convenios n° 87, sobre *«libertad sindical y protección del derecho de sindicación»*, estableciendo garantías frente al Estado y n° 98, sobre *«derechos de sindicación y de negociación colectiva»*, estableciendo garantías frente a la empresa— para desarrollar con mayor detalle el principio de libertad sindical. Más tarde se aprobará el Convenio n° 151, en 1978, aplicable a los empleados de las Administraciones Públicas.

La Declaración Universal de los Derechos del Hombre de la ONU de 10 de diciembre de 1948, establece, por su parte, en su art. 23, apartado 4° que *«toda persona tiene el derecho de fundar con otros sindicatos y el de afiliarse a éstos para la defensa de sus intereses»*.

Del mismo modo, el Consejo de Europa aprobó en fecha 4 de noviembre de 1950 la *«Convención Europea para la salvaguardia de los derechos del hombre y de las libertades fundamentales»*, estableciendo en su art. 11.1 que *«toda persona tiene derecho a la libertad de reunión pacífica y a la libertad de asociación comprendiendo el derecho de fundar, con otros, sindicatos y adherirse a ellos, para la defensa de sus intereses»*.

Con posterioridad, los dos grandes Convenios Internacionales sobre derechos humanos han reconocido el derecho de libertad sindical en términos mucho más detallados. Así, el Pacto Internacional de Derechos Civiles y Políticos de 1966, en su art. 2, establece el derecho de toda persona *«a fundar sindicatos y afiliarse a ellos para la protección de sus intereses»*, añadiendo, posteriormente, que el ejercicio de tal derecho solo podrá estar sujeto a las restricciones previstas por la ley que sean necesarias en una sociedad democrática, en interés de la seguridad nacional, de la seguridad pública o del orden público o para proteger la salud o la moral públicas o los derechos y libertades de los demás. En términos análogos se expresa el Pacto Internacional de Derechos Económicos, Sociales y Culturales de 1966, en su art. 8.

II. LA LIBERTAD SINDICAL EN EL DERECHO ESPAÑOL

1. *La normativa vigente*

23. Los preceptos constitucionales. La CE se refiere al derecho de libertad sindical en los arts. 7 y 28.1:

a) Art. 7: «*Los sindicatos de trabajadores… contribuyen a la defensa y promoción de los intereses económicos y sociales que les son propios. Su creación y el ejercicio de su actividad son libres dentro del respeto a la CE y a la ley. Su estructura interna y funcionamiento deberán ser democráticos*».

b) Art. 28.1: «*Todos tienen derecho a sindicarse libremente. La ley podrá limitar o exceptuar el ejercicio de este derecho a las Fuerzas o Institutos Armados o a los demás Cuerpos sometidos a disciplina militar y regulará las peculiaridades de su ejercicio para los funcionarios públicos. La libertad sindical comprende el derecho a fundar sindicatos y a afiliarse al de su elección, así como el derecho de los sindicatos a formar confederaciones y a fundar organizaciones internacionales o afiliarse a las mismas. Nadie podrá ser obligado a afiliarse a un sindicato*».

El derecho de libertad sindical es un derecho fundamental y, por ello, sólo podrá regularse por ley orgánica. La ley que lo regule, «*en todo caso deberá respetar su contenido esencial*» (art. 53 CE).

A la vista de la literalidad de los arts. 7 y 28 CE forman parte de su contenido esencial las siguientes libertades y derechos:

a) La libertad de constitución de sindicatos.

b) La libertad de afiliación y de no afiliación a los sindicatos constituidos.

c) La libertad de acción.

d) La libertad de federación y confederación.

e) La libertad de fundación y afiliación a organizaciones sindicales internacionales.

Esta enumeración no es completa a juicio del Tribunal Constitucional (SSTC de 25 de marzo de 1983, de 3 de abril de 1989, de 25 de julio de 1995 o de 11 de noviembre de 2002), ya que, «*…por muy detallado y concreto que parezca el art. 28.1 CE a propósito del contenido de la libertad sindical, no puede considerársele como exhaustivo o limitativo sino meramente ejemplificativo, con la consecuencia* *de que la enumeración expresa de los derechos concretos que integran el genérico de la libertad sindical no agota, en absoluto, el contenido global o total de dicha libertad».*

Así pues, conforme a la doctrina del Tribunal Constitucional (entre otras, SSTC de 25 de enero de 1988, de 22 de marzo de 1988, de 18 de mayo de 1993, de 17 de enero de 1994 o de 19 de junio de 1995), formarán parte de este *«contenido esencial»* del derecho de libertad sindical, de necesario reconocimiento a todos los sindicatos por tanto, los derechos de negociación colectiva, de huelga y de planteamiento de conflictos colectivos y *«cualquier otra forma lícita de actuación que los sindicatos consideren adecuada para el cumplimiento de los fines a los que están constitucionalmente llamados, como por ejemplo las libertades de expresión e información»* (STC de 7 de noviembre de 1995).

La legislación de desarrollo constitucional podrá reconocer otros derechos y garantías adicionales a las que constituyen el *«contenido esencial»* del derecho de libertad sindical que constituirán el *«contenido adicional»* del derecho de libertad sindical (participación institucional, convocatoria de elecciones, etc.) (STC de 13 de noviembre de 2000), si bien pudiendo en este caso establecer diferencias de trato entre los distintos sindicatos (SSTC de 18 de mayo de 1993 o de 18 de diciembre de 1995), pudiendo alterarlo o suprimirlo una ley (por todas, STC de 13 de enero de 1997) y pudiendo su incumplimiento suponer una vulneración del art. 28 CE mientras esté vigente la ley y por ello tutelarse por el procedimiento de tutela de los derechos fundamentales (STC de 18 de diciembre de 1995).

24. La Ley 11/1985, de 2 de agosto, Orgánica de Libertad Sindical. Los arts. 7 y 28.1 de la CE han sido desarrollados por la LOLS, que regula tanto la libertad sindical individual como la libertad sindical colectiva, la representación sindical, el régimen jurídico sindical, la acción sindical en la empresa y la tutela de la libertad sindical.

La LOLS fue objeto de un recurso de inconstitucionalidad, resuelto por la STC de 29 de julio de 1985, declarándola constitucional en casi todas sus partes (ver infra).

2. La libertad sindical individual

25. Las manifestaciones de la libertad sindical. La libertad sindical es un concepto ambivalente predicable tanto de los trabajadores individualmente considerados como de los sindicatos ya constituidos. En el primer caso se habla de libertad sindical individual y en el segundo de libertad sindical colectiva o de autonomía sindical.

A su vez, la libertad sindical individual se concreta en:

a) La libertad de constitución de sindicatos.

b) La libertad de afiliación sindical.

c) La libertad sindical negativa.

Por su parte, la libertad sindical colectiva se concreta en:

a) La libertad de reglamentación.

b) La libertad de representación.

c) La libertad de gestión.

d) La libertad de suspensión y disolución.

e) La libertad de federación.

2.1. La libertad de constitución

a) El ámbito subjetivo

26. El ámbito de aplicación subjetivo de la LOLS. Conforme al art. 28.1 de la CE, según el cual *«todos tienen derecho a sindicarse libremente»*, los arts. 1 y 3 de la LOLS fijan su ámbito subjetivo de aplicación, delimitando con ello la amplitud del derecho de sindicación o libertad sindical individual.

Así el art. 1.1 de la LOLS atribuye a *«todos los trabajadores»* el *«derecho a sindicarse libremente»*; considerando *«trabajadores»*, a los efectos de esta ley, *«tanto aquellos que sean sujetos de una relación laboral como aquellos que lo sean de una relación de carácter administrativo o estatutario al servicio de las Administraciones Públicas»* (art. 1.2 LOLS) (ver infra).

27. La posibilidad de afiliación sindical de los trabajadores autónomos y las asociaciones profesionales de trabajadores autónomos. Respecto de los *«trabajadores por cuenta propia que no tengan trabajadores a su servicio»* (trabajadores autónomos: pequeños artesanos, comerciantes, agricultores o profesionales libres), la LOLS señala que *«podrán afiliarse a las organizaciones sindicales constituidas con arreglo a lo expuesto en la presente ley, pero no fundar sindicatos que tengan precisamente por objeto la tutela de sus intereses singulares, sin perjuicio de su capacidad de constituir asociaciones al amparo de la legislación específica»* (art. 3.1).

Así pues, los trabajadores autónomos podrán afiliarse a los sindicatos ya constituidos o constituir asociaciones no sindicales con fines exclusivos *«que tengan precisamente por objeto la tutela de sus intereses singulares»* (sobre la diferencia entre los sindicatos y las asociaciones profesionales y la consiguiente delimitación del orden jurisdiccional social: STS de 10 de diciembre de 1999, Ar/9727).

Por lo demás, respecto de los profesionales titulados, el Tribunal Constitucional no considera antagónicos la colegiación obligatoria y el derecho de libertad sindical: «*a la vista de los arts. 28 y 36 CE, la colegiación para quienes ejercen profesiones tituladas no impide que puedan sindicarse, participando en la fundación de organizaciones sindicales o afiliándose a las existentes, sin perjuicio de que, en cuanto titulado, sea miembro de una corporación profesional*». Razón por la que la creación de entes corporativos no puede suponer ningún tipo de obstáculo o dificultad para la libre creación y funcionamiento de sindicatos (SSTC de 15 de julio de 1987, de 11 de mayo de 1989, de 19 de julio de 1989 o de 14 de abril y de 16 de junio de 1994).

Para el Tribunal Constitucional (STC de 29 de julio de 1985), la exclusión legal del derecho de constitución de sindicatos de los trabajadores autónomos, «*se justifica primordialmente por el ejercicio de la actividad sindical, y que ésta se caracteriza por la existencia de otra parte ligada al titular del derecho por una relación de servicios y frente a la que se ejercita. Lo que no podría hacer un sindicato de trabajadores autónomos*».

Por su parte, el art. 19.1 del Estatuto del Trabajo Autónomo (ETA) reconoce a los trabajadores autónomos el derecho de afiliarse a sindicatos o a asociaciones empresariales y a fundar y a afiliarse a asociaciones profesionales específicas de trabajadores autónomos.

Las asociaciones profesionales de trabajadores autónomos se regularán por la Ley Orgánica 1/2002, de 22 de marzo, reguladora del derecho de asociación y sus normas de desarrollo, salvo en lo regulado con carácter especial por el ETA (art. 20.1 ETA).

Estas asociaciones profesionales deberán inscribirse y depositar sus estatutos en el Registro Especial del Ministerio de Empleo o en la correspondiente Oficina de la Comunidad Autónoma, tratándose de un Registro distinto del de los sindicatos y asociaciones empresariales (art. 20.3 ETA).

Como sucede con los sindicatos, las asociaciones profesionales de trabajadores autónomos podrán constituir federaciones, confederaciones y uniones (art. 19.2 ETA) y solo podrán ser suspendidas o disueltas mediante resolución firme de la autoridad judicial fundada en incumplimiento grave de las leyes (art. 20.5 ETA).

El art. 21 del ETA crea la figura de la «*asociación profesional representativa de los trabajadores autónomos*», siendo tal la que demuestre una «*suficiente implantación*» en el ámbito territorial de actuación, de acuerdo con una serie de «*criterios objetivos*», tales como el grado de afiliación, el número de asociaciones con las que haya firmado convenios o acuerdos de representación o de otra naturaleza, los recursos humanos y materiales, los acuerdos de interés profesional en que haya participado y cualesquiera otros criterios de naturaleza similar y de carácter objetivo.

Estos criterios se desarrollarán por norma reglamentaria y la condición de«*asociación representativa de ámbito estatal*» será declarada por un Consejo de funcionarios de la Administración General del Estado y por expertos de reconocido prestigio, imparciales e independientes.

Las asociaciones profesionales de trabajadores autónomos ejercerán la defensa y tutela colectiva de los intereses profesionales de los trabajadores autónomos (art. 19.2 e) ETA) y, en concreto, podrán concertar *«acuerdos de interés profesional»* de eficacia personal aplicativa limitada para los trabajadores autónomos económicamente dependientes (TRADEs) (arts. 3.2, 13 y 19.2 ETA), tendrán capacidad jurídica para actuar en representación de los trabajadores autónomos a efectos de representación institucional, consulta, gestión de programas públicos y de cualquier otra función establecida legal o reglamentariamente (art. 25.1 ETA) y tendrán derecho a participar en el sistema no jurisdiccional de solución de las controversias colectivas de los trabajadores autónomos cuando esté previsto en los *«acuerdos de interés profesional»*.

28. La situación sindical de los parados, discapacitados y jubilados. El art. 1.2 de la LOLS considera trabajadores, a los efectos de la misma, a los que *«sean sujetos de una relación laboral»*. La exigencia de ser *«sujeto»* de la relación parece hacer referencia a la necesidad de que la misma esté viva cuando pretenda ejercerse el derecho de libertad sindical.

Con anterioridad a la LOLS, la jurisprudencia (STS de 11 de diciembre de 1979, para los jubilados; SSTS de 11 de abril y 6 de diciembre de 1979 y 21 de abril de 1981, para los parados; o STS de 16 de diciembre de 1979, para pensionistas y jubilados) venía negando la posibilidad de formar sindicatos integrados exclusivamente por parados o pensionistas, aunque sí admitía la posibilidad de su afiliación a sindicatos ya existentes de trabajadores.

En esta misma línea, la LOLS dispone en su art. 3.1 que «… *los trabajadores en paro y los que hayan cesado en su actividad laboral como consecuencia de su incapacidad o jubilación podrán afiliarse a las organizaciones sindicales constituidas con arreglo a lo expuesto en la presente ley, pero no fundar sindicatos que tengan precisamente por objeto la tutela de sus intereses singulares, sin perjuicio de su capacidad para constituir asociaciones al amparo de la legislación específica»*.

La idea de un *«interés colectivo antagónico sindicalizable»* aparece aquí muy claramente, tanto del lado potencial —por cuanto si hoy están en situación pasiva mañana pueden pasar a la situación activa y por ello están interesados en las reivindicaciones propiamente laborales—, como del lado actual —por cuanto los problemas de los parados o de los pensionistas deben preocupar y preocupan efectivamente a los sindicatos—.

En este sentido, la SAN de 28 de septiembre de 1990, haciendo llamada a los arts. 7 de la CE y 2 y 3 de la LOLS señala que «*la función asignada a los sindicatos en el primero de los preceptos citados, de contribuir a la defensa y promoción de los intereses económicos y sociales que les son propios, no puede agotarse con su dedicación a los trabajadores en activo*».

Desde este punto de vista, resulta plenamente justificada la posibilidad de que puedan afiliarse a sindicatos de trabajadores ya constituidos. Lo que ya no resulta tan justificable es la negativa legislativa de la posibilidad de constituir sindicatos a estos colectivos. La exclusión de la capacidad fundacional de sindicatos realizada por el art. 3.1 de la LOLS es, indudablemente, una opción política, cuya explicación habrá que buscarla en el hecho de que el interlocutor natural de un sindicato exclusivo de parados o pensionistas es el poder político, al cual se le podrían plantear incómodas situaciones en materia de desempleo o de reforma de pensiones (OJEDA).

29. La limitación de la actividad sindical en los establecimientos militares. En cuanto a los trabajadores dependientes de la Administración militar, la LOLS no establece limitación alguna respecto a su derecho de libre sindicación. Tan sólo establece una limitación al ejercicio de sus derechos sindicales en la Disposición Adicional Tercera, al señalar que «*el derecho reconocido en el apartado d) del número 1, artículo 2* (el derecho a la actividad sindical) *no podrá ser ejercido en el interior de los establecimientos militares*».

El sentido de esta Disposición Adicional es el de prohibir la organización y la actividad sindical dentro de los establecimientos militares. Y dado que la organización y actividad sindical en el ámbito de la empresa forman parte del contenido del derecho a la libertad sindical reconocido en los arts. 7 y 28.1 CE a todos los trabajadores y a sus sindicatos sin otras posibles limitaciones que las derivadas de otros derechos o intereses constitucionalmente protegidos (SSTC de 23 de noviembre de 1981 y de 14 de marzo de 1985), sólo podrían venir limitadas en atención al principio de «*neutralidad sindical*» de las Fuerzas Armadas (art. 28.1 CE) y/o a la «*defensa nacional*» (arts. 1.2, 8.1 y 30 CE). Pero ni la referencia constitucional a las Fuerzas Armadas es locacional sino subjetiva, ni parece que la idea de la «*defensa nacional*» pueda justificar una prohibición total de la presencia y actividades sindicales en el interior de los establecimientos militares, por lo que podría dudarse de la constitucionalidad de esta limitación legal.

El personal civil no funcionario dependiente de establecimientos militares está sujeto a la Administración militar por una relación laboral, cuyo régimen jurídico se contiene esencialmente en el RD de 13 de junio de 1980. Y al ser personal contratado laboral —no funcionario ni asimilado—, no queda comprendido dentro de las posibles peculiaridades o excepciones que, en materia de libertad sindical, prevé el art. 28.1 CE para aquéllos colectivos. El contenido de la libertad sindical debe ser, pues, análogo al resto de trabajadores por cuenta ajena.

Ello no obstante, en el RD de 13 de junio de 1980 existen dos preceptos que vienen a establecer limitaciones al derecho de libre sindicación:

1º) El art. 63.2.d), según el que es falta muy grave *«la realización de actividades sindicales que se refieran al ejercicio o divulgación de opciones concretas de grupos sindicales dentro de los recintos militares».*

2º) El art. 86.2 según el que *«ningún tipo de acción que represente, promueva o divulgue, directa o indirectamente, opciones concretas de grupos sindicales, podrá ejercitarse dentro de los recintos militares».*

Estas limitaciones pueden tener especial trascendencia en relación con la propaganda sindical en caso de elecciones a representantes de los trabajadores y en materia de ejercicio del derecho de huelga y de reunión.

La cuestión que se plantea es la de si la exclusión que realiza la Disposición Adicional Tercera de la LOLS de la actividad sindical en el interior de los establecimientos militares puede o no tacharse de inconstitucional.

La cuestión fue afrontada por la STC de 13 de mayo de 1991, partiendo de la base de que *«la finalidad que persigue la LOLS, al prohibir la actividad sindical en el interior de los establecimientos militares, es la preservación de la neutralidad de las FFAA»*, para separarse, a continuación, de la doctrina sentada en la anterior STC de 23 de noviembre de 1981 (sobre la integración dentro del contenido del derecho de libertad sindical del de la organización y actividad sindical en la empresa), al señalar que *«la restricción del derecho de libertad sindical que contiene la disposición adicional tercera de la LOLS tiene un alcance meramente locativo o geográfico que no impide el ejercicio del derecho a la actividad sindical que los trabajadores o sus sindicatos decidan realizar en lugares distintos al interior de los establecimientos militares».*

En todo caso, el Tribunal Supremo (STS de 11 de junio de 1997, Ar/5701) ha resaltado la interpretación restrictiva que hay que hacer de la Disposición Adicional Tercera de la LOLS.

30. La situación sindical de los extranjeros que trabajan en España. El Convenio nº 87 de la OIT reconoce el derecho a la libertad sindical a los trabajadores *«sin ninguna distinción»*, sin que quepa la discriminación en esta materia por razón de nacionalidad. Según ello, comoquiera que ni la CE ni la LOLS distinguen, el derecho de libre sindicación vendrá reconocido no sólo a los trabajadores nacionales sino también a los extranjeros, aplicándose así el principio de territorialidad.

El art. 11 de la LO 4/2000, de 11 de enero, sobre derechos y libertades de los extranjeros en España y su inserción social (modificada en este punto por la LO 8/2000, de 22 de diciembre) señala que *los extranjeros tendrán derecho a sindicarse libremente o a afiliarse a una organización profesional, en las mismas condiciones que los trabajadores españoles*, siendo inconstitucional la anterior exigencia legal de tener que contar con autorización de estancia o residencia en España (STC de 7 de noviembre de 2007).

31. La libertad sindical y la edad del trabajador. La edad del trabajador no será tampoco causa posible de discriminación en cuanto al derecho de sindicación.

La expresión del Convenio nº 87 de la OIT, reconociendo la libertad sindical a los trabajadores *sin ninguna distinción*, viene a implicar también que la capacidad para ser trabajador será suficiente para poder ejercer los derechos sindicales reconocidos, sin necesidad de haber llegado a la mayoría de edad civil.

32. La libertad sindical de los funcionarios públicos (Ver infra, Tema 10).

b) El ámbito objetivo: la actividad política del sindicato

33. El objeto de los sindicatos en la CE. El art. 7 de la CE atribuye literalmente a los sindicatos de trabajadores la función de *defensa y promoción de los intereses económicos y sociales que les son propios*. Definición más restrictiva que la del art. 10 del Convenio nº 87 de la OIT que habla de *fomentar y defender los intereses de los trabajadores*, aunque la fórmula empleada por el Convenio ha dado lugar a una doctrina de gran ambigüedad por parte del Comité de Libertad Sindical. La colocación estratégica del art. 7 de la CE, referido a los sindicatos y a las asociaciones empresariales, detrás del art. 6, referido a los partidos políticos, a los que define como *instrumento fundamental para la participación política*, parece apoyar esta reducción funcional del sindicato, separando así lo político de lo económico, el interés político del interés profesional, lo ciudadano de lo laboral.

Esta visión contradice, desde luego, la realidad histórica y actual constatable conforme a la cual partidos políticos y sindicatos, si bien utilizan medios distintos (el voto, los partidos; la negociación colectiva, la participación institucional y la huelga, los sindicatos), luchan por los mismos fines (tanto en la vida política como en la económica).

En la Constitución es posible encontrar argumentos para proceder a una distinta interpretación del art. 7:

1º) De una parte, este artículo no es definitivo por ambiguo. Realmente la misma dicción de *intereses económicos y sociales* parece indicar que no sólo se contemplan los intereses *«económicos»* del trabajador como parte de una relación laboral, sino también sus intereses *«sociales»* como miembro de una clase social que actúa en el marco de una sociedad global. Dentro de los *«intereses sociales»* podrían integrarse todos los que puedan resultar abordados por una política estatal de reformas (económica, vivienda, transportes, fiscal, enseñanza, etc.).

2º) Por otra parte, el propio art. 28.2 de la CE reconoce el derecho de huelga a los trabajadores para la defensa de *«sus intereses»*, sin reducirlos a meros intereses profesionales o económico-sociales. De esta manera, parece reconocerse la posibilidad de una cierta huelga política (STC 36/1993, de 8 de febrero o STS de 1 de febrero de 1991, Ar/1094), ampliándose así el campo de acción de los sindicatos (ver infra).

3º) Asimismo, el art. 131 de la CE, pese a su postergación aplicativa, prevé la constitución de un Consejo con participación de los sindicatos, a fin de participar en la elaboración de los proyectos de planificación.

Acaso quepa concluir que el art. 7 de la CE parece fijar únicamente la funcionalidad mínima y necesaria por debajo de la cual no existe el sindicato, lo que no impide a éste ir más lejos de la simple *«defensa y promoción de los intereses económicos y sociales»*, cumpliendo también funciones de naturaleza política en el campo de las *«condiciones de vida en general»* (cultura, educación, formación profesional, ocio, seguridad social, emigración, vivienda, impuestos, etc.).

34. La posibilidad de acción política del sindicato en la legislación infraconstitucional. El art. 1.1 de la LOLS repite la misma dicción constitucional al reconocer *«el derecho a sindicarse libremente para la promoción y defensa de sus intereses económicos y sociales»*, no aportando en este sentido nueva luz acerca de la polémica interpretativa del texto constitucional.

Sin embargo, en el articulado de la LOLS se hace expresa referencia a posibles actuaciones de naturaleza claramente política. Esto sucede con el art. 6.3.a), referido a una de las prerrogativas atribuidas a los sindicatos más representativos a nivel estatal: *«ostentar representación institucional ante las Administraciones Públicas y otras entidades y organismos de carácter estatal o de Comunidad Autónoma que la tenga prevista»*.

Así pues, toda la participación institucional del sindicato en organismos públicos y la política de concertación social llevada a cabo entre el Estado, las asociaciones empresariales y los sindicatos, realidad constatable en nuestra experiencia sindical desde hace años, constituye una actividad política del sindicato perfectamente aceptada por nuestro ordenamiento (ver infra).

Del mismo modo, cuando en la legislación infraconstitucional se señalan las diferencias entre sindicatos y asociaciones profesionales, se hace especial hincapié en los fines estrictamente profesionales de las segundas. Así, por ejemplo, el art.

40.1 de la LOPJ señala, para las asociaciones profesionales de jueces y magistrados, que «*podrán tener como fines lícitos la defensa de los intereses profesionales de sus miembros...*», sin que puedan «*...tener vinculaciones con partidos políticos o sindicatos*» (ver infra). Lo cual parece indicar «*a sensu contrario*» que el objeto de los sindicatos puede ir más allá de los intereses profesionales.

El argumento puede, sin embargo, no ser definitivo, por cuanto también hay configurados legalmente sindicatos con finalidades estrictamente profesionales (art. 18.1 Ley 2/1986, de 13 de marzo, de Fuerzas y Cuerpos de Seguridad), aunque lo son para supuestos en los que el legislador infraconstitucional ha utilizado la posibilidad del art. 28.1 de la CE de «*limitar*» el ejercicio de derecho a la libertad sindical (ver infra).

c) La constitución de sindicatos

35. La convalidación de las organizaciones sindicales anteriores a la LOL. Las organizaciones sindicales constituidas en aplicación de la Ley 19/1977, de 1 de abril, con personalidad jurídica en la fecha de entrada en vigor de la LOLS, fueron automáticamente convalidadas por ésta, conservando el derecho a su denominación, sin que en ningún caso se produjera una solución de continuidad en su personalidad (Disposición Final Primera. 1 LOLS). La LOLS, en este sentido, no supuso ruptura alguna con el régimen sindical que comenzó a instaurarse en nuestro país durante el denominado período de la transición política.

36. El alcance del art. 2.1.a) de la LOLS. Como primera concreción de la libertad sindical individual, el art. 2.1 a) de la LOLS reconoce «*el derecho a fundar sindicatos sin autorización previa*». La expresión es una síntesis de los arts. 7 y 28.1 de la CE (derecho a fundar sindicatos y creación libre de los mismos) y 2 del Convenio 87 OIT (sin autorización previa). La redacción del precepto plantea una serie de cuestiones:

1ª) En cuanto al número de trabajadores necesarios para constituir un sindicato, el derecho a fundar sindicatos hay que entenderlo referido a todos los sujetos individualmente considerados que quedan cubiertos por el ámbito subjetivo delimitado por la LOLS, con lo que podría pensarse que para fundar un sindicato bastaría la sola voluntad de un sujeto sin que se exija legalmente la concurrencia de varias voluntades individuales. Sin embargo, el art. 4 de la LOLS habla en plural de «*promotores*» y de «*firmantes del acta de constitución*». Ahora bien, la LOLS no exige un número mínimo determinado para que pueda procederse a la fundación de un sindicato y, al límite, cabría incluso, la fundación de un sindicato por un solo sujeto (STC de 29 de noviembre de 1990).

2ª) La libertad de constitución del sindicato supone, desde luego, la no necesidad de autorización previa del Estado. Pero esta libertad se predica también frente a los empresarios, considerándose, por ello, acto de injerencia empresarial el consistente en *«fomentar la constitución de sindicatos»* (arts. 13.2 LOLS y Convenio 98 OIT). Cosa distinta es la de probar que ese fomento empresarial se ha producido en este momento (STC de 1 de julio de 1997).

3ª) Para la constitución de un sindicato, en cuanto que declaración de voluntad productora de unas determinadas consecuencias jurídicas, se va a exigir constancia escrita. Así, en el art. 5 de la LOLS se habla del *«acta de constitución del sindicato»*. Del mismo modo, formando parte del acta o no, deberán redactarse los estatutos del sindicato mismo (art. 4 LOLS).

2.2. La libertad de afiliación

37. La libertad de afiliación y sus garantías. La libertad sindical individual se concreta también en la libertad de afiliación. Libertad cuya efectividad necesita protegerse tanto del propio sindicato como del empresario (STC de 23 de noviembre de 1981).

a) Las garantías frente al sindicato

38. Las cláusulas estatutarias de admisión de miembros. Constituido el sindicato, los trabajadores tienen el derecho de *«afiliarse a estas organizaciones, con la sola condición de observar los estatutos de las mismas»* (art. 2 Convenio nº 87 OIT). El art. 28.1 de la CE reconoce el derecho de los trabajadores a afiliarse al sindicato de su elección. Y el artículo 2.1.b) de la LOLS señala que *«la libertad sindical comprende… el derecho del trabajador a afiliarse al sindicato de su elección con la sola condición de observar los estatutos del mismo»*.

De la lectura de estos preceptos parecería que para el ingreso en el sindicato basta con la mera solicitud del trabajador interesado con el compromiso de observar sus estatutos.

La cuestión, sin embargo, no es tan simple, dado que el art. 4.2.d) de la LOLS exige, como una de las menciones necesarias de los estatutos sindicales, *«los requisitos y procedimientos para la adquisición… de la condición de afiliado»*. De donde parece deducirse que los estatutos de los sindicatos pueden complicar la admisión de afiliados, pudiendo llegarse al rechazo de la solicitud de afiliación. La cuestión reside, entonces, en la licitud de estas posibles cláusulas estatutarias.

39. Valoración constitucional de las cláusulas estatutarias. La valoración de las cláusulas estatutarias en materia de admisión de miembros hay que hacerla a la luz del principio de democraticidad en materia de estructura y funcionamiento del sindicato que exige el art. 7 de la CE.

Así, resultarán inconstitucionales las que establezcan discriminaciones afiliativas por cualquiera de las circunstancias relacionadas en el art. 14 de la CE (nacimiento, raza, sexo, religión, opinión o cualquier otra condición o circunstancia personal o social) (STS de 21 de julio de 1998, Ar/7509). También podrían considerarse inconstitucionales las que restringiesen las posibilidades de ingreso en el sindicato a sólo los nacionales. Cláusulas estatutarias de este tipo, impeditivas de la libre afiliación sindical, podrían ser, además, consideradas ilegales por atentatorias de la libertad sindical en los términos de los arts. 13 y concordantes de la LOLS.

Pero las cláusulas estatutarias en materia de admisión de miembros deben valorarse también desde la perspectiva del objeto del sindicato, esto es, de la defensa y promoción de los intereses de los trabajadores (art. 7 CE) en el ámbito geográfico y funcional de actuación (art. 4.2.b) LOLS). Y, en este último sentido, no resultarían ilegítimas cláusulas estatutarias de exclusión del sindicato (ALONSO OLEA):

a) De quien no pertenezca a la profesión.

b) De quienes pertenezcan a otro sindicato del mismo ámbito (ATC 214/2004, de 2 de junio).

c) De quienes no presenten la solicitud avalada por algunos miembros del sindicato.

40. El control judicial del poder disciplinario sindical. Al derecho del sindicato de expulsión del trabajador hace referencia el art. 4.2.d) de la LOLS, al indicar que los estatutos del sindicato deberán referirse a los requisitos y procedimientos para la «*pérdida de la condición de afiliado*».

La posibilidad de controlar judicialmente las decisiones del sindicato en relación con los afiliados al mismo o con aquellos que pretendan serlo viene contemplada en el art. 2.k) de la LJS al atribuir competencia a los órganos jurisdiccionales del orden social para conocer de los litigios que se promuevan «*en materia de régimen jurídico específico de los sindicatos, tanto legal como estatutario, en todo lo relativo a su funcionamiento interno y a las relaciones con sus afiliados*» (STC de 21 de mayo de 2001 o STS de 6 de julio de 2000, Ar/6624).

En este sentido, tiene declarado el Tribunal Supremo que: a) no toda sanción disciplinaria interna supone violación del derecho de libertad sindical, incluso aunque se evidencie que el sancionado no incurrió en la falta imputada (STS de 20 de mayo de 1995, Ar/3990) y b) que las normas estatutarias deben ser interpretadas de modo favorable a los sancionados (STS de 6 de junio de 1995, Ar/4763).

La modalidad procesal a utilizar será la del procedimiento de tutela de los derechos de libertad sindical, en cuya virtud, si se aprecia vulneración de este derecho, habrá que declarar la nulidad del acto sindical impugnado y la reposición de la situación al momento anterior a producirse dicha violación (art. 182.1 LJS).

El Tribunal Supremo mantiene en este sentido una postura restrictiva (SSTS de 18 de noviembre de 1991, Ar/8245, de 24 de septiembre de 1996, Ar/6857 o de 21 de julio de 1998, Ar/7059), según la que *no toda expulsión del sindicato genera la violación de tal derecho (de libertad sindical), ya que puede venir determinada por lo dispuesto en las leyes ordinarias o en los Estatutos del sindicato, sin que las discrepantes posturas que con respecto a su aplicación material mantengan las partes fuerce a que una pretensión con tal objeto haya de ser sustanciada por esta modalidad procesal, que es adecuada tan sólo para dispensar tutela judicial ante la violación de la libertad sindical y otros derechos fundamentales*.

En cuanto al plazo de prescripción de la acción para reclamar contra la decisión del sindicato que deniegue la afiliación al mismo o contra el correspondiente acuerdo de expulsión, el Tribunal Supremo (SSTS de 2 de noviembre de 1999, Ar/9185 o de 24 de octubre de 2000, Ar/9563) ha sentado la siguiente doctrina:

a) A falta de norma legal expresa, deberían ser los estatutos del sindicato los que deberían fijar un posible plazo razonable para la impugnación judicial de sus acuerdos, siempre que no quedasen vulnerados los principios de tutela judicial efectiva al imponer requisitos impeditivos o desproporcionados para el acceso a la vía jurisdiccional.

b) A falta de previsión expresa en los estatutos del sindicato, debe descartarse la aplicación supletoria de los quince años de prescripción de la acción del art. 1964 del Código Civil, por vulnerar el principio de celeridad que es uno de los que deben orientar la interpretación y aplicación de las normas procesales laborales.

c) La normativa supletoria a aplicar sería, dada la identidad de razón entre materias semejantes, el art. 12 del Decreto de 20 de mayo de 1965, que desarrolla la Ley de Asociaciones, que establece un plazo caducidad de cuarenta días desde su adopción para impugnar acuerdos contrarios a los estatutos. De este modo, los acuerdos y actuaciones del sindicato que sean contrarios a los estatutos sindicales, podrán impugnarse en el plazo de caducidad de cuarenta días a partir de la fecha de su adopción.

d) Para la impugnación de los acuerdos y actuaciones del sindicato que sean contrarios a las leyes, se aplicará el plazo de prescripción de un año, por analogía con el art. 59.1 ET. Este sería el plazo que habría que aplicar para impugnar el acto de expulsión de un afiliado del sindicato, ya que no debe configurarse, a efectos impugnatorios, como un mero acto contrario a los estatutos sindicales, sino que debe calificarse, sin perjuicio de la resolución de fondo que se adopte, como un posible acto contrario a la ley.

b) Las garantías frente al empresario

41. La prohibición de discriminación sindical en la admisión al empleo: las listas negras. En el ordenamiento jurídico español, según los arts. 14 (que proclama la igualdad de los españoles ante la ley sin que pueda prevalecer ningún tipo de discriminación) y 28.1 de la CE (que establece el derecho de todos a sindicarse libremente y a afiliarse al sindicato de su elección, prohibiendo expresamente que nadie pueda ser obligado a afiliarse a ningún sindicato), interpretados a la luz de lo previsto en el art. 1.2.a) del Convenio nº 98 OIT («*los trabajadores deberán gozar de adecuada protección contra todo acto de discriminación tendente a menoscabar la libertad sindical en relación con su empleo. Dicha protección deberá ejercerse especialmente contra todo acto que tenga por objeto: a) sujetar el empleo de un trabajador a la condición de que no se afilie a un sindicato o la de dejar de ser miembro de un sindicato*») y en el art. 14.1.a) del Convenio nº 117 de la OIT («*uno de los fines de la política social deberá ser el de suprimir toda discriminación entre los trabajadores fundada en motivos de… afiliación a un sindicato en materia de: b) Admisión a los empleos, tanto públicos como privados*»), existe una prohibición de discriminación sindical en el empleo.

Como ha señalado el Tribunal Constitucional, «*dentro del contenido esencial del derecho de libertad sindical garantizado por el art. 28.1 CE se encuadraría, pues, el derecho del trabajador a no sufrir, por razón de su afiliación o actividad sindical, menoscabo alguno en su situación profesional o económica en la empresa*» (STC de 31 de marzo de 1998). Se trata, en definitiva, de una «*garantía de indemnidad*» que prohíbe cualquier diferencia de trato por razón de la afiliación sindical o actividad sindical de los trabajadores y sus representantes, en relación con el resto de los trabajadores (SSTC de 31 de enero de 2000, de 16 de junio de 2003, de 2 de noviembre de 2004, de 8 de mayo de 2006 o de 10 de septiembre de 2007).

En la legislación de desarrollo constitucional, cabría citar en este sentido los arts. 12 de la LOLS y 17.1 del ET, el art. 4.2.c) del ET y el art. 16.2 de la LISOS.

Así pues, aunque en nuestro ordenamiento jurídico resultaría ilícita la circulación de «*listas negras*» entre empresarios comunicándose nombres de trabajadores a los que, por razones sindicales, no se juzga conveniente contratar, las dificultades probatorias radican en la existencia consagrada en la legislación de la libertad de contratación empresarial que podría servir de vehículo para encubrir auténticas discriminaciones por razones sindicales.

42. La prohibición de discriminación sindical en la relación de trabajo. El empresario puede atentar contra la libertad sindical de afiliación de los trabajadores mediante la utilización de los poderes empresariales organizativos y disciplinarios con fines antisindicales.

La prohibición de esta práctica empresarial se encuentra contemplada en el Convenio nº 98 de la OIT cuyo art. 1.2.b) protege la libertad sindical del trabajador contra todo acto empresarial que tenga por objeto *«despedir a un trabajador o perjudicarle en cualquier otra forma a causa de su afiliación sindical o de su participación en actividades sindicales fuera de las horas de trabajo o, con el consentimiento del empleador, durante las horas de trabajo».* Y, de un modo más particularizado, en el Convenio 117 de la OIT cuyo art. 14.1 manifiesta que *«uno de los fines de la política social deberá ser el de suprimir toda discriminación entre los trabajadores fundada en motivos de… afiliación a un sindicato en materia de… c) condiciones de contratación y ascenso; d) facilidades para formación profesional; e) condiciones de trabajo; f) medidas de higiene, seguridad y bienestar; g) disciplina; i) tasas de salarios».*

En la legislación española, los arts. 12 de la LOLS y 17.1 del ET prohíben, entre otras cosas, *«las decisiones unilaterales del empresario que contengan o supongan cualquier tipo de discriminación… en las condiciones de trabajo, sean favorables o adversas, por razón de la adhesión o no a un sindicato, a sus acuerdos o al ejercicio, en general, de actividades sindicales»,* sancionándose los actos empresariales discriminatorios, directos o indirectos, con su nulidad y carencia de efectos (art. 12 LOLS).

El Tribunal Constitucional ha declarado con carácter general que *«dentro del contenido esencial del derecho de libertad sindical, garantizado por el art. 28.1 CE se encuadraría, pues, el derecho del trabajador a no sufrir, por razón de su afiliación o actividad sindical, menoscabo alguno en su situación profesional o económica en la empresa»* (STC de 31 de marzo de 1998).

Bien entendido, además, que, como ha señalado el propio Tribunal Constitucional (SSTC de 9 de mayo de 1994, de 11 de junio de 1994, de 19 de junio de 1995 o de 29 de mayo de 1996), el art. 28.1 de la CE cubre no sólo a los trabajadores afiliados a un sindicato, sino también a aquéllos que, sin estar afiliados, siguen actividades lícitas promovidas por los propios sindicatos. De modo que *«la represalia o sanción frente a estas conductas vulneraría el art. 28.1 CE. El propio legislador lo ha entendido así, al incluir en la sanción de nulidad los actos o normas que supongan discriminación "por razón de la adhesión… a sus acuerdos (del sindicato) o al ejercicio en general de actividades sindicales" (art. 12 LOLS), y también en términos análogos se ha pronunciado anteriormente este Tribunal»* (SSTC 38/1981 y 197/1990).

En cualquier caso, la prohibición de discriminaciones empresariales por razones sindicales no impide, como es obvio, el ejercicio regular de los poderes empresariales (SSTC de 18 de octubre de 1993, de 6 de junio de 1995 o de 18 de diciembre de 2000). Aunque, en términos generales, «*los poderes o facultades empresariales no pueden usarse como pretexto para quebrantar el ámbito de libertad protegido en el art. 28.1 CE*» (STC de 9 de mayo de 1994).

La prohibición de actos empresariales discriminatorios por razones sindicales viene referida, finalmente, a la extinción de la relación laboral, calificándose de despido nulo el que tuviera por móvil la discriminación por razones sindicales (arts. 55.5 ET y 108.2 LJS).

2.3. La libertad sindical negativa

a) *La libertad de no afiliación sindical y de abandono del sindicato*

43. La pérdida de la condición de afiliado. La libertad sindical individual comprende también «*el derecho del trabajador a separarse del sindicato del que estuviese afiliado*» (art. 2.1.b) de la LOLS), lo que significa el derecho a no afiliarse a ningún sindicato y el derecho a abandonar el sindicato en el que estuvo afiliado.

A nivel internacional, la libertad individual del trabajador de retirar su afiliación al sindicato se halla protegida frente a actos del empresario que tiendan a menoscabarla. El art. 1.2.b) del Convenio nº 98 de la OIT considera como posible acto discriminatorio necesitado de especial protección el «*sujetar el empleo de un trabajador a la condición de dejar de ser miembro de un sindicato*». Y el art. 20.2 de la Declaración Universal de Derechos Humanos establece que «*nadie podrá ser obligado a pertenecer a una asociación*» (SSTEDH de 13 de agosto de 1981 y de 11 de enero de 2006, reconociendo que la libertad sindical negativa se encuentra dentro de la libertad sindical).

En el mismo sentido se manifiestan los arts. 17.1 ET y 12 de la LOLS, prohibiendo las discriminaciones por razón de adhesión o no a los sindicatos y a sus acuerdos.

De este modo, la no afiliación sindical debe ser consecuencia de un acto libremente querido por el trabajador y no producto de presiones empresariales (STS de 19 de mayo de 1995, Rec. 6826/1990). Y en este contexto debe ser interpretado el art. 4.2.d) de la LOLS al exigir como mención necesaria en los estatutos del sindicato «*los requisitos para la… pérdida de la condición de afiliado*».

b) *Las cláusulas de seguridad sindical*

44. La OIT y las cláusulas de seguridad sindical. El reconocimiento de la libertad sindical no va acompañado a nivel internacional de un expreso reconocimiento de la denominada libertad sindical negativa. Así, el art. 2 del Convenio nº 87 de la OIT silencia este aspecto, siendo la tendencia actual, a los efectos de conseguir una mayor eficacia sindical, la de limitar la libertad sindical negativa. Se considera en este sentido antisocial la postura sindical abstencionista, al situar el tema de la libertad sindical negativa en su vertiente colectiva y no individual, esto es, al poner en relación los derechos del sindicato y los derechos de los trabajadores.

La falta de expreso reconocimiento de la libertad sindical negativa está estrechamente relacionada con la licitud o no de las denominadas *«cláusulas de seguridad sindical»* impuestas al empresario en la negociación colectiva que pretenden, bajo diversas modalidades, obligar al empresario a contratar sólo trabajadores afiliados, y, de este modo, inducir a los trabajadores a afiliarse a los sindicatos firmantes del convenio colectivo. De entre las *«cláusulas de seguridad sindical»* destacan:

a) La *«closed shop»* o *«de taller cerrado»*, que impide al empresario contratar a los trabajadores no pertenecientes al sindicato firmante del convenio colectivo donde esta cláusula se establece.

b) La *«union shop»* o de *«taller sindicado»*, que deja al empresario en libertad para contratar a sus trabajadores pero exigiendo que, después de un período de prueba, el trabajador no perteneciente al sindicato firmante del convenio colectivo se afilie a él y, si no lo hiciera, que el empresario lo despida.

c) La *«preferential hiring»* o *«de empleo preferente»*, que obliga al empresario a dar empleo preferente a los trabajadores afiliados en el sindicato firmante del convenio colectivo. Desde luego, si el sindicato no le presentase suficientes candidatos, puede el empresario contratar trabajadores no afiliados.

d) La *«maintenance of membership»*, *«de exclusión por separación»* o *«de mantenimiento de la afiliación»*, que obliga al empresario a despedir a aquellos trabajadores que hayan dejado de pertenecer al sindicato firmante del convenio colectivo y que suele ser complementaria de la anterior.

e) La *«porcentage shop»* o *«de sindicación mínima»*, que obligan a tener un porcentaje determinado de la plantilla afiliado al sindicato firmante.

f) La cláusula de *«ventajas reservadas»* a los afiliados al sindicato firmante del convenio colectivo, lo que viene a suponer la eficacia reducida total o parcial del mismo a los trabajadores representados por el sindicato firmante.

El Convenio nº 98 de la OIT no ha solucionado a nivel general el problema de la licitud o ilicitud de estas cláusulas de seguridad sindical, pues su art. 1º prohíbe únicamente los actos unilaterales empresariales discriminatorios por razones sindicales. El Convenio no toma así posición sobre el problema, dejando en libertad a cada país para reglamentar esta cuestión, prohibiendo o autorizando tales prácticas.

45. La cuestión en el Derecho Español. El art. 28.1 de la CE reconoce expresamente la libertad sindical negativa al proclamar que *«nadie podrá ser obligado a afiliarse a un sindicato»* (SSTC de 22 de noviembre de 1982, de 22 de febrero de 1983, de 14 de febrero de 1985 o de 22 de abril de 1993).

La inclusión de alguna cláusula de seguridad sindical en la negociación colectiva, estatutaria o extraestatutaria, que condicione la adquisición o el mantenimiento del empleo a la afiliación sindical, atentaría contra el art. 35.1 de la CE (que establece el derecho al trabajo y a la libre elección de profesión u oficio), el art. 28.1 de la CE (que declara expresamente que nadie puede ser obligado a afiliarse a un sindicato), el art. 4.2.c) del ET (que establece el derecho del trabajador a la no discriminación en el empleo o una vez empleado por razones de afiliación o no a un sindicato) y los arts. 17.1 del ET y 12 de la LOLS (que establecen la nulidad de las cláusulas de convenios colectivos que contengan discriminaciones favorables o adversas por razón de afiliación o no a sindicatos), si bien admitiendo diferencias de trato justificadas objetivamente (STS de 20 de enero de 2006, en cuanto al crédito horario).

46. La admisibilidad de las cláusulas de ventajas reservadas. En cuanto a las cláusulas de ventajas reservadas, habrá que tener presente con carácter general la doctrina sentada en la STC de 22 de noviembre de 1982, según la cual *«es cierto que el derecho de sindicación que el artículo 28.1 CE consagra, comprende la libertad sindical negativa…Sin embargo de ello no se puede extraer la consecuencia de que el derecho reconocido por el artículo 28.1 de la CE impida que el legislador atribuya unos derechos a los trabajadores sindicados o que el contenido de los derechos de éstos sea diverso que el de aquellos que no se sindiquen, pues en tal caso no se está haciendo la sindicación obligatoria y la diferencia de régimen jurídico será legítima si lo es dentro del campo del artículo 14 de la CE, siempre que no entrañe presión o coacción».*

En nuestro derecho, la licitud del establecimiento en convenio colectivo de ventajas reservadas a los afiliados a los sindicatos negociadores dependerá del tipo de convenio colectivo que se negocie. Así:

a) Si el convenio colectivo es *«estatutario»*, al tener dicho convenio colectivo una eficacia jurídica normativa y una eficacia personal *«erga omnes»*, se estaría entonces ante una norma jurídica que no puede establecer discriminaciones por razones de afiliación sindical, prohibidas en los arts. 17.1 ET y 12 LOLS, que serían nulas.

b) Por el contrario, si el convenio es *«extraestatutario»*, al ser su eficacia personal limitada a los solos afiliados a los sindicatos negociadores desde la perspectiva de los trabajadores, la diferencia de tratamiento laboral entre trabajadores afiliados o no al sindicato negociador quedaría justificada por la eficacia personal limitada del convenio colectivo. El distinto régimen jurídico de los trabajadores no afiliados estaría justificado en el propio derecho constitucional a la libertad sindical (VALDÉS). Ello no obstante, en la práctica, resulta imposible la reserva de derechos a los trabajadores afiliados, ya que debe admitirse en todo caso la adhesión al convenio colectivo extraestatutario del trabajador no afiliado al sindicato firmante.

c) Otras cláusulas potenciadoras de la presencia sindical en la empresa

47. Su posibilidad y clases. A diferencia de lo que ocurre con las cláusulas de seguridad sindical, las cláusulas convencionales que tratan de fortalecer la presencia sindical en la empresa no encuentran obstáculo legal alguno para su existencia.

Y ello porque el art. 85.1 del ET, para los convenios estatutarios, señala como posible contenido de los mismos «*el ámbito de relaciones de los trabajadores y sus organizaciones representativas con el empresario y las asociaciones empresariales*». Esta posibilidad de negociar en los convenios colectivos materias sindicales viene también indirectamente reconocida en el art. 8.8 de la

LISOS que considera infracción legal muy grave por parte del empresario «*la transgresión de las cláusulas normativas en materia sindical establecidas en los convenios colectivos*».

Desde esta perspectiva, cabe hacer referencia al «*descuento empresarial de la cuota sindical*», a la «*cuota empresarial por gastos del convenio*» y a la «*cuota de solidaridad por negociación*».

48. El descuento empresarial de la cuota sindical: su regulación legal. El art. 11.2 de la LOLS señala que «*el empresario procederá al descuento de la cuota sindical sobre los salarios y a la correspondiente transferencia a solicitud del sindicato del trabajador afiliado y previa conformidad, siempre, de éste*».

El precepto no se refiere a que en un convenio colectivo se haya pactado una cláusula de descuento ya que, por expreso mandato legal, el empresario tiene la obligación de descontar siempre que el sindicato correspondiente lo solicite (STSJ País Vasco, de 25 de noviembre de 1993, Ar/5121).

En este sentido, la eventual negativa empresarial al descuento de la cuota sindical podría ser considerada por el sindicato como una lesión empresarial del derecho de libertad sindical, tutelable judicialmente a través de los arts. 13 y concordantes de la LOLS (STSJ Canarias, de 30 de septiembre de 1993, Rec, 150/1993).

El descuento empresarial de la cuota sindical supone ventajas para el sindicato en cuanto que se asegura el ingreso regular de las cuotas sindicales (STC de 13 de enero de 1998) y elimina la figura del recaudador de cuotas. Pero también puede

suponer una eventual ventaja para el empresario en cuanto que le revela qué trabajadores de la empresa están afiliados al sindicato (STS de 15 de abril de 1996,
Ar/3080), ya que el descuento sólo es posible si el empresario conoce la afiliación
del trabajador. Ahora bien, en la medida en que el trabajador tiene derecho a
ocultar su afiliación sindical (art. 16.2 CE: «*nadie podrá ser obligado a declarar
sobre su ideología, religión o creencias*»; STC de 18 de octubre de 1993), este
derecho podría ser violado si el descuento se realizase sin la previa conformidad
del trabajador.

En todo caso, el conocimiento de la afiliación sindical de los trabajadores que
pueda tener la empresa a efectos del descuento de la cuota sindical no puede
utilizarse para fines distintos de éste. Caso de hacerlo, estaríamos ante un acto
unilateral del empresario discriminatorio por razones sindicales. Así, la STC de 13
de enero de 1998, referida a la utilización por la empresa de la clave informática
correspondiente para efectuar los descuentos correspondientes a huelga. La STS
27 de marzo de 1995, Ar/2337, no considera sin embargo utilización para fines
distintos de los que motivaron su entrega la aportación a juicio del listado de
afiliados que conocía la empresa a efectos del descuento de la cuota sindical para
confrontarlo con el de trabajadores que se habían adherido a un pacto de eficacia
limitada.

Por su parte, la STS de 30 de junio de 2008 (Rec. 4217/2008) considera que no
es antisindical la demora en la transferencia al sindicato de las cuotas descontadas
a los trabajadores afiliados.

49. La cuota empresarial por gastos del convenio: posible ilegalidad. Por lo
que respecta al establecimiento en convenio colectivo de la llamada «*cuota empresarial por gastos del convenio*», consistente en una aportación obligatoria de
los empresarios afectados por el convenio, a favor de los sindicatos negociadores,
de cuantía variable en función del número de los trabajadores que tuviesen empleados cada una de las empresas comprendidas dentro del ámbito de aplicación
del convenio, su licitud vino negada en la STCT de 22 de abril de 1982, en base, fundamentalmente, a la violación que supone del Convenio nº 98 de la OIT
que prohíbe la injerencia de las organizaciones empresariales en los sindicatos de
trabajadores, entendiendo por injerencia cualquier tipo de medida que tienda a
sostenerlos económicamente con objeto de obtener un cierto control sobre ellos.

En la LOLS este tipo de cláusulas no se contempla, por lo que es previsible el
mantenimiento de la postura jurisprudencial negativa, dado, además, que el art.
13.2 considera expresamente atentado a la libertad sindical el que los empresarios sostengan económicamente o en otra forma sindicatos con un propósito de
control.

50. La cuota de solidaridad por negociación: su admisibilidad legal. Por lo que respecta a la llamada «*cuota de solidaridad por negociación*» (el denominado «*canon de negociación*»), cuota a recaudar por la empresa, obligatoria para todos los trabajadores afectados por el convenio, estuviesen o no afiliados a los sindicatos negociadores, con anterioridad a la LOLS, la doctrina judicial (SSTCT de 14 de julio de 1981 y 6 y 22 de mayo de 1982) negaba igualmente su licitud. Los argumentos eran fundamentalmente los siguientes:

a) En primer lugar, que el establecimiento de esta cuota de solidaridad obligatoria para los trabajadores no afiliados a los sindicatos negociadores del convenio no entra dentro de las materias susceptibles de negociación contempladas en el art. 85.1 del ET, ya que lo que se permite es negociar posibles relaciones entre las organizaciones sindicales y los empresarios, pero no las relaciones entre esas organizaciones sindicales y los trabajadores no afiliados a las mismas.

b) En segundo lugar, que conculca el art. 28.1 de la CE según el cual «*nadie puede ser obligado a afiliarse a un sindicato*», en cuanto que la afiliación a un sindicato comporta entre otros deberes el de cotizar a la organización elegida, de donde resulta que por convenio colectivo no puede imponerse coactivamente uno de los deberes típicos del afiliado a sujetos que no lo son.

c) En tercer lugar, que conculca igualmente el art. 133.1 de la CE («*la potestad originaria para establecer tributos corresponde exclusivamente al Estado mediante Ley*») en cuanto que la cuota de solidaridad por negociación viene a establecer, vía convenio colectivo, una especie de impuesto sindical.

d) Y, por último, que tampoco se puede justificar esta cláusula en base a que los convenios colectivos pretendan configurarse como contratos a favor de terceros, figuras que nada tienen nada que ver con la negociación colectiva.

En el art. 11.1 de la LOLS se establece que «*en los convenios colectivos podrán establecerse cláusulas por las que los trabajadores incluidos en su ámbito de aplicación atiendan económicamente a la gestión de los sindicatos representados en la comisión negociadora, fijando un canon económico y las modalidades de su abono. En todo caso se respetará la voluntad individual del trabajador, que deberá expresarse por escrito en la forma y plazos que se determinen en la negociación colectiva*».

El establecimiento de esta cláusula de solidaridad en la negociación tiene como finalidad conseguir un medio de financiación de los sindicatos representados en la comisión negociadora del convenio.

Sobre la constitucionalidad del canon por negociación, la STC de 29 de julio de 1985 ha sentado la siguiente doctrina:

a) La cuantía total a percibir por los sindicatos representados en la comisión negociadora no podrá exceder de los gastos que por todos los conceptos ocasiona la negociación del respectivo convenio.

b) No es admisible la imposición del canon a reserva de la voluntad en contrario, y sin que se pueda exigir tampoco una manifestación negativa de voluntad, que supondría, sin duda, una presión sobre el trabajador.

c) El canon por negociación, dado su carácter y finalidad, no puede confundirse en ningún caso con la cuota sindical que deben abonar a cada sindicato los trabajadores que forman parte del mismo.

d) El canon por negociación no resulta una figura extraña a la negociación colectiva, porque su objeto es una cláusula de potenciación de los sindicatos y por estar su causa en la negociación colectiva misma entendida como un servicio a todos los trabajadores, está vinculado al propio acto que lo establece.

e) La negociación no podrá referirse a la determinación de la cuantía del canon, sino a la asunción por el empresario del deber de descontar su importe, de donde se deduce su impracticabilidad.

3. *La libertad sindical colectiva o autonomía sindical*

3.1. La libertad de reglamentación

51. Su reconocimiento. La autonomía normativa o libertad de reglamentación se concreta en el derecho de los sindicatos a elaborar sus propios estatutos y reglamentos.

La libertad de reglamentación no viene reconocida expresamente en el art. 28.1 de la CE, aunque se deduce implícitamente del art. 7 de la CE al señalar que *«su creación y el ejercicio de su actividad son libres dentro del respeto a la Constitución y a la ley»* (STC de 14 de mayo de 1992).

Con base en el Convenio nº 87 de la OIT que expresamente la reconoce (art. 3º), el art. 2.2.a) de la LOLS establece que *«las organizaciones sindicales, en el ejercicio de la libertad sindical, tienen derecho a: a) Redactar sus estatutos y reglamentos»*.

52. La distinción entre Estatutos y Reglamentos sindicales. En cuanto a su contenido, en el Estatuto se establecerán las líneas generales de la organización y el funcionamiento del sindicato, que podrán luego ser concretadas en el correspondiente Reglamento.

En cuanto a su confección, se suele atribuir a un órgano específico y exigir unas mayorías determinadas para la elaboración de los Estatutos. Por el contrario, la aprobación y modificación del Reglamento no suele someterse a un procedimiento tan rígido.

Desde luego, si el Reglamento es concreción de lo previsto en el Estatuto, no podrá extralimitarse en su función, desvirtuando lo previsto en el Estatuto.

El depósito del Estatuto (no del Reglamento, cuya elaboración y aprobación se hará, obviamente, en un momento posterior) es un requisito imprescindible para la adquisición de la personalidad jurídica por parte del sindicato (ver infra).

53. La prohibición de intervención de la Autoridad Pública. El art. 3 del Convenio nº 87 de la OIT atribuye a los sindicatos *«el derecho de redactar sus estatutos y reglamentos administrativos»* añadiendo que *«las autoridades públicas deberán abstenerse de toda intervención que tienda a limitar este derecho o entorpecer su ejercicio legal»*.

El problema que se plantea en el derecho español es el de determinar hasta qué punto las exigencias de contenido mínimo de los estatutos del sindicato que prevé el art. 4.2 de la LOLS se adecúan o no a la libertad de reglamentación que se predica de la libertad sindical (ver infra).

3.2. La libertad de representación

54. Contenido. A la luz del art. 3.1 y 2 del Convenio nº 87 de la OIT (art. 10.2 de la CE), el art. 2.1.c) de la LOLS establece que *«la libertad sindical comprende el derecho de los afiliados a elegir libremente a sus representantes dentro de cada sindicato»*.

55. La elección de los representantes conforme a principios democráticos. El art. 4.2 c) de la LOLS establece tan solo una genérica limitación a esta libertad de representación (*el régimen de provisión electiva de sus cargos… habrá de ajustarse a principios democráticos»*), reiterando así la exigencia genérica constitucional de democraticidad sindical (art. 7 CE).

El funcionamiento democrático del sindicato obliga a que su vida interna se ajuste a unas exigencias mínimas de participación de los afiliados en la elección de sus cargos, en la deliberación directamente o por medio de representantes de sus acuerdos más importantes y en el debate sobre sus actividades y programas de acción (SSTS de 7 de febrero de 1995, Ar/783 o de 18 de septiembre de 2001, Ar/8448).

No establece, por lo demás, nuestra legislación otro tipo de limitación referido a la libertad de representación, como podrían ser determinadas causas de inelegibilidad o de destitución de dirigentes sindicales, representación de corrientes minoritarias, etc., temas que, en consecuencia, entran dentro de la plena libertad de los sindicatos para establecerlas o no dentro del lógico respeto a la «democraticidad» antes señalada.

No hay duda, sin embargo, que unos estatutos que limitaran los derechos electorales activos o pasivos de determinados afiliados, discriminándoles en base a la raza, las opiniones políticas, el sexo u otra causa de discriminación no justificada, incurrirían a no dudar en violación del carácter democrático del régimen de provisión electiva.

3.3. La libertad de gestión

56. La libertad de gestión interna y externa. En línea con lo dispuesto en el art. 3 del Convenio nº 87 de la OIT, el art. 2.2.a) de la LOLS establece que «*las organizaciones sindicales, en el ejercicio de la libertad sindical, tienen derecho a: a) Organizar su administración interna y sus actividades y formular su programa de acción*»; y el art. 2.2.d) de la LOLS que «*las organizaciones sindicales, en el ejercicio de la libertad sindical, tienen derecho a: b) El ejercicio de la actividad sindical en la empresa o fuera de ella, que comprenderá, en todo caso, el derecho a la negociación colectiva, al ejercicio del derecho de huelga, al planteamiento de conflictos individuales y colectivos y a la presentación de candidaturas para la elección de comités de empresa y delegados de personal y de los correspondientes órganos de las Administraciones Públicas, en los términos previstos en las normas correspondientes*».

Se establece así, un doble derecho a la libertad de gestión (interna y externa), esto es, al ejercicio de la actividad sindical tanto en la empresa como fuera de ella.

a) Libertad de gestión interna

57. Las injerencias empresariales. La libertad de gestión interna del sindicato implica su independencia respecto del Estado y respecto de los empresarios y sus organizaciones empresariales.

La prohibición de los actos de injerencia empresarial viene expresamente prevista en el art. 13 de la LOLS considerando como tales «*los actos de injerencia consistentes en fomentar la constitución de sindicatos dominados o controlados por un empleador o una asociación empresarial, o en sostener económicamente o en otra forma sindicatos con el mismo propósito de control*».

Lo decisivo en el tipo legal es el dominio o control empresarial del sindicato, en cuanto que no toda contribución económica empresarial al sindicato puede llevar a esa finalidad (DEL REY).

Ese dominio o control empresarial se evidenciará a través de una serie de indicios: firma de convenios colectivos favorables para el empresario y perjudiciales para los trabajadores, actitud de reiterada hostilidad hacia la huelga, etc. La violación de la libertad sindical comienza a producirse desde que se inicia la injerencia empresarial, pero solo se manifiesta cuando el control o el dominio quedan evidenciados. Y solo entonces se puede decir que aquella lesión se ha producido (STS de 22 de octubre de 1993, Ar/7856).

En todo caso, resulta de difícil prueba la injerencia empresarial en la vida del sindicato. Así, por ejemplo, el hecho de que un sindicato en un escaso tiempo haya tenido una notable implantación y un éxito electoral puede evidenciar tanto injerencias empresariales como un notable grado de eficacia en su dirección y actividad (SSTS de 9 de febrero de 1996, Ar/1007 o de 16 de abril de 1999, u.d., Ar/4423).

58. Las injerencias de la Administración: las subvenciones a los sindicatos. En cuanto a la posible injerencia de la Administración Pública en las finanzas de los sindicatos, habrá que estar a la doctrina del Comité de Libertad Sindical de la OIT en este punto, según la cual *«la independencia financiera implica que las organizaciones no estén financiadas de manera tal que estén sujetas a la discreccionalidad de los poderes públicos»*. Lo cual no excluye posibles ayudas financieras del poder público a los sindicatos, con la finalidad de promocionar el hecho sindical o reforzar a los sindicatos existentes, siempre que con ello no se coarte su libertad de organizarse y de formular su programa de acción (STC de 14 de mayo de 1992).

En España, el tema se ha planteado respecto de las Leyes Generales de Presupuestos, en base a las que los sindicatos españoles reciben subvenciones estatales *«para la realización de actividades socio culturales, promoción de los trabajadores, organización de actividades de carácter formativo y otras dentro de los fines de aquellas»*.

Dado que el reparto, según el criterio legal inicial, había de hacerse a las centrales sindicales más representativas, la postura del Tribunal Constitucional fue la de entender que *«no es un criterio objetivo y razonable el atribuirla en exclusiva a las centrales más representativas, como medida proporcionada…; pudiéndose producir, además, una inducción o presión indirecta para la afiliación de los trabajadores a determinados sindicatos»* (SSTC de 14 de febrero de 1985, de 22 de febrero y de 13 de junio de 1985).

El criterio de reparto de subvenciones fue corregido a partir de 1987, consignándose créditos *«a las organizaciones sindicales de trabajadores en proporción a su representatividad»* (por todas, de 30 de septiembre de 1993, Ar/6565).

Por lo que respecta a las subvenciones a los sindicatos previstas en las Leyes de Presupuestos Autonómicas, el Tribunal Supremo ha sentado la doctrina siguiente:

a) Cuando la finalidad de la subvención fuera la colaboración de los sindicatos en la realización de estudios encaminados a la mejora de ciertas estructuras, no hay razón para que la subvención se reparta de modo distinto entre los sindicatos más representativos y los que no tengan ese carácter (STS de 2 de octubre de 1992, Ar/7744).

b) Si la finalidad de la subvención es compensar gastos originados por la actividad sindical, no es discriminatorio favorecer a los sindicatos más representativos, *«pues resulta obvio que éstos tienen unos gastos que los menos representativos no tienen»* (STC 147/2001, de 27 de junio o STS de 29 de abril de 1996, Ar/3755).

c) No es discriminatorio el criterio de reparto de la subvención basado en la participación de los sindicatos en las mesas de negociación previstas en el Estatuto Básico del Empleado Público (SSTS de 30 de septiembre de 1993, Ar/6565, de 12 de marzo de 1992, Ar/1993 o de 9 de diciembre de 1992, Ar/10141).

d) Tampoco es constitucionalmente objetable subvencionar la participación institucional atribuida legalmente a los sindicatos más representativos, siempre que se den dos condicionamientos básicos: la trasparencia en la dotación finalista de las dotaciones y la proporcionalidad entre el fin objetivo marcado en la ley y los medios facilitados para su consecución (SSTS de 7 de julio de 1995, Ar/5973. de 12 de marzo de 1991, Ar/2270 o de 19 de febrero de 2001, Ar/2129, 2130 y 2131).

59. La injerencia de la Administración: la cesión de inmuebles patrimoniales públicos. Cuestión relacionada con la injerencia estatal en la libertad de gestión de los sindicatos es la de los criterios seguidos por la Ley 4/1986, de 8 de enero, de cesión de bienes del patrimonio sindical acumulado (STS de 29 de junio de 2000, Ar/7784). Según ella:

1º) El objeto de la cesión es el de satisfacer directamente las necesidades de funcionamiento de las organizaciones cesionarias y en especial de aquellas que por su condición de más representativas deben cumplir las funciones que les asigna el ordenamiento jurídico.

2º) La preferencia en la cesión a las organizaciones más representativas está subordinada al mantenimiento de esa condición por parte de la entidad beneficiaria.

El RD 1671/1986, de 1 de agosto, señala en su art. 11.1.a) que *«las cesiones se extinguirán: a) por extinción de la personalidad del cesionario o pérdida por éste de su representatividad. En el supuesto de un descenso sustancial de la misma, la extinción se producirá en proporción a la pérdida de representatividad»*.

3º) Las cesiones se efectuarán de acuerdo con criterios de distribución geográfica por Comunidades Autónomas, con las correcciones de carácter provincial o en su caso local precisas para asegurar siempre la adecuada distribución entre las diferentes entidades beneficiarias, en atención a su representatividad global.

La Ley de cesión de bienes del patrimonio sindical acumulado fue objeto de recurso de inconstitucionalidad, en base, fundamentalmente, a dos razones: el establecimiento de criterios de diferenciación entre sindicatos más representativos y los que no lo son, y los efectos negativos sobre los sindicatos no beneficiados por la cesión, en la medida en que ello entrañaría una presión indirecta sobre los trabajadores para no afiliarse al sindicato de su elección.

Ambos argumentos fueron rechazados por la STC de 14 de mayo de 1992, en base a que:

a) El derecho a beneficiarse de cesiones de bienes de uso público es un derecho adicional o accesorio, no integrante del contenido esencial de la libertad sindical. Consiguientemente, no queda cubierto por la prohibición de interferencia pública en las organizaciones sindicales, prevista en el art. 28.l CE y en el 3.1 del Convenio nº 87 de la OIT que *«no prohíben aquellas acciones públicas que, sin restringir la autonomía del sindicato, pretenden promocionar el hecho sindical o incrementar la fuerza de los sindicatos existentes»*.

b) Cuando se produce una intervención pública de la naturaleza descrita (una cesión de inmuebles públicos) difícilmente podrán evitarse efectos negativos para los sindicatos no beneficiados. Si estos efectos fueran buscados, siendo la actuación pública un mero mecanismo para desanimar la afiliación a unos sindicatos y para animar la afiliación respecto de otros sindicatos concretos, la libertad sindical sería, obviamente, conculcada. Si la medida de apoyo que la ley regula no tiene esa finalidad, la peor condición de los sindicatos desfavorecidos es legítima en cuanto no sea tan manifiestamente desproporcionada que ocasione una restricción anulando o entorpeciendo gravemente sus posibilidades de cumplir los fines que le son propios, y, por ello mismo, produciendo un efecto directo de desalentar la afiliación a esos sindicatos.

Lo que, sin embargo, fue declarado inconstitucional (STC 183/1992, de 16 de noviembre) fue el diseño de la composición de la comisión de consulta —con participación inicialmente solamente de los sindicatos más representativos—, en cuanto que no daba entrada a sindicatos que no ostentasen la condición de más representativos. Y es que *«al reparto del patrimonio sindical acumulado están llamados todos los sindicatos*», ya que se puede dudar razonablemente de la imparcialidad de los sindicatos más representativos al respecto, en cuanto que ellos tienen un «*específico interés propio*» en la gestión de dicho patrimonio sindical. En definitiva, «*en la comisión consultiva del patrimonio sindical son los intereses del conjunto de los trabajadores y empresarios los que deben prevalecer sobre los particulares de los sindicatos y organizaciones patronales, sean más representativos o no*».

Con base en esta sentencia, el RD 930/1993, de 18 de junio, cambió los criterios de composición de la citada comisión consultiva por el de la participación proporcional en base a los índices de audiencia electoral acreditados.

b) Libertad de gestión externa

60. Su contenido. La libertad de gestión externa de los sindicatos viene referida a la existencia de mecanismos a través de los cuales puedan llevar a cabo el objeto para el que se constituyeron. De entre los varios imaginables, el Comité de Libertad Sindical de la OIT considera que son esenciales dos: la negociación colectiva y la huelga.

En este contexto, el art. 2.2.d) de la LOLS enumera el dintel mínimo de actuación permitido a todos los sindicatos, en la empresa, o fuera de ella, con independencia de su mayor o menor representatividad: los derechos de negociación colectiva, de huelga, de planteamiento de conflictos individuales o colectivos o la presentación de candidaturas a las elecciones de representantes del personal «*en los términos previstos en las normas correspondientes*» (ver infra).

3.4. La libertad de suspensión y disolución

61. La suspensión y disolución judicial de los sindicatos. La libertad sindical colectiva tiene otra exigencia que es la libertad de suspensión y disolución. Al tema no hace referencia el art. 28.1 CE sino el art. 4 del Convenio nº 87 de la OIT al señalar que «*las organizaciones de trabajadores… no están sujetan a disolución o suspensión por vía administrativa*», admitiendo sólo como formas de disolución la voluntaria y la judicial (STS de 18 de septiembre de 2001, Ar/8448).

En cuanto a la suspensión o disolución judicial, el art. 2.2 de la LOLS establece que «*las organizaciones sindicales, en el ejercicio de la libertad sindical, tienen derecho a… no ser suspendidas ni disueltas sino mediante resolución firme de la autoridad judicial, fundada en incumplimiento grave de las leyes*».

Así pues, la LOLS exige un incumplimiento grave de las leyes y que la resolución judicial que pronuncie la suspensión o disolución del sindicato sea firme, es decir, no susceptible de ningún recurso ulterior (ver arts. 33, 515 y 520 del Código Penal, sobre disolución de asociaciones ilícitas).

En cuanto a la suspensión o disolución voluntaria o autónoma, la ley exige que sea democrática. Esto significa que debe ser la asamblea o congreso de afiliados el órgano que adopte tal decisión. En todo caso, el art. 4.2.d) de la LOLS exige que figure en los estatutos *«el régimen de fusión y disolución del sindicato»*.

62. Las consecuencias patrimoniales y contractuales de la disolución. En cuanto al reparto del patrimonio sindical resultante en los casos de disolución judicial de un sindicato, serán los estatutos y en su defecto la voluntad soberana de la asamblea de afiliados los que establezcan los criterios oportunos, pudiendo incluso acordar su reparto entre los afiliados (OJEDA).

El art. 39 del Código Civil, referido a la extinción de las personas jurídicas en general, reconoce expresamente tal solución al indicar que, *«si... (por cualquier causa)... dejasen de funcionar... las asociaciones... se dará a sus bienes la aplicación que los... estatutos... les hubieran en esta previsión asignado»*. Por su parte, el Comité de Libertad Sindical no ve dificultad en que los bienes sindicales se repartan entre los afiliados al sindicato.

En contra se ha manifestado FERNÁNDEZ LÓPEZ, argumentando en base al carácter no lucrativo del sindicato y a la inaplicabilidad a éste del art. 39 del Código Civil, entendiendo que la asamblea que decida la disolución del patrimonio no podrá repartirlo entre los socios, *«pudiendo destinarse, por ejemplo, a otras entidades que persiguieran fines similares»*.

63. El orden jurisdiccional competente en materia de suspensión y disolución. El orden jurisdiccional competente para conocer de las cuestiones sobre disolución de sindicatos —judicial o voluntaria—, así como lo relativo a las escisiones sindicales y temas conexos con la misma, será el social.

En términos amplios, el art. 2 de la LJS atribuye al orden jurisdiccional social competencia para los litigios que se planteen *«sobre constitución y reconocimiento de la personalidad jurídica de los sindicatos, impugnación de los estatutos y su modificación»* [apartado j)]; *«sobre la responsabilidad de los sindicatos... por infracción de normas de la rama social del derecho»* [apartado m)]; y sobre *«régimen jurídico específico de los sindicatos, tanto legal como estatutario, en todo lo relativo a su funcionamiento interno y a las relaciones con sus afiliados»* [apartado k)].

3.5. La libertad de federación

64. El fundamento y el contenido de la Libertad de Federación. Los arts. 28.1 de la CE y 2.2.b) de la LOLS indican, en congruencia con el art. 5 del Convenio nº

87 OIT, que las organizaciones sindicales tienen derecho a *«constituir federaciones, confederaciones y organizaciones internacionales, así como afiliarse a ellas y retirarse de las mismas»*. La ausencia de referencia alguna a las *«uniones»* territoriales e intersectoriales resulta irrelevante por tratarse de supuestos de federación horizontal de los sindicatos (OJEDA).

La razón de ser de esta libertad de federación debe encontrarse en la esencia misma del sindicalismo, esto es, en la solidaridad de los trabajadores que no se limita a una empresa, rama o nación (STC de 24 de noviembre de 1987).

De otra parte, el Convenio nº 87 establece que *«las disposiciones de los apartados 2, 3 y 4 de este convenio se aplican a las federaciones y confederaciones de organizaciones de trabajadores»* (art. 6).

De esta manera, las organizaciones sindicales tendrán derecho a constituir federaciones y confederaciones y afiliarse a ellas *«sin ninguna distinción»* y sin autorización previa, con la sola condición de observar los estatutos de las mismas. También tendrán derecho a *«redactar sus estatutos y reglamentos administrativos, elegir libremente sus representantes, organizar su administración y sus actividades y formular su programa de actuación»*, debiendo abstenerse la autoridad pública de toda intervención que tienda a limitar este derecho o entorpecer su ejercicio legal. Igualmente, estas federaciones y confederaciones *«no estarán sujetas a disolución y suspensión por vía administrativa»*.

El procedimiento para constituir federaciones o confederaciones sindicales de carácter nacional será el mismo que para la constitución de sindicatos.

Las federaciones y confederaciones sindicales tienen así su propia personalidad jurídica. Pero también continúan conservando la suya propia los sindicatos que se integran en aquellas. Así lo apreció la STC de 17 de julio de 1981, al señalar que *«es posible distinguir la personalidad jurídica de las asociaciones sindicales y la de las federaciones y confederaciones que aquellas formen»*.

En materia de libertad de federación y confederación, la cuestión reside en la existencia de vínculos de control de la confederación sobre las federaciones y los sindicatos que la integran, sobre todo, en aquellos casos en que, existente ya la correspondiente confederación, se pretende integrar en la misma una entidad sindical menor.

Si la confederación es la que establece las líneas generales ideológicas y de actuación, a ellas deberán plegarse los entes sindicales que pretendan afiliarse. Pero también deberán hacerlo a las exigencias estructurales que puedan contener los Estatutos de la propia confederación. Exigencias que, en muchos casos, actuarán como límite a la libertad de redacción de Estatutos por parte de los entes sindicales menores.

Así lo ha declarado el Tribunal Supremo al señalar que «*para el establecimiento de vínculos federativos o confederativos entre entidades sindicales no es bastante la mera adhesión unilateral, reflejada en tal documento, sino que se requiere además la declaración de aceptación de tal adhesión por parte de la entidad en la que se ha solicitado la incorporación y afiliación*» (STS de 15 de julio de 1991, Ar/5986).

En definitiva, si los sindicatos tienen derecho a afiliarse libremente a las federaciones y confederaciones «*con la sola condición de observar los estatutos de las mismas*» (art. 2 Convenio nº 87 OIT), esta observancia puede exigir, en ocasiones, la previa necesidad de modificar los Estatutos del sindicato para que pueda producirse su ingreso en la federación o confederación correspondiente.

65. La constitución de organizaciones sindicales internacionales y la afiliación a ellas. La constitución o afiliación a organizaciones internacionales plantea los mismos problemas que a nivel nacional, si bien su carácter internacional limitará sus posibilidades de control sobre las organizaciones nacionales de trabajadores.

Como recuerda el Comité de Libertad Sindical de la OIT «*la solidaridad sindical internacional constituye uno de los objetivos básicos de todo movimiento sindical y ha inspirado la norma contenida en el artículo 5 del Convenio nº 87, según la cual toda organización o federación tiene el derecho de afiliarse a organizaciones internacionales de trabajadores*».

Los requisitos para la admisión vendrán fijados en los Estatutos de la organización internacional. Y, al ser aceptada una organización nacional solicitante, deberá proceder, en su caso, a la reforma de sus propios Estatutos.

4. *La unidad-pluralidad sindical*

4.1. Consideraciones generales

66. La libertad sindical y el pluralismo sindical: la tendencia a la unidad sindical. La pluralidad sindical es una consecuencia de la libertad de constitución de sindicatos. Esto no quiere decir, sin embargo, que libertad sindical y unidad sindical sean términos antitéticos por naturaleza sino simplemente que en un régimen de libertad sindical cabe el pluralismo sindical y que la unidad sindical sólo se consigue con un gran esfuerzo. Así pues, es posible la unidad sindical en la libertad.

El Convenio nº 87 de la OIT es neutral en este punto. No ha tomado partido ni por la unidad ni por la pluralidad, admitiendo tanto una como otra, siempre que sean voluntarias y libremente decididas. El Convenio únicamente se interesa por la libertad sindical. El Comité de Libertad Sindical ha señalado que aunque *«evidentemente el Convenio no ha querido hacer de la pluralidad sindical una obligación, por lo menos exige que ésta sea posible en todos los casos».*

67. Clases de unidad sindical. Existen, en todo caso, dos clases de unidad sindical:

a) La unidad orgánica, consistente en un sólo sindicato con organización y autoridad única. Y que resulta respetuosa con la libertad sindical si es producto de la voluntad de los propios afiliados y sindicatos, aunque resulta contraria a la misma si es impuesta por el Estado con el diseño legal de un sindicato único con afiliación obligatoria o voluntaria al mismo.

b) La unidad de acción, esto es, la colaboración de los distintos sindicatos, independientemente organizados, en una acción común más o menos esporádica o institucionalizada.

68. Los procedimientos para conseguir la unidad de acción sindical. Para conseguir la unidad de acción, existen dos procedimientos: un procedimiento impuesto y otro voluntario.

69. El procedimiento voluntario. La unidad de acción se consigue normalmente a través de los pactos intersindicales. La unidad de acción es, en este sentido, practicada en situaciones abiertamente conflictivas —convocatorias de jornadas de lucha, huelgas, manifestaciones—, como pacto que establece una plataforma reivindicativa común.

70. Los procedimientos impuestos: los mecanismos estatales para superar el pluralismo sindical. La postura de la OIT. El Estado, en algunos países, establece una serie de mecanismos superadores del pluralismo sindical.

El problema que plantean es el de hasta qué punto suponen un ataque a la autonomía o independencia sindical respecto del Estado, dado que con ellos se trata de mantener o de fijar el monopolio u oligopolio de uno o varios sindicatos para tomar parte en determinadas actividades. De hecho, la naturaleza de estos mecanismos es ambigua. Por un lado, funcionan como medios de apoyo a la implantación y al desarrollo del/los sindicato/s. Pero, por otro lado, pueden limitar la libertad de acción sindical al conceder el Estado privilegios a un sindicato sobre otros.

Estos mecanismos pueden reducirse básicamente a tres:

1) La atribución de representatividad a uno o más sindicatos considerados como el/los más representativos en atención a una serie de circunstancias.

2) La atribución de representatividad a una comisión única compuesta por delegados de los distintos sindicatos.

3) El reconocimiento de representatividad a un sindicato elegido por la base de una determinada circunscripción territorial y profesional.

De estos mecanismos, el primero de ellos (la fórmula del *«sindicato más representativo»*), es el que plantea mayores problemas, pues, a su través, el Estado puede beneficiar a algún sindicato que goce de su confianza. Los dos restantes son claramente respetuosos con todos los sindicatos.

Los Informes del Comité de Libertad Sindical de la OIT admiten con precauciones la figura del sindicato más representativo: *«Podrían acordarse ciertas ventajas… a los sindicatos en razón de su grado de representatividad (lo que no resulta) necesariamente incompatible con el Convenio nº 87… si se prevén al mismo tiempo una serie de garantías».* En todo caso, *«una distinción entre las organizaciones sindicales más representativas y las demás organizaciones sindicales… (no debe tener)… como consecuencia conceder a las organizaciones más representativas —carácter que se deriva de un mayor número de afiliados—, privilegios que excedan de una prioridad en materia de representación en las negociaciones colectivas, consultas con los Gobiernos, o incluso en materia de designación de los delegados ante organismos internacionales. En otras palabras, tal distinción no debería tener por consecuencia privar a las organizaciones sindicales que no hayan sido reconocidas como las más representativas de los medios esenciales para defender los intereses profesionales de sus miembros ni del derecho de organizar su gestión y actividad y de formular su programa de acción previsto por el Convenio nº 87».*

De esta manera, solo cabría atribuir prerrogativas en las denominadas *«acciones de participación»* (negociación colectiva y participación institucional) y no en las *«acciones de contestación o de reivindicación»*, que constituyen funciones primarias del sindicalismo, donde debe regir el más absoluto principio de igualdad entre los distintos sindicatos (huelga y planteamiento de conflicto colectivo).

4.2. Los sindicatos más representativos en la LOLS

71. Pluralismo y unidad sindicales. El panorama español viene caracterizándose por su pluralidad, sin que se haya conseguido una unidad orgánica.

Con respecto a la unidad de acción, aparte los encuentros y acciones conjuntas voluntariamente asumidas por diversas centrales sindicales (UGT y CCOO, singularmente) desde la entrada en vigor de la CE, conviene hacer detallada referencia a la figura del sindicato más representativo consagrada en la LOLS.

72. La admisibilidad del sindicato más representativo por el Tribunal Constitucional. Calificar un sindicato de más representativo significa que, si reúne unos determinados requisitos que el ordenamiento exige, se le va a atribuir un régimen particular y privilegiado respecto de otros sindicatos que no ostenten aquella condición.

Esto es lo que pretende expresar el art. 6.1 de la LOLS cuando indica que «*la mayor representatividad sindical reconocida a determinados sindicatos les confiere una singular posición jurídica a efectos, tanto de participación institucional como de acción sindical*». De esta manera, «*se potencia su actividad más allá de la lógica asociativa, ostentando una capacidad de acción de ámbito superior al mero círculo de afiliados*» (STC de 14 de mayo de 1992).

Y es que, como señala el propio Tribunal Constitucional (SSTC de 10 de noviembre de 1982, de 21 de noviembre de 1988 o de 14 de mayo de 1992), al implicar la libertad sindical un sistema de pluralismo sindical, la eficacia de los sindicatos resultaría mermada si sus posibilidades de actuación se atribuyesen por igual a todos ellos; de modo que «*la promoción de un cierto modelo sindical en el que potencie la existencia de sindicatos fuertes, en contraposición de un sistema de atomización, puede ser una finalidad legítima desde el punto de vista del art. 7 CE, por garantizar una más incisiva acción de los sindicatos para el cumplimiento de sus fines*».

Admitida así la constitucionalidad de la figura del sindicato más representativo, ello significa que legalmente se privilegia a unos sindicatos respecto de otros, con lo que podría acaso resultar vulnerado el art. 14 de la CE, sobre el principio de igualdad.

De este planteamiento parte la STC de 29 de julio de 1985 cuando señala que «*el planteamiento jurídico-constitucional del tema no puede prescindir de dos principios derivados del texto constitucional, cuya compatibilidad es preciso garantizar. En primer lugar, el de libertad sindical e igualdad de trato de los sindicatos, derivado del art. 28.1 de la Constitución (en relación con el 14); en segundo lugar, el de promoción del hecho sindical, que enlaza con el artículo 7 de la Constitución y sería obstaculizado con una defensa a ultranza del primero. En la tensión entre estos principios, el problema obviamente es de límites...*» (Fundamento jurídico n° 7). Para el Tribunal Constitucional «*no importa tanto el hecho de que unos sindicatos sean calificados legalmente de más representativos ni el modo en que se articulen los diversos grados de representatividad, cuanto los efectos que de ellos se deriven. Sólo en la medida en que determinada función o prerrogativa se reconozca a un sindicato y se niegue a otro, surge el problema de determinación de su adecuación a los artículos 14 y 28.1 de la CE*» (Fundamento jurídico n° 8), y «*tratándose de un problema de igualdad, el análisis adecuado a tal derecho fundamental ha de consistir en si la diferencia de trato está justificada»* (Fundamento jurídico nº 9).

73. El criterio legal para medir la mayor representatividad: la audiencia electoral del sindicato. De entre los diversos criterios que podrían ser utilizados para medir el grado de representatividad de un sindicato, el legislador español acoge solamente uno, con carácter exclusivo: el de la audiencia electoral del sindicato, medida a través de los resultados de las elecciones de representantes unitarios de trabajadores en las empresas (arts. 6 y 7 LOLS) (ver infra).

Respecto de este criterio de la audiencia electoral, el Tribunal Constitucional ha declarado que *«nada puede oponerse a esta forma de medición que parte de una relación entre el carácter del órgano y el interés que en él ha de representarse»* (STC de 29 de julio de 1985), si bien *«la objetividad de estos criterios (implantación y mayor representatividad) no significa, sin embargo, que sean ellos los únicos utilizables con cualquier propósito, del mismo modo que no implica que cualquier regulación apoyada en ellos sea constitucionalmente legítima, pues no lo es aquella que utiliza tales criterios para establecer un trato diferente respecto de materias que ninguna relación guardan con ellos»* (STC de 21 de enero de 1986).

Con base en lo dispuesto en el art. 75.7 del ET, *«corresponde a la oficina pública dependiente de la autoridad laboral…la expedición, a requerimiento del sindicato interesado, de las certificaciones acreditativas de su capacidad representativa…Dichas certificaciones consignarán si el sindicato tiene o no la condición de más representativo, salvo que el ejercicio de las funciones o facultades correspondientes requiera la precisión de la concreta representación ostentada»*.

Por su parte, la Disposición Adicional Primera de la LOLS señala que *«la condición de más representativo o representativo de un sindicato se comunicará en el momento de ejercer las funciones o facultades correspondientes, aportando el sindicato interesado la oportuna certificación expedida a su requerimiento por la oficina pública establecida al efecto»*.

74. Las clases de sindicatos más representativos. La LOLS distingue cuatro tipos de sindicatos en atención a su representatividad:

a) Los sindicatos más representativos a nivel estatal.

b) Los sindicatos más representativos a nivel de Comunidad Autónoma.

c) Los sindicatos más representativos por irradiación.

d) Los sindicatos simplemente representativos.

75. Los sindicatos más representativos a nivel estatal: requisitos. Tendrán la consideración de sindicatos más representativos a nivel estatal *«los que acrediten*

*una especial audiencia, expresada en la obtención en dicho ámbito del 10% o más
del total de delegados de personal o de los miembros de los comités de empresa
y de los correspondientes órganos de las Administraciones Públicas»* (art. 6.2.a)
LOLS).

La expresión *«sindicato más representativo a nivel estatal»* del art. 6.2.a) de la
LOLS refiere la mayor representatividad a nivel estatal a las confederaciones y no
a los entes sindicales que la integran (STC de 29 de julio de 1985). Y ello porque
el art. 6.2.a) no habla de ámbito funcional sino sólo de ámbito territorial estatal,
refiriendo al mismo la obtención del 10 por 100 o más del total de delegados de
personal o de los miembros de comités de empresa. Por el contrario, tanto en el
art. 6.3 como en el 7.2 las referencias se hacen a un ámbito territorial y funcional
específico.

**76. Los sindicatos más representativos a nivel de Comunidad Autónoma: re-
quisitos.** Tendrán la consideración de sindicatos más representativos a nivel de
Comunidad Autónoma *«los sindicatos de dicho ámbito que acrediten en el mismo una especial audiencia expresada en la obtención de, al menos, el 15% de
delegados de personal y de los representantes de los trabajadores en los comités
de empresa y en los órganos correspondientes de las Administraciones Públicas,
siempre que cuenten con un mínimo de 1.500 representantes y no estén federados
o confederados en organizaciones sindicales de ámbito estatal»* (art. 7.1 a) LOLS).

La referencia legal de la representatividad viene aquí también hecha a las
Confederaciones y no a los entes sindicales que las integran. Con el argumento
adicional de que, en este caso, el mínimo de 1.500 representantes exigible difícilmente se podría alcanzar, salvo que la expresión *«sindicatos más representativos a nivel de Comunidad Autónoma»* se entienda referida a las confederaciones
correspondientes.

A las confederaciones sindicales a nivel de Comunidad Autónoma la LOLS
exige, pues, la concurrencia de tres requisitos para que puedan gozar de la condición de más representativas:

1º. Que limiten su ámbito territorial al de la Comunidad Autónoma
correspondiente.

2º. Que hayan obtenido, al menos, el 15 por 100 de la totalidad de delegados
de personal y miembros de comités de empresa que se hayan elegido en el ámbito territorial de la Comunidad Autónoma. El porcentaje de representatividad se
alcanza con independencia del número de órganos de representación unitaria en
los que tenga presencia el sindicato de comunidad autónoma (STS de 13 de julio
de 1993, Ar/5673).

3º. Que ese porcentaje alcanzado suponga, al menos, 1.500 representantes.

Esta mayor rigurosidad legal se justifica por el Tribunal Constitucional en base a que la LOLS atribuye a las confederaciones sindicales más representativas a nivel de Comunidad Autónoma *«capacidad para ostentar representación institucional ante las Administraciones públicas u otras entidades y organismos de carácter estatal»* (STC de 29 de julio de 1981).

77. Los sindicatos más representativos por irradiación. La LOLS prevé la categoría de los sindicatos más representativos *«por irradiación»*, según terminología del Tribunal Constitucional.

Así, tendrán también la consideración de sindicatos más representativos los sindicatos o entes sindicales afiliados, federados o confederados a una organización sindical de ámbito estatal o de Comunidad Autónoma, que tengan la consideración de más representativa (arts. 6.2.b) y 7.1.b) LOLS).

Al determinarse la mayor representatividad de estos sindicatos exclusivamente por razón de la afiliación a las correspondientes confederaciones más representativas, se prescinde de cualquier otro dato basado en la efectiva implantación en su respectivo ámbito geográfico y funcional, o en los resultados obtenidos por el sindicato en las elecciones para miembros de comités de empresa o delegados de personal. Se permite así que *«determinados sindicatos o entes sindicales que no acrediten la implantación mínima del 10 por 100 prevista en el artículo 7.2, en un ámbito territorial y funcional específico, puedan ejercer en dicho ámbito las funciones ligadas a la mayor representatividad»* (STC de 29 de julio de 1985).

Aunque los arts. 6.3 y 7.1 de la LOLS consideran que los sindicatos más representativos por irradiación gozarán de capacidad representativa a todos los niveles territoriales y funcionales, el Tribunal Constitucional ha matizado obviamente que *«el reconocimiento —y por tanto el ejercicio— se contrae al específico ámbito territorial y funcional de cada uno»* (SSTC de 29 de julio de 1985 o de 16 de marzo de 1989).

La mayor representatividad por irradiación se ostenta, pues, para ser ejercida en el concreto ámbito geográfico y funcional que corresponda al sindicato irradiado.

Su razón de ser arranca de un dato objetivo que es la voluntad de los trabajadores y su finalidad reside en la opción legislativa de potenciar organizaciones de amplia base territorial (estatal y comunitaria) y funcional (intersectorial), que asegure la presencia en cada concreto ámbito de actuación de los intereses generales de los trabajadores, frente a una posible atomización sindical (STC de 29 de julio de 1985).

Se trata, pues, de asegurar en cada ámbito territorial y funcional posible de actuación sindical, la presencia de las confederaciones sindicales más representativas por la vía de los sindicatos irradiados integrados en las mismas. Lo cual plantea en la práctica no pocas disfuncionalidades, dado que sindicatos que en un ámbito geográfico y funcional no acrediten la implantación mínima del 10% podrán, sin embargo, ejercer en dicho ámbito las funciones ligadas a la mayor representatividad. Esto sucederá en la composición de la comisión negociadora de los convenios colectivos (ver infra) o en la distribución del canon por negociación (ver supra).

78. Los sindicatos simplemente representativos: requisitos. Gozan también de un régimen jurídico privilegiado *«las organizaciones sindicales que aún no teniendo la consideración de más representativas hayan obtenido en un ámbito territorial y funcional específico, el 10 por 100 o más de delegados de personal y miembros de comité de empresa y de los correspondientes órganos de la Administración pública»* (art. 7.2 LOLS).

Se trata de sindicatos a los que el Tribunal Constitucional denomina *«simplemente representativos»*, o el Tribunal Supremo *«de menor representatividad»* o *«representativos para ámbitos concretos»*, para diferenciarlos de los que son más representativos por irradiación y de las confederaciones que, a nivel estatal o de Comunidad Autónoma, resultan más representativas, según los criterios anteriores.

La asignación a estos sindicatos del carácter de *«simplemente representativos»* se hace en base al criterio de la audiencia del sindicato en las elecciones para comités y delegados de personal, exigiéndoles un porcentaje mínimo (el 10 por 100) del que se deduce implícitamente una real implantación en el ámbito correspondiente.

4.3. Las prerrogativas legales atribuidas a los sindicatos más representativos

79. La finalidad de los sindicatos más representativos. La atribución del carácter de *«más representativo»* a determinados sindicatos persigue una doble finalidad:

a) De un lado, conseguir un interlocutor válido, por responsable, tanto para los poderes públicos como para la contraparte empresarial.

b) De otro, potenciar la efectividad del sindicato. Por estas razones la ley atribuye en exclusividad a estos sindicatos más representativos unas determinadas prerrogativas en materia de acción sindical.

De ahí, que el alcance de la importancia del sindicato más representativo resida no sólo en los criterios determinantes de la mayor representatividad sino sobre todo en las funciones y prerrogativas atribuidas.

En este sentido, podría afirmarse que la finalidad básica de la LOLS no es otra que la de promocionar o incentivar la unidad sindical, evitando una excesiva atomización sindical, mediante la potenciación del sindicato más representativo estatal o, en su caso, de Comunidad Autónoma, por una doble vía:

a) La utilización del criterio de la *«irradiación o afiliación»* (vía orgánica) para su conceptuación y, sobre todo.

b) La atribución de una serie de prerrogativas en cuanto a la acción sindical (vía funcional) (MONEREO PÉREZ).

Una y otra caracterizadoras de una actitud legal de *«discriminación legalizada»*, cuyo alcance y legitimidad en sus aspectos funcionales se analizan a continuación.

80. La enumeración de las prerrogativas de los sindicatos más representativos. El art. 6 de la LOLS establece, en su párrafo primero, que la *«mayor represen-tatividad sindical reconocida a determinados sindicatos les confiere una singular posición jurídica a efectos, tanto de participación institucional como de acción sindical»*. Más adelante, en su párrafo tercero, señala que *«las organizaciones que tengan la consideración de sindicato más representativo según el número anterior, gozarán de capacidad representativa a todos los niveles territoriales y funciona-les»* en temas de:

a) Representación institucional ante la Administración Pública.

b) Negociación colectiva.

c) Determinación de las condiciones de trabajo en las Administraciones Públicas.

d) Sistemas no jurisdiccionales de solución de conflictos de trabajo.

e) Promoción de las elecciones de representantes del personal.

f) Cesiones temporales del uso de inmuebles patrimoniales públicos.

g) «Cualquier otra función representativa que se establezca».

Junto a estos privilegios, la LOLS reconoce a los sindicatos más representati-vos otras prerrogativas consistentes en mayores derechos que los restantes sindi-catos en temas tales como la acción sindical en la empresa o la tutela de la libertad sindical y la represión de las conductas antisindicales.

Además de las prerrogativas atribuidas por la LOLS a los sindicatos más repre-sentativos, en la legislación laboral se encuentran dispersas otras. Así:

a) El art. 67.1 del ET atribuye al acuerdo de los sindicatos más representativos o representativos la posibilidad de promover elecciones de manera genera-lizada en uno o varios ámbitos territoriales o funcionales.

b) El art. 8.2 de la LOLS, tras admitir con carácter general en su párrafo primero la posibilidad de constituir secciones sindicales a todos los trabajadores afiliados a un sindicato, admite los derechos a un tablón de anuncios, a la negociación colectiva estatutaria y a la utilización de locales a las secciones sindicales de los sindicatos más representativos, estatales o de Comunidad Autónoma, por el solo hecho de serlo aunque no tengan efectiva implantación en las empresas de que se trate.

c) El art. 9.1 de la LOLS, a quienes ostenten cargos electivos a nivel provincial, autonómico o estatal, en las organizaciones sindicales más representativas, les concede los siguientes derechos tutelables en amparo constitucional (SSTC de 3 de abril de 1989 o de 18 de octubre de 1993):

- Derecho al disfrute de los permisos no retribuidos necesarios para el desarrollo de las funciones sindicales propias de su cargo, pudiéndose establecer, por acuerdo individual o colectivo (STS de 25 de octubre de 1999, Ar/8405), limitaciones al disfrute de los mismos en función de las necesidades del servicio.

- Derecho a la excedencia forzosa mientras dure el ejercicio de su cargo representativo.

- Derecho a la asistencia y al acceso a los centros de trabajo para participar en actividades propias de su sindicato o del conjunto de los trabajadores, previa comunicación al empresario, y sin que el ejercicio de este derecho pueda interrumpir el desarrollo normal del proceso productivo.

d) En cuanto a la tutela de la libertad sindical, el art. 14 de la LOLS establece que «*el sindicato a que pertenezca el trabajador presuntamente lesionado, así como cualquier sindicato que ostente la condición de más representativo, podrá personarse como coadyuvante en el proceso incoado por aquél*».

81. La naturaleza de las prerrogativas de los sindicatos más representativos. El conjunto de prerrogativas atribuidas en el art. 6.3 de la LOLS a los sindicatos más representativos responde exclusivamente a las que se denominan «*acciones sindicales de participación*» frente a las «*acciones sindicales de contestación o de reivindicación*» (huelga o declaración de conflicto colectivo), área esta última en que, por ser una función primaria del sindicalismo, debe mantenerse un estricto principio de igualdad entre todos los sindicatos existentes (ver supra).

82. El alcance de las prerrogativas de los sindicatos más representativos. Por lo que se refiere al alcance de las prerrogativas atribuidas, el art. 6.3 de la LOLS señala que los sindicatos más representativos a nivel estatal «*gozarán de capacidad representativa a todos los niveles territoriales y funcionales*».

La STC de 29 de julio de 1985 ha reconducido, sin embargo, la interpretación del precepto legal a sus justos términos.

Así, se señala que «*es evidente que no se puede llevar tal interpretación al absurdo, y lo es conceder representatividad a sindicatos carentes de implantación. La referencia legal debe entenderse en relación con el fenómeno de la irradiación, regulada en el art. 6.2.b) del Proyecto, que extiende la mayor representatividad desde el nivel estatal a los niveles territoriales y funcionales inferiores...se contrae al específico ámbito territorial y funcional de cada uno*».

83. La participación institucional internacional y comunitaria de los sindicatos más representativos. Hay dos funciones representativas que no han sido expresamente previstas por la LOLS y que, sin embargo, son de una gran importancia.

Llama la atención que no se haga referencia a la participación institucional en la Conferencia Internacional de la OIT, siendo así que la noción de sindicato más representativo surge precisamente respecto de la designación de los delegados de los trabajadores a las Conferencias Generales de la OIT (art. 389 de la Constitución de la OIT). Siendo también muchos los organismos comunitarios de naturaleza consultiva que prevén la participación de las organizaciones sindicales más representativas (entre otros, el Comité Consultivo de la CECA, el Comité Económico y Social o el Comité del Fondo Social Europeo).

No hay duda de que el lugar idóneo para haber hecho referencia a este tipo de representación institucional hubiera sido el apartado a) del art. 6.3 de la LOLS, al hablar de la «*representación institucional ante las Administraciones Públicas*». En todo caso, parece que tales funciones representativas existen con base en el Derecho Internacional ratificado por España (Constitución de la OIT citada) o en el Derecho Comunitario igualmente aplicable en España. Sin embargo, en estas disposiciones internacionales o comunitarias, no se concreta a qué organizaciones más representativas se refiere, dejando en este sentido libertad a los Gobiernos para que propongan ellos. Tan solo cabrá «*a posteriori*» plantearse si la propuesta gubernamental es o no discriminatoria o atentatoria del derecho de libertad sindical; aunque, como señala el Tribunal Constitucional, el criterio de la mayor representatividad utilizado por el legislador español se considera «*objetivo y razonable*» para establecer la participación de los representantes de los trabajadores en organismos internacionales (STC de 27 de junio de 2001).

A estos efectos, se plantea el problema de la capacidad representativa de los sindicatos más representativos a nivel de Comunidad Autónoma, dada la ambigüedad de las normas internacionales y comunitarias.

Esta cuestión habrá de resolverse de la mano de la STC de 10 de noviembre de 1982, dictada en resolución del recurso de amparo promovido por Intersindical

Nacional Galega por habérsele excluido de las consultas y, en definitiva, de la representación en la Conferencia Internacional de Trabajo:

1º) La conceptuación acerca de cuáles son los sindicatos más representativos hecha por la LOLS resulta irrelevante a estos efectos, no pudiéndose aplicar tampoco por analogía.

2º) La fijación de los criterios para decidir a estos efectos cuales sean los sindicatos más representativos es tarea del Estado, que deberá en todo momento fundarse en *«elementos que no ofrezcan posibilidades de parcialidad o abuso»*.

84. La representación institucional. El art. 6.3 de la LOLS habla de *«ostentar representación institucional ante las Administraciones Públicas u otras entidades y organismos de carácter estatal o de Comunidad Autónoma que la tengan prevista».*

Por *«representación institucional»* habrá que entender no sólo la participación en organismos públicos de carácter consultivo o decisorio (Consejo Económico Social, Consejos de Relaciones Laborales o Consejos económico-sociales de las distintas Comunidades Autónomas, Servicios Públicos de Empleo, Comisión Consultiva Nacional de Convenios Colectivos, Entidades Gestoras de la Seguridad Social, Consejos Sociales de las Universidades, entre otros muchos), sino también los derechos de información pasiva o de consulta previstos en distintas disposiciones (ver infra).

Al respecto, el Tribunal Supremo (por todas, STS de 22 de mayo de 2001, Ar/5477) ha puesto de relieve las siguientes características de la denominada participación institucional:

1) El sindicato actúa como representante de los intereses generales de los trabajadores en un ámbito territorial con determinada significación política.

2) La participación se produce en el marco de la Administración como poder público, no en su consideración como empleador.

3) La regulación de la participación institucional en cuanto afecta a la organización administrativa, está reservada a la Ley y no es, en principio, materia de negociación colectiva.

El Gobierno, según la Disposición Adicional Primera, 2 de la LOLS *«dictará las disposiciones que sean precisas para el desarrollo y aplicación del apartado a) del art. 6.3 y del artículo 7.1 de esta ley y de lo previsto en la disposición adicional sexta del ET».*

En estas disposiciones habrán de resolverse los difíciles problemas que el precepto plantea para cohonestar la participación institucional de los dos tipos de sindicatos más representativos (los estatales y los de Comunidad Autónoma) en tema de reparto de los puestos, cuando se trate de órganos de codecisión, necesariamente limitados, entre todos los sindicatos más representativos con derecho a presencia.

La dificultad es manifiesta por cuanto los parámetros territoriales de medida de la representatividad son distintos; y ello tanto en organismos del Estado como de la Comunidad Autónoma. Lo único claro en este punto es que la ley reconoce a dos tipos de sindicatos más representativos la misma capacidad representativa para participar institucionalmente en el organismo público de que se trate. En todo caso, se trata de una prerrogativa atribuida en exclusiva a los sindicatos más representativos tanto estatales como de Comunidad Autónoma. La exclusión de esta prerrogativa de las atribuidas a los sindicatos simplemente representativos del art. 7.2 resulta patente.

La postura del Tribunal Constitucional al respecto viene a ser la siguiente (SS. TC de 22 de julio de 1982, de 14 de febrero de 1985 o de 31 de marzo de 1986):

a) El derecho a la participación institucional resulta un derecho adicional, concedido a unos sindicatos sí y a otros no, que sobrepasa el núcleo esencial de la libertad sindical. La participación en los centros en que se toman las decisiones de política social o económica no emana necesariamente de la libertad sindical sino que es creación de la ley en sentido amplio.

b) No obstante «*una vez creadas estas formas de participación, pasarían a formar parte del contenido esencial de la libertad sindical «más plena» que puede corresponder a todo sindicato más representativo (aunque no a otros que no lo sean), tal como viene configurada en el art. 6 de la LOLS y como tal pasaría a formar un derecho indisponible por pactos mediante los que se excluyera a ciertos grupos que reunieran el conjunto de requisitos que conforman la mayor representatividad sindical*».

85. La negociación colectiva estatutaria. El art. 6.3.b de la LOLS establece como prerrogativa de los sindicatos más representativos a nivel estatal «*la negociación colectiva en los términos previstos en el Estatuto de los Trabajadores*».

Se está refiriendo en este punto la ley a la legitimación atribuida a «*los sindicatos que tengan la consideración de más representativos a nivel estatal, así como en sus respectivos ámbitos, los entes sindicales afiliados, federados o confederados a los mismos*» (art. 87 ET) para negociar convenios de ámbito superior a la empresa de carácter estatutario, esto es, con eficacia normativa y general o «*erga omnes*».

Se trata de un privilegio perfectamente cohonestable con el simple derecho a la negociación colectiva reconocido a todos los sindicatos en el art. 2.1.d) de la LOLS. Una vez más, la legislación reconoce implícitamente la existencia de dos tipos de convenios colectivos: los estatutarios a que se refiere el art. 6.3.b) y los extraestatutarios a que hace referencia el art. 2.1.d), ambos de la LOLS (STC de 18 de marzo de 1983).

La constitucionalidad de los requisitos de legitimación para negociar convenios colectivos establecida en el art. 87 ET no ofrece dudas al Tribunal Constitucional, cuando señala que *«se trata de una exigencia que… se ajusta al texto constitucional, y no vulnera los derechos reconocidos en él, siendo consecuencia de la previa opción en favor de un determinado tipo de convenio… pues el convenio que constituye el resultado de la negociación, no es solo un contrato sino una norma que rige las condiciones de trabajo de los sometidos a su ámbito de aplicación estén o no sindicados y pertenezcan o no a las organizaciones firmantes»* (SS. TC de 27 de junio de 1984, de 29 de julio de 1985 o de 16 de marzo de 1989).

86. La determinación de condiciones de trabajo en la Administración. Remisión. Otra prerrogativa consiste en *«participar como interlocutores en la determinación de las condiciones de trabajo en las Administraciones Públicas a través de los oportunos procedimientos de consulta o negociación»* (art. 6.3.c) de la LOLS) (ver infra).

87. La participación en sistemas no jurisdiccionales de solución de conflictos. Otra prerrogativa otorgada a los sindicatos más representativos a nivel estatal consiste en *«participar en los sistemas no jurisdiccionales de solución de conflictos de trabajo»* (art. 6.3.d) de la LOLS).

Obviamente, aunque no se diga expresamente, como ha puesto de relieve la STC de 29 de julio de 1985 sobre la LOLS, *«lo que el precepto prevé no es sino la participación en sistemas públicos de soluciones de conflictos, dado que los sistemas privados, —es decir, creados por las propias partes, bien expresamente para un conflicto determinado, bien con carácter general y previo— son obviamente libres».*

88. La promoción de elecciones a representantes unitarios. El art. 6.3.c) de la LOLS incluye entre las prerrogativas la capacidad representativa para *«promover elecciones para delegados de personal y comités de empresa y órganos correspondientes de las Administraciones Públicas».*

Su limitación a quienes tengan un mínimo de representatividad es una medida lógica de ordenación del proceso electoral, pretendiendo evitar las disfunciones derivadas de una atribución indiscriminada, y no altera los derechos de los excluidos, pues éstos pueden presentar su candidatura (art. 2.2.d) LOLS; STC de 18 de mayo de 1993).

No se trata en este caso de una prerrogativa exclusiva de los sindicatos más representativos, ya que el art. 67.1 del ET establece que *«podrán promover elecciones a delegados de personal y miembros del comité de empresa las organizaciones sindicales más representativas, las que cuenten con un mínimo de un 10 por 100 de representantes en la empresa o los trabajadores del centro de trabajo por acuer-do mayoritario»*, compartiéndose así tal tarea promotora con otros colectivos distintos. Esto mismo se deduce del art. 7.2 de la LOLS al legitimar expresamente para ejercitar estas funciones a los sindicatos que hayan obtenido el 10 por 100 en el ámbito funcional y territorial de que se trate.

Lo que si se reserva al acuerdo entre sindicatos más representativos o simple-mente representativos es la posibilidad de promover elecciones de manera gene-ralizada en uno o varios ámbitos funcionales o territoriales, según el art. 67.1 ET.

En todo caso, se trata de un derecho distinto a la presentación de candidaturas para las elecciones de representantes del personal en la empresa, que el art. 2.2.d) de la LOLS atribuye a todas las organizaciones sindicales en el ejercicio de su libertad sindical.

89. La participación en la cesión de inmuebles patrimoniales públicos. Final-mente, el art. 6.3.f) de la LOLS les atribuye la prerrogativa de *«obtener cesiones temporales del uso de inmuebles patrimoniales públicos en los términos que se establezcan legalmente»*.

Se trata de una prerrogativa atribuida aparentemente en exclusividad a los sindicatos más representativos (estatales y comunitarios) por cuanto, a diferencia de las anteriores y como ocurre con la participación institucional, el art. 7.2 de la LOLS excluye de esta facultad a las organizaciones sindicales que no teniendo la consideración de más representativas hayan obtenido un mínimo del 10 por 100 de audiencia sindical en el ámbito de que se trate.

Con anterioridad a la LOLS, la doctrina del Tribunal Constitucional en ma-teria de cesión de locales a las centrales sindicales era la siguiente (STC de 16 de noviembre de 1993):

a) La cesión de locales a las centrales sindicales no implica un acto de injeren-cia de la Administración si la atribución de los locales de se hace de forma incondicionada.

b) La cesión de locales en exclusividad a determinadas centrales sindicales, sin que la diferencia de trato se base en criterio objetivo declarado, atenta contra la libertad sindical.

Por ello, cuando la STC de 29 de julio de 1985 resuelve sobre la aparente atribución de locales en exclusiva a los sindicatos más representativos que hace el art. 6.3.f) LOLS, interpreta el precepto en el sentido de que *«se limita a reconocer tal capacidad a los sindicatos más representativos, sin contener regulación alguna excluyente de este punto en relación a los sindicatos a que se refiere el art. 7.2»*.

4.4. Las prerrogativas legales atribuidas a los sindicatos simplemente representativos

90. Las prerrogativas de los sindicatos simplemente representativos. El art. 7.2 de la LOLS reconoce capacidad representativa a los sindicatos simplemente representativos en ámbitos específicos funcionales y territoriales. En él se atribuye a estos sindicatos legitimación para ejercitar las mismas funciones y facultades que los sindicatos más representativos a nivel estatal (art. 6.3 LOLS) con la doble excepción de la representación institucional en instituciones públicas y del derecho a obtener cesiones temporales del uso de inmuebles patrimoniales públicos.

Ambas exclusiones son más aparentes que reales ya que, respecto de la primera, la doctrina de la STC de 18 de noviembre de 1987 puede permitir una revisión del art. 7.2 LOLS en cuanto que «*no se puede concluir que, en ámbitos concretos, sólo puedan tener presencia las organizaciones de más amplia base, pues de lo que se trata es de garantizar la presencia de éstas sin impedir la de otras de suficiente representatividad en este concreto ámbito* y, en materia de cesión de uso de inmuebles patrimoniales públicos, ya ha quedado señalado como el Tribunal Constitucional interpreta el art. 7.2 de la LOLS, excluyendo que establezca un monopolio en favor de los sindicatos más representativos (ver supra).

5. *El régimen jurídico sindical*

5.1. Consideraciones generales

91. Los distintos regímenes jurídicos sindicales. El marco de las libertades sindicales viene dado por el ordenamiento jurídico de cada país, al atribuirle al sindicato un determinado régimen jurídico.

Cabría, en este sentido, pensar en tres tipos posibles de regímenes jurídicos sindicales:

1°) Un régimen jurídico general de derecho común, reconduciendo al sindicato al marco jurídico de la ley general de asociaciones. Este es el caso de Italia, de Bélgica, Luxemburgo u Holanda, donde los sindicatos son asociaciones de derecho común reguladas por el Código Civil.

2°) Un régimen jurídico especial de derecho privado, donde los sindicatos, siendo asociaciones privadas, se encuentran regulados por una ley sindical distinta de la ley general de asociaciones. Este es el caso de Francia o de España (ver infra).

3°) Un régimen jurídico especial de derecho público, considerando al sindicato como una asociación regulada por el derecho público, con funciones de representación legal y no voluntaria de los trabajadores. Éste es el caso de los sindicatos de tipo corporativo o fascista o comunista donde los sindicatos están controlados por el Estado.

5.2. La adquisición de la personalidad jurídica

a) Depósito de los estatutos

92. Exigencia legal. Para que un sindicato adquiera personalidad jurídica es necesario el depósito de sus estatutos según el régimen establecido en el art. 4.1 de la LOLS que exige que *«los sindicatos... deberán depositar por medio de sus promotores o dirigentes, sus estatutos en la oficina pública establecida al efecto»*.

Según el Tribunal Constitucional, *«la obligación del depósito obedece a la necesidad de establecer un sistema de reconocimiento que permita la identificación del grupo como sujeto unitario de derechos y su incorporación a un estatus especialmente favorable para el ejercicio de su acción»* (STC de 1 de julio de 1997).

93. Las personas que deben proceder al depósito. Según el art. 4.1 de la LOLS, son los promotores o dirigentes los que deben proceder al depósito. Expresiones que parecen lo suficientemente amplias como para comprender a cualesquiera personas a las que se apodere para cumplir el trámite de depósito de los estatutos, apoderamiento que puede hacerse en el acta fundacional (FERNÁNDEZ LÓPEZ).

94. El lugar del depósito. El art. 4.1 de la LOLS señala que los Estatutos del sindicato deben depositarse *«en la oficina pública establecida al efecto»*.

La expresión legal hay que entenderla en relación con la Disposición Final Primera. 2 de la propia LOLS cuando señala que *«la oficina pública a que se refiere el art. 4 de esta Ley queda establecida orgánicamente en el Instituto de mediación, arbitraje y conciliación y en los órganos correspondientes de las Comunidades Autónomas, en su respectivo ámbito territorial, cuando tengan atribuida esta competencia»*.

En cualquier caso, a efectos de centralizar la constancia de la existencia jurídica de todos los sindicatos, con independencia de su ámbito territorial de actuación, las Comunidades Autónomas deberán remitir un ejemplar de la documentación presentada.

Obviamente, por ser ésta una obligación que se impone a la autoridad administrativa, su incumplimiento no influye sobre las vicisitudes jurídicas del sindicato cuyos estatutos se han presentado a depósito.

95. Los documentos a depositar. A depósito deben presentarse los estatutos del sindicato (art. 4.1 LOLS) y también el acta de constitución del sindicato debidamente firmada por los promotores del sindicato, ya que el art. 4.4 de la LOLS extiende a este último extremo la publicidad del depósito que debe hacer la oficina pública.

b) El contenido mínimo de los Estatutos

96. El contenido mínimo de los Estatutos. Los estatutos presentados a depósito deberán contener una serie de menciones mínimas que enumera el art. 4.2 de la LOLS:

a) En primer lugar, *«la denominación de la organización que no podrá coincidir ni inducir a confusión con otra legalmente registrada»*. Este es un deber que recae sobre el sindicato de registro posterior y no sobre el sindicato previamente inscrito (STS de 25 de mayo de 2000, Ar/5874).

De esta manera, no podrán producir confusión con otras denominaciones previamente registradas (STS de 2 de octubre de 2007, Rec. 87/2006).

El derecho al nombre forma parte del contenido esencial del derecho de libertad sindical, pudiendo ser tutelado por el procedimiento especial de tutela de la libertad sindical.

b) En segundo lugar, *«el domicilio y ámbito territorial y funcional de actuación del sindicato»*. Tema que va a tener importancia decisiva para la acción sindical, sobre todo en materia de huelgas y conflictos colectivos, negociación de convenios y ejercicio de acciones judiciales, a efectos de legitimación.

c) En tercer lugar, *«los órganos de representación, gobierno y administración y su funcionamiento, así como el régimen de provisión electiva de sus cargos, que habrán de ajustarse a principios democráticos»*. Lo cual implica, según el Comité de Libertad Sindical de la OIT, la inexistencia en los estatutos de requisitos muy rigurosos para la presentación de candidaturas, la posibilidad de existencia de dirigentes sindicales a tiempo completo, la temporalidad en el ejercicio del cargo, aunque exista la posibilidad de reelección y el establecimiento de mecanismos de renovación de dirigentes y el juego de los mayorías para la válida adopción de acuerdos.

d) En cuarto lugar, *«los requisitos y procedimientos para la adquisición y pérdida de la condición de afiliado»*, tema que está estrechamente unido con el de la libertad individual de afiliación (ver supra).

e) En quinto lugar, el régimen de modificación de los estatutos. Esta exigencia de constancia en los estatutos de su régimen de modificación hay que entenderla referida al órgano competente para llevar a cabo dicha modificación, así como a las mayorías requeridas para que el acuerdo de modificación sea válido, ya que, en lo restante, jugará lo dispuesto en el art. 4.8 de la LOLS: «*la modificación de los estatutos de las organizaciones sindicales ya constituidas se ajustarán al mismo procedimiento de depósito y publicidad regulado en este artículo*».

f) En sexto lugar, «*el régimen de fusión de los sindicatos*». La necesidad de que en los estatutos del sindicato conste el régimen de fusión del mismo exige referirse al órgano competente y a las mayorías requeridas para que la disolución sea válida, debiendo tenerse en cuenta la regla establecida en el art. 12.4 del RD 1844/1994, de 9 de septiembre, según la que «*cuando en un sindicato se produzca la integración o fusión de otro u otros sindicatos, con extinción de la personalidad jurídica de éstos, subrogándose aquel en todos los derechos y obligaciones de los integrados, los resultados electorales de los que se integran serán atribuidos al que acepta la integración*».

g) En séptimo lugar, «*el régimen de disolución del sindicato*». Esta exigencia legal hace referencia a la disolución voluntaria, no a la judicial.

Ello implicará que, dado que el acuerdo de disolución va a suponer la desaparición jurídica del sindicato, el acuerdo disolutorio deberá ser tomado por el máximo órgano que rija la vida interna del sindicato. Dado que el acuerdo disolutorio resulta de la máxima importancia, no será inhabitual que los estatutos exijan mayorías cualificadas para su válida adopción.

Nada obstaría para que en los propios estatutos se previese también el destino a dar al patrimonio sindical resultante después de la liquidación necesaria para que la disolución se produzca.

h) En octavo lugar, finalmente, «*el régimen económico de la organización que establezca el carácter, procedencia y destino de sus recursos, así como los medios que permitan a los afiliados conocer la situación económica*».

La Ley no exige la obligación de dotarse de un contenido concreto prefijado. En caso contrario se atentaría contra el derecho reconocido en los arts. 3 del Convenio nº 87 de la OIT y 2.2.a) de la LOLS de los sindicatos a organizar y gestionar su administración.

c) La actuación de la oficina pública

97. Las actuaciones de la oficina pública. Una vez que los estatutos del sindicato han sido presentados a depósito, «*la oficina pública dispondrá en el plazo de diez días la publicidad del depósito, o el requerimiento a sus promotores, por una sola vez, para que en el plazo máximo de otros diez días subsanen los defectos observados. Transcurrido este plazo, la oficina pública dispondrá la publicidad o* *rechazará el depósito mediante resolución exclusivamente fundada en la carencia de alguno de los requisitos mínimos a que se refiere el número anterior»* (art. 4.3. LOLS).

Consecuentemente, bien porque no se hayan observado defectos, bien porque se hayan subsanado en tiempo los que hubiesen sido observados, la oficina pública dispondrá la publicidad del depósito en el plazo de diez días. Plazo que hay que comenzar a contar desde que se efectuó el depósito o desde que se presentó de nuevo con los defectos subsanados.

98. La publicidad del depósito de estatutos. El mecanismo de publicidad es doble. De una parte se dará publicidad al depósito en el tablón de anuncios de la oficina. De otra, la oficina pública dispondrá la inserción del depósito en el Boletín Oficial correspondiente (art. 4.4 LOLS).

En ambos casos, la publicidad puede no alcanzar a la totalidad de lo depositado. El art. 4.4 de la LOLS señala un mínimo de los datos a publicar: la denominación, el ámbito territorial y funcional, la identificación de los promotores firmantes del acta de constitución del sindicato. Pero nada obsta para que pudiese procederse a la publicidad de mayor parte o, incluso, de la totalidad de la documentación presentada.

En cualquier caso, la publicidad mínima no atenta contra la posibilidad de conocimiento por parte de terceros de los estatutos del sindicato, en cuanto que, según el art. 4.5 de la LOLS *«cualquier persona estará facultada para examinar los estatutos depositados, debiendo además la oficina facilitar, a quien así lo solicite, copia autentificada de los mismos»*.

99. La adquisición de la personalidad jurídica por el sindicato. La adquisición de la personalidad jurídica y de la plena capacidad de obrar por parte del sindicato se producirá *«transcurridos veinte días hábiles desde el depósito de los estatutos»* (art. 4.7 LOLS).

Lo importante, pues, a estos efectos, es la fecha del depósito. Lo que implícitamente está indicando que la demora por parte del encargado de la oficina pública en dar publicidad a lo depositado no influye sobre la adquisición de la personalidad jurídica del sindicato.

100. El rechazo del depósito de los estatutos por la oficina pública. Puede ocurrir sin embargo, que, observados defectos en el depósito que no fueran oportunamente subsanados o que lo fueran de modo insuficiente a juicio del encargado de la oficina pública, supongan que, en lugar de disponerse la publicidad del depósito, la actitud de la oficina sea la de rechazar el depósito *«mediante resolución* *exclusivamente fundada en la carencia de alguno de los requisitos mínimos a que se refiere el número anterior»* (art. 4.3 LOLS).

Esta actitud de la oficina pública plantea dos tipos de cuestiones:

a) Los efectos del rechazo del depósito de estatutos sobre la fase de adquisición de personalidad jurídica por el sindicato.

b) Los motivos que puede aducir la oficina pública para rechazar el depósito.

Respecto de la primera cuestión, el art. 4.7 de la LOLS señala que *«el sindicato adquirirá personalidad jurídica y plena capacidad de obrar, transcurridos veinte días hábiles desde el depósito de los estatutos»*, con lo que, si durante ese tiempo lo que se produce es precisamente el rechazo del depósito, parece que el presupuesto del art. 4.7 (el depósito de los estatutos) no existirá, por lo que el sindicato no adquirirá personalidad jurídica hasta que exista pronunciamiento judicial sobre la materia.

Por lo que se refiere a los motivos posibles del rechazo, el art. 4.3 de la LOLS establece que la resolución de rechazo estará *«exclusivamente fundada en la carencia de alguno de los requisitos mínimos a que se refiere el número anterior»*, lo que plantea el problema de la interpretación de la expresión legal *«carencia de requisitos mínimos»*.

En esta materia resultará aplicable la doctrina sentada por las SSTC de 2 de febrero de 1981 y de 25 de junio de 1986, respecto a la inscripción de partidos políticos a los cuales también les es constitucional y legalmente exigible una estructura y funcionamiento democráticos, según la cual el encargado de la oficina pública deberá limitarse a verificar si los estatutos presentados a depósito contienen o no las menciones mínimas a que se refiere el art. 4.2 de la LOLS, sin entrar en valoraciones personales respecto a si esas menciones estatutarias cumplen o no de las exigencias legales.

En caso contrario, se estaría atentando a la libertad sindical de reglamentación.

101. La impugnación de la resolución de la oficina rechazando el depósito de estatutos. La LJS atribuye competencia al orden jurisdiccional social para conocer de las impugnaciones que puedan hacerse de las resoluciones de la oficina pública que rechacen el depósito de estatutos sindicales (art. 2.j), estableciéndose para ello una específica modalidad procesal (arts. 167 y ss.).

Para la iniciación de dicho procedimiento no resulta preciso agotar ninguna vía administrativa previa, según el art. 69 de la LJS. Por esta razón, el art. 167 de la LJS señala que en la demanda deberá acompañarse *la resolución denegatoria, de haber ésta recaído expresamente»*.

Sujetos legitimados para impugnar judicialmente la resolución denegatoria de la oficina son tanto los promotores del sindicato en fase de constitución como los firmantes del acta de constitución del mismo (art. 167 LJS).

El plazo para el ejercicio de la acción de impugnación será de diez días hábiles, contados a partir de aquél en que sea recibida la notificación de la resolución denegatoria expresa o transcurra un mes desde la presentación de los Estatutos sin que se hubiera notificado a los promotores defectos a subsanar (art. 168 LJS).

La demanda debe acompañarse de copia de los estatutos y de la resolución denegatoria, si la hubiese (art. 169 LJS).

Si se admite la demanda, y requerido por el juez el envío por la oficina del expediente, si la demanda se estima, la sentencia «*ordenará de inmediato el depósito del estatuto sindical en la correspondiente oficina pública*» (art. 171 LJS). Habrá que entender que será a partir de la fecha de este depósito ordenado judicialmente cuando se reanude el plazo de veinte días hábiles para la adquisición de la personalidad jurídica por el sindicato.

d) *La impugnación de los estatutos sindicales*

102. El procedimiento de impugnación de estatutos. El art. 173.1 de la LJS permite solicitar la declaración judicial de no ser conformes a derecho los estatutos de los sindicatos que hayan sido objeto de depósito y publicación, «*tanto en el caso de que estén en fase de constitución como en el que hayan adquirido personalidad jurídica*».

Estarán pasivamente legitimados «*los promotores del sindicato y los firmantes del acta de constitución, así como quienes legalmente representen al sindicato, caso de haber ya adquirido éste personalidad jurídica*» (art. 173.2 de la LJS).

Para el caso de que la impugnación de los estatutos sindicales se realice estando el sindicato en fase de constitución, aunque la LJS no hace expresa referencia a que dicha impugnación suspenda el plazo para que el sindicato adquiera personalidad jurídica, resulta lógicamente defendible la suspensión del plazo correspondiente.

Aparte de que el Ministerio Fiscal sea siempre parte en estos procesos (art. 173.3 LJS), legitimados activos serán, además del Ministerio Fiscal, «*quienes acrediten un interés directo, personal y legítimo*» (art. 173.1 LJS).

Si se estima la demanda, «*la sentencia declarará la nulidad de las cláusulas estatutarias que no sean conformes a derecho o de los estatutos en su integridad*», debiendo, a su vez comunicarse a la oficina pública correspondiente (art. 175 LJS).

5.3. Las consecuencias de la adquisición de la personalidad jurídica por el sindicato. La responsabilidad sindical

103. La capacidad de obrar del sindicato. Según el art. 38 del Código Civil, *«las personas jurídicas pueden adquirir y poseer bienes de todas clases, así como contraer obligaciones y ejercitar acciones civiles o criminales, conforme a las leyes y reglas de su constitución»*, rigiéndose la capacidad civil de las asociaciones por sus estatutos (art. 37 Código Civil).

De las reglas anteriores se deriva un amplio reconocimiento de capacidad a los sindicatos reconocidos (*«gozarán de plena capacidad de obrar»*, dice el art. 4.1 de la LOLS). Capacidad de obrar que supone el siguiente abanico de facultades:

a) Capacidad contractual para ser titular de derechos y obligaciones.

b) Capacidad procesal para ser parte principal en pleitos de toda índole y actuar como coadyuvante en los términos legalmente previstos.

c) Capacidad patrimonial, referida fundamentalmente a la posibilidad de adquirir y administrar su propio patrimonio.

d) Capacidad para actuar sindicalmente en el plano de las relaciones colectivas.

En todo caso, el órgano o persona al que corresponde el ejercicio concreto de estas facultades dependerá de lo que señalen los estatutos del sindicato respectivo.

De otra parte, el reconocimiento de capacidad plena de obrar y de la posibilidad de poseer bienes de todas clases, obvia en el ordenamiento español el tema clásico en otros ordenamientos de si los sindicatos pueden dedicarse a actividades mercantiles con finalidad lucrativa.

104. La responsabilidad del sindicato. Una de las cuestiones fundamentales que plantea la adquisición de personalidad jurídica por el sindicato y su plena capacidad de obrar es la referente a su responsabilidad. El art. 5 de la LOLS señala en este sentido lo siguiente:

1º) En cuanto a la responsabilidad del sindicato por actuaciones de sus órganos, que *«los sindicatos constituidos al amparo de la presente Ley responderán por los actos o acuerdos adoptados por sus órganos estatutarios en la esfera de sus respectivas competencias»*, entendidas en el doble sentido de materiales y procedimentales. Fuera de la esfera de sus competencias habrá responsabilidades individuales de los miembros de esos órganos sindicales pero no del sindicato.

2º) Respecto de la responsabilidad del sindicato por los actos individuales de sus afiliados, la regla general establecida es la de la no responsabilidad del sindicato. Regla general que cuenta, sin embargo, con las siguientes excepciones:

a) Que los actos del afiliado se produzcan en el ejercicio regular de sus funciones representativas. Lo que implica, *«como presupuesto insoslayable para que entre en juego el art. 5 de la LOLS»* (FERNÁNDEZ LÓPEZ), la existencia de un poder y la necesidad de examen de los términos concretos del apoderamiento a efectos de hacer jugar los arts. 1719 y ss. del Código Civil y, fundamentalmente, el art. 1725: *«El mandatario que obre en concepto de tal no es responsable personalmente a la parte con quien contrata sino cuando se obliga a ello personalmente o traspasa los límites del mandato sin darle conocimiento suficiente de sus poderes»*.

b) Que se pruebe que los afiliados actuaban por cuenta del sindicato

Esta cuestión puede encontrar terreno propio de actuación en materia de huelgas ilícitas o abusivas declaradas por el sindicato. En materia de responsabilidades del sindicato con ocasión de huelgas convocadas por el mismo, la jurisprudencia (SSTS de 30 junio de 1990 Ar/5551 o de 6 de julio de 1990, Ar/6072) señala lo siguiente:

1º) El resarcimiento de daños con ocasión de huelgas ilegales, encuentra su fundamento en el art. 5 de la LOLS, pero requiere, obviamente, que la huelga convocada sea ilegal o abusiva.

2º) La responsabilidad del sindicato deriva de actos que sólo a éste le son imputables.

La expresión *«afiliados»* del art. 5.2 de la LOLS hay que entenderla referida a los trabajadores individualmente considerados afiliados al sindicato en cuestión y cuya acción es necesaria para llevar a cabo la actuación decidida por el sindicato mismo.

Un sector doctrinal (FERNÁNDEZ LÓPEZ) entiende también que, dado que el sindicato es una persona jurídica compleja, la expresión *«afiliados»* puede entenderse referida también a las diversas personas jurídicas integradas en la persona compleja. De este modo las actuaciones de la persona jurídica afiliada *«en la medida en que colaboren con las acciones propuestas por el grupo complejo, podrán sujetar también a éste a responsabilidad. No sucederá así si el grupo inferior no ha autorizado tales acciones —fallaría la acción del «afiliado», persona jurídica—, o se ha separado de las directrices marcadas por el grupo complejo— fallaría el actuar «por cuenta» de la agrupación compleja»*.

3º) En cuanto a la responsabilidad del sindicato por actos de una sección sindical, en la medida en que se configura como órgano del sindicato, el sindicato responderá en los términos del art. 5.1 de la LOLS (SSTC de 3 de abril de 1989, de 10 de mayo de 1989, de 29 de octubre de 1996 o de 4 de junio de 2001).

Con los mismos criterios deberá resolverse el tema de la posible responsabilidad del sindicato por actos del delegado sindical en cuanto que representante de la sección sindical correspondiente.

Los sindicatos pueden tener responsabilidades penales por los delitos cometidos en nombre o por cuenta de los mismos y en su provecho por sus representantes legales, sus administradores de hecho o de derecho o por quienes estando sometidos a ellos hubieren realizado los hechos delictivos por no haberse ejercido sobre ellos el debido control (art. 31 bis del Código Penal), pudiendo conllevar distintas sanciones penales: multas, disolución, clausura de locales, suspensión de actividades, pérdida de subvenciones y ayudas públicas o intervención judicial.

105. La exclusión de las cuotas como objeto de embargo de los bienes sindicales. La responsabilidad patrimonial de los sindicatos establecida en la LOLS es, en principio, ilimitada. Solamente, el art. 5.3 de la LOLS declara que *«las cuotas sindicales no podrán ser objeto de embargo»*. Con ello no resulta protegido en ningún caso el mantenimiento de la actividad sindical, en cuanto que el soporte material de la misma queda afecto a la responsabilidad del sindicato.

Desde luego, no queda claro lo que deba entenderse por cuotas sindicales. Las opciones interpretativas son dos:

a) Entender que las cuotas sindicales se refieren a las cantidades de las que el sindicato ha llegado a ser titular por este concepto. Pudiendo, pues, incluirse también los bienes que el sindicato posea como consecuencia de la inversión del dinero procedente de cuotas. De no ser así, la garantía de la inembargabilidad legalmente establecida resultaría irrisoria, pareciendo ser la *«ratio legis»* la de declarar inembargable las cuotas aún después de ingresadas (DE LA VILLA, GARCÍA BECEDAS Y GARCÍA PERROTE).

b) Entender las cuotas como ingresos periódicos dinerarios con los que cuenta el sindicato para hacer frente a sus necesidades, interpretación defendida por las dificultades y posibilidades de fraude que implica la primera (FERNÁNDEZ LÓPEZ).

Así, cuotas sindicales serían sólo las que aún no hayan podido ser percibidas por el sindicato; mientras que las ya percibidas e ingresadas formarían parte del patrimonio sindical, afecto, como el resto de sus bienes, a la responsabilidad del sindicato *«ex art. 1911 del Código Civil»*. La STSJ de Andalucía, de 23 de junio de 1995, Rec. 546/1995, entiende, en este sentido, que las cuotas sindicales son inembargables solamente hasta su ingreso.

El conocimiento de los litigios que versen sobre responsabilidad de los sindicatos por infracción de normas de la rama social del derecho pertenece al orden jurisdiccional social (art. 2. j) de la LPL); competencia que hay que entender *«cualquiera que fuese la responsabilidad que se imputa al sindicato con fundamento en el art. 5.1 LOLS, ya se trate de una responsabilidad contractual o extracontractual o aquiliana»* (STS de 14 de febrero de 1990, Ar/1088).

106. Las exenciones y bonificaciones legales. Dispone el art. 5.4 de la LOLS que los sindicatos constituidos al amparo de esta Ley podrán beneficiarse de las exenciones y bonificaciones fiscales que legalmente se establezcan. Precepto inútil (MARTÍNEZ EMPERADOR) en cuanto que requiere para su actuación cobertura por ley distinta a la propia LOLS.

6. El asociacionismo empresarial

107. Su cobertura constitucional y legal. Las asociaciones empresariales encuentran su cobertura constitucional en la genérica libertad de asociación del art. 22 de la CE (SSTC de 8 de abril y 14 de mayo de 1982 y de 21 de marzo de 1994), quedando así excluidas de la libertad sindical (art. 28.1 CE) y del ámbito de aplicación de la LOLS. La exclusión del derecho de asociación empresarial del ámbito del derecho de libertad sindical impedirá a una asociación empresarial invocar el derecho de negociación colectiva en un recurso de amparo (STC de 21 de marzo de 1994).

Las asociaciones empresariales se rigen por la Ley 19/1977, de 1 de abril, sobre el derecho de asociación sindical, y subsidiariamente por la Ley Orgánica 1/2002, de 22 de marzo, reguladora del derecho general de asociación (STS de 2 de marzo de 2007, Rec. 131/2005).

108. Su constitución y funcionamiento. El art. 7 de la CE, en paralelo a los sindicatos, señala que *«las asociaciones empresariales contribuyen a la defensa y protección de los intereses económicos y sociales que le son propios. Su creación y el ejercicio de su actividad son libres dentro del respeto a la Constitución y a la ley. Su estructura interna y funcionamiento deberán ser democráticos».*

El art. 1 de la Ley 19/1977 establece la libertad de constitución de asociaciones empresariales al indicar que los empresarios *«podrán constituir en cada rama de actividad, a escala territorial o nacional, las asociaciones profesionales que estimen convenientes para la defensa de sus intereses».*

En cualquier caso, las asociaciones empresariales deberán estar integradas por empresarios y trabajadores autónomos. En el caso de asociaciones empresariales conformadas por empresarios y trabajadores autónomos, estos últimos deberán ser excluidos del cómputo a los efectos de medir la representatividad empresarial (por ejemplo, cara a una negociación colectiva estatutaria). No pudiéndose, en ningún caso, constituirse asociaciones mixtas de trabajadores por cuenta ajena y empresarios (STS de 22 de diciembre de 1998, Ar/377).

El proceso de constitución de una asociación empresarial exige el depósito de sus estatutos y acta de constitución por triplicado en la Dirección General de

Empleo u Oficina delegada correspondiente, adquiriendo la personalidad jurídica y plena capacidad de obrar a los veinte días desde el depósito.

Los estatutos podrán impugnarse por el procedimiento de impugnación de los estatutos sindicales (arts. 2 y 167 LJS, SSTS de 25 de enero de 1999, Ar/1022, de 21 de marzo de 1994, Ar/2613 o de 24 de febrero de 1997, Ar/1577).

La democraticidad interna constitucionalmente exigida a las asociaciones empresariales dista mucho de la exigida a los sindicatos por cuanto no son personas sino empresas las asociadas. Por ello se admite la posibilidad de que no todas las empresas tengan la misma influencia en la asociación empresarial (cabe, en este sentido, el voto ponderado), pudiendo depender ésta del número de trabajadores que ocupe, del volumen de explotación o de negocios, etc.

Todo empresario tiene derecho a afiliarse a la asociación de su elección con la sola condición de observar sus estatutos. Y toda asociación empresarial tiene derecho de asociarse, federarse y confederarse con otras organizaciones empresariales (arts. 2 y 4 de la Ley 19/1977).

Su financiación correrá a cuenta de las cuotas de sus asociados y de las ayudas públicas (subvenciones presupuestarias y cesiones de uso de inmuebles públicos).

109. Las funciones legalmente atribuidas a las asociaciones empresariales. La Ley, en distintos preceptos, atribuye una serie de derechos a las asociaciones empresariales.

Así, el derecho a negociar convenios colectivos estatutarios (art. 87.2 ET), el derecho a plantear conflictos colectivos (cierre patronal u otros) (art. 154.b LJS), el derecho al uso de inmuebles públicos (Ley 4/19086, de 8 de enero) o el derecho a la participación institucional en organismos públicos (Disposición Adicional Sexta ET) (ver infra).

110. Las asociaciones empresariales más representativas. La Disposición Adicional Sexta del ET establece el concepto de *«asociación empresarial más representativa estatal o de Comunidad Autónoma»* en orden a la participación institucional en organismos públicos estatales o de Comunidad Autónoma y a la obtención de cesiones temporales de inmuebles patrimoniales públicos.

Así, serán *«asociaciones empresariales más representativas estatales»* las que cuenten en este ámbito, como afiliadas, al 10 por 100 o más del total de las empresas, siempre que éstas den empleo al 10 por 100 o más de los trabajadores. Y *«asociaciones empresariales más representativas de Comunidad Autónoma»* las que en este ámbito cuenten con el 15 por 100 o más del total de las empresas, si éstas emplean al 15 por 100 o más de los trabajadores y si tales asociaciones no están integradas en una asociación empresarial estatal.

En las asociaciones empresariales no existe la mayor representatividad *«por irradiación»* como sucede con los sindicatos, debiendo acreditarse en todo caso la representatividad real en cada ámbito funcional o territorial.

Tema 3

LA REPRESENTACIÓN DE LOS TRABAJADORES EN LA EMPRESA

SUMARIO: I. CUESTIONES GENERALES. 1. Dos modelos organizativos de representación de los trabajadores en la empresa. 2. La protección internacional de la acción colectiva de los trabajadores en la empresa. II. LA REPRESENTACIÓN DE LOS TRABAJADORES EN LA EMPRESA EN EL DERECHO ESPAÑOL. 1. Normativa vigente. 2. La representación unitaria: el comité de empresa y los delegados de personal. 2.1. Empresas obligadas a contar con estructuras representativas. 2.2. El número de representantes. 2.3. Criterios de funcionamiento de los órganos de representación. 2.4. El procedimiento electoral. 2.5. El mandato representativo. 2.6. Competencias. 2.7. Garantías. a) Despidos y sanciones. b) La no discriminación en la promoción económica y profesional del representante. c) La prioridad de permanencia en la empresa. 2.8. Facilidades a otorgar a los representantes legales de los trabajadores. a) La libertad de expresión de opiniones. b) La libertad de publicación y distribución. c) El derecho a un tablón de anuncios. d) El derecho a un local adecuado. e) El derecho a un crédito de horas laborales retribuidas. 3. La representación sindical. 3.1. Los derechos de los afiliados a los sindicatos. 3.2. Las secciones sindicales de empresa. a) Normativa aplicable. b) Constitución. c) Derechos. 3.3. Los delegados sindicales. a) Criterios organizativos. b) Designación de los delegados sindicales. c) Número de delegados sindicales. d) Garantías y facilidades. e) Derechos de los delegados sindicales. 4. La representación y participación en empresas de dimensión comunitaria. 4.1. El comité de empresa europeo. 4.2. La implicación de los trabajadores en las sociedades anónimas y cooperativas europeas.

I. CUESTIONES GENERALES

1. Dos modelos organizativos de representación de los trabajadores en la empresa

111. Dos modelos de representación de trabajadores. En Europa existen dos modelos organizativos de representación de los trabajadores en la empresa:

1°) El modelo de representación unitaria o institucional, constituido por órganos ajenos a la estructura sindical, cuyos miembros son elegidos por todos los trabajadores de la empresa (delegados de personal, comités o consejos de empresa, comisiones internas).

2°) El modelo de representación sindical, constituido por órganos sindicales a nivel de empresa dotados de una mayor o menor autonomía según los casos.

112. No son modelos excluyentes. No se trata de modelos exclusivos y excluyentes sino que, al contrario, conviven normalmente entre sí, especialmente a partir de la década de los años 60, en que se aprecia un notable avance de la acción sindical en la empresa en los países de nuestro entorno.

113. Sindicalización de la representación unitaria. Por otra parte, pese al carácter extrasindical de la representación unitaria —en el sentido de que los representantes son elegidos por todos los trabajadores con independencia de que estén o no afiliados a un sindicato—, existe una cierta sindicalización de la representación unitaria, por cuanto:

1) Orgánicamente, en muchas ocasiones, las candidaturas son sindicales.

2) Es frecuente la presencia de representantes sindicales en el comité de empresa, con voz y sin voto.

3) Funcionalmente, es posible afirmar que el desarrollo de los sistemas de representación unitaria está en función directa del interés con que se lo toman los sindicatos. Se ha demostrado que en los países donde coexisten ambos sistemas de representación, las secciones sindicales de empresa son instrumentos dinamizadores de los comités de empresa.

4) En algún caso, existe una completa interdependencia entre la organización sindical de empresa y el comité.

114. Crítica a la representación unitaria. En el orden valorativo, los detractores de la representación unitaria han argumentado, sobre todo:

a) La ausencia de una memoria colectiva en los comités de empresa, a diferencia del sindicato, única organización obrera con memoria capaz de programar y calcular los costes y beneficios de las fases de tregua y de lucha.

b) Su efecto integrador —en el sentido de medio apto para favorecer la armonía en el proceso productivo, sin alterar los presupuestos del sistema de economía de mercado—, dado el carácter de las competencias atribuidas a los comités de empresa, poco importantes en extensión (escasos puntos y no nucleares) y en intensidad (limitada a información, consulta y codeterminación restringida) y a los posibles riesgos de manipulación empresarial. El tema es sin embargo debatido por cuanto el riesgo de manipulación empresarial e integración acecha a todos los medios de acción, incluido el sindical. Todo dependerá de la conciencia y formación sindicales. Además, el concepto mismo de integración es un concepto crítico y como tal de valoración variable.

c) La tendencia de algunos comités de empresa a «*socavar el sindicalismo a nivel de fábrica, mediante la creación de una organización que se interponga entre los obreros y su sindicato*» (CAREW). Esta dimensión viene en ocasiones fomentada por los propios empresarios que los apoyan como alternativa a la acción sindical en la empresa. En líneas generales, se puede afirmar que los comités de empresa han recibido del empresario más facilidades que los sindicatos en las empresas.

d) Sus tendencias burocratizadoras, esto es, de distanciamiento de la base de trabajadores, especialmente en la gran empresa en la que la representatividad de los miembros del comité de empresa es excesivamente alta. Por otra parte, al no ser «*homogéneos*» los colegios electorales, hay sectores de trabajadores —los no especializados, singularmente—, que difícilmente son elegidos alguna vez.

e) El riesgo de corporativismo o de egoísmo de empresa cuando el comité actúa en un plano reivindicativo. Por ejemplo, la negociación de un convenio colectivo a nivel de empresa, especialmente en aquellas «*empresas-punta*» que pueden soportar presiones reivindicativas más fuertes, contribuye a crear núcleos o bolsas de trabajadores privilegiados.

115. Crítica a la representación sindical. Por su parte, los detractores de la representación sindical en la empresa, a su vez, han argumentado:

a) De un lado, al igual que los detractores de los comités de empresa, se afirma que el sindicalismo de empresa en su actuación corre el riesgo de corporativizarse y de olvidar los intereses generales de la clase trabajadora. Esta crítica surgía de un sindicalismo histórico que, en nombre del «*espíritu de clase*», durante años negó la posibilidad de estructuración autónoma de la acción sindical de la empresa. Esta postura se ha superado prácticamente hoy a partir de una serie de circunstancias históricas.

b) De otro lado, y en sentido contrario, se acusa a la representación sindical de empresa del riesgo de direccionismo político sindical a que puede estar sujeta, muchas veces ajeno a los concretos intereses de los trabajadores en la empresa, que puede concretarse en pactos de la cúspide burocrática sindical que condicionan posteriormente a las representaciones sindicales de empresa.

c) Desde una perspectiva empresarial se ha defendido históricamente el «*principio de la neutralización sindical*» de la empresa, lo que comporta una división de competencias entre el sindicato (en el exterior de la empresa) y la representación unitaria (dentro de la empresa). Se argumenta que la presencia sindical en la empresa, a diferencia de los comités, tiende a crear, no sistemas de integración o «*control pasivo*» basados en un espíritu de consenso y colaboración industrial sino, al contrario, sistemas de «*control negativo*» y de «*contrapoder*» en la fábrica que rechazan la idea de colaboración y reclaman la de conflicto.

116. Evolución de los sistemas representativos. Históricamente, la representación unitaria es la primera reconocida en los distintos países de la Europa Continental. Así, la delegación del personal encargada de hablar con la dirección surge, primero, espontáneamente.

Más tarde, su reconocimiento como organismo permanente vendrá propiciado por los propios empresarios como alternativa a la acción sindical en la empresa.

Su mayor desarrollo tendrá lugar en los años inmediatamente posteriores a la última guerra, enmarcada en las exigencias de reconstrucción posbélica de lograr un clima de colaboración interclase.

Paralelamente, la empresa ha sido tradicionalmente un lugar ajeno al sindicato, actuando éste fuera de la empresa. Las razones son varias y varían de país a país.

Sintetizando, podríamos en este sentido, señalar:

a) Por parte de los sindicatos:

1º) Una cierta inercia histórica. Dado que el sindicato nace como instrumento de oposición capitalista se sitúa a nivel de la sociedad global y no a nivel de empresa.

2º) La ideología maximalista de ciertos sindicatos que, en nombre del *«espíritu de clase»* y de los riesgos de corporativismo que el sindicalismo de empresa comporta, negaban históricamente la posibilidad de acción sindical en la empresa.

3º) La primitiva estructuración territorial y por oficios del sindicato y no por rama profesional.

4º) El pluralismo sindical y la baja afiliación sindical planteaba, igualmente, problemas de estructuración práctica de las representaciones sindicales de empresa. En los países anglosajones, por el contrario, donde existe un mayor índice de afiliación y un menor pluralismo, los sindicatos han dominado siempre de hecho la representación de los trabajadores en la empresa.

b) Por parte del Estado y de las empresas, habría que señalar las resistencias al reconocimiento del derecho de libertad sindical a los trabajadores en la empresa, en el marco de una visión liberal de los derechos sociales —derechos sólo frente al Estado y no frente a otras instancias de poder—, que consideraba la empresa como una institución neutra.

La Constitución, y con ella el sindicato, se detenía así, a las puertas de la empresa donde imperaba la *«ley del bastón»* y el empresario era dueño *«en su casa»*. Los empresarios pensaban que era más fácil y más conveniente para sus intereses tratar con funcionarios sindicales, más moderados y posibilistas, que con los militantes sindicales de la empresa, mucho más combativos. Además, se consideraba que era bueno alejar el conflicto de la empresa para evitar la presión sobre el empresario de la representación sindical en la empresa.

117. El sindicato en la empresa. El modelo sindical extraempresarial entrará en crisis en la década de los 60 debido a una serie de circunstancias históricas concurrentes:

1ª) La desaparición progresiva de la tesis centralizadora de las estructuras sindicales de los sindicatos de ideología marxista.

2ª) El proceso de renovación tecnológica y organizativa, al modificar algunos elementos de la relación laboral, tales como salarios, ritmos de producción, clasificación profesional, etc., exigió una negociación colectiva a nivel de empresa, lo que, a su vez, demandaba una organización sindical a este nivel como exigencia formal de una instancia sindical negociadora y como exigencia material de un exacto conocimiento de los concretos problemas de una empresa determinada.

3ª) Las nuevas exigencias organizativas del sindicato, ya que, por un lado, la gran empresa desbordaba el sindicato territorial y exigía el sindicato de empresa y, por otro, la dispersión de los trabajadores en los grandes núcleos urbanos convertía el centro de trabajo en el lugar idóneo para reuniones y asambleas y, también, para hacer proselitismo sindical.

4ª) Finalmente, y sobre todo, la fuerte dialéctica existente en la década de los 60 del pasado siglo entre base de trabajadores y burocracia sindical. La penetración del sindicato en la empresa obedecerá fundamentalmente a la necesidad de luchar contra la amenaza de montaje de sistemas de representación obrera en la empresa espontáneos y extrasindicales (en línea izquierdista asamblearia o en línea de sindicalismo autónomo de empresa de signo corporativo).

De esta manera, el derecho a la acción sindical en la empresa acabó reconociéndose, primero, a través de la negociación colectiva y, más tarde, a través de las leyes de apoyo al sindicato, de las que son ejemplo la ley francesa de 27 de diciembre de 1968 y el Estatuto de los Trabajadores italiano de 20 de mayo de 1970, leyes que respondieron a idéntica finalidad: la de potenciar el sindicato como órgano responsable de representación obrera en un clima de contestación institucional.

2. *La protección internacional de la acción colectiva de los trabajadores en la empresa*

118. Los Convenios n° 87 y 98 de la OIT. La protección internacional de la acción colectiva de los trabajadores en la empresa se encontraba escasamente concretada y garantizada en los Convenios n° 87 y 98 de la OIT.

En efecto, el art. 3° del Convenio n° 87 consagraba el derecho de los sindicatos a organizar su administración y actividades y a formular sus programas de acción, conteniendo implícitamente la posibilidad de una acción colectiva a nivel de empresa de una manera poco operativa.

El Convenio n° 98, por su parte, al recoger la necesidad de que los trabajadores gocen de una adecuada protección contra los actos de discriminación en el empleo tendentes a menoscabar la libertad sindical, por causa de afiliación o actividad sindical, así como de la creación de organismos adecuados para garantizar el respeto al derecho de sindicación, podía constituir también una mínima cobertura o apoyatura al efecto.

119. El Convenio n° 135 y la Recomendación n° 143. De modo específico, la protección internacional de la acción colectiva de los trabajadores en la empresa se encuentra en el Convenio n° 135 y en la Recomendación n° 143 de la OIT de 2 de julio de 1971, relativos a *la protección de los representantes de los trabajadores en la empresa y de las facilidades que se deben conceder a los mismos*.

Ambos instrumentos internacionales se refieren genéricamente a los *representantes de los trabajadores*, que son tanto los *representantes elegidos* por todo el personal de la empresa como los *representantes sindicales* elegidos por los sindicatos o por los miembros de los sindicatos a nivel de empresa (art. 3° del Convenio y 2° de la Recomendación).

El Convenio y, sobre todo, la Recomendación establecen, de un lado, garantías de protección eficaz contra medidas perjudiciales a estos representantes por razón de su condición o actividad (arts. 1° y 5° de la Recomendación) y, de otra parte, una serie de facilidades a conceder por la empresa para el cumplimiento de sus funciones (art. 2° del Convenio y 9° de la Recomendación).

120. Garantías de los representantes. El art. 6° de la Recomendación considera específicamente las garantías frente al despido de estos representantes exigiendo:

a) Una definición detallada y precisa de los motivos de extinción del contrato.

b) La necesidad de consulta, notificación o acuerdo previo al despido de los representantes de un organismo independiente privado o público.

c) Un procedimiento especial de recurso contra un despido injustificado o una modificación injusta de las condiciones de trabajo.

d) La readmisión del despedido injustamente, con abono de los salarios correspondientes y mantenimiento de los derechos adquiridos.

e) El traslado al empleador de la carga de la prueba cuando se alegase que el despido es discriminatorio.

f) La prioridad para mantener el empleo en caso de reducción del personal.

En cuanto al alcance de estas garantías, señala que alcanzarán, además de a los representantes, a los candidatos y, *«durante un cierto tiempo»*, a los que hubiesen sido representantes de los trabajadores (art. 7º de la Recomendación).

121. Facilidades de los representantes. En cuanto a las facilidades que debe proporcionar la empresa para el cumplimiento de sus funciones, los puntos 10 a 17 de la Recomendación enumeran el contenido mínimo deseable de las indicadas facilidades o medidas de protección sindical directa: tiempo libre retribuido, acceso a todos los lugares de trabajo, derecho a recaudación de cuotas sindicales, derecho a colocación de anuncios y comunicados, derechos de distribución de publicaciones, derecho a medios materiales e instrumentales para el desarrollo de sus funciones.

122. La dualidad representativa. El art. 5º del Convenio 135 de la OIT resulta de gran interés por cuanto parece primar la representación sindical de empresa sobre la institucional: *«cuando en una misma empresa existan simultáneamente representantes elegidos y representantes sindicales, deben tomarse medidas para garantizar que aquellos no constituyen un obstáculo a los sindicatos y a sus representantes, sino que quede asegurada la mutua colaboración entre unos y otros».*

Ambos instrumentos internacionales añaden que *«la aplicación de los extremos anteriores que pueden efectuarse a través de la legislación, de los convenios colectivos o de cualquier otra forma conforme con la práctica de cada país»* (art. 6º del Convenio y 1º de la Recomendación), expresando de esta manera su genérico carácter programático.

123. Las limitaciones del Convenio nº 135. Conviene señalar que, no obstante el visible progreso que supone el reconocimiento de las representaciones de los trabajadores en la empresa y el establecimiento de determinadas garantías y de la posibilidad de ampliar esta regulación legal en los convenios colectivos, tal regulación resulta siempre insuficiente frente al amplio poder del empleador apoyado, en último término, en el derecho de propiedad privada sobre los medios de producción.

El propio Convenio nº 135 se cuida de señalar dos limitaciones:

a) Las facilidades a otorgar a los representantes de los trabajadores no deberán perjudicar el funcionamiento eficaz de la empresa.

b) El sistema de garantías jugará siempre que los representantes de los trabajadores actúen conforme a las leyes o convenios colectivos en vigor.

Es por ello por lo que será la acción directa de los sindicatos la mejor garantía de los representantes de los trabajadores en la empresa.

El Informe de la OIT sobre «*los derechos de los representantes sindicales en el ámbito de la empresa*» publicado en 1969, señaló, en este último sentido, que «*sería erróneo atribuir demasiada importancia a la existencia o inexistencia de disposiciones formales especiales encaminadas a asegurar dicha protección… La inexistencia de disposiciones especiales para la protección de los representantes sindicales en su empleo puede deberse a la fuerza de los sindicatos, que es en sí misma una garantía contra las represalias de que aquellos puedan ser objeto y hace que resulte superfluo incluir normas especiales en la legislación o en los convenios colectivos*». Añadiendo que «*a veces, la fuerza del movimiento obrero sindical y su capacidad de reacción eficaz contra toda amenaza que imposibilite la realización de una actividad en la empresa o de un acto discriminatorio por parte del empleador constituye en muchos países la garantía más eficaz*».

124. La Doctrina del Comité de Libertad Sindical. Del ya abundante repertorio de decisiones del Comité de Libertad Sindical de la OIT las más significativas que pueden afectar a la acción sindical e institucional en la empresa son las siguientes:

1ª) No está en armonía con el Convenio nº 87 de la OIT la exigencia de que todos los dirigentes estén ejerciendo la profesión con una antelación mínima de un año en el momento de la elección.

2ª) La privación del derecho de sufragio pasivo por razón de una condena de cualquier jurisdicción puede considerarse incompatible con los principios de la libertad sindical, que sólo la autorizan en el caso de delitos que sean posiblemente perjudiciales para el buen ejercicio de funciones sindicales.

3ª) Las autoridades deben abstenerse, en los procesos electorales, de formular recomendaciones, evitar juicios sobre determinados candidatos o las consecuencias que se derivarían de su elección, establecer mayorías específicas en elecciones sindicales internas, exigir autorización previa de las listas de candidatos o confirmación posterior de los resultados electorales, establecer la presencia de funcionarios gubernamentales durante las elecciones sindicales, etc.

4ª) Las impugnaciones gubernamentales de las elecciones no deben tener efectos suspensivos de la validez de los mandatos correspondientes mientras no se produzca la decisión judicial pertinente.

5ª) Es contrario a la libertad sindical la posibilidad de privar mediante decisión administrativa no judicial y con garantías procesales suficientes de los derechos sindicales y, en particular, de cargos y puestos representativos.

6ª) Todos los trabajadores y especialmente los delegados sindicales, deben gozar de protección adecuada contra los actos de discriminación antisindical en relación con su empleo, ya se trate de despidos, descenso en categoría, traslados, etc.; para lo cual debe prohibirse el despido de los delegados sindicales, durante el ejercicio de su mandato y un determinado periodo de tiempo supletorio, salvo falta grave.

II. LA REPRESENTACIÓN DE LOS TRABAJADORES EN LA EMPRESA EN EL DERECHO ESPAÑOL

1. Normativa vigente

125. Inexistencia de fundamento constitucional. El fundamento legal. El derecho a la representación unitaria en la empresa no es un derecho constitucional, sino una simple previsión constitucional programática. En efecto, el art. 129.2 de la CE compromete a los poderes públicos a promover *«eficazmente las diversas formas de participación en la empresa».*

La STC de 11 de mayo de 1983 ha señalado, en este sentido, que el comité de empresa es creación de la ley ordinaria y que sólo puede encontrar una indirecta vinculación con el art. 129.1 de la Constitución. Señala, además, que una vulneración de las normas reguladoras de la representación unitaria en la empresa no implica una violación de la libertad sindical reconocida en el art. 28.1 de la Constitución pues *«ésta no alcanza a cubrir constitucionalmente la actividad sindical del comité»* (SSTC de 29 de julio de 1985, de 31 de enero de 1986 o de 18 de diciembre de 1986).

Será el art. 4.1.g) del ET el que configurará como derecho básico de los trabajadores el de la *«participación en la empresa»,* siendo desarrollado este derecho por el Título II del ET (arts. 61 a 76)

España ha ratificado, por instrumento de 21 de junio de 1982, el Convenio nº 135 de la OIT, sobre la protección y facilidades que deben otorgarse a los representantes de los trabajadores.

126. Coexistencia de los dos modelos de representación. En España coexiste el doble canal de representación de los trabajadores en la empresa. Hay una representación unitaria (comités de empresa y delegados de personal) y una representación sindical (secciones sindicales y delegados sindicales).

En este sentido, el art. 61 del ET señala que, *«sin perjuicio de otras formas de participación, los trabajadores tienen derecho a participar en la empresa a través de los órganos de representación regulados en este Título».*

2. La representación unitaria: el comité de empresa y los delegados de personal

2.1. Empresas obligadas a contar con estructuras representativas

127. Exigencias legales para la existencia de delegados de personal y comités de empresa. Los órganos de representación unitaria legalmente previstos son los comités de empresa y los delegados de personal (arts. 62 y ss. del ET).

La existencia en una empresa o centro de trabajo de comités de empresa o de delegados de personal depende exclusivamente del número de trabajadores que presten servicios en ellos y de que los representantes promuevan las correspondientes elecciones. Pero las funciones, competencias, garantías y facilidades de ambos órganos de representación son los mismos. Así:

a) Podrá haber delegados de personal en los centros de trabajo que tengan menos de cincuenta y más de diez trabajadores; o en empresas o centros que cuenten entre seis y diez trabajadores, si así lo deciden por mayoría los trabajadores (art. 62.1 ET). Puede producirse esta decisión sin formalidad alguna por el mero hecho de una participación mayoritaria de los trabajadores en la propia elección (SSTC 70/2006 y 71/2006, de 13 de marzo; STS de 10 de marzo de 2004, Rec. 2/2003). Si el centro de trabajo no alcanza los seis trabajadores no contará con representación unitaria, ni aunque los trabajadores así lo decidieran.

b) Los comités de empresa podrán constituirse en aquellos centros de trabajo que tengan cincuenta o más trabajadores (art. 63.1 ET).

De este modo, el centro de trabajo aparece así como *la unidad electoral básica* (STS de 31 de enero de 2001, Ar/2138).

En las elecciones a representantes unitarios del personal laboral de las Administraciones Públicas, constituirá un único centro de trabajo (art. 11.2 Real Decreto-Ley 20/2012, de 13 de julio):

a) La totalidad de las unidades o establecimientos de cada Departamento Ministerial, incluidos en ellos los correspondientes a sus Organismos Autónomos, entidades gestoras y servicios comunes de la Administración de la Seguridad Social y todos sus servicios provinciales en Madrid.

b) La totalidad de las unidades o establecimientos en la provincia de Madrid de cada una de las Agencias comprendidas en el ámbito de aplicación de la Ley 28/2006, organismos o entes públicos no incluidos en la letra anterior.

c) La totalidad de las unidades o establecimientos al servicio de las Administración General del Estado, sus Organismos Autónomos, Entidades gestoras, servicios comunes de la Administración de la Seguridad Social y Agencias comprendidas en el ámbito de aplicación de la Ley 28/2006 que radiquen en una misma provincia, o en la ciudades de Ceuta y de Melilla.

d) Constituirá, igualmente un único centro de trabajo la totalidad de los establecimientos de cada ente u organismo público no incluido en los apartados anteriores, radicados en una misma provincia o en las ciudades de Ceuta y de Melilla.

128. Criterios correctores en empresas con varios centros de trabajo. El ET establece una serie de criterios correctores para las empresas con varios centros de trabajo:

a) «*En la empresa que tenga en la misma provincia o en municipios limítrofes, dos o más centros de trabajo cuyos censos no alcancen los cincuenta trabajadores, pero que en su conjunto los sumen, se constituirá un comité de empresa conjunto*» (art. 63.2 ET), siempre y cuando cada uno de estos centros de trabajo dispongan de 10 o más trabajadores (STS de 28 de mayo de 2009, Rec. 127/2008).

En todo caso, el Tribunal Supremo entiende que no es válido ampliar el ámbito de la regla del art. 63.2 ET para comprender centros de trabajo radicados en más de una provincia o en municipios no limítrofes (STS de 31 de enero de 2001, Ar/2138).

El criterio legal corrector está expresamente previsto solo para los comités de empresa. Aunque se ha defendido (RAMÍREZ) su aplicación analógica a la elección de delegado/os de personal, el TS niega rotundamente esa posibilidad (SSTS de 31 de enero de 2001, Rec. 1959/2001 o de 19 de marzo de 2001, Ar/3385).

b) «*Cuando unos centros tengan cincuenta trabajadores y otros de la misma provincia no, en los primeros se constituirán comités de empresa propios y con todos los segundos se constituirá otro*» (art. 63.2 ET), si entre ellos alcanzan también aquel número (STS de 31 de enero de 2001, Ar/2138).

La STS de 20 de febrero de 2008 *(Tol 1293979)* niega la posibilidad de agrupación para elegir un comité de empresa conjunto de los centros de hasta 10 trabajadores, limitándola a los que tengan entre 11 y 49 trabajadores. Por tanto, si en una provincia o en municipios limítrofes existen centros de trabajo de 11 a 49 trabajadores que, agrupados, podrían constituir un comité de empresa conjunto, no podrán elegir delegados de personal propios de cada centro, sino que deberán agruparse para elegir un comité de empresa conjunto.

No cabe tampoco agrupar centros de trabajo de menos de 6 o de entre 6 y 10 trabajadores para la elección del delegado de personal, no pudiéndose elegir delegados de personal conjuntos aplicando la analogía con lo previsto respecto del comité de empresa conjunto (SSTS de 31 de enero de 2001, Rec. 1959/2000 o de 11 de febrero de 2013, Rec. 2872/2013).

129. Exigencias legales para la existencia de un comité intercentros. La existencia de un comité intercentros, prevista en el art. 63.3 ET, está sujeta a las siguientes exigencias:

1ª) Su constitución sólo puede pactarse por convenio colectivo. Como dice el TS, «*mientras el comité de empresa es una creación de la Ley, el intercentros es creación del convenio colectivo*» (STS de 12 de diciembre de 1990, Ar/9776).

2ª) Será el convenio colectivo en el que se acuerde su creación el que expresamente le atribuya competencias; sin que el propio comité intercentros pueda arrogarse otras (SSTS de 25 de julio de 2000, Ar/7644 o de 5 de febrero de 2001, Ar/2143).

3ª) El máximo de miembros debe ser trece. Norma que se consideró inicialmente de derecho necesario (STCT de 9 de abril de 1981, Ar/2913), doctrina que fue revisada posteriormente por aplicación analógica de la doctrina sentada en la STC de 20 de septiembre de 1990 en la que, para la representación unitaria de funcionarios, no se considera inconstitucional que un Decreto del Gobierno de Navarra haya ampliado el número de representantes previstos en la Ley 9/1987.

4ª) Los miembros del comité intercentros deben «*ser designados de entre los componentes de los distintos comités de centro*», añadiéndose a continuación que «*en la constitución del comité intercentro se guardará la proporcionalidad de los sindicatos, según los resultados electorales considerados globalmente*».

De este modo, se entendió en un primer momento que en la composición del comité de intercentros resultaba obligado «*obviar la contemplación de resultados electorales no sindicales o ajenos a las candidaturas presentadas o apoyadas por sindicatos*» (SAN de 19 de abril de 1990, Ar/74). Sin embargo, la STS de 10 de diciembre de 1993, Ar/9772, al comparar las modificaciones que la Ley 32/1984 introdujo al art. 63.3 ET señaló que la modificación lo es «*sin que en la determinación de los elegibles establezca limitación alguna; luego atendiendo a dicha redacción que se mantiene en el precepto vigente, no queda impedida la posibilidad de que sean miembros no afiliados, a menos que el convenio colectivo dispusiera otra cosa*». Reiteran esta doctrina las SSTS de 27 de abril de 1995, Ar/3273 y de 7 de julio de 1999, Ar/5788.

5ª) En esta designación deberá guardarse la proporcionalidad de los sindicatos. La proporcionalidad de los sindicatos en la composición del comité intercentros se realiza en función de la especial audiencia que acrediten, expresada en la obtención de miembros de los diversos comités de empresa, en el momento de la constitución, con independencia de las vicisitudes posteriores (STS de 14 de mayo de 2002, Rec. 1237/2001), sin perjuicio de que por convenio colectivo se pueda establecer otro sistema (SSTS de 9 de julio de 1993, Ar/5969; de 8 de julio de 1996, Ar/5757, de 4 de diciembre de 2000, Ar/1041 o de 23 de julio de 2001, Ar/8077).

El criterio de la proporcionalidad juega también respecto de miembros pertenecientes a candidaturas independientes o no sindicales. Aunque en los diversos centros se hubieran presentado candidaturas separadas, no cabrá posteriormente sumar los resultados por acuerdo de los representantes no sindicales (SSTS de 3 de octubre de 2001, Ar/8979 o de 3 de noviembre de 2015, Rec. 334/2014).

El posible cambio de afiliación sindical de algunos de los miembros de los comités de centro no altera el resultado de la proporcionalidad en la distribución de puestos del comité intercentros (STS de 3 de octubre de 2001, Ar/8979).

Del mismo modo, la composición del Comité intercentros no se modifica si, con posterioridad a su constitución, se produce la fusión de algún sindicato con otro (STS de 14 de mayo de 2001, Ar/9509).

Aunque el tema del funcionamiento del comité intercentros se remite por el art. 63.3 ET al convenio colectivo que prevea su constitución, se ha señalado que, dada su composición colegiada, sus decisiones deben adoptarse por mayoría (SAN de 29 de mayo de 1991, Ar/2996), debiendo igualmente acreditarse la representación otorgada a determinadas personas para que actúen en su nombre y derecho.

130. Los trabajadores computables. La existencia de comités de empresa o de delegados de personal depende del número de trabajadores ocupados.

El número de trabajadores exigido legalmente se refiere a todo tipo de trabajadores, cualquiera que sea la naturaleza del contrato (fijo o temporal).

Respecto de los trabajadores temporales, el art. 72.2 ET señala los criterios que hay que utilizar para determinar el número de representantes a elegir (ver infra). Criterios que, según el art. 9.4 del RD 1844/1994, de 9 de septiembre (RDE), hay que tomar en consideración también para determinar previamente si corresponde elegir comité de empresa o delegados de personal.

2.2. El número de representantes

131. La escala de representantes. El número de representantes a elegir varía en función del número de trabajadores, según una escala establecida en el ET. Así:

a) Para delegados de personal (art. 62.1 ET):

- Hasta 30 trabajadores: 1.

- De 31 a 49 trabajadores: 3.

b) Para comités de empresa (art. 66.1 ET):

- De 50 a 100 trabajadores: 5.

- De 101 a 250 trabajadores: 9.

- De 251 a 500 trabajadores: 13.

- De 501 a 750 trabajadores: 17.

- De 751 a 1.000 trabajadores: 21.

- De 1.000 trabajadores en adelante: dos por cada mil o fracción, con el máximo de 75.

El número legal de representantes elegibles se considera de carácter imperativo, siendo nulos los pactos o acuerdos que lo contradigan (SSTS de 31 de enero de 2001, Ar/2138 o de 19 de marzo de 2001, Ar/3385). Ello es lógico dado que el número de representantes unitarios elegidos sirve también para fijar las tasas de representatividad sindical (ver supra, Tema 2), que se podrían alterar en beneficio de determinados sindicatos si se permitiese la alteración del número de representantes a elegir.

El art. 72.2 ET establece las siguientes reglas, a efectos de determinar el número de representantes:

a) En primer lugar, *«los trabajadores fijos discontinuos y los vinculados por contrato de trabajo de duración determinada superior a un año se computarán como trabajadores fijos de plantilla».*

b) En segundo lugar, *«los contratados por término de hasta un año se computarán según el número de días trabajados en el período de un año anterior a la convocatoria de la elección. Cada doscientos días trabajados o fracción se computará como un trabajador más».* El art. 6.4 del RDE señala que *«la empresa, igualmente,* facilitará en el listado del censo laboral la relación de aquellos trabajadores contratados por término de hasta un año, haciendo constar la duración del contrato pactado y el número de días trabajados hasta la fecha de la convocatoria de la elección».

El art. 9.4 del RDE añade que:

• A efectos del cómputo de los 200 días *«se contabilizarán tanto los días efectivamente trabajados como los días de descanso semanal, festivos y vacaciones anuales».*

• *«Cuando el cociente que resulte de dividir por 200 el número de días trabajados en el período de un año anterior a la iniciación del proceso electoral sea superior al número de trabajadores que se computan, se tendrá en cuenta, como máximo, el total de dichos trabajadores que presten servicios en la empresa en la fecha de iniciación del proceso electoral, a efectos de determinar el número de representantes».*

La referencia que hace el RDE al *«total de dichos trabajadores que presten servicios en la empresa en la fecha de iniciación del proceso electoral»* vino a solucionar el tema que venía dividiendo a la doctrina judicial respecto de si los trabajadores contratados temporales por tiempo inferior a un año que debían computarse eran sólo los que en el momento de su elección tuviesen contrato en vigor o si, por el contrario, también debían entrar en el cómputo los días trabajados en el año anterior a la elección por aquellos contratados temporales por período inferior a un año, aunque en el momento de la elección no tuviesen contrato en vigor. La opción reglamentaria se inclina claramente por la primera alternativa;

lo que resulta no sólo adecuado a la letra del art. 72.2 ET —trabajadores «*vinculados*» por contrato de duración determinada—, sino congruente con el espíritu general del ET en orden a la proporcionalidad entre el número de representantes y el de trabajadores con contrato de trabajo en vigor durante todo el período de duración del mandato electoral.

Nada se dice acerca de los trabajadores a tiempo parcial, de los trabajadores con contrato de trabajo suspendido o en situación de excedencia laboral, si bien a mi juicio la ausencia de exclusión legal permite su cómputo.

132. Variaciones de plantilla y número de representantes. En relación con las incidencias que producen las variaciones de plantilla, el art. 67.1 del ET establece lo siguiente:

a) En los casos de incremento de plantilla, podrán promoverse elecciones parciales para ajustar la representación al número de trabajadores existente.

En estos casos, el mandato de los representantes elegidos finalizará al mismo tiempo que el de los otros ya existentes en el centro de trabajo (art. 13.1 RDE).

Un supuesto particular puede presentarse cuando el aumento de plantilla suponga llegar a la cifra de 50 trabajadores. En estos casos deberán celebrarse nuevas elecciones totales.

b) En los casos de «*disminuciones significativas de plantilla que puedan tener lugar en la empresa*», la regla general es la de que el número de representantes no varía. Sólo se podrán efectuar los ajustes necesarios para acomodar la representación de los trabajadores en el caso —y de acuerdo con los criterios— que al respecto estén previstos en el convenio colectivo aplicable. En defecto de convenio colectivo que se refiera a este tema, «*dicha acomodación deberá realizarse por acuerdo entre la empresa y los representantes de los trabajadores*», señalándose como criterio la necesidad de «*guardar la debida proporcionalidad por colegios electorales y por candidaturas y candidatos electos*» (art. 13.2 RDE)

En los supuestos de transmisión de empresa, el art. 44 ET, modificado por la Ley 12/2001, de acuerdo con la Directiva Comunitaria 2001/23/CE, de 12 de marzo de 2001, relativa al mantenimiento de los derechos de los trabajadores en casos de traspasos de empresas, de centros de actividad o de partes de centros de actividad, establece que «*cuando la empresa, el centro de trabajo o la unidad productiva objeto de la transmisión conserve su autonomía, el cambio de titularidad del empresario no extinguirá por si mismo el mandato de los representantes legales de los trabajadores, que seguirán ejerciendo sus funciones en los mismos términos y bajo las mismas condiciones que regían con anterioridad*». En caso contrario, los representantes afectados perderán su condición al no poder continuar siéndolo en un colectivo perteneciente a empresa distinta para la que fueron elegidos.

Soluciones análogas no parecen, sin embargo, aplicables para resolver las cuestiones que puedan plantearse respecto a la suerte del comité intercentros tras una transmisión de empresa ya que la figura del comité intercentros se justifica por el ejercicio de competencias referidas al interés de todos los trabajadores de la empresa y no a las referidas a los centros de trabajo concretos. Parece por ello lógico defender que, en los supuestos de transmisión de empresa, deberá procederse a la elección de un nuevo comité intercentros que aglutine la representación de todos los centros de trabajo existentes con posterioridad a la transmisión de empresa.

2.3. Criterios de funcionamiento de los órganos de representación

133. Representación mancomunada de los delegados de personal. El comité de empresa como órgano colegiado. El ET viene a establecer dos reglas de funcionamiento aparentemente distintas para los delegados de personal y para el comité de empresa. Según el artículo 62.2 ET *«los delegados de personal ejercerán mancomunadamente ante el empresario la representación para la que fueron elegidos»*.

Mientras que según el artículo 63.1 ET *«el comité de empresa es el órgano representativo y colegiado del conjunto de los trabajadores»*.

Literalmente ello vendría a significar que la actuación de los delegados de personal debería producirse conjuntamente, procediendo a la toma de decisiones por unanimidad. Mientras que para el comité de empresa regiría la regla de las mayorías para la adopción de acuerdos.

No parece, sin embargo, que sea ésta la conclusión a mantener, sino que ambas instituciones (delegados y comités) forman su voluntad conjunta por acuerdo mayoritario (STS de 25 de febrero de 2015, Rec. 36/2014):

a) En primer término, porque delegados de personal existirán en número de uno o tres, resultando absurda la exigencia de una actuación mancomunada.

b) En segundo lugar, porque en la normativa laboral referida a la posible actuación de los representantes legales de los trabajadores —sin distinguirse, por tanto, entre comités de empresa y delegados de personal—, los acuerdos se adoptan por mayoría. Así, por ejemplo, en el art. 21.3 de la Ley de Prevención de Riesgos Laborales, sobre paralización de actividades por razones de seguridad.

c) En tercer lugar, porque, si la regla de las mayorías juega en temas de especial trascendencia como es la negociación colectiva (art. 89.3 ET), no resulta lógico exigir la unanimidad en otras materias de menor interés. Lo mismo cabría decir de la actuación de los representantes de los trabajadores para declarar huelgas y plantear conflictos colectivos, regida por la regla de la mayoría (arts. 3.2.a) y 18.1.a) del RDLRT).

d) Por último, porque si el art. 62.2 ET señala expresamente que *«los delega-dos de personal... tendrán las mismas competencias establecidas para los comités de empresa»*, les será plenamente aplicable lo dispuesto en el artí-culo 65.1 del ET relativo a la legitimación procesal *«para ejercer acciones administrativas o judiciales en todo lo relativo al ámbito de sus competen-cias, por decisión mayoritaria de sus miembros»*.

Este sistema de funcionamiento por acuerdos mayoritarios no puede, en oca-siones (por ejemplo, a la hora de decidir la composición de comisiones del propio comité) suponer la exclusión de determinados sindicatos con presencia en el mis-mo (STSJ de Cataluña, de 16 de febrero de 1993, Ar/842 o de Galicia, de 17 de agosto de 1992, Ar/4103).

134. Mandato representativo y no imperativo. El mandato de los representan-tes unitarios es un mandato representativo y no imperativo (STS de 1 de junio de 1990, Rec. 4996/1990).

El mandato representativo solamente podría circunstancialmente transformar-se en imperativo si los propios representantes decidieran en puntos concretos so-meter su actuación a lo decidido en asamblea por sus representados. Al tema se re-fiere el art. 80 del ET que prevé el supuesto de que se pueda someter a la asamblea de trabajadores la adopción de acuerdos que afecten al conjunto de trabajadores; acuerdos para cuya validez se requiere una mayoría absoluta.

En todo caso, los representantes unitarios responden de su actuación frente al cuerpo electoral de trabajadores pero no ante el empresario (STC de 9 de mayo de 1994).

135. Funcionamiento interno del comité de empresa. El ET establece las si-guientes previsiones generales sobre su funcionamiento interno:

a) Se debe elegir un presidente y un secretario del comité de entre sus propios miembros.

b) Debe elaborarse un reglamento interno de funcionamiento, remitiendo co-pia del mismo a la autoridad laboral, a efectos de registro, y a la empresa (art. 66.2 ET).

   El reglamento interno puede modificarse en cualquier momento posterior (OJEDA). La modificación del reglamento de funcionamiento interno del comité debe llevarse a cabo por los trámites y mayorías previstos en el pro-pio reglamento (STSJ de Madrid, de 16 de mayo de 1990).

c) Respecto de las comisiones que pudieran crearse en el reglamento interno, no se permite que por decisión mayoritaria se excluya de las mismas a al-gún sindicato con presencia en el comité. Ello sin perjuicio de que luego, a la hora de adoptar decisiones por el comité, sea la voluntad de éste, por el mecanismo de votación legítimo, la que prevalezca (STSJ de Aragón, de 27 de enero de 1993, Rec. 998/1993).

Estas comisiones deben guardar la proporcionalidad entre los sindicatos que tengan presencia en el propio comité (STSJ de Andalucía, de 18 de marzo de 1993, Rec. 1216/1993).

En cuanto a la composición de la comisión negociadora del convenio colectivo de empresa, se ha mantenido que «*no es la mayoría dominante en el comité... lo que determinará la identidad de los participantes en la negociación colectiva, sino que la precisa conexión entre comité de empresa y sindicatos impone la necesidad de que todos los sindicatos que tengan representación en aquel también estén presentes, aún con una mínima presencia, en la comisión negociadora del convenio*» (SSTSJ del País Vasco, de 29 de octubre de 1992, Rec. 1096/1992 o de 28 de diciembre de 1992, Ar/6037), debiendo actuarse no sobre el número de votos obtenido por cada candidatura sino sobre el número de representantes obtenido por cada una de ellas en el seno del comité (STSJ de Andalucía, de 11 de junio de 1992, Rec. 1089/1992).

d) «*Los comités de empresa deberán reunirse cada dos meses o siempre que lo solicite un tercio de los trabajadores representados*» (art. 66.2 ET). Disposición que hay que entender como norma mínima, pudiendo el reglamento del comité señalar una periodicidad mayor de las reuniones o un «*quorum*» inferior para su solicitud.

136. El deber de sigilo de los representantes. El art. 65.2 del ET establece que «*los miembros del comité de empresa, y éste en su conjunto, observarán sigilo profesional en todo lo relativo a los números 1, 2, 3 y 4 del apartado 1 del artículo anterior, aún después de dejar de pertenecer al comité de empresa, y en especial en todas aquellas materias sobre las que la dirección señale expresamente el carácter reservado*» (STC de 11 de noviembre de 2002).

El deber de sigilo profesional queda referido también a los delegados de personal: «*Los delegados de personal observarán las normas que sobre sigilo profesional están establecidas para los miembros de comités de empresa en el artículo 65 de esta Ley*» (art. 62.2 ET).

Las materias a las que se extiende el deber de sigilo son las referidas a las informaciones del sector económico o de la empresa que, periódicamente, deben facilitársele a los representantes y a aquellas decisiones empresariales que directamente incidan sobre el volumen del empleo o sobre condiciones tan sustanciales del contrato de trabajo como son las reducciones de jornada, el traslado total o parcial de instalaciones, la implantación o revisión de sistemas de organización y control de trabajo, etc.

Indudablemente el sigilo sobre estas materias puede contrariar el derecho de los representantes a informar a los trabajadores representados, concebido en términos amplios por los arts. 64.1.12 y 68.b) ET. Una aplicación literal del art. 65.2 ET restringiría hasta anular las libertades de expresión y de información de los representantes en temas que tienen directa repercusión en las relaciones laborales. Cuestión agravada por la posibilidad para la empresa desorbitada de ampliar las materias cubiertas por el sigilo a todas aquellas *«sobre las que la dirección señale expresamente el carácter reservado»*, aunque haya que advertir que el Tribunal Supremo ha señalado no ser *«suficiente que el empresario lo calificara unilateralmente como confidencial, sino que sería necesario que desde un plano objetivo efectivamente lo sea»* (STS de 13 de diciembre de 1989, Ar/9200).

El término *«sigilo»* parece referirse a algo menos que el término *«secreto»*. Así, el *«sigilo»* se referiría más bien a *«una utilización prudente de la información que se posee»* (RAMÍREZ), de modo que para los representantes no resultaría vedada la transmisión de la información que conocen cuando esta transmisión fuese exigencia justificada de la función representativa que ostentan (STC 90/1999, de 26 de mayo; STS de 13 de diciembre de 1989, Ar/9200). Lo prohibido sería, en este sentido, una utilización indiscriminada de la información, pero no aquella necesaria o conveniente para mantener abiertos los canales de información de los representantes con los representados (DE LA VILLA).

El último inciso del art. 65.2 del ET, disponiendo que *«ningún tipo de documento entregado por la empresa al comité podrá ser utilizada fuera del estricto ámbito de aquella»*, permite también configurar el deber de sigilo en cuanto dirigido *«ad extra»* de la empresa, pero sin que este deber pese sobre los representantes cuando se dirige *«ad intra»*, como exigencia de la función representativa de los trabajadores.

El deber de sigilo se configura por el ET como un deber del representante cuya observancia debe cubrir todo el período de tiempo de su vinculación laboral con la empresa. En este sentido, el art. 65.2 ET extiende este deber de sigilo a los representantes *«aún después de dejar de pertenecer al comité de empresa»*. Y es por ello por lo que su violación por el actual o antiguo representante puede generar un despido disciplinario en base al art. 54.2.d) ET (STC 142/1993, de 22 de abril).

El art. 65.2 ET señala que *«en todo caso, ningún tipo de documento entregado por la empresa al comité podrá ser utilizado fuera del estricto ámbito de aquella y para distintos fines de los que motivaron su entrega»*, precepto igualmente aplicable a los delegados de personal.

En cualquier caso, la no utilización de documentos fuera del estricto ámbito de la empresa, no cabe interpretarlo en sentido tan restrictivo como para impedir a

los representantes aportar dichos documentos con ocasión del ejercicio de acciones administrativas o judiciales, capacidad reconocida en el art. 65.1 ET.

2.4. El procedimiento electoral

137. Finalidad de las elecciones. Las elecciones a representantes unitarios del
personal persiguen una doble finalidad (SSTC 208/1989, de 14 de diciembre o
7/1990, de 18 de enero). De un lado, elegir a los representantes unitarios de los
trabajadores en el centro de trabajo y en la empresa y, de otro, medir oficialmente
la representatividad de los sindicatos.

138. Normativa aplicable. El procedimiento electoral se encuentra regulado en
los arts. 69 a 76 del ET y en el RD 1844/1994, de 9 de septiembre (RDE).

139. Los electores. El art. 69.2 del ET establece que «*serán electores todos los
trabajadores de la empresa o centro de trabajo mayores de dieciséis años y con
una antigüedad en la empresa de al menos un mes*». Los trabajadores prejubila-
dos están excluidos de la elección (STS de 1 de junio de 2004, Rec. 128/2003).

Un primer problema interpretativo se plantea respecto de los trabajadores sujetos a un período de prueba. ¿Son electores si el tiempo de prueba transcurrido
fuese superior al mes o sólo tienen la condición de electores los trabajadores con
un contrato de trabajo definitivo?

A mi juicio, los trabajadores a prueba serán electores con base en los siguientes
argumentos:

1) El art. 69.2 ET, habla de «*trabajadores*» sin distinguir situaciones o modalidades contractuales.

2) Según el art. 14 del ET, durante el periodo de prueba el trabajador tiene los
   derechos y obligaciones como si fuera de plantilla, «*excepto* (únicamente)
   *los derivados de la resolución de la relación laboral, que podrá producirse a
   instancia de cualesquiera de las partes durante su transcurso*».

3) Cuando el contrato de trabajo se transforma en definitivo, el período de
   prueba se computa a efectos de antigüedad, lo que significa que la antigüedad del trabajador en la empresa comienza desde el inicio de su relación
   laboral, aunque ésta esté sometida a un período de prueba.

Los trabajadores con el contrato de trabajo suspendido por cualquier causa,
incluida la disciplinaria, son igualmente electores; así como los trabajadores exce-
dentes, tanto voluntarios como forzosos.

En cuanto al requisito de edad para ser elector (dieciséis años), su exigencia
coincide lógicamente con la de la edad que determina el inicio de la capacidad

para trabajar, aunque ésta sea una capacidad limitada que precisa de una autorización (art. 7 b) del ET).

140. Los elegibles. El art. 69.2 ET señala que los trabajadores elegibles deberán tener:

1º) 18 años cumplidos, edad coincidente con la mayoría de edad y consiguiente capacidad contractual plena en el orden laboral y

2º) una antigüedad en la empresa de, al menos, seis meses.

En cualquier caso, esta antigüedad se puede rebajar hasta tres meses, siempre que se haga por convenio colectivo y esté justificada por razones de movilidad de personal.

141. Momento en que deben reunirse los requisitos legales para ser elector o elegible. El art. 6.5 del RDE señala que la exigencia de los requisitos de edad y antigüedad para ser elector y elegible «*habrán de cumplirse en el momento de la votación para el caso de los electores y en el momento de la presentación de candidaturas para el caso de los elegibles*».

142. Equiparación de los trabajadores extranjeros. «*Los trabajadores extranjeros podrán ser electores y elegibles cuando reúnan las condiciones exigidas para los trabajadores españoles*» (art. 69.2 ET).

143. Los trabajadores a distancia. El art. 13.5 del ET dispone que «*los trabajadores a domicilio* («*a distancia*», según la nueva terminología del Real Decreto-Ley 3/2012, de 10 de febrero) *podrán ejercer los derechos de representación colectiva conforme a lo previsto en la presente Ley, salvo que se trate de un grupo familiar*».

144. La exclusión del personal de alta dirección. Según lo dispuesto en el art. 16 del RD 1.382/1985, de 11 de agosto, «*sin perjuicio de otras formas de representación, el personal de alta dirección no participará, como elector ni como elegible, en los órganos de representación regulados en el Título II del ET*».

La exclusión está justificada en el «*parentesco sociológico*» que une al empresario con el trabajador de alta dirección, por el que no parece apto para participar en el órgano que se define legalmente como de defensa de los intereses del conjunto de los trabajadores (art. 63.1 ET; STS de 22 de octubre de 1987, Ar/2762).

145. Sujetos legitimados para promover elecciones. Podrán promover elecciones a delegados de personal y miembros del comité de empresa (art. 67.1 ET):

a) En primer lugar, las organizaciones sindicales más representativas, de ámbito estatal o de Comunidad Autónoma (art. 67.1 del ET), conjunta o separadamente (STC de 29 de julio de 1985).

b) En segundo lugar, las organizaciones sindicales *«que cuenten con un mínimo de un 10 por 100 de representantes en la empresa»* (art. 67.1 ET).

En los supuestos de empresas con diversos centros de trabajo, el sindicato que cuente con un 10 por 100 de representantes en la empresa, podrá convocar elecciones incluso en aquellos centros en que no cuente con dicha representatividad (RAMÍREZ y SALA).

c) Por último, *«los trabajadores del centro de trabajo por acuerdo mayoritario»* (art. 67.1 ET).

Obsérvese que el ET habla de *«trabajadores»* no de electores. De modo que aunque eventualmente algún trabajador del centro de trabajo no reuniese todos los requisitos para ser elector, su presencia contaría para formar la mayoría necesaria a efectos de promover elecciones.

El ET habla de *«trabajadores del centro de trabajo»*, por lo que hay que entender referida la expresión al ámbito funcional concreto en que las elecciones van a celebrarse.

La decisión de promover elecciones directamente por los trabajadores habrá de adoptarse *«por acuerdo mayoritario»*. Este acuerdo deberá tomarse en asamblea convocada al efecto, según las normas que regulan el derecho de reunión (ver infra). Y es que *«lo que la Ley exige no es la oposición o indiferencia, sino el acuerdo positivo de celebración de elecciones»* (STSJ de Andalucía/Málaga, de 8 de mayo de 1992, Rec. 1008/1991).

La mayoría requerida es la de los trabajadores del centro de trabajo, no la de los asistentes a la asamblea, tal como exige el art. 80 del ET.

El art. 2.2 del RDE señala cuales son los requisitos y datos que, en orden a la celebración de la asamblea, número de trabajadores, etc., deben acompañarse a la comunicación de la promoción de elecciones.

La oposición empresarial a la celebración de elecciones promocionadas ilegalmente no atenta contra la libertad sindical [STS de 2 de junio de 2008 *(Tol 1343168)*].

Los sindicatos con capacidad para promover elecciones tienen derecho a acceder a los registros de las Administraciones Públicas que contengan datos relativos a la inscripción de empresas y altas de trabajadores (art. 3 RDE) que facilitará la Tesorería General de la Seguridad Social.

146. Los requisitos para la promoción de elecciones. Cualquiera que haya sido el sujeto promotor de la elección, la promoción de elecciones debe sujetarse a unos requisitos determinados (art. 67.1 ET):

- El propósito de celebrar elecciones debe comunicarse a la empresa y a la oficina pública dependiente de la autoridad laboral.

- Esta comunicación debe hacerse con un plazo mínimo de, al menos, un mes de antelación al inicio del proceso electoral. El Gobierno podrá reducir el plazo mínimo de preaviso de un mes en los sectores de actividad con alta movilidad del personal, previa consulta con las organizaciones sindicales que en ese ámbito funcional ostenten, al menos, el diez por ciento de los representantes de los trabajadores, y con las asociaciones empresariales que cuenten con el diez por ciento de los empresarios y de los trabajadores afectados por el mismo ámbito funciona (Disposición Adicional Novena ET).

- En la comunicación habrá que identificar «*con precisión la empresa y el centro de trabajo de ésta en que se desea celebrar el proceso electoral y la fecha de inicio de éste*».

- La fecha de inicio del proceso electoral (que será la de constitución de la mesa electoral) «*no podrá comenzar antes de un mes ni más allá de tres meses contabilizados a partir del registro de comunicación en la oficina pública dependiente de la autoridad laboral*».

La observancia de estos requisitos para la promoción de elecciones debe ser rigurosa. El incumplimiento de cualquiera de ellos «*determinará la falta de validez del correspondiente proceso electoral*» (art. 67.2 ET).

La Ley establece una salvedad: «*la omisión de la comunicación a la empresa podrá suplirse por medio del traslado a la misma de una copia de la comunicación presentada a la oficina pública dependiente de la autoridad laboral, siempre que ésta se produzca con una antelación mínima de veinte días respecto de la fecha de iniciación del proceso electoral fijado en el escrito de promoción*» (art. 67.2 ET).

La oficina pública dependiente de la autoridad laboral, dentro del día hábil siguiente a la recepción del escrito de promoción de elecciones, «*expondrá en el tablón de anuncios los preavisos presentados*» (art. 67.1 ET).

La finalidad de la publicidad de estos preavisos está relacionada —aparte de la posibilidad de facilitar copia de los mismos a los sindicatos que lo soliciten (art. 67.1 ET) y, en general, con la impugnación de la elección misma—, con el sistema previsto en el art. 67.2 ET de solución de los supuestos de concurrencia de promotores para la realización de elecciones en una empresa o centro de trabajo.

147. La concurrencia de promociones electorales. La regla legal establecida para solucionar la concurrencia de promociones electorales es la de considerar válida, a efectos de iniciación del correspondiente proceso electoral, *«la primera convocatoria registrada»* (art. 67.2 ET).

Esta regla general tiene una excepción que favorece los preavisos electorales presentados por sindicatos con mayor implantación en el comité de empresa correspondiente: *«en los supuestos en los que la mayoría sindical de la empresa o centro de trabajo con comité de empresa haya presentado otra fecha distinta... prevalecerá esta última»* (art. 67.2 ET).

Por mayoría sindical cabría entender bien la mayoría de los miembros *«sindicales»* del comité, sin incluir a los miembros *«independientes»*; bien la organización sindical con mayor presencia en el comité, aunque no llegara a la mayoría absoluta en el mismo; o bien las organizaciones sindicales que, reuniendo los requisitos del art. 67.1 ET (siendo más representativas o contando con un mínimo de un 10 por 100 de representantes en la empresa o en el centro de trabajo), representen, además, aisladamente o en conjunto, a la mitad más uno de todos los miembros del/los comités de empresa.

El RDE no aclara este punto, señalando únicamente que, en estos casos, a la comunicación de promoción de elecciones debe acompañarse un escrito *«que recoja el acuerdo firmado por un representante de cada uno de los sindicatos promotores»*. Es por ello por lo que, en este supuesto excepcional, a los requisitos generales de la comunicación del preaviso electoral se añade otro más, esto es, la promoción *«deberá acompañarse de una comunicación fehaciente de dicha promoción de elecciones a los que hubieran realizado otra u otras con anterioridad»* (art. 67.2 ET).

148. El preaviso generalizado. El art. 67.1 ET afronta el tema de los denominados preavisos generalizados en los términos siguientes: *«sólo previo acuerdo mayoritario entre los sindicatos más representativos o representativos de conformidad con la Ley Orgánica 11/1985, de 2 de agosto, de Libertad sindical, podrá promoverse la celebración de elecciones de manera generalizada en uno o varios ámbitos funcionales o territoriales. Dichos acuerdos deberán comunicarse a la oficina pública dependiente de la autoridad laboral para su depósito y publicación»*.

De este precepto legal cabe destacar lo siguiente:

a) En primer lugar, el art. 67.1.3º del ET señala expresamente que podrá promoverse la celebración de elecciones de manera generalizada *«en uno o varios ámbitos funcionales y territoriales»*.

De este modo, se deja una gran libertad para la determinación de esos posibles ámbitos, que, por ejemplo, podrían ser los siguientes:

1) Ámbitos territoriales concretos de un solo sector, hasta llegar al ámbito nacional de ese sector.

2) Ámbitos territoriales diversos para sectores diversos.

3) Todos los sectores y todo el territorio nacional.

b) En segundo lugar, respecto de los sujetos legitimados para promover elecciones generalizadas, la promoción podrá hacerse «*sólo previo acuerdo mayoritario entre los sindicatos más representativos o representativos de conformidad con la LOLS*».

La expresión «o» no es a mi juicio excluyente, de modo que el acuerdo podría adoptarse sólo por los sindicatos más representativos, o sólo por los sindicatos simplemente representativos, sino indicativa de que deberán participar en el acuerdo todos los sindicatos implicados (art. 7.1.2º LOLS).

El RDE ha añadido un requisito que no consta en el ET. Así, en la promoción generalizada, la representatividad conjunta de los promotores «*deberá superar el 50 por 100 de los representantes elegidos en los ámbitos en que se lleve a efectos la promoción*».

Esta regla, si bien puede favorecer la promoción generalizada de elecciones dando entrada a sindicatos simplemente representativos, no deja de plantear problemas de legalidad por su carácter «*ultra vires*».

c) Respecto del procedimiento para promover elecciones generalizadas, el art. 67.1 del ET señala que los acuerdos de correspondientes «*deberán comunicarse a la oficina pública dependiente de la autoridad laboral para su depósito y publcidad*».

No parece, sin embargo, que esta fórmula deba ser interpretada en el sentido de que la promoción de elecciones generalizada no deba comunicarse a las concretas empresas o centros de trabajo, ya que en la diversas unidades electorales se debe conocer la fecha de inicio del proceso electoral a efectos de tomar las previsiones oportunas sobre constitución de mesas electorales, remisión de censos, etc., necesarias para el desarrollo del proceso mismo. Lo que va a suceder es que en las promociones electorales generalizadas se podrá utilizar la regla prevista en el art. 67.2 ET, según la que la falta de comunicación a la empresa no determina la falta de validez del proceso electoral si aquélla se suple por medio del traslado a la empresa de una copia de la comunicación presentada a la oficina pública dependiente de la autoridad laboral, «*siempre que ésta se produzca con una anterioridad mínima de veinte días respecto de la fecha de iniciación del proceso electoral fijado en el escrito de promoción*».

Una promoción generalizada de elecciones puede concurrir con una promoción de elecciones concreta. En estos casos, las reglas establecidas en el art. 67.2 ET para solucionar los problemas de concurrencia de promociones electorales son las mismas que en los casos anteriores, considerándose válida la primera convocatoria registrada, excepto en los supuestos en los que la mayoría sindical de la empresa o centro de trabajo con comité de empresa hayan presentado otra fecha distinta, en cuyo caso prevalecerá esta última.

Igualmente, se aplicará la regla del art. 67.2 del ET, en el sentido de que *«la renuncia a la promoción con posterioridad a la comunicación de la oficina pública dependiente de la autoridad laboral no impedirá el desarrollo del proceso electoral, siempre que se cumplan todos los requisitos de validez del mismo»*.

149. Dos supuestos de promoción de elecciones. El art. 67.1 ET contempla dos supuestos distintos:

a) La promoción de elecciones para renovar la representación por conclusión del mandato y

b) la promoción de elecciones parciales por dimisiones, revocaciones o ajustes de la representación por incremento de plantilla.

150. La promoción de elecciones para renovar toda la representación. La promoción de elecciones para cubrir la totalidad de puestos de la representación unitaria puede hacerse en los casos siguientes (art. 1 RDE):

a) Con ocasión de la conclusión del mandato de los representantes.

b) Cuando se haya declarado la nulidad del proceso electoral.

c) Cuando se revoque el mandato electoral de todos los representantes de una empresa o centro de trabajo.

d) A partir de los seis meses de la iniciación de actividades en un centro de trabajo (art. 69.2 ET).

151. La promoción de elecciones por conclusión del mandato de los representantes. En los casos de promoción de elecciones por conclusión del mandato de los representantes, *«tal promoción sólo podrá efectuarse a partir de la fecha en que falten tres meses para el vencimiento del mandato»*, debiendo, además, comunicarse a la empresa y a la oficina pública dependiente de la autoridad laboral *«con un plazo mínimo de antelación de, al menos, un mes al inicio del proceso electoral»* (art. 67.1 ET).

152. El mantenimiento en funciones del mandato. El art. 67.3 del ET cifra la duración del mandato electoral en cuatro años, *«entendiéndose que [los representantes] se mantendrán en su funciones en el ejercicio de sus competencias y de sus garantías hasta tanto no se hubiesen promovido y celebrado nuevas elecciones»*.

Así pues, será posible la prolongación provisional o «*en funciones*» de la condición de representante, no excluyéndose la posible convocatoria de nuevas elecciones en cualquier momento.

La consecuencia fundamental del mantenimiento «*en funciones*» de los representantes con mandato prorrogado es la de que «*no se computarán a efectos de determinar la capacidad representativa de los artículos 6 y 7 de la presente Ley*» (Disposición Adicional Cuarta LOLS).

153. La promoción de elecciones parciales. La promoción de elecciones parciales (para las cuales no se fija un plazo determinado en el ET, pero a las que el RDE asigna también el plazo mínimo de un mes anterior al inicio del proceso electoral) podrá realizarse en los casos de «*dimisiones, revocaciones o ajustes de la representación por incremento de plantilla*» (art. 67.1 ET).

Se trata de una enumeración legal cerrada de supuestos, por lo que en otros casos de extinción del mandato electoral (muerte del representante o pérdida de las condiciones de elegibilidad, por ejemplo) no procederá la celebración de elecciones parciales sino la cobertura automática del puesto por el régimen de sustituciones previsto en el art. 67.4 ET (C. BLASCO).

El art. 1.2 del RDE, con dudosa legalidad, señalará que procede la promoción de elecciones parciales en los casos de «*puestos sin cubrir, fallecimiento o cualquier otra causa*», si bien condicionando la promoción de las elecciones a que las vacantes «*no hayan podido ser cubiertas por los trámites de sustitución automática*».

En todo caso, cuando se hayan cubierto vacantes con elecciones parciales, «*el mandato de los representantes elegidos se extinguirá en la misma fecha que el de los demás representantes ya existentes*» (art. 1.2 RDE).

154. Los componentes de la mesa electoral. Los arts. 73 del ET y 5 del RDE contienen normas sobre la composición de la mesa electoral con carácter imperativo no susceptibles de ser alterado por convenio colectivo (STS de 12 de julio de 2018, Rec. 133/2017). Así, «*en la empresa o centro de trabajo se constituirá una mesa por cada colegio de 250 trabajadores electores o fracción*» (art. 73.1 ET). Y en las elecciones en centros de trabajo de menos de 50 trabajadores y en las de colegio único, existirá una mesa electoral (art. 5.1 RDE).

La mesa electoral estará presidida por el trabajador de mayor antigüedad en la empresa, según el ET. Como vocales actuarán los electores de mayor y menor edad, actuando este último como secretario. Siendo suplentes los trabajadores que sigan a los titulares de la mesa en el orden de antigüedad o edad en el mismo colegio.

Los cargos de miembro de mesa electoral son irrenunciables, salvo causa justificada, en cuyo caso será sustituido por el suplente.

Cada candidatura podrá nombrar un interventor y asimismo el empresario podrá designar un representante que asista a la votación y al escrutinio.

Ninguno de los componentes de mesa podrá ser candidato y, de serlo, le sustituirá en ella su suplente; si bien la renuncia de un miembro de la mesa para presentarse como candidato debe hacerse antes de la presentación de candidaturas y durante todo el tiempo establecido para dicha presentación (STC 4872001, de 29 de enero).

Una vez que se ha comunicado al empresario el propósito de celebrar las elecciones, éste «*en el término de siete días, dará traslado de la misma a los trabajadores que deban constituir la mesa, así como a los representantes de los trabajadores, poniéndolo simultáneamente en conocimiento de los promotores*» (art. 74.1 ET).

La mesa electoral deberá constituirse «*formalmente, mediante acta otorgada al efecto, en la fecha fijada por los promotores en su comunicación del propósito de celebrar elecciones, que será la fecha de iniciación del proceso electoral*» (art. 74.1 ET).

155. Las funciones de la mesa electoral. La mesa electoral tendrá la función de «*vigilar todo el proceso electoral, presidir la votación, realizar el escrutinio y resolver cualquier reclamación que se presente*» (art. 73.2 ET).

Las mesas electorales, adoptarán sus acuerdos por mayoría de votos (art. 5.12 RDE).

Cuando se trate de elecciones a delegados de personal, el art. 74.2 del ET asigna a la mesa electoral las siguientes funciones específicas:

a) Hacer público entre los trabajadores el censo laboral, que previamente le habrá sido facilitado por el empresario, ajustándose a un modelo normalizado a efectos electorales, con indicación de quienes son los electores.

b) Fijar el número de representantes.

c) Señalar la fecha de votación.

d) Recibir y proclamar las candidaturas que se presenten.

Los plazos para cada uno de los actos serán señalados en la mesa con criterios de razonabilidad y según lo aconsejen las circunstancias, pero, en todo caso, entre su constitución y la fecha de las elecciones no mediarán más de 10 días; y, cuando se trate de elegir un solo delegado de personal, «*desde la constitución de la mesa hasta los actos de votación y proclamación de candidatos electos habrán de transcurrir veinticuatro horas*» (art. 74.2 ET).

Cuando se trate de elecciones a miembros del comité de empresa, el art. 74.3 del ET asigna a la mesa electoral las siguientes funciones específicas:

a) Recabar del empresario el censo laboral.

b) Confeccionar con los medios que le habrá de facilitar el empresario la lista de electores.

c) Hacer pública la lista de electores mediante su exposición en los tablones de anuncios por un tiempo no inferior a 72 horas.

d) Hasta 24 horas después de haber finalizado el plazo de exposición de la lista se pueden presentar incidencias relativas a inclusiones, exclusiones o correcciones, debiendo la mesa resolverlas.

e) Publicar la lista definitiva de electores dentro de las 24 horas siguientes.

Para la confección de la lista de lectores, el censo se distribuirá en dos colegios (uno de técnicos y administrativos y otro de trabajadores especialistas y cualificados); pudiendo también acordarse por convenio colectivo la creación de un nuevo colegio electoral, en función de la composición profesional del sector de la actividad productiva o de la empresa (art. 71.1 ET).

f) Determinar el número de miembros del comité de empresa que hayan de resultar elegidos.

A estos efectos, la mesa electoral debe tener presente no sólo el número de trabajadores de la empresa para determinar el número de miembros del comité, según la escala del art. 66 del ET, sino también la distribución de estos miembros según la composición de cada colegio electoral (art. 71.1 ET).

El art. 9.3 RDE añade una regla no prevista en el ET: «*cuando en la distribución proporcional de representantes en un comité de empresa a alguno de los colegios electorales le correspondiera un cociente inferior al 0.5 se constituirá un* colegio único, en el que todos los electores del centro de trabajo tendrán derecho a sufragio activo y pasivo, siempre que cumplan los requisitos establecidos en el art. 69.2 ET».

g) Recibir y proclamar las candidaturas.

Así, durante los nueve días siguientes a la publicación de la lista definitiva de electores, se pueden presentar candidaturas en los términos que después se examinan. Concluido dicho plazo, en los dos días laborales siguientes se proclamarán dichas candidaturas, mediante su publicación en los tablones.

Se podrá reclamar contra el acuerdo de proclamación de candidaturas dentro del día laborable siguiente, resolviendo la mesa en el posterior día hábil.

Finalmente, entre la proclamación de candidatos y la votación mediarán, al menos cinco días.

La presentación y proclamación de candidaturas ante y por la Mesa electoral no está expresamente prevista para las elecciones de comité de empresa, si bien ello «*no es óbice para entender que también en esta hipótesis le corresponde tal cometido porque, además de ser el órgano encargado de vigilar todo el proceso electoral (art. 73.2 ET), el art. 74.3 simplemente precisa sus específicas competencias respecto de las reguladas en los comicios a delegados de personal*» (STC de 20 de septiembre de 1993).

156. La presentación de candidaturas. La Ley prevé tres vías para la presentación de candidaturas de miembros de comités de empresa o delegados de personal (art. 69.3 ET):

a) En primer lugar, pueden presentar candidatos «*los sindicatos de trabajadores legalmente constituidos*». No es preciso que se trate de sindicatos que gocen de la condición de más representativos; ni tampoco que tengan constituida sección sindical en la empresa. Podría, hacerlo un sindicato legalmente constituido que no tuviese ningún afiliado en la empresa (art. 2.3 LOLS).

   Cuando el sindicato presenta una candidatura, bastará con que figuren las siglas del propio sindicato, sin que sea necesario que figuren las de la organización compleja (federación o confederación) en que aquel sindicato se integra (STC 187/1987, de 24 de noviembre).

b) En segundo lugar, pueden presentar candidatos coaliciones formadas por dos o más sindicatos. Estas coaliciones deberán tener una denominación concreta, atribuyéndose a la coalición los resultados electorales (art. 69.3 ET).

c) En tercer lugar, también podrán presentarse candidatos los trabajadores que «*avalen su candidatura con un número de firmas de electores de su mismo centro y colegio, en su caso, equivalente, al menos, a tres veces el número de puestos a cubrir*» (art. 69.3 ET).

En este caso, en la candidatura deberá figurar el grupo de trabajadores que la presente (art. 71.2 a) ET)

En las candidaturas para miembros del comité de empresa los candidatos presentados deben pertenecer a cada uno de los colegios electorales correspondientes, debiendo contener cada lista, como mínimo, tantos nombres como puestos a cubrir (art. 71.2 a) ET; STC de 22 de marzo de 1988).

Ello no obstante, la renuncia de cualquier candidato presentado en alguna de las listas para las elecciones antes de la fecha de la votación no implicará la suspensión del proceso electoral ni la anulación de dicha candidatura aun cuando sea incompleta, «*siempre y cuando la lista afectada permanezca con un número de candidatos, al menos, del sesenta por cien de los puestos a cubrir*» (art. 71.2 a) ET).

Esta regla no cabrá invocarla, sin embargo, para mantener una candidatura que quede incompleta por falta de legitimidad de un candidato (STC 48/2001, de 29 de enero).

157. La propaganda electoral. El ET no se refiere al tema de la posibilidad de realizar propaganda electoral. Será el art. 8.4 RDE el que prevea que, «*proclamados los candidatos definitivamente, los promotores de las elecciones, los presentadores de candidatos y los propios candidatos podrán efectuar desde el mismo día de tal proclamación, hasta las cero horas del día anterior al señalado para la votación, la propaganda electoral que consideren oportuna, siempre y cuando no se altere la prestación normal del trabajo. Esta limitación no se aplicará a las empresas que tengan hasta 30 trabajadores*».

Vías posibles, entre otras, para la realización de propaganda electoral podrán ser la celebración de reuniones previa notificación al empresario o la distribución de información sindical fuera de las horas de trabajo y sin perturbar la actividad normal de la empresa.

En cuanto a la propaganda institucional, para el fomento gubernamental de la participación de los trabajadores en la empresa, la STC de 14 de diciembre de 1989 ha resuelto que esta propaganda institucional no atenta contra la libertad sindical o ideológica, en cuanto que no impide desarrollar libremente su acción sindical a aquellas opciones sindicales que propugnan la no participación en las elecciones a la representación unitaria.

158. La votación. Para el desarrollo de la votación, «*el empresario facilitará los medios precisos*» (art. 75.1 ET): urnas, papeletas, locales, enseres, etc.

El art. 8.7 de la LISOS considera infracción muy grave «*la transgresión de los deberes materiales de colaboración que impongan al empresario las normas reguladoras de los procesos electorales a representantes de los trabajadores*».

El acto de la votación, cuyo día habrá sido determinado por la mesa, se efectuará en el centro o lugar de trabajo y durante la jornada laboral, teniéndose en cuenta las normas reglamentarias que regulen el voto por correo (arts. 75.1 ET y 10 RDE). Solamente se podrá suspender o interrumpir la votación por causa de fuerza mayor (art. 5.5 RDE).

La votación tendrá lugar durante la jornada de trabajo de los electores, obviamente (STC 189/1993, de 14 de junio).

El voto será libre, secreto, personal y directo, depositándose las papeletas que, en tamaño, color, impresión y calidad del papel serán de iguales características, en urnas cerradas (art. 75.2 ET).

El contenido del voto difiere según se trate de elecciones para delegados de personal o miembros del comité de empresa:

a) En la elección para delegados de personal, cada elector podrá dar su voto a un número máximo de aspirantes equivalente al de puestos a cubrir, entre los candidatos proclamados (art. 70 ET).

   Para ello, se habrá establecido *«una lista única de candidatos a Delegados de personal ordenada alfabéticamente, con expresión de las siglas del sindicato, coalición electoral o grupo de trabajadores que los presenten»* (art. 9.1 RDE)

b) En la elección a miembros del comité, *«cada elector podrá dar su voto a una sola de las listas presentadas… que corresponda a su colegio»* (art. 71.2.a) ET).

159. El escrutinio y la atribución de resultados. Inmediatamente después de celebrada la votación, la mesa electoral procederá públicamente al recuento de votos mediante la lectura en voz alta por el presidente de las papeletas (art. 75.3 ET).

Cuando se trate de elecciones a delegados de personal *«resultarán elegidos los que obtengan el mayor número de votos. En caso de empate, resultará elegido el trabajador de mayor antigüedad en la empresa»* (art. 70. ET).

Cuando se trate de elecciones a miembros del comité de empresa se requieren dos operaciones:

a) En primer lugar, atribuir a cada lista *«el número de puestos que le correspondan, de conformidad con el cociente que resulte de dividir el número de votos válidos por el de puestos a cubrir. Si hubiese puesto o puestos sobrantes se atribuirán a la lista o listas que tengan un mayor resto de votos»* (art. 71.2.b) ET); *«en caso de empate de votos o de empate de enteros o de restos para la atribución del último puesto a cubrir, resultará elegido el candidato de mayor antigüedad en la empresa»* (art. 12.1 RDE).

   En este punto, como intento de garantizar una *«mínima audiencia social»*, se establece que *«no tendrán derecho a la atribución de representantes en el comité de empresa aquellas listas que no hayan obtenido como mínimo el 5 por 100 de los votos de cada colegio»*. Esta regla favorece indirectamente a los sindicatos mayoritarios (RODRÍGUEZ SAÑUDO).

   El art. 12.1 del RDE señala que en la atribución de representantes a cada lista no se deben tener en cuenta los votos en blanco.

b) En segundo lugar, resultarán elegidos los candidatos por el orden que figuren en la candidatura (art. 71.2.c) ET).

La atribución de los resultados electorales se hará a quienes hayan sido los promotores de las correspondientes candidaturas (sindicatos, grupos de trabajadores o coaliciones electorales).

160. El acta, las copias y la publicación de resultados. Del resultado del escrutinio y de las incidencias habidas, se levantará el acta correspondiente, que será firmada por los componentes de la mesa, los interventores y el representante del empresario.

Si en una misma empresa o centro de trabajo hubiese varias mesas electorales se extenderá, en reunión conjunta, el acta del resultado global de la votación.

Se remitirá una copia del acta al empresario, a los interventores de las candidaturas y a los representantes electos.

El resultado de la votación se publicará en los tablones de anuncio (art. 75.5 ET), dentro de las veinticuatro horas siguientes a la terminación de la redacción del acta del escrutinio (art. 11 RDE).

161. El registro del acta de la elección. El presidente de la mesa electoral deberá presentar en el plazo de tres días el original del acta —junto con las papeletas de votos nulos o impugnados por los interventores y el acta de constitución de la Mesa— a la oficina pública dependiente de la autoridad laboral, a efectos de su registro (art. 75.6 ET).

Esta oficina pública expedirá copias auténticas del acta y, a requerimiento del sindicato interesado, certificaciones de su capacidad representativa y de de los resultados electorales (art. 75.7 ET).

Para el cumplimiento de esta función de registro, la oficina pública desarrollará las actividades siguientes:

- En el inmediato día hábil a la presentación del acta electoral, publicará una copia de la misma en los tablones de anuncios.
- Entregará copia del acta a los sindicatos que así lo soliciten.
- Dará traslado a la empresa de la presentación en la oficina del acta correspondiente a la elección que tuvo lugar en la empresa, con indicación de la fecha en que finaliza el plazo para impugnación.
- Mantendrá el depósito de las papeletas hasta que se cumplan los plazos de impugnación.

De otro lado, transcurridos diez días hábiles desde la publicación de la copia del acta en los tablones de la oficina pública, ésta «*procederá o no al registro de las actas electorales*» (art. 75.6 ET).

El control que efectúa la oficina pública sobre el acta electoral es un control meramente formal, por lo que «*la denegación del registro de un acta por la oficina pública sólo podrá hacerse cuando se trate de actas que no vayan extendidas en el modelo oficial normalizado, falta de comunicación de la promoción electoral a la oficina pública, falta de la firma del presidente de la Mesa electoral y omisión o ilegibilidad en las actas de alguno de los datos que impida el cómputo electoral*» (art. 75.6 ET).

Cuando se de alguno de los supuestos anteriores, se abrirá un trámite de subsanación, requiriendo la oficina al presidente de la mesa para que en el plazo de diez días proceda a la subsanación de los defectos. Requerimiento que será comunicado a los sindicatos que hayan obtenido representación y al resto de candidaturas. Precisándose en el art. 26.2 del RDE que «*entre tanto se efectúa la subsanación requerida y se procede, en su caso, al posterior registro del acta, los representantes elegidos conservarán a todos los efectos las garantías previstas en la ley*».

Cuando la subsanación no se realice o no se haga en forma, «*la oficina pública dependiente de la autoridad laboral procederá en el plazo de diez días hábiles a denegar el registro, comunicándolo a los sindicatos que hayan obtenido representación y al presidente de la mesa*». También, según el art. 26.2 RDE, habrá que comunicar la denegación «*al resto de candidaturas*».

La resolución denegatoria del registro podrá ser impugnada ante el orden jurisdiccional social, mediante un procedimiento especial (arts. 133 y ss. LPL).

162. Las reclamaciones en materia electoral: el procedimiento arbitral. En los arts. 76 del ET y 28 a 42 del RDE se prevé un procedimiento arbitral, previo al judicial, está previsto para impugnar los actos siguientes: la elección, las decisiones que adopte la mesa, así como cualquier otra actuación de la misma a lo largo del proceso electoral.

Cuando se trate de la impugnación de actos de la Mesa electoral, se requerirá haber efectuado la reclamación dentro del día laborable siguiente al acto y deberá ser resuelta por la mesa en el posterior día hábil. Si la mesa electoral no resuelve dentro de los plazos señalados «*se entenderá que se trata de un acto presunto de carácter desestimatorio, a efectos de iniciar el procedimiento arbitral*» (art. 30.3 RDE).

Del procedimiento arbitral se excluyen las impugnaciones de las resoluciones de la oficina pública denegatorias de la inscripción de actas electorales, «*cuyas reclamaciones podrán platearse directamente ante la jurisdicción competente*» (art. 76.1 ET).

Los motivos de impugnación son los siguientes:

a) La existencia de vicios graves que pudieran afectar a las garantías del proceso electoral y que alteren su resultado.

b) La falta de capacidad o legitimidad de los candidatos elegidos.

c) La discordancia entre el acta y el desarrollo del proceso electoral.

d) La falta de correlación entre el número de trabajadores que figuran en el acta de elecciones y el número de represes elegidos.

Sujetos legitimados para instar el procedimiento arbitral son «*todos los que tengan interés legítimo, incluida la empresa, cuando en ella concurra dicho interés*».

El procedimiento arbitral (cuyo planteamiento interrumpe los plazos de prescripción), se inicia mediante escrito dirigido a la oficina pública dependiente de la autoridad laboral. Debiendo dirigirse también «*a quien promovió las elecciones y, en su caso, a quienes hayan presentado candidatos a las elecciones objeto de impugnación*» (art. 76.5 ET).

El plazo de presentación del escrito es de «*tres días hábiles, contados desde el siguiente a aquel en que se hubieran producido los hechos o resuelto la reclamación por la mesa*».

Este plazo de tres días, en el caso de impugnaciones promovidas por sindicatos que no hubieran presentado candidaturas en el centro de trabajo en el que se hubiera celebrado la elección, «*se computarán desde el día en que se conozca el hecho impugnable*».

De otra parte, «*si se impugnasen actos del día de la votación o posteriores al mismo, el plazo será de diez días hábiles, contados a partir de la entrada de las actas en la oficina pública dependiente de la autoridad laboral*».

El árbitro podrá ser designado por las partes del procedimiento, pudiendo recaer la designación en el sujeto que estimen oportuno.

A falta de acuerdo, el árbitro será designado por la oficina pública de entre los que figuren en una lista elaborada de acuerdo con el procedimiento establecido en el art. 76.3 ET: «*por acuerdo unánime de los sindicatos más representativos, a nivel estatal o de comunidades autónomas, según proceda, y de los que ostenten el diez por cien o más de los delegados y de los miembros de los comités de empresa en el ámbito provincial, funcional o de empresa correspondiente*». De modo subsidiario, «*si no existiera acuerdo unánime entre los sindicatos señalados anteriormente, la autoridad laboral competente establecerá la forma de designación, entendiendo a los principios de imparcialidad de los árbitros, posibilidad de ser recusados y participación de los sindicatos en su nombramiento*».

El procedimiento arbitral continúa mediante el traslado al árbitro por la oficina pública del escrito de iniciación del procedimiento y de una copia del expediente electoral administrativo. Si se hubiesen presentado actas electorales para registro, se suspenderá su tramitación.

Recibida la documentación por el árbitro, éste, en las veinticuatro horas siguientes, convocará a las partes interesadas; comparecencia que habrá de tener lugar en los tres días hábiles siguientes.

Si las partes, antes de comparecer ante el árbitro designado, se pudieran de acuerdo y designaren otro distinto, lo notificarán a la oficina pública dependiente de la autoridad laboral para que dé traslado a este árbitro del expediente administrativo electoral, continuando con el mismo el *resto del procedimiento* (art. 76.6 ET).

El laudo arbitral se pronunciará dentro de los tres días siguientes a la comparecencia y previa práctica de las pruebas procedentes o conformes a derecho.

Las características del laudo son las siguientes: será escrito y razonado; deberá resolver en derecho sobre la impugnación del proceso electoral y, en su caso, sobre el registro del acta; se notificará a los interesados y a la oficina pública dependiente de la autoridad laboral; si se hubiese impugnado la votación, la oficina procederá al registro del acta o a su denegación, según el contenido del laudo; el laudo podrá impugnarse ante el orden jurisdiccional social (art. 76.6 del ET).

163. Las reclamaciones en materia electoral: la impugnación judicial del laudo. El procedimiento de impugnación judicial de laudos arbitrales en materia electoral está previsto en los arts. 127 y ss. de la LJS.

Legitimados activos serán quienes tengan interés legítimo, incluida la empresa, cuando en ella concurra dicho interés (art. 127.3 LJS).

Legitimados pasivos serán las personas que fueron partes en el procedimiento arbitral, así como cualesquiera otros afectados por el laudo objeto de impugnación. Sin que, en ningún caso, tengan la condición de demandados los comités de empresa, los delegados de personal o la mesa electoral (art. 129 LJS).

Si examinada la demanda el juez estimase que puede no haber sido dirigida contra todos los afectados, citará a las partes para que comparezcan, dentro del día siguiente, a una audiencia preliminar en la que, oyendo a las partes sobre la posible situación de litisconsorcio pasivo necesario, resolverá sobre la misma en el acto (art. 130 LJS).

Podrán comparecer como parte, cuando tengan interés legítimo, los sindicatos, el empresario y los componentes de candidaturas no presentadas por sindicatos (art. 131 LJS).

Los motivos de impugnación del laudo están tasados y el proceso se tramitará con urgencia (arts. 127.2 y 132 LJS).

Contra la sentencia, que habrá de dictarse en el plazo de tres días, no cabe recurso alguno (art. 132.1 b) LJS).

2.5. El mandato representativo

164. La duración del mandato y la prórroga en funciones. El art. 67.3 del ET, establece que «*la duración del mandato de los delegados de personal y de los miembros del comité de empresa será de cuatro años*». Sin que quepa establecer por convenio colectivo una duración diferente (STC de 20 de septiembre de 1990).

Por otra parte, «*se mantendrán en funciones en el ejercicio de sus competencias y de sus garantías hasta tanto no se hubiesen promovido y celebrado nuevas elecciones*» (art. 67.3 ET), evitando así el vacío en el órgano representativo de los trabajadores; y jugando también en el caso de que el empresario obstaculizase la realización de un nuevo proceso electoral (STSJ de Cataluña, de 2 de abril de 1993, Rec. 89/1993).

165. La extinción «*ante tempus*» del mandato representativo. Durante la vigencia del mandato representativo pueden aparecer una serie de causas genéricas que determinan su extinción:

a) En primer lugar, la muerte física del representante.

b) En segundo lugar, la pérdida de las condiciones de elegibilidad del representante y, entre ellas, la pérdida de la condición de trabajador (art. 69.1. ET). En este sentido:

   1) En caso de despido del representante declarado improcedente en instancia cuando el representante opte por la readmisión, durante la sustanciación del recurso se aplicará lo dispuesto en el art. 302 de la LJS, que garantiza el ejercicio de la función representativa durante ese tiempo.

   2) En el caso de traslados, aunque se aplique la prioridad de permanencia del representante en su puesto de trabajo con base al art. 40.5 del ET, puede ocurrir que el representante sea finalmente trasladado. Resulta difícil, entonces, mantener la pervivencia del mandato representativo, dada la separación física entre representante y representados, debiendo aplicarse la doctrina jurisprudencial existente para el caso de traslado voluntario, extinguiéndose en consecuencia el mandato (STS de 1 de junio de 1990, Ar/4996).

   3) En el caso de desplazamientos temporales, dado su carácter temporal, cabría defender la pervivencia del mandato, si bien no existe una regulación de estas situaciones de suspensión del mandato representativo con entrada, mientras tanto, de representantes suplentes.

4) Cuando se trate de un comité de empresa, dado que su elección se lleva a cabo por colegios electorales, si el representante asciende y cambia de grupo y con ello cambia de colegio electoral, habrá que entender que se produce una extinción del mandato electoral con la consiguiente entrada del correspondiente suplente.

c) En cuanto a lo que pueda ocurrir en los casos de cambio de afiliación sindical del elegido o de pérdida de la condición de afiliado por renuncia o expulsión del sindicato correspondiente, ante el silencio del ET, la jurisprudencia ha mantenido que no se extingue el mandato electoral (por todas, SSTS de 18 de noviembre de 1991, Ar/8245 o de 18 de septiembre de 1989, Ar/6451; en contra, la STS de 26 de diciembre de 1989, Ar/9268, estimó válida la regla del reglamento interno del comité que establece como causa de baja en el mismo el cese del trabajador en el sindicato por el que fue proclamado candidato), pero su puesto se computa a favor de aquel sindicato que lo presentó como candidato (STS de 3 de octubre de 2001, Rec. 8980/2001; art. 12.3 RED).

d) Respecto de la dimisión (entendida como «*decisión voluntaria y unilateral, por la que se hace dejación de la representación o función encomendada, antes del cumplimiento del tiempo por el que fue conferida*» (SSTS de 18 de noviembre de 1991, Ar/8245 o de 21 de diciembre de 1990, Ar/9818), el art. 68.c) del ET establece que, si la extinción del mandato se produce por dimisión, no juega el período de un año posterior de cobertura del representante en materia de sanciones o despido; y el art. 67.5 del ET que «*las dimisiones… se comunicarán a la oficina pública dependiente de la autoridad laboral y al empresario, publicándose asimismo en el tablón de anuncios*».

En aplicación del art. 1.736 del Código Civil, según el cual «*el mandatario puede renunciar al mandato poniéndolo en conocimiento del mandante*», el representante dimisionario deberá poner esta circunstancia en conocimiento de los trabajadores representados, pudiendo utilizar dos vías: bien la convocatoria de una asamblea al respecto o bien la fijación de la oportuna comunicación en el correspondiente tablón de anuncios. Sin que, en ningún caso, sea necesaria la aceptación de los representados para que la dimisión sea efectiva.

La jurisprudencia ha señalado en este sentido que «*la dimisión, como una de las causas de extinción del mandato representativo, solo debe considerarse producida por el cumplimiento de dos requisitos: uno de carácter material que es la manifestación de voluntad, y otro de carácter formal, que es la comunicación de aquella voluntad a los trabajadores representados (tablón de anuncios), al empresario y a la administración*» (STS de 26 de marzo de 1991, Ar/1900).

e) En cuanto a la revocación, el art. 67.3 del ET establece que se llevará a cabo por decisión de los trabajadores que los hayan elegido, mediante asamblea convocada al efecto a instancia de un tercio, como mínimo, de sus electores, y por mayoría absoluta de éstos, mediante sufragio personal, libre, directo y secreto. La revocación no podrá replantearse hasta transcurridos por lo menos, seis meses.

Por otra parte, en la extinción del mandato electoral por revocación no juega el período de un año posterior de cobertura del representante en materia de sanciones o despido (art. 68.c) ET).

Podrán proceder a la revocación de representantes «*los trabajadores que los hayan elegido*», esto es, «*sus electores*» (art. 67.3 ET; STS de 18 de septiembre de 1989, Ar/6451).

Así, si se trata de revocar a delegados de personal, dado que los eligen todos los trabajadores de la empresa o centro de trabajo en un solo colegio electoral, cualquiera de ellos que alcance las mayorías requeridas y por el procedimiento establecido en el art. 67.3 ET, podrán proceder a la revocación de los delegados correspondientes.

Si, por el contrario, se trata de la revocación de miembros del comité de empresa, dado que para su elección se establecen dos colegios electorales, los trabajadores habilitados para revocar serán los integrados en uno u otro colegio, según la revocación se refiera a representantes elegidos en cada uno de ellos. Debiendo entenderse en la expresión «*trabajadores que los hayan elegido*», no sólo los que en su día participaron activamente en el proceso electoral, sino aquellos pertenecientes al colegio electoral correspondiente que existan en la empresa en el momento de la revocación, hubieran o no intervenido en el proceso electoral (STSJ de la Comunidad Valenciana, de 5 de marzo de 1992, Ar/1342).

En cuanto a la asamblea necesaria para proceder a la revocación de representantes, la doctrina judicial (SSTSJ de Navarra, de 25 de abril de 1994, Rec. 189/1994 o de Andalucía/Málaga, de 17 de junio de 1991, Rec. 46/1991) ha entendido que se trata de una asamblea de las reguladas en los arts. 77 y ss. del ET.

La revocación de los representantes de los trabajadores no puede efectuarse durante la tramitación de un convenio colectivo (art. 67.3 ET), con la finalidad de garantizar a los representantes el desarrollo de su actividad negociadora de acuerdo con los principios del mandato representativo y no del mandato imperativo (SSTS de 1 de junio de 1990, Ar/5001 o de 15 de junio de 2006, Rec. 5500/2004).

La jurisprudencia entiende que la prohibición de revocación durante la tramitación de un convenio se reduce solamente a los representantes que formen parte de la comisión negociadora del convenio, sino a cualesquiera que sean (STS de 1 de junio de 1990, Ar/5001).

Las revocaciones se comunicarán en el plazo de los diez días hábiles siguientes a la fecha en que se produzcan por los delegados de personal que permanezcan o por el comité de empresa a la oficina pública dependiente de la autoridad laboral y al empresario, publicándose, asimismo, en el tablón de anuncios (arts. 67.5 ET y 14 RDE).

Se viene entendiendo que el procedimiento adecuado para resolver los litigios que puedan plantearse con ocasión de la revocación de representantes es el procedimiento ordinario y no el de conflicto colectivo (STS de 12 de febrero de 1998, Ar/1802); no quedando formalmente bien constituida la relación jurídico procesal si no se trae a los autos a los interesados en el mantenimiento del acuerdo revocatorio tomado en la asamblea convocada al efecto, y que debe referirse «*si no a la totalidad de los trabajadores que votaron a favor del mismo, sí por lo menos a los que suscribieron la solicitud para la celebración de la asamblea*» (SSTSJ de Andalucía/Granada, de 2 de febrero de 1993, Rec. 68/1993 o de 19 de noviembre de 1993, Ar/5465).

166. El mandato representativo y las vicisitudes del contrato de trabajo. Hay tres situaciones que, de producirse, no interrumpen el mandato representativo: la situación del representante improcedentemente despedido que no ha sido readmitido, la situación de huelga legal y la situación de cierre legal de empresa, comprensiva tanto del cierre patronal como del cierre por decisión de la autoridad (ver infra).

En el caso de que el representante de los trabajadores hubiese sido despedido y, en instancia, se hubiese declarado dicho despido improcedente habiendo optado el trabajador por la readmisión, durante la sustanciación del recurso —interpuesto por cualquiera de ambas partes—, será de aplicación lo dispuesto en el art. 302 LJS: «*cuando el despido o la decisión extintiva hubiere afectado a un representante legal de los trabajadores o a un representante sindical, y la sentencia declarara la nulidad o improcedencia del despido, con opción en este último caso por la readmisión, el órgano judicial deberá adoptar, en los términos previstos en el apartado c) del art. 284, las medidas oportunas a fin de garantizar el ejercicio de su función representativa durante la sustanciación del correspondiente recurso*».

Así pues, en base a que el criterio empresarial resultaría decisivo para el mantenimiento o no del mandato representativo, la representación se mantiene cuando su contrato de trabajo se suspenda en virtud de suspensión disciplinaria de empleo y sueldo (STC de 20 de diciembre de 1982; STS, 3ª, de 14 de abril de 1997, Ar/3310).

La ley no contempla ningún supuesto de suspensión del mandato electoral derivado de la suspensión del contrato de trabajo por cualquier causa (STS de 8 de abril de 2006, Rec. 1365/2005). La jurisprudencia ha extendido así la continuidad

del mandato representativo a otra serie de causas suspensivas del contrato de trabajo del representante: en los casos de suspensión del contrato por expediente de
regulación de empleo (STS de 13 de septiembre de 1990, Ar/7004) o en los casos de
suspensión del contrato por incapacidad laboral del representante (SSTS de 9 de octubre de 1989, Ar/7138 o de 23 de julio de 1990, Ar/6453). Aunque en los casos de
larga duración el representante podría dimitir o sus electores revocarle el mandato.

En los supuestos derivados de ausencias justificadas del representante del art.
37.3 ET o de vacaciones en una empresa en la que exista un sistema de turnos
de vacaciones, habrá que estar a lo que diga el convenio colectivo aplicable y el
reglamento de funcionamiento interno del comité de empresa sobre sustituciones
de los representantes.

Las reglas para la cobertura de vacantes se establecen en el art. 67.4 del ET.
Así, si la vacante se ha producido en comité de empresa, se cubrirá por el trabajador siguiente en la lista a la que pertenezca el sustituido (STS de 22 de febrero de
1990, Ar/1133). Y si la vacante es de delegados de personal, se cubrirá por el trabajador que hubiera obtenido en la votación un número de votos inmediatamente
inferior al último de los elegidos.

2.6. Competencias

167. Fuentes normativas. El art. 64 del ET enumera las competencias de los
comités de empresa y delegados de personal.

Esta enumeración no es exhaustiva (STSJ Andalucía, de 6 de agosto de 1990,
Ar/2799):

a) Existen otros preceptos en el propio ET que atribuyen también competencias a los representantes unitarios.

Así, por ejemplo, los arts. 18: registros; 22: acuerdos en materia de clasificación profesional; 24: ascensos; 29: salarios a comisión y recibo de salarios; 34: distribución irregular de la jornada; 39: movilidad funcional; 40:
traslados; 41: modificación sustancial de condiciones; 44: transmisión de
empresa; 51: despidos colectivos; 52.c): amortización de puestos de trabajo;
67: disminución del número de representantes; 77: asambleas de trabajadores; 82: acuerdo sobre descuelgue salarial; u 87: negociación de convenio
colectivo de empresa).

b) Existen otra serie de disposiciones distintas del ET que atribuyen igualmente competencias a los representantes unitarios.

Así, por ejemplo, los arts. 3 y 18 RDLRT (huelga y conflictos colectivos);
150 y 160 y ss. LPL (conflictos colectivos e impugnación de convenios); o 9
y 17 Ley 14/1994, de 1 de junio, sobre empresas de trabajo temporal.

Estas competencias *«extramuros»* del art. 64 del ET son en muchos casos más importantes que las que enumera el art. 64 del ET. Esto sucede, por ejemplo, con la legitimación para negociar convenios colectivos de eficacia general, para convocar huelgas, para plantear conflictos colectivos, para impugnar convenios colectivos, para intervenir en modificaciones sustanciales de condiciones de trabajo o traslados colectivos o en los procedimientos de inaplicación de los convenios colectivos estatutarios *«ex art. 82.3 del ET»*.

Por otra parte, los convenios colectivos pueden ampliar las competencias legales (STS de 21 de marzo de 2001, Ar/4109).

168. Las competencias enumeradas en el art. 64 del ET. Las competencias establecidas en el art. 64 ET para la representación unitaria son las siguientes:

1) Un derecho de información pasiva de los representantes sobre una serie de materias de las que el empresario debe informarles. Se entiende por *«información»* la transmisión de datos por el empresario al comité de empresa, a fin de que éste tenga conocimiento de una cuestión de terminada y pueda proceder a su examen (art. 64.1 ET).

Información que se viene calificando de más amplia y cualificada que la que reciben los trabajadores en general, de modo que no puede ser cumplida por el empresario con la publicación general por el empresario en un tablón (STSJ Madrid, de 24 de septiembre de 1990, Ar/5881).

Este derecho a información pertenece al órgano representativo como tal, por lo que el empresario no puede discriminar entre los distintos sindicatos con presencia en el comité a efectos de facilitar a unos una mayor información que a los otros (STSJ de Castilla-León, de 3 de noviembre de 1992, Rec. 2175/1992). Así:

a) Derecho de información, al menos trimestral, sobre la situación económica del sector y de la empresa, y probable evolución del empleo en la empresa. Punto este último más matizado en cuanto que debe comprender *«previsiones del empresario sobre celebración de nuevos contratos, con indicación del número de éstos y de las modalidades y tipos de contratos que serán utilizados, incluidos los contratos a tiempo parcial, realización de horas complementarias por los trabajadores contratados a tiempo parcial, y de los supuestos de subcontratación»*. Para los supuestos de contratas y subcontratas, el art. 42 ET especifica una serie de obligaciones de información tanto para el empresario principal como para el contratista.

b) Derecho de información acerca del balance, las cuentas de resultados y la memoria. En todo caso, ha de ser la misma documentación y en las mismas condiciones que la facilitada a los socios.

c) Derecho a ser informados de los modelos de contratos de trabajo escritos que se utilicen en la empresa, así como de los documentos relativos a la terminación de la relación laboral. Información que se debe entender judicialmente ampliada al nombre del contratado, duración del contrato, carácter del contrato, fecha de inicio y terminación (SSTSJ de Madrid, de 1 de febrero de 1990, Ar/594 o de 21 de abril de 1994, Ar/1825); y a los salarios (individuales o por categorías profesionales, si esta materia está regulada en convenio colectivo (STSJ País Vasco, de 15 de abril de 1992, Rec. 2129/1991).

d) Derecho al conocimiento de la copia básica de los contratos de trabajo a que se refiere el art. 8.a) del ET, así como la notificación de las prórrogas y denuncias correspondientes a los mismos. Contenido de la copia básica que no viene cubierto por el derecho a la intimidad económica, sino que la misma debe comprender todos los datos que puedan ser objeto de control por parte de la Inspección de Trabajo (STC de 5 de abril de 1990).

e) Derecho a ser informados de todas las sanciones impuestas por faltas muy graves. Información que cabe hacer con posterioridad a la imposición de la sanción, y cuyo incumplimiento no origina la improcedencia de la sanción correspondiente (SSTS de 5 de abril de 1990, Ar/3109, de 12 de julio de 1988, Ar/5804 o de 3 de abril de 1990, Ar/3098).

f) Derecho a ser informado por la empresa de los parámetros, reglas e instrucciones en los que se basan los algoritmos o sistemas de inteligencia artificial que afectan a la toma de decisiones que pueden incidir en las condiciones de trabajo, el acceso y mantenimiento del empleo, incluida la elaboración de perfiles.

El derecho de información no puede ser objeto de interpretación extensiva (STS de 2 de noviembre de 1999, Rec. 1387/1999).

2) Un derecho a ser consultados sobre una serie de materias. Se entiende por «consulta» el intercambio de opiniones y la apertura de un diálogo entre el empresario y el comité de empresa sobre una cuestión determinada, incluyendo, en su caso, la emisión de un informe previo por parte del mismo (art. 64.1 ET). Así:

a) En los casos de fusión, absorción o modificación del status jurídico de la empresa que afecte al volumen de empleo.

Debe tenerse en cuenta, en este punto, el art. 44 ET sobre obligaciones de información de los empresarios cedente y cesionario a los representantes legales de los trabajadores afectados por el cambio de titularidad de la empresa con la antelación suficiente a la transmisión; y, en concreto las obligaciones del cedente y cesionario en los casos de fusión y escisión de informar *«al tiempo de publicarse la convocatoria de las juntas generales que han de adoptar los respectivos acuerdos».*

Del mismo modo, el art. 44.9 ET obliga al cedente y al cesionario que preveían adoptar con motivo de la transmisión medidas laborales en relación con sus trabajadores, a abrir un período de consultas con los representantes de los trabajadores sobre las medidas previstas y sus consecuencias para los trabajadores. Estas consultas se ajustarán a los arts. 40 y 41 ET si las medidas consistieren en traslados o modificaciones sustanciales de condiciones de trabajo de carácter colectivo.

b) En los casos de reestructuraciones de plantilla y ceses totales o parciales, definitivos o temporales de aquella.

Cuando el despido es colectivo, el art. 51 ET prevé la intervención como interlocutor en el procedimiento de consultas de los representantes del personal.

c) En los supuestos de traslado total o parcial de las instalaciones (art. 64.1.3.b. del ET).

En términos generales, el traslado de instalaciones puede hacerse dentro de la misma localidad o a localidad distinta, supuesto este último que puede suponer para los trabajadores la necesidad de un cambio de residencia. En ambos casos, el traslado de instalaciones, en cuanto que supone la apertura de un nuevo centro de trabajo, requiere la comunicación a la autoridad laboral competente. En este sentido, el artículo 64.1.3b) del ET adiciona un requisito más —el informe de los representantes del personal—, previo a la correspondiente comunicación.

d) En los supuestos de *«reducciones de jornada»* (art. 64.1.4.b ET).

e) En los estudios de tiempos, establecimiento de sistemas de primas o incentivos y valoración de puestos de trabajo.

f) En los *«planes de formación profesional de la empresa».*

g) En la *«implantación o revisión de sistemas de organización y control de trabajo».*

En todas la materias relacionadas en este apartado, los informes que deben emitir los representantes de los trabajadores deben elaborarse en el plazo de quince días (art. 64.2 ET), desde que el empresario solicitó el informe correspondiente. De otra parte, la emisión del informe no resulta preceptiva, por lo que si transcurre dicho plazo sin informe, el empresario podrá actuar válidamente (STC 127/1987, de 3 de noviembre).

169. Otras competencias. Aparte de los derechos de información activa y de consulta en las materias reseñadas, el art. 64 del ET prevé otras competencias de los representantes unitarios. Así:

a) El derecho a la participación en la gestión de obras sociales.

b) El derecho a la colaboración en el incremento de la productividad.

c) El derecho de colaboración en materia de conciliación.

d) El derecho a informar a los representados de las cuestiones laborales.

e) Una serie de competencias en materia de seguridad y salud laborales.

f) La capacidad y legitimación procesales.

170. La participación en la gestión de obras sociales. El art. 64.7 b) del ET establece el derecho de los representantes a *«participar, como se determine por convenio colectivo, en la gestión de obras sociales establecidas en la empresa en beneficio de los trabajadores o de sus familiares»* (STSJ Canarias, de 19 de abril de 1994, Rec. 195/1994).

171. La colaboración en el incremento de la productividad. El art. 64.7 c) del ET establece el derecho de los representantes a *«colaborar con la dirección de la empresa para conseguir el establecimiento de cuantas medidas procuren el mantenimiento y el incremento de la productividad, así como la sostenibilidad ambiental de la empresa, si así está pactado en los convenios colectivos»*.

172. La colaboración en materia de conciliación. El art. 64.7 d) del ET establece el derecho a *«colaborar con la dirección de la empresa en el establecimiento y puesta en marcha de medidas de conciliación»*.

173. El derecho de los representantes a informar a los representados de las cuestiones laborales. El art. 64.7 e) del ET establece el derecho de los representantes a informar a sus representados en todos los temas y cuestiones señalados en cuanto directa o indirectamente tengan o puedan tener repercusión en las relaciones laborales.

Este derecho de información, concebido en términos tan amplios, está conectado con el deber de sigilo (ver supra) y a las garantías y facilidades que deben otorgarse a los representantes (ver infra).

El Tribunal Constitucional ha señalado que el empresario no puede utilizar este derecho de información de los representantes a los representados para obligar a los representantes a informar a los trabajadores de opiniones empresariales contrarias a la actividad sindical emprendida (STC de 9 de mayo de 1994).

174. Las competencias en materia de seguridad y salud laborales. El art. 64.2 d) del ET establece el derecho al conocimiento periódico de los índices de absentismo, accidentes y enfermedades profesionales, índices de siniestralidad y estudios especiales del medio ambiente laboral y mecanismos de prevención utilizados. Y el art. 64.1.9.b) del ET el derecho a la vigilancia y control de las condiciones de seguridad e higiene en el desarrollo del trabajo en la empresa.

Este derecho ha sido desarrollado en profundidad por la Ley de Prevención de riesgos laborales (LPRL), que, sintéticamente, responde a los siguientes criterios:

1º) Los derechos de información, consulta y participación de los trabajadores en esta materia, se canalizarán a través de los representantes de los trabajadores en aquellas empresas que cuenten con ellos.

2º) En las empresas o centros de trabajo que cuenten con seis o más trabajadores, aparte de los órganos genéricos de representación unitaria, existirá una *«representación especializada»*: los delegados de prevención y los Comités de Seguridad y Salud, lo que no obsta para que los representantes unitarios sigan conservando sus propias competencias en materia de prevención de riesgos en el trabajo.

3º) Los delegados de prevención, como regla general, serán designados *«por y entre los representantes del personal»*; asumiendo sus funciones el delegado de personal en empresas o centros de trabajo de hasta treinta trabajadores.

Lo que no obsta a que por convenio colectivo puedan establecerse otros sistemas de designación *«siempre que se garantice que la facultad de designación corresponde a los representantes del personal o a los propios trabajadores»*. Caben, pues, delegados de prevención que no sean previamente representantes unitarios.

4º) A los delegados de prevención les asigna el art. 36 de la LPRL una serie de derechos de información pasiva, de información activa y de formulación de propuestas al empresario.

5º) El Comité de Seguridad y Salud —a constituir en todas las empresas o centros que cuenten con más de cincuenta trabajadores—, se prevé como órgano paritario y colegiado de participación consultiva.

Está formado por los delegados de prevención, de una parte, y, de otra, por el empresario y representantes suyos en número igual. Puede también acordarse la creación de un comité intercentros, con las funciones que el propio acuerdo le atribuya.

Sus competencias son consultivas en materia de seguridad y salud. Debiendo reunirse, al menos, trimestralmente.

175. La capacidad y la legitimación procesales. El art. 64.7 a) ET atribuye a los representantes unitarios *«funciones de vigilancia en el cumplimiento de las*

normas vigentes en materia laboral, de seguridad social y empleo, así como el res-
to de los pactos, condiciones y usos de empresa en vigor, formulando, en su caso,
las acciones legales oportunas ante el empresario y los organismos o Tribunales
correspondientes». Y, en especial, *«de las condiciones de seguridad y salud en el*
desarrollo del trabajo en la empresa» y *«de la aplicación del principio de igualdad*
de trato y de oportunidades entre mujeres y hombres».

Se tratará sobre todo de denuncias ante la Inspección de Trabajo. Más dudosas
son sus competencias ante los Tribunales.

La legitimación de los representantes solo existirá cuando las violaciones empresariales de la normativa laboral o de los pactos, condiciones o usos, afectaren
a los intereses del conjunto de los trabajadores, esto es, sólo existiría *«causa propia»* que legitime a los representantes cuando el conflicto planteado sea colectivo
y no cuando fuese individual (ver infra). Esta ha sido la interpretación adoptada
por la doctrina judicial (STSJ Madrid, de 24 de mayo de 1990, Rec. 954/1990 o
de Andalucía, de 26 de abril de 1994, Rec. 3259/1992).

2.7. Garantías

**176. Las garantías y facilidades de los representantes de los trabajadores. Su
fundamento.** Reconocer la existencia de órganos representativos de los trabajadores y atribuirles competencias serviría de muy poco si no se estableciesen, al
mismo tiempo, mecanismos apropiados para poder desarrollar su función.

Desde esta perspectiva, las *«facilidades»* hacen referencia a aquellos instrumentos imprescindibles para el desempeño de su función representativa y las *«garantías»* a los mecanismos de control empresarial referidos a los representantes
por cuanto pueden aparecer a los ojos del empresario como trabajadores moles-
tos, siendo preciso también prever que las facultades empresariales no se utilicen
como vehículo para desprenderse de los mismos.

Aunque las garantías de los representantes de los trabajadores se prevé tradicionalmente frente a actuaciones empresariales, el Tribunal Supremo tiene declarado que *«igualmente, en relación con sus compañeros de trabajo, deben ser
objeto del debido respeto, sin perjuicio, por supuesto, de la crítica que habrá de
ser ejercida por cauces civilizados e idóneos»* (STS de 14 de julio de 1987).

El art. 68 del ET, con el título genérico de *«garantías»*, establece una serie de
«facilidades» a conceder a los representantes legales de los trabajadores en el
ejercicio de su función representativa y una serie de *«garantías»* frente a posibles
actuaciones empresariales, complementadas por las establecidas en otros preceptos del ET (arts. 40, 56 y 81).

Estas normas tienen el carácter de mínimas, por lo que podrán ser mejoradas en beneficio de los representantes por la negociación colectiva («*a salvo de lo que se disponga en los convenios colectivos*», dice el art. 68.1 del ET) (SSTS de 24 de enero de 1990, Ar/206 o de 25 de mayo de 2006, Rec. 21/2005), salvo para el personal laboral de las Administraciones Públicas (arts. 10 y 16 Real Decreto-Ley 20/2012, de 13 de julio).

Las garantías y facilidades están concedidas por la Ley a los representantes de los trabajadores, lo que no obsta para que, en determinados casos, se apliquen también a sujetos que no tienen inicialmente esa condición. Este sucede con:

a) Los delegados de prevención designados de acuerdo con el sistema previsto en convenio colectivo, a los que también se les aplican las garantías del art. 68 ET (art. 37 Ley 31/1995).

b) Los trabajadores designados por el empresario para realizar labores de prevención se les aplican algunas de las garantías previstas para los representantes: las del art. 68. a), b) y c) del ET y del art. 56.4 del ET (art. 30.4 Ley 31/1995).

c) Los trabajadores integrantes del servicio de prevención de la empresa, a los que se les aplica el art. 56.4 ET (art. 30.4 Ley 31/1995).

Las garantías legalmente previstas son las siguientes:

a) *Despidos y sanciones*

177. La prohibición de despidos y sanciones discriminatorias. El art. 68.c) del ET establece el derecho de los representantes unitarios a «*no ser despedido ni sancionado durante el ejercicio de sus funciones ni dentro del año siguiente a la expiración del mandato…, siempre que el despido o sanción se base en la acción de trabajador en el ejercicio de su representación, sin perjuicio, por tanto, de lo establecido en el artículo 54*».

Lo que la Ley prohíbe es un despido o sanción disciplinarios por motivos discriminatorios, esto es, por ser el sancionado un representante de los trabajadores. De este modo, el art. 68.c) ET sería una ampliación de lo dispuesto en el art. 17 del ET sobre nulidad de actos empresariales discriminatorios. Esta interpretación resulta congruente con lo dispuesto en el art. 1º del Convenio nº 135 de la OIT, (art. 1).

De este modo, el art. 68.c) ET cumple la función de lo que se ha denominado (DE LA VILLA) «*velo de cobertura*», y que implica que determinadas conductas del representante (por ejemplo, manifestación de opiniones), en cuanto que exigidas por su función representativa, no implican incumplimientos contractuales:

mientras que sí podrían serlo de no ser el trabajador un representante de los mismos.

El ejercicio de funciones representativas no puede servir, pues, ni formal ni materialmente para sancionar disciplinariamente a los representantes. Lo cual no implica que el representante no pueda incumplir —a juicio del empresario—, sus obligaciones contractuales, y ser sancionado disciplinariamente, incluso con el despido. Es por ello por lo que el propio art. 68.c) ET salva la posibilidad de imposición de sanciones al representante de los trabajadores cuando se de alguno de los supuestos del art. 54 ET.

En cuanto a los eventuales incumplimientos contractuales por parte del representante, el Tribunal Supremo mantiene dos líneas interpretativas:

a) Una primera, según la cual la condición de representante no puede esgrimirse como base de una absoluta impunidad frente a todas las actuaciones disciplinarias de la empresa, ya que aquella condición representativa sólo ha de merecer protección en tanto en cuanto en ella se apoye el ejercicio de la facultad represiva de la empresa (STS de 20 de febrero de 1990, Ar/61122).

b) Una segunda, según la cual *«la condición de representante de los trabajadores no puede convertirse en un elemento agravante de los incumplimientos contractuales frente a la empresa»* (por todas, SSTS de 14 de mayo de 1990, Ar/34317 o de 21 de diciembre de 1984, Ar/6481).

En cuanto al alcance de esta garantía, cabe señalar:

a) Por lo que respecta a su ámbito personal, aunque el art. 68 ET prevé literalmente una serie de garantías para *«los miembros del comité de empresa y los delegados de personal»*, estas garantías han sido ampliadas sin embargo también a los que se presentan como candidatos a las correspondientes elecciones (STC de 23 de noviembre de 1981 o de 22 de junio de 1983, interpretando el Convenio 135 de la OIT a la luz de la Recomendación 143) y a los representantes suplentes, en base a que el trabajador *«resultó elegido para una representación que, en cualquier momento, podría hacerse efectiva»*, por lo que concurrían en ella las razones que justifican la concesión de garantías a los representantes (STS de 13 de mayo de 1988, Ar/4980).

En todo caso, la garantía del expediente previo no alcanza a los suplentes de las candidaturas una vez finalizado el proceso electoral (SSTS de 19 de junio de 1989, Ar/4810, de 5 de noviembre de 1990, Ar/8547, de 15 de marzo de 1993, Ar/1860 o de 14 de febrero de 1997, Ar/1348).

La STS de 2 de junio de 1986, Ar/3434, amplió más el ámbito de las garantías al aplicarlas al trabajador que *«de hecho y a ciencia y paciencia de la empresa actuó como delegado»*.

b) En cuanto al ámbito temporal de la garantía, el art. 68.c) ET la refiere al tiempo que dure el ejercicio de sus funciones (art. 26.2 RDE) y al año siguiente al de expiración de su mandato, salvo que aquella se hubiere producido por revocación o dimisión.

Lo que dejaría, aparentemente, fuera de la protección a los candidatos, a los representantes dimitidos o revocados y a todos transcurrido un año desde su cese. Pero téngase en cuenta lo previsto en el mencionado art. 17 y en los arts. 55.5 ET y 108 LJS, que consideran nulos los despidos que tengan como *«fundamento alguna de las causas de discriminación previstas en la Constitución y en la ley, o la violación de derechos fundamentales o libertades públicas del trabajador»*. Aparte de que muchos de los representantes serán afiliados a sindicatos o presentados, al menos, en listas sindicales; por lo que su despido, sanción o discriminación tendría naturaleza antisindical. Todo lo cual viene a superar los estrechos límites de la protección otorgada literalmente por el art. 68.c) ET, al poderse considerar discriminatorios los despidos incluso de candidatos en candidaturas no sindicales (STS 12 mayo 1990; STC 38/1981, 23 de noviembre) o los de representantes revocados de su cargo (STS 14 marzo 1990).

178. El expediente para la imposición de sanciones por faltas graves y muy graves. Para la imposición de sanciones por faltas graves y muy graves será necesaria la apertura de un expediente contradictorio en el que serán oídos, aparte del interesado, el comité de empresa o restantes delegados de personal (art. 68.a) ET).

La garantía es independiente de cual sea la causa del despido o la sanción; es decir, juega al margen de que se encuentre o no conectada con el ejercicio del cargo representativo (STS de 18 de febrero de 1997, u.d., Ar/1448).

Esta garantía alcanza a los representantes elegidos durante su mandato y durante el año siguiente, a los representantes electos antes de tomar posesión e incluso cubre también a los candidatos en tanto dure el proceso electoral, pero no a los suplentes (STS de 18 de febrero de 1997, u.d., Ar/1448).

Expediente contradictorio, en opinión del Tribunal Supremo *«significa que debe hacerse saber a quién se pretende sancionar con claridad los hechos y las faltas que se le imputan, dándole audiencia y otorgando la posibilidad de desvirtuarlos en el mismo expediente»* (por todas, SSTS de 30 de septiembre de 1982, Ar/5318, de 5 de febrero de 1990, Ar/817 o de 4 de abril de 1990, Ar/3101).

El ET no prevé nada respecto a los principios que rigen el expediente. La jurisprudencia ha establecido en este sentido una serie de criterios:

a) El expediente no resulta bien instruido cuando las pruebas aportadas por el interesado no fueron practicadas, ni tan siquiera hubo acuerdo sobre ellas (SS. TS de 13 de noviembre de 1984 o de 18 de julio de 1989, Ar/5847; en sentido contrario, SSTS de 23 de enero de 1990, Ar/198 o de 22 de enero de 1991, Ar/69).

b) No puede entenderse como requisito inexcusable la incorporación al expediente que se tramite de un informe del comité de empresa, pues ello comportaría dejar al arbitrio de este órgano la finalización del expediente (STS de 18 de diciembre de 1984).

c) El hecho de que en el expediente no figuren ni instructor ni secretario no vicia las actuaciones desarrolladas, pues su intervención no constituye una exigencia imprescindible para la validez del expediente ni supone supresión alguna de garantía defensiva del trabajador (SSTS de 20 de diciembre de 1984, Ar/6463 y de 30 de octubre de 1989, Ar/7102). Razón por la que tampoco existe con carácter esencial un trámite de posible recusación de las personas que intervienen en el expediente (STS de 2 de noviembre de 1989, Ar/7987). Los únicos requisitos insoslayables del expediente son la audiencia al interesado y la audiencia al comité de empresa (SSTS de 23 de noviembre de 1985, Ar/5841 y de 26 de noviembre de 1990, Ar/8604.).

d) En cuanto a la audiencia del resto de la representación de trabajadores, las posturas jurisprudenciales son las siguientes:

- En el supuesto de delegados de personal, si son varios, la audiencia, debe otorgarse a cada uno de ellos (SSTS de 9 de febrero de 1989, Ar/601, de 28 de febrero de 1989, Ar/959 y de 25 de enero de 1990, Ar/213).

- En los supuestos de expediente a la totalidad del comité de empresa, la audiencia a los representantes se cumple con la comunicación individual a cada uno de ellos de la apertura del expediente (STS de 15 de diciembre de 1982, Ar/7812).

- En cuanto al requisito de la audiencia al comité hay que entender que en el expediente debe constar de manera expresa que ha sido requerido el informe de los restantes representantes de los trabajadores, sin que, transcurrido el plazo concedido para ello o, en su defecto, un plazo prudente, su silencio impida finalizar el expediente (SSTS de 28 de febrero de 1985, Ar/714 o de 7 de octubre de 1986, Ar/5412).

- No cabe sustituir la audiencia al comité de empresa por la audiencia al comité intercentros, si éste no tiene atribuida la facultad en el convenio colectivo que autorizó su creación (STS de 12 de diciembre de 1990, Ar/9776).

e) La iniciación del expediente interrumpe los plazos de prescripción de la falta que se imputa al representante de los trabajadores (por todas, SSTS de 16 de noviembre de 1982, Ar/6713, de 25 de mayo de 1985, Ar/2759 o de 27 de octubre de 1986, Ar/5909).

f) En cuanto al plazo para la finalización del expediente, al no fijarlo el ET, se viene entendiendo que, salvo que en el convenio colectivo aplicable esté previsto un plazo determinado de finalización (STS de 9 de abril de 1990, Ar/3427), el expediente debe finalizar *en un plazo razonable y proporcionado a los fines que se persiguen*» (STS de 30 de octubre de 1990).

g) En cuanto al conocimiento por parte de la empresa de la condición de representante del trabajador sujeto de la sanción, especialmente en el caso de sustituciones en el comité de empresa en el supuesto de haberse producido una vacante, el Tribunal Supremo (STS de 2 de octubre de 1986, Ar/5368) entiende que no cabe alegar por la empresa desconocimiento de la condición de representante del sustituto, ya que, según el art. 75 del ET, una copia del acta de la elección debe remitirse al empresario.

En el caso de que la empresa desconociese la condición de representante del trabajador en el momento de la imposición de la sanción, ya que esa condición la obtuvo con posterioridad a la sanción, el Tribunal Supremo (STS de 14 de octubre de 1986, Ar/5268) distingue en cuanto a los efectos derivados de la notificación a la empresa de la condición de representante con posterioridad a un despido, señalando que no será exigible el expediente contradictorio, pero que la facultad de opción entre la readmisión o la indemnización en caso de despido improcedente resultará aplicable al representante.

h) El expediente termina con sobreseimiento o mediante la imposición al representante de los trabajadores de la sanción correspondiente (STS de 14 de octubre de 1986, Ar/5466), que luego podrá recurrir o no.

En cuanto al valor probatorio del expediente, éste se considera una prueba documental a valorar por los Tribunales de acuerdo con sus circunstancias y en relación con el resto de los elementos de convicción obrantes en el proceso (SSTS de 19 de mayo de 1986, Ar/2575 o de 23 de enero de 1990, Ar/198).

3) Finalmente, la no incoación del expediente o su incoación defectuosa, lleva aparejada la declaración judicial de la improcedencia del despido del representante (art. 108.1) LPL).

179. El derecho de opción de los representantes en los despidos improcedentes. El art. 56.4 del ET atribuye a los representantes legales de los trabajadores el derecho de opción entre readmisión o indemnización en los supuestos de despido improcedente, entendiéndose que se opta por la readmisión de no efectuar la opción correspondiente.

Se entiende nula una eventual renuncia anticipada por parte del representante a esta facultad de opción en los despidos improcedentes (STS de 26 de julio de 1988, Ar/6235).

Es doctrina unificada del Tribunal Supremo (STS de 23 de mayo de 1995, u.d., Ar/5897) que la atribución de la opción al representante juega siempre que el despido haya sido calificado de improcedente, con independencia de la causa que haya conducido a esta calificación judicial de la extinción del contrato de trabajo. Y que la condición de representante ha de ostentarse en el momento del despido para que el trabajador tenga atribuido el derecho de opción (SSTS de 20 de octubre de 2000, u.d., Ar/9659; o de 20 de junio de 2000, u.d., Ar/7172).

El derecho de opción se atribuye al representante improcedentemente despedido, con independencia del tipo de contrato (indefinido o temporal) que lo vincule con la empresa. Y ello aunque en convenio colectivo se atribuya la opción a los trabajadores fijos improcedentemente despedidos (STS de 14 de octubre de 1997, u.d., Ar/7303).

En todo caso, la garantía se pierde cuando se haya producido la extinción del mandato representativo por dimisión o revocación (STS de 26 de diciembre de 1990, Ar/9838).

b) La no discriminación en la promoción económica y profesional del representante

180. La no discriminación en la promoción económica y profesional. Los representantes de los trabajadores no pueden ser discriminados en su promoción económica o profesional en razón, del desempeño de su representación (art. 68.c) ET). Se trata de la versión legal para los representantes de lo que el Tribunal Constitucional denomina *«garantía de indemnidad»* (STC 30/2000, de 31 de enero).

Aunque no conste expresamente en el art. 17.1 del ET la prohibición de discriminación de representantes en función de su cargo representativo, la consecuencia de la discriminación será la nulidad del acto empresarial discriminatorio (OJEDA).

La no discriminación del representante en su promoción económica o profesional debe entenderse como la prohibición de excluir al representante de sus expectativas económicas y profesionales por razones no justificadas objetivamente (STSJ de Madrid, de 19 de junio de 1993, Ar/3136), entendida en un sentido amplio, incluyendo cualesquiera actuaciones del empresario que supongan un perjuicio injustificado para el representante [STS de 19 de mayo de 2009 *(Tol 1547580)*].

En todo caso, el hecho de ser representante de los trabajadores no implica, por sí solo la absoluta inmunidad del mismo respecto a decisiones organizativas del empresario que puedan ser razonables y justificadas (SSTC 293/1993, de 18 de octubre, 85/1995, de 6 de junio o 202/1997, de 25 de noviembre); ni enervan tampoco los poderes empresariales en orden a la movilidad funcional, *«siempre que se utilicen con fines profesionales y no tiendan a menoscabar los que, para el ejercicio de la actividad sindical, tuvieran atribuidos los trabajadores»*(STS de 12 de febrero de 1990, Ar/904).

La carga de probar suficientemente la existencia de una motivación ajena a la condición de representante corresponde al empresario (SSTC 114/2002, de 20 de mayo, 216/2005, de 12 de septiembre o 3/2006, de 16 de enero).

c) *La prioridad de permanencia en la empresa*

181. La prioridad de permanencia en los supuestos de extinción o suspensión de contratos por causas económicas, técnicas, organizativas o productivas y por fuerza mayor. Los representantes legales de los trabajadores tendrán *«prioridad de permanencia en la empresa o centro de trabajo respecto de los demás trabajadores, en los supuestos de suspensión o extinción por causas tecnológicas o económicas»* (art. 68.b) ET).

Aunque la prioridad de permanencia en la empresa se refiere exclusivamente en el art. 68 b) del ET a los supuestos de suspensión o extinción de contratos de trabajo por causas tecnológicas o económicas, habrá que hacerla extensiva también a las suspensiones o extinciones derivadas de fuerza mayor, ya que el art. 51.5 del ET señala que *«los representantes legales de los trabajadores tendrán prioridad de permanencia en la empresa en los supuestos a que se refiere este artículo»* y el art. 51 del ET se refiere tanto a los despidos colectivos por causas económicas, técnicas, organizativas o de producción, como por fuerza mayor.

Por su parte, el art. 52.c) del ET señala expresamente que, en los casos en los que exista necesidad objetivamente acreditada de amortizar puestos de trabajo por causas económicas, técnicas, organizativas o de producción, en número inferior al que configura un despido como colectivo, los representantes de los trabajadores tendrán también prioridad de permanencia en la empresa.

La prioridad de permanencia de los representantes no cabe entenderla respecto de la totalidad de la plantilla de trabajadores de la empresa, sino tan solo respecto de los que resulten afectados por las suspensiones o extinciones dentro de los grupos profesionales a que pertenezcan los representantes (STSJ de Madrid de 30 de enero de 1990, Rec. 19647/1989).

No cabe, la renuncia a la garantía por parte del representante en beneficio de otros trabajadores, dado que no se trata de un *«privilegio»* sino de un patrimonio del propio órgano de representación para cumplir sus finalidades al que no cabe renunciar (STC 191/1996, de 26 de noviembre).

182. Las prioridades de los representantes en los supuestos de movilidad geográfica. El art. 40.5 ET establece la prioridad de permanencia de los representantes de los trabajadores en los supuestos de movilidad geográfica. Al no distinguir-se entre supuestos de traslado que dan derecho a esta prioridad de permanencia, hay que entender que se refiere tanto a los traslados como a los desplazamientos.

En cualquier caso, no es que el representante de los trabajadores no pueda ser trasladado, sino que, simplemente, al tener una prioridad de permanencia y al tener que justificarse su traslado por razones económicas, técnicas, organizativas o productivas, deberán ser trasladados previamente otros trabajadores que, por sus aptitudes profesionales, sean también aptos para cumplir la finalidad que el traslado se propone.

En cuanto a los traslados de representantes entre centros de trabajo de la misma localidad, la doctrina judicial viene negando la garantía de prioridad de permanencia (SSTCT de 24 de octubre de 1985 ó de 23 de junio de 1986, Ar/5713 y 4841), argumentando que la garantía no rige para los traslados que no exijan cambio de residencia, «*sin que pueda ser extendida a ellos por vía interpretativa, pues se trata de un privilegio que, como tal, merece interpretación restrictiva*» (SSTSJ de Cantabria, de 20 de noviembre de 1992, Rec. 875/1992 o de Murcia, de 20 de octubre de 1993, Rec. 7571993).

2.8. Facilidades a otorgar a los representantes legales de los trabajadores

183. Facilidades. Enumeración. En cuanto a las facilidades a conceder a los representantes legales de los trabajadores en el ejercicio de su función representativa la Ley establece las siguientes:

a) La libertad de expresión de opiniones.

b) La libertad de publicación y de distribución.

c) El derecho a un tablón de anuncios.

d) El derecho a un local adecuado.

e) El derecho a un crédito de horas laborales retribuidas.

f) Aunque expresamente no esté prevista en la legislación el derecho de los representantes unitarios al acceso de a los centros de trabajo, se entiende aplicable a los mismos, por analogía, lo dispuesto en el art. 9 de la LOLS para los delegados sindicales (STSJ de Madrid, de 12 de mayo de 1993, Rec, 75/1993).

Por su parte, a los delegados de prevención (formen o no parte del correspondiente órgano de representación unitaria) les está expresamente reconocida una serie de «*facultades ambulatorias*» (GOERLICH) (art. 36 Ley 31/1995). Así:

a) Derecho a acompañar a los técnicos en evaluaciones de carácter preventivo del medio ambiente laboral y a los Inspectores de Trabajo en las visitas que realicen a los centros para comprobar el cumplimiento de la normativa en materia de prevención de riesgos.

b) Posibilidad de presentarse, aún fuera de su jornada laboral, en el lugar donde se hubiesen producido daños para la salud de los trabajadores.

c) Acceso a cualquier zona de los centros de trabajo y comunicarse durante la jornada de trabajo con los trabajadores, de manera que no se altere el desarrollo normal del proceso productivo.

El tiempo invertido en las labores de las letras a) y c), aunque es tiempo de trabajo retribuido, no se imputa al crédito de horas laborales de los delegados de prevención.

a) La libertad de expresión de opiniones

184. La libertad de expresión de opiniones. El art. 68 d) del ET reconoce el derecho a «*expresar, colegiadamente, si se trata del comité, con libertad de sus opiniones en las materias concernientes a la esfera de su representación*».

La expresión «*colegiadamente*» no implica que la libertad de expresión sólo es posible por el órgano como tal y no por los concretos miembros que lo integran (TUDELA CAMBRONERO).

La posibilidad de expresar con libertad sus opiniones se refiere a las «*materias concernientes a la esfera de su representación*», esto es, la relativa a la defensa de los intereses del conjunto de los trabajadores (arts. 62 y 63 ET).

En cuanto al destinatario de esas opiniones, la Ley no establece limitación alguna por lo que habrá que entender que esas opiniones se pueden referir tanto hacia el exterior de la empresa como hacia el interior de la misma.

En cualquiera de estos casos, la libertad de expresión vendrá limitada por el sigilo profesional en la actuación de los representantes (ver supra) y por las genéricas limitaciones de la libertad de expresión, como puedan ser el «*atentar con la intimidad persona de la empresa poniendo en entredicho su fama y honorabilidad*» (STS de 3 de diciembre de 1983, Ar/6166).

En cuanto a la libertad de expresión de los representantes de los trabajadores, la postura jurisprudencial es contradictoria: bien admite posibles atenuaciones (SSTS de 28 de febrero de 1990, Ar/1248 o de 9 de julio de 1986, Ar/4000), o bien hace hincapié en un sentido agravatorio (SSTS de 28 de enero o de 13 de marzo de 1986). En todo caso, en ciertas condiciones, la extralimitación de los representantes en el ejercicio de su libertad de expresión puede ser sancionable (STS de 20 de abril de 2005, Rec. 670/2003).

Todo lo anterior se encuentra enmarcado dentro de la doctrina del Tribunal Constitucional (SSTC de 15 de diciembre de 1983 o de 19 de julio de 1985) sobre el ejercicio del derecho a la libertad de expresión desde la perspectiva laboral:

a) La libertad de expresión se encuentra sujeta al límite del respeto al honor de las personas, así como a las exigencias de la buena fe que para el ejercicio de los derechos prescribe el art. 7 del Código Civil.

b) *«No es discutible que la exigencia de una relación contractual entre trabajador y empresario condiciona también el ejercicio del derecho a la libertad de expresión, de modo que manifestaciones del mismo que en otro contexto pudieran ser legítimas no tiene por qué serlo necesariamente dentro del ámbito de dicha relación».*

c) Ahora bien, estos condicionamientos *«han de ser matizados cuidadosamente»*, ya que *«no cabe defender la existencia de un genérico deber de lealtad, con* su significado omnicomprensivo de sujeción del trabajador al interés empresarial, pues ello no es acorde al sistema constitucional de relaciones laborales».

d) La situación anterior no resulta modificada ni en los casos en que la legislación laboral reconoce un específico derecho de expresión y difusión. Ello ocurre tanto en el art. 68.c) ET (autorizando a los representantes de los trabajadores a expresar con libertad sus opiniones en materia referente a su representación), como en el art. 6.6 del RDLRT de 4 de marzo de 1977 (los trabajadores en huelga podrán efectuar publicidad de la misma).

b) La libertad de publicación y distribución

185. La publicación y distribución de informaciones. Los representantes de los trabajadores pueden *«publicar y distribuir»*, sin perjudicar el normal desenvolvimiento del trabajo, las publicaciones de interés laboral o social, comunicándolo a la empresa (art. 68.d) ET).

Esta comunicación a la empresa no se refiere al contenido del escrito sino al hecho de su distribución; y la comunicación no debe entenderse como una forma de recabar autorización para la distribución sino, a lo sumo, como un ponerse de acuerdo representantes y empresario sobre el normal desenvolvimiento del trabajo. Y ello solamente en el caso de que la distribución se realice dentro de la jornada de trabajo, porque si se optase por la distribución fuera de jornada, no sería necesario ningún tipo de comunicación a la empresa.

La publicación y distribución de los representantes se refiere a las publicaciones de interés laboral o social que estimen convenientes.

Una cuestión particular que se suscita es la de la utilización por el sindicato de los equipos informáticos que la empresa ponga disposición de los trabajadores (y, en particular, del correo electrónico) para el desarrollo de su actividad laboral como vehículo de difusión de la información sindical. En esta cuestión resultan implicados el derecho del empresario al control de la utilización de sus propios equipos productivos y el derecho al secreto de las comunicaciones del art. 18 CE.

La postura del Tribunal Supremo sobre el tema (por todas, STS de 26 de noviembre de 2001, Ar/2002/ 3270) es la de que se requiere consentimiento empresarial o previsión al respecto del convenio colectivo, sin que el art. 8 establezca que sea la empresa la que deba facilitar los medios para que los afiliados reciban la información que les remita el sindicato. Pero el Tribunal Constitucional ha señalado que, a salvo lo que se pueda pactar en el convenio colectivo, la empresa está obligada a ceder determinados medios preexistentes —señaladamente los de carácter informático (correo electrónico) (STC 281/2005, 7 noviembre)— para que se produzca esta distribución de opiniones o información.

c) El derecho a un tablón de anuncios

186. El derecho a un tablón de anuncios. En las empresas y centros de trabajo, siempre que sus características lo permitan, se pondrá a disposición de los delegados de personal o del comité de empresa uno o varios tablones de anuncios. En cualquier caso (art. 81 ET).

Comoquiera que en la generalidad de los casos las características de la empresa siempre permitirán la existencia de uno o varios tablones, habrá que concluir que el tablón es un derecho de los representantes.

d) El derecho a un local adecuado

187. El derecho a un local adecuado. El art. 81 del ET establece que «*en las empresas o centros de trabajo, siempre que sus características lo permitan, se pondrá a disposición de los delegados de personal o del comité de empresa un local adecuado en el que puedan desarrollar sus actividades y comunicarse con los trabajadores… Las posibles discrepancias se resolverán por la autoridad laboral, previo informe de la Inspección de Trabajo*».

El derecho al local no se configura al nivel de empresa, sino al de centro de trabajo, que es la unidad productiva que condiciona la necesidad de existencia de representación.

El derecho al local no aparece como un derecho absoluto, sino condicionado a «*que sus características (las del centro de trabajo) lo permitan*». Condicionante que constituye normalmente el punto de fricción.

En este sentido, el Tribunal Supremo ha declarado que (STS, 3ª, de 1 de julio de 1997, Ar/55419) *«este alcance de la norma (art. 81 ET) obliga tanto a la empresa como al comité, de forma que una y otro han de ajustar sus actuaciones y peticiones a las posibilidades y características del centro de trabajo, así, la empresa ha de incluir entre sus previsiones, como una dependencia más del centro de trabajo, el local del comité, facilitando con prioridad el uso exclusivo del mismo; el comité al ejercitar su derecho al local, ha de hacerlo también valorando las posibilidades del centro, aceptando incluso la compatibilidad del uso cuando el uso exclusivo no sea posible».*

El local a disposición de los representantes debe ser adecuado para el desarrollo de sus funciones representativas. Lo que parece hacer referencia a la puesta a disposición también por el empresario de una serie de medios materiales necesarios para el desarrollo de aquella función: mobiliario, archivador o fichero, máquina de escribir, e, incluso, prudente utilización por los representantes del servicio telefónico y/o de fotocopia o similar que pudiera tener la empresa. Así como también cargar sobre el empresario los gastos de mantenimiento que dicho local pudiese ocasionar.

La jurisprudencia entiende que el derecho a un local adecuado no ha de ser entendido en términos que excluyan la utilización compartida (SSTS, u.d., de 24 de septiembre de 1996, Ar/6851, de 1 de julio de 1997, Ar/5541 o de 27 de septiembre de 2004, Rec. 167/2003).

e) El derecho a un crédito de horas laborales retribuidas

188. El número de horas. La habilitación legal de un crédito mensual de horas retribuidas para el ejercicio de sus funciones de representación tiene la finalidad de otorgar a los representantes una protección específica en atención a la compleja posición jurídica que los mismos asumen frente a los empresarios y a los trabajadores representados (STC de 13 de marzo de 1985).

El art. 68.e) del ET fija una escala de horas en relación con los trabajadores de cada centro.

Esta escala es la siguiente:

- Hasta 100 trabajadores: quince horas.
- De 101 a 250 trabajadores: veinte horas.
- De 251 a 500 trabajadores: treinta horas.,
- De 501 a 750 trabajadores: treinta y cinco horas.
- De 751 en adelante: cuarenta horas.

Esta escala de horas establecida por el ET tiene el carácter de mínima, por lo que puede ser objeto de mejora por convenio colectivo (STSJ de Madrid, de 20 de mayo de 1993, Rec. 2053/1993). Ahora bien, esta mejora convencional queda sujeta al requisito de igualdad, de modo que no vale excluir de ella a las entidades no firmantes del acuerdo (STS de 29 de enero de 2004, Rec. 8/2003). Se acepta, sin embargo, que la misma se module en función de la representatividad y de las funciones asignadas a ella por el convenio (STS 20 enero 2004, Rec. 129/2002).

Aunque el número de representantes no disminuye cuando disminuye el número de trabajadores (ver supra), el crédito de horas sí que resulta adecuado proporcionalmente (SSTSJ de Castilla-La Mancha, de 11 de octubre de 1991, Rec. 612/1991 o del País Vasco, de 19 de diciembre de 1994, Rec, 2093/1994).

189. La utilización o no del crédito de horas dentro de la jornada de trabajo del representante. El art. 68.a) del ET lo único que establece es que el representante *«para el ejercicio de sus funciones de representación»*, dispondrá de *«un crédito de horas mensuales retribuidas»*, sin que señale que ese crédito de horas deba utilizarse necesariamente dentro de la propia jornada de trabajo del representante.

Ante la ambigüedad legislativa, la doctrina judicial se inclinó inicialmente por interpretar que para el cómputo de horas de representación sólo cabía tomar aquellas que coincidiesen con la efectiva jornada de trabajo del representante en base a que el art. 37.3.e) del ET considera que *«para realizar funciones... de representación del personal...»*, *«el trabajador... podrá ausentarse del trabajo, con derecho a remuneración»*, de donde se deducía que, *«precisamente por su naturaleza de permisos retribuidos que tienen esas ausencias, tanto para su cómputo cuanto para su remuneración se tomarán en consideración tan sólo aquellas horas que coincidan con las de trabajo, porque cuando no se de tal coincidencia, no son precisos preaviso y justificación, ni puede entenderse que la realización de funciones de representación equivalga, en cualquier caso, a trabajo efectivo que exima al representante de la obligación de rendir jornada en las horas no coincidentes del mismo día»* (STCT de 30 de octubre de 1981, Ar/6740).

Dado que esta rígida doctrina interpretativa planteaba en la práctica problemas cuando la jornada del trabajo del representante no coincidía con la totalidad de trabajadores en la empresa, existe una postura jurisprudencial más flexible en el supuesto de existencia de comité intercentros o de trabajarse en la empresa en régimen de turnos. En este caso la jurisprudencia (SSTS de 3 de julio de 1989, Ar/5423, de 18 de marzo de 1986, Ar/1347 o de 20 de mayo de 1992, Ar/3581) ha entendido que la coincidencia no ha de ser necesariamente con la de la jornada de trabajo del representante sino con la del tiempo de trabajo en la empresa.

También pudiera ocurrir que, por necesidades del servicio, el empresario deba cambiar de puesto de trabajo al representante mismo (SSTSJ de Andalucía, de 23 de marzo de 1933, Ar/1316, de Galicia, de 27 de octubre de 1994, Rec. 3970/1994 o de Canarias, de 14 de febrero de 1995, Ar/1487).

190. El carácter mensual del crédito horario. El crédito de horas es mensual, no encontrándose prevista su acumulación para meses posteriores en caso de no agotarse completamente en cada período de tiempo, aunque el no agotamiento de las horas en un mes no significa renuncia de las horas para los meses siguientes (por todas, STCT de 24 de julio de 1986, Ar/7181).

191. La concesión a título individual y su posible acumulación. Las horas se conceden a los representantes a título individual. Por ello, cuando un representante es sustituido por otro, *«resulta indudable el derecho de cada miembro nuevo a disfrutar —del crédito de horas— con independencia de las que ya haya utilizado el cesado legalmente»* (STCT de 17 de julio de 1983, Ar/6272).

En todo caso, la Ley admite que se pueda pactar en convenio colectivo su acumulación en uno o varios representantes, los que, sin perjuicio de su remuneración, podrán incluso quedar relevados del trabajo (la figura de los *«liberados»*: art. 68.e) ET; STC 70/2000, de 13 de marzo). Los liberados quedan relevados totalmente de sus obligaciones laborales, siendo incontrolable empresarialmente su dedicación a actividades puramente sindicales o de cualquier otra naturaleza (STS de 6 de abril de 2004, Rec. 40/2003).

Esta acumulación deberá hacerse *«sin rebasar el máximo total»* de horas atribuido a los diversos representantes.

Aquellos representantes que hayan cedido en su totalidad su crédito de horas no tendrán ya disponibles horas de representación remuneradas. Pero sin que ello signifique que pierdan su carácter de representantes, sino que el tiempo que dediquen a la representación, ni puede coincidir en principio con el tiempo de trabajo, ni es remunerado (BARREIROS).

La acumulación de horas ha de estar prevista en el convenio colectivo, sea este estatutario o extraestatutario (STS de 19 de julio de 1996, Ar/6367). Cabe, desde luego, que el convenio posterior establezca un sistema distinto, sin que quepa alegar condición más beneficiosa (STSJ de Madrid, de 28 de junio de 1990, Rec. 3929/1988).

192. La retribución del crédito de horas. Las horas de crédito han de ser retribuidas.

En este punto rige el *«principio de omniequivalencia retributiva»* (SSTC 95/1996, de 26 de mayo o 326/2005, de 12 de diciembre). Así, el término retribución que emplea el art. 68 ET no permite que el representante vea mermada su retribución por ejercer el derecho a horas de crédito sindical, debiendo cobrar lo mismo que si trabajara efectivamente (STS de 20 de mayo de 1992, Ar/3581).

De esta manera, el representante tendrá derecho a percibir los complementos salariales que les corresponderían por las horas invertidas en funciones de representación, como si fuesen de trabajo efectivo. Así, el complemento de puesto de trabajo (STCT de 23 de marzo de 1983, Ar/2735), el plus de turnicidad (STC 30/2000, de 31 de enero), el complemento de asistencia o puntualidad (STCT de 17 de marzo de 1983, Ar/2726), el promedio de primas o incentivos (SSTSJ Galicia, de 30 de junio de 1995, Rec. 2095/1993 o de Castilla-León, de 29 de junio de 1995, Rec, 1350/1995), el plus de montaña (SAN de 31 de mayo de 1991), las comisiones, tomando como base lo percibido por tal concepto durante los meses precedentes (STSJ de Canarias, de 16 de noviembre de 1990, Rec. 332/1990); el plus de nocturnidad (STSJ de Madrid, de 3 de diciembre de 1990, Rec. 4543/1988), los complementos personales (STSJ de Cataluña, de 14 de marzo de 1993, Ar/1262) o los complementos de penosidad, toxicidad o peligrosidad (STC 191/1988, de 29 de septiembre).

En definitiva, la retribución del crédito de horas es asimilable a la «*retribución que debía percibir*», sin que quepa interpretación restrictiva alguna, teniendo derecho a todos los emolumentos a que tuviese derecho como trabajador en activo «*y ello con independencia de que en su trabajo efectivo previo no hubiese llegado a disfrutar de aquellos, cualquiera que sea la causa*» (STSJ de Galicia, de 6 de noviembre de 1992, Ar/5320).

Lo único que no se computa dentro de la retribución son las horas extraordinarias dejadas de realizar por razones de representación, ya que las horas extraordinarias «*sólo se devengan cuando realmente se trabaja*» (SSTCT de 19 de noviembre de 1980 y de 12 de marzo de 1982, Ar/6278 y 2084). Así pues, la remuneración del crédito de horas debe entenderse referida a la que le correspondería en jornada ordinaria (STSJ de Asturias, de 26 de noviembre de 1992, Rec. 781/1992).

193. La utilización del crédito de horas. La exigencia de que el crédito de horas se destine, precisamente, a funciones de representación, plantea la cuestión de que se emplee, en todo o en parte, para asuntos propios del representante y la de sus consecuencias laborales.

Jurisprudencialmente existe una doctrina que establece la presunción «*iuris tantum*» de probidad del representante en cuanto a la utilización del crédito horario, de modo que cabe afirmar la presunción de que las horas solicitadas para el ejercicio de las tareas representativas son empleadas correctamente (SSTS de 10 de febrero de 1990, Ar/890 o de 14 de junio de 1991, Ar/1413).

Lo anterior no impide que quepa demostrar el mal uso del crédito de horas del representante, a efectos de justificar su despido disciplinario (SSTS de 14 de junio de 1990, Ar/5075, de 11 de abril de 1987, Ar/2762, de 3 de julio de 1989 o de 12 de febrero de 1990, Ar/896999), lo que requiere una prueba directa del empleo abusivo de las horas de representación, no deducible de datos meramente indiciarios (STSJ de Cantabria, de 13 de abril de 1992, Rec. 260/1992), desplazándose así la carga de la prueba al empresario.

La jurisprudencia ha experimentado un giro restrictivo en punto a las pruebas del mal uso del crédito de horas laborales retribuidas. Y así, si bien se entendió inicialmente que no implicaba discriminación alguna someter a vigilancia a los miembros del comité de empresa por parte de una agencia de detectives para averiguar la utilización que hacían de ese crédito de horas (SSTS de 28 de octubre de 1983, de 2 de noviembre de 1989, Ar/7987 o de 21 de septiembre de 1990, Ar/7034), con posterioridad se ha negado valor a las pruebas obtenidas por la empresa *«con desconocimiento del derecho reconocido de no ser sometido a vigilancia singular»* (SSTS de 29 de octubre de 1989, Ar/7456, de 2 de noviembre de 1989, Ar/7987, de 27 de noviembre de 1989, Ar/8254, de 5 de diciembre de 1989, Ar/9191, de 10 de febrero de 1990, Ar/890, de 31 de mayo de 1990, Ar/4525 o de 28 de junio de 1990, Ar/5532).

Por otra parte, se señala que *«la actividad en orden a las funciones de representación es multiforme y puede, y a veces tiene que, realizarse en bares, reuniones informales con los compañeros, etc., sin que pueda exigirse un cómputo escrupuloso en el tiempo empleado, el cual ha de ser flexible y ha de preservarse la independencia del representante»* (SSTS de 15 de noviembre de 1986, Ar/6348, de 2 de noviembre de 1989, Ar/7090 o de 12 de febrero de 1990, Ar/896), resultando por todo ello *«difícil y problemático determinar por las observaciones externas si los representantes de los trabajadores están desempeñando o no las funciones propias del cargo»* (SSTS de 2 de octubre de 1989, Ar/7090; y de 13 de junio de 1990, Ar/5068); lo que *«conduce a interpretar de forma restrictiva la facultad disciplinaria de la empresa por uso indebido del crédito horario con pruebas que no hayan empleado una vigilancia que atente a la libertad de su función»* (SSTS de 10 de febrero de 1990, Ar/890; y de 14 de junio de 1990, Ar/5075).

194. La justificación de la utilización de las horas. No solo los trabajadores representados podrán exigir a los representantes el adecuado uso del crédito horario, sino que también la empresa podrá comprobar el correcto uso del crédito horario, *«pues si es evidente que un mal uso de este último transgrede la buena fe y lealtad debida al colectivo de trabajadores representado, también lo hace en relación a la lealtad debida a la empresa, cuyo sacrificio de horas de trabajo debido no se ve adecuadamente correspondido o compensado»* (STS de 14 de junio de 1990, Ar/5075).

Así, el art. 37.3.e) del ET considera ausencia justificada con derecho a retribución el tiempo empleado para realizar funciones de representación del personal, pero condicionándolo a que la ausencia se haga previo aviso y justificación.

El preaviso se podrá dar o no dependiendo, en gran medida, de las concretas circunstancias de hecho. Mientras que la justificación será siempre posible, si bien no bastará con una «*justificación formal*», aportando alguna prueba que acredite donde se ha estado al faltar al trabajo, pudiendo exigirse una «*justificación material*», que sólo podrá apreciarse cuando la permanencia acreditada en otro lugar sea objetivamente razonable (STS de 8 de julio de 1982, Ar/4576).

Para la utilización del crédito horario no se requiere autorización del empresario (STS de 6 de abril de 1987, Ar/2349). En este sentido, por ejemplo, la exigencia de firma de una solicitud de permiso por el superior jerárquico para salir del centro de trabajo «*podría en la práctica determinar una injerencia sobre la libre disponibilidad del crédito de horas de los representantes, cuyas decisiones respecto al empleo de dicho crédito la empresa debe, en principio, aceptar, salvo causa justificada*» (STS de 14 de marzo de 1988, Ar/1919).

Aunque el empresario hubiera prohibido la utilización del crédito horario, ello no impediría al representante su utilización, pudiendo el empresario, a lo sumo, manifestar una opinión sobre la conveniencia de que las horas del representante fueran utilizadas en momento distinto del que pretende el representante, pero sin que ello signifique ni implícitamente ningún tipo de autorización (SSTSJ de la Comunidad Valenciana, de 12 de febrero de 1992, Ar/906 o de 12 de febrero de 1993, Rec. 3633/1992).

Por lo que se refiere al tiempo empleado en la asistencia a reuniones sindicales, inicialmente se entendió no computable en el crédito de horas por entender que, «*aunque indirectamente puedan beneficiar a sus representados —los que ciertamente pueden no estar afiliados a la central sindical que motiva la reunión—, hay que tener en cuenta que no siempre los interesados de cada central son comunes a todos los trabajadores por su posible discrepancia en la forma y modo de asumir los intereses de los mismos*» (STCT de 8 de junio de 1979).

Comoquiera que este criterio resultaba contrario a lo previsto en la Recomendación 143 de la OIT, cuando entró en vigor la LOLS se equipararon las garantías de los representantes unitarios y sindicales en la empresa y se produjo una jurisprudencia que permite ahora utilizar el crédito de horas a los representantes unitarios para la asistencia a labores sindicales (SSTS de 14 de abril de 1987, Ar/2762, de 6 de abril de 1987, Ar/2349 o de 18 de septiembre de 1989, Ar/6451).

En cuanto al tiempo empleado por los representantes de los trabajadores en la negociación colectiva (y en los trabajos preparatorios de la negociación), la jurisprudencia ha considerado que no entran en el crédito horario (STS de 2 de octubre de 1989, Ar/7190).

195. La sustitución de los representantes. El empleo por los representantes del crédito horario implica para el empresario la necesidad de sustituirles, si bien antes de proceder a la sustitución, podría también el empresario proceder a la movilidad funcional del representante, siempre que la actuación empresarial no sea discriminatoria (STS de 12 de febrero de 1990, Ar/904). Ahora bien, si el empresario no efectúa esta sustitución, el trabajo no realizado por los representantes puede sobrecargar el del resto de trabajadores, provocando en ellos un rechazo del ejercicio de las funciones representativas. Razón por la que se ha considerado que la sistemática actitud del empresario de no sustituir a los representantes podría configurar un atentado al derecho de libertad sindical (STSJ de Canarias, de 19 de febrero de 1993, Ar/543).

Por su parte, el Tribunal Supremo (STS de 21 de enero de 1991, Ar/66) ha admitido que en alguna ocasión puede estar justificado que el representante que ha sido sustituido por otro trabajador no acuda a completar su jornada de trabajo después de realizar sus funciones representativas, ya que el servicio que tenía encomendado había sido cubierto por otro empleado.

196. El régimen sancionatorio. La actuación de los representantes viene garantizada, en fin, por la posibilidad de imponer sanciones administrativas a las empresas en caso de incumplimiento de sus obligaciones en esta materia.

En efecto, se consideran faltas graves la transgresión de los derechos de información, audiencia y consulta de los representantes y de los delegados sindicales (art. 7.7 LISOS) y la transgresión de los derechos de los representantes y de las secciones sindicales en materia de crédito de horas, de locales y de tablones de anuncios (art. 7.8 LISOS) en los términos establecidos legal o convencionalmente. Y se considera infracción muy grave la transgresión de los deberes de colaboración del empresario en los procesos electorales (art. 8.7 LISOS).

3. La representación sindical

197. La representación sindical en la empresa. La representación sindical de los trabajadores en la empresa se realiza fundamentalmente a través de las secciones sindicales, representadas éstas, en su caso, por los delegados sindicales.

3.1. Los derechos de los afiliados a los sindicatos

198. Los específicos derechos de los trabajadores afiliados a sindicatos. La LOLS y otras normas reconocen una serie de derechos específicos a los trabajadores afiliados a los sindicatos:

A) De un lado, existe un reconocimiento expreso del derecho de los trabajadores afiliados a la acción sindical dentro de la empresa. Así, el art. 8 LOLS otorga a *«los trabajadores afiliados a un sindicato»* el derecho a constituir Secciones Sindicales, celebrar reuniones, recaudar cuotas y recibir y distribuir información sindical.

La celebración de reuniones, recaudación de cuotas y distribución de propaganda se condicionan a que se haga *«fuera de las horas de trabajo y sin perturbar la actividad normal de la empresa»*. Además, las reuniones exigen *«previa notificación al empresario»*, aunque sin especificar el plazo ni limitar el número.

B) El art. 9 LOLS concede además otros derechos a los trabajadores afiliados que participan en la organización o en las actividades de los sindicatos fuera de la empresa:

- A los cargos electos (a nivel provincial, autonómico o estatal) de sindicatos más representativos, les concede el derecho a permisos no retribuidos, a la excedencia forzosa y acceder al centro de trabajo previa comunicación al empresario.

- A los representantes sindicales en comisiones negociadoras de convenios, a los permisos retribuidos necesarios (la jurisprudencia entiende en sentido amplio el concepto de labor negociadora) (STS 2 octubre 1989).

3.2. Las secciones sindicales de empresa

La actividad sindical en la empresa se canaliza fundamentalmente a través de las llamadas secciones sindicales:

A) La decisión de constituir secciones sindicales corresponde a los afiliados al sindicato existentes en la empresa o centro de trabajo [art. 8.1.a) LOLS]. Esta constitución puede hacerse *«en el ámbito de la empresa o centro de trabajo»*. Por tanto, cada sindicato —aun dentro de la misma empresa— puede inclinarse por una u otra fórmula organizativa *«de conformidad con lo establecido en los Estatutos del Sindicato»*.

B) La totalidad de las secciones sindicales tienen reconocidos algunos derechos básicos, los mismos que corresponden a los trabajadores afiliados individualmente considerados (reunión, recaudación de cuotas, recepción y distribución de información sindical). La vulneración de los derechos de las secciones en orden a la recaudación de cuotas, distribución y recepción de información sindical se considera infracción grave (art. 7.9 LISOS).

Además, determinadas secciones (las de los sindicatos más representativos y las que tengan representación en el comité o cuenten con delegados) disfrutan de derechos adicionales, incrementables por la negociación colectiva (STS 16 febrero 2006, Rec. 177/2004): a la disposición de un tablón de anuncios (en el centro o empresa y en lugar adecuado), a la utilización de un local adecuado en empresas o centros que ocupen a más de 250 trabajadores y a la negociación colectiva.

Las secciones que tienen presencia en los órganos de la representación unitaria disponen asimismo de funciones participativas de carácter consultivo. De hecho, en los distintos preceptos que regulan las consultas previas a la toma de decisiones de reorganización productiva (arts. 40, 41, 47 y 51 ET) se hace referencia a la posibilidad de que los procesos de consulta culminen con acuerdo con las representaciones sindicales, si las hubiere, que representen a la mayoría de los miembros de aquellos órganos.

a) *Normativa aplicable*

199. La normativa aplicable. El art. 8 de la LOLS regula las secciones sindicales en cuanto a su constitución y derechos.

Respecto a estos últimos, la LOLS posee el carácter de mínimo mejorable por convenio colectivo («*sin perjuicio de lo que establezca mediante convenio colectivo*», art. 8.2 de la LOLS).

b) *Constitución*

200. Los requisitos para la constitución de sección sindical. El art. 8.1 de la LOLS señala que «*los trabajadores afiliados a un sindicato podrán, en el ámbito de la empresa o centro de trabajo constituir secciones sindicales de conformidad con lo establecido en los estatutos del sindicato*». Y ello con independencia del número de trabajadores que presten servicios en la unidad productiva de referencia.

Quienes tienen atribuida la posibilidad de constituir la sección sindical correspondiente son, pues, los trabajadores afiliados al sindicato y no el sindicato mismo (STC 292/1993, de 18 de octubre).

No se exige requisito alguno en orden a la exigencia de un mínimo de representatividad o de afiliación sindicales (STS de 21 de noviembre de 1994, Ar/9227). Todos los sindicatos con trabajadores afiliados en la empresa podrán disponer de la correspondiente sección sindical, pudiendo considerarse nulas las previsiones de un convenio colectivo que contuviese exigencias de representatividad o afiliación para constituir sección sindical (STSJ Madrid, de 15 de octubre de 1990, Ar/2413).

Esta libertad no condicionada para que todo sindicato, aún con representatividad «*prácticamente nula*» pueda constituir sección sindical «*difícilmente podría cercenarse a nivel de legalidad ordinaria, ya que seguramente este cercenamiento no sería conciliable con la libertad sindical que reconoce el art. 28.l CE»* (STS 18 de mayo de 1992, Ar/3562).

201. Los ámbitos posibles. La libertad de los trabajadores afiliados en orden a la constitución de las secciones sindicales juega en un doble sentido:

1°) De un lado, podrán constituir o no las correspondientes secciones sindicales (STS 8 de junio de 1996, Ar/5003).

2°) De otro lado, podrán hacerlo a nivel de empresa o de centro de trabajo, en el caso en que en la empresa haya más de un centro.

El único requisito, lógicamente implícito, que se exige es el de que en el centro de trabajo o en la empresa existan trabajadores afiliados al sindicato cuya sección sindical se trata de constituir.

El derecho a constituir secciones sindicales corresponde incluso a sindicatos de ámbito empresarial (SAN de 26 de abril de 1990, Ar/77).

En todo caso, el que las secciones sindicales puedan constituirse a nivel de empresa o de centro de trabajo es una facultad meramente alternativa, pero no acumulativa (STS de 20 de septiembre de 1999, Ar/7533).

202. El reconocimiento empresarial. Reconocido a los trabajadores afiliados al sindicato el derecho a constituir secciones sindicales, su constitución no está condicionada a ningún tipo de reconocimiento de su existencia por el empresario. Lo que no obsta para que, como exigencia implícita a efectos del ejercicio de los derechos que pueden derivar de su existencia, sea necesario comunicar al empresario el hecho de su constitución.

c) *Derechos*

203. Los derechos de todas las secciones sindicales. A la sección sindical, una vez constituida, no se le reconocen derechos específicos distintos de los de los miembros que la integran reconocidos en el art. 8.1.b) y c) de la LOLS (ver supra). Sin embargo, es lógico que sea a su través como se instrumentalicen derechos como el de reunión o recaudación de cuotas o, incluso, el de información sindical. Así lo reconoce la LISOS (arts. 7.9 y 8.5).

Estos derechos poseen carácter mínimo, pudiendo establecerse mejoras de los mismos por convenio colectivo (STS de 16 de febrero de 2006, Rec. 177/2004).

204. Los derechos de las secciones sindicales privilegiadas. La LOLS concede una serie de derechos tan solo a determinadas secciones sindicales: a las de los sindicatos más representativos y a las de aquellos que cuenten con representación en los órganos de representación unitaria de trabajadores.

Para estas secciones sindicales, el art. 8.2 LOLS establece los siguientes derechos: que a continuación se relacionan. Bien entendido que dichos derechos de carácter mínimo (*«sin perjuicio de lo que se establezca mediante convenio colectivo»*) (STS de 16 de febrero de 2006, Rec. 177/2004):

a) Derecho a un tablón de anuncios.

b) Derecho a la negociación colectiva.

c) Derecho a un local adecuado.

205. El derecho a un tablón de anuncios. La Ley reconoce el derecho a un tablón de anuncios por sección sindical que tenga el derecho al mismo o, caso de tratarse de un tablón común a todas, que cuente con las divisiones específicas necesarias (STS de 19 de diciembre de 1996, u.d., Ar/1156).

Dada la libertad de elección de ámbito para la constitución de secciones sindicales, el Tribunal Supremo (de 15 de febrero de 1995, Ar/1156) entiende que la LOLS no exige facilitar un tablón a cada una de las secciones que puedan constituirse en las empresas o centros de trabajo, sino que *«el mínimo legal de derecho necesario es un singular, un tablón de anuncios».*

Dicho tablón debe situarse en el centro de trabajo y en un lugar donde se garantice el adecuado acceso al mismo de los trabajadores, dado que la finalidad del tablón es facilitar la difusión de aquellos avisos que puedan interesar a los trabajadores (STS 15 de febrero de 1995, Ar/1156).

El art. 8 de la LOLS no reconoce a las secciones sindicales el derecho a colocar el tablón en el lugar que consideren idóneo, sino uno mucho más limitado. La norma faculta a la empresa para colocarlo en el lugar que estime oportuno, a condición de que en él se garantice un adecuado acceso a los trabajadores (STSJ de Murcia, de 19 de abril de 1994, Ar/1504).

La empresa no tiene facultad alguna *para elegir la información que los sindicatos faciliten, pues ello palmariamente constituiría una injerencia de la empresa en el derecho de los trabajadores a obtener información sindical»* (STSJ de la Comunidad Valenciana, de 3 de abril de 1991, Rec. 1676/1990).

206. El derecho a la negociación colectiva. La Ley les reconoce el derecho a la negociación colectiva, en los términos establecidos en su legislación específica; remisión que hay que entender hecha al art. 87 del ET, que regula los sujetos legitimados para negociar convenios de empresa o de ámbito inferior (ver infra).

207. El derecho a un local adecuado. La Ley les reconoce el derecho a la utlización de un local adecuado en el que puedan desarrollar sus actividades, en aquellas empresas o centros de trabajo con más de 250 trabajadores.

Del derecho al local se viene haciendo una interpretación no restrictiva, señalándose que debe existir local en cada centro de trabajo que rebase esa cifra numérica de trabajadores y en los que haya constituida sección sindical (STSJ de Madrid, de 20 de febrero de 1992, Rec. 5100/1991).

Obviamente, es el empresario quien debe facilitar el local correspondiente; sin que sea aceptable la alegación del empresario para no facilitar dicho local que no tiene dotación presupuestaria ni espacio para ubicarlo (STSJ de Canarias, de 30 de septiembre de 1993, Rec. 359/1993).

La expresión «*adecuado*» debe interpretarse en el sentido de que el empresario deberá facilitar también el mobiliario y material necesario para que cumpla esta función (STSJ de Madrid, de 23 de febrero de 1993, Ar/1009).

En cualquier caso, el Tribunal Supremo no ha considerado discriminatorio que el empresario habilite locales de tamaño mayor para las secciones sindicales de los sindicatos más representativos (STS de 25 de septiembre de 2000, Ar/8343).

Tampoco se ha considerado discriminatorio el hecho de que la empresa asigne locales específicos para cada una de secciones sindicales que tienen derecho a los mismos, y para el resto de secciones sindicales asigne un local común para el desarrollo de actividades sindicales (STSJ de Canarias, de 23 de marzo de 1993, Ar/11766).

Pero sí se ha considerado discriminatoria la actitud empresarial que, concediendo local separado a diversos sindicatos con implantación, indica a otro que se ponga de acuerdo con ellos para compartir el local (STSJ Madrid, de 6 de julio de 1995, Rec. 2661/1995).

Aunque la LOLS no lo especifica, el local estará generalmente en el propio centro de trabajo. Pero también se ha admitido que el empresario pueda facilitar un local ajeno a la empresa, pero siempre que sea adecuado y de fácil acceso (STCT de 24 de septiembre de 1986, Ar/8728).

La jurisprudencia ha realizado una interpretación «*razonable y lógica del precepto*», admitiendo el uso del local compartido con otras secciones sindicales, «*salvo que ofrezca prueba concluyente de que en tales circunstancias resulta imposible o particularmente gravoso el desarrollo de tales actividades sindicales*» (SSTS 24 de septiembre de 1996, u.d., Ar/6851, de 19 de diciembre de 1996, u.d., Ar/9732, de 1 de julio de 1997, Ar/5541 o de 3 de febrero de 1998, Ar/1431).

El reconocimiento del derecho a local es tutelable a través del procedimiento de tutela de los derechos de libertad sindical (STS de 2 de junio de 1997, Ar/4617).

3.3. Los delegados sindicales

208. La naturaleza de los delegados sindicales como representantes de las secciones sindicales. Por una parte, los delegados sindicales son los representantes de las secciones sindicales *«a todos los efectos»*, esto es, frente al empresario, los representantes unitarios, la Administración Pública o los Tribunales. En este sentido, el art. 10.1 de la LOLS dirá que *«las secciones sindicales… estarán representadas a todos los efectos por delegados sindicales»*.

Por otra parte, los delegados sindicales no son órganos de necesario u obligatorio establecimiento, dependiendo éste de la voluntad de las secciones sindica-les a las que representan. En este último sentido, las empresas vienen obligadas legalmente a soportar la designación de delegados sindicales por las secciones sindicales.

209. Las figuras del portavoz o representante de la sección sindical y del delegado sindical. Así como el derecho de las secciones sindicales a tener un portavoz o representante forma parte del contenido esencial de la libertad sindical, el derecho de las secciones sindicales a tener uno o más delegados sindicales, con determinados derechos y garantías, forma parte del contenido adicional de la libertad sindical, poseyendo un origen legal y no constitucional, si bien al contenido adicional de la libertad sindical le sean de aplicación los mecanismos de protección constitucional de la libertad sindical (por todas, SSTC de 22 de julio de 1999, de 8 de noviembre de 1999 o de 9 de diciembre de 2002).

Así, los portavoces o representantes de una sección sindical no tendrán las competencias y garantías que el art. 10.1 de la LOLS atribuye a los delegados sindicales, salvo que por convenio colectivo o por reconocimiento empresarial se les hubiera concedido (STS de 9 de mayo de 2018, Rec. 3051/2016).

La STC de 29 de octubre de 2002 señala en este último sentido que *«el hecho de que determinadas secciones sindicales no puedan contar, por imperativo legal, con delegados sindicales dotados de las facultades establecidas en el art. 10.3 LOLS, no impide en modo alguno a una sección sindical el nombramiento de su propio delegado ni el ejercicio por éste de su actividad sindical en lo que no colisione con cargas empresariales correlativas no exigibles por imperativo constitucional»* (en el mismo sentido, SSTC de 18 de octubre de 1993 y de 29 de octubre de 1996).

a) Criterios organizativos

210. La elección de la unidad organizativa de referencia para la designación de los delegados sindicales. Desde luego, no hay cuestión cuando sólo hay un centro de trabajo, siendo éste la unidad de referencia a estos efectos.

El problema se plantea cuando la empresa posee varios centros de trabajo y algunos de ellos o todos superan el número de 250 trabajadores.

A mi juicio, en la medida en que existe libertad para elegir la unidad organizativa donde constituir las secciones sindicales, una vez constituida ésta, como los delegados sindicales representan a las secciones sindicales, por pura coherencia, en ellas habrá que elegir a los delegados sindicales, sean de empresa o de centro de trabajo. De esta manera, el momento constitutivo de las secciones sindicales condicionará el momento de la posterior designación de los delegados sindicales en ellas. Esta fue la interpretación mantenida por el Tribunal Supremo en un primer momento (por todas, SSTS de 22 de junio de 1992, Ar/4607, de 15 de julio de 1996, Ar/6158 o de 28 de noviembre de 1997, Ar/8919).

No obstante la lógica del anterior razonamiento, el Tribunal Supremo ha cambiado de doctrina, sentando la posterior interpretación de que la existencia de delegados sindicales sólo será posible en centros de trabajo, y no en las empresas, que cuenten con más de 250 trabajadores y cuenten con comité de empresa en el que tenga presencia el sindicato correspondiente (SSTS de 10 de noviembre de 1998, Ar/9545, de 20 de julio de 2000, Ar/7190, de 5 de septiembre de 2006, Ar/66435 o de 14 de febrero de 2007, Ar/4155).

211. Las exigencias legales para que una sección sindical pueda disponer de delegados sindicales. Son dos las exigencias que impone el art. 10.1 LOLS:

1ª) En primer lugar, que la empresa o, en su caso, el centro de trabajo ocupe a más de 250 trabajadores, cualquiera que sea la clase de su contrato.

2ª) En segundo lugar, que la sección sindical pertenezca aun sindicato *«que tenga presencia en los comités de empresa»*.

212. La exigencia de una ocupación mínima por parte de la empresa o centro de trabajo. La primera de las cuestiones interpretativas que plantea la ley deriva de la contradicción existente entre el párrafo primero (que habla de *«que ocupen a más de 250 trabajadores»*) y el párrafo segundo del art. 10 de la LOLS (que en el primer tramo de la escala habla de *«250 trabajadores»*). Así pues ¿son 250 o 251 los trabajadores exigidos legalmente para poder designar delegados sindicales?

La jurisprudencia no es clara en este punto admitiendo en unas ocasiones 250 trabajadores (STS de 11 de abril de 2001, Ar/4911) y en otras exigiendo 251 (SS. TS de 27 de enero de 1990, Ar/206 o de 14 de diciembre de 1990, Ar/9790).

Por otra parte, la ley admite en el cómputo a todos los trabajadores de la empresa o centro de trabajo, *«cualquiera que sea la clase de su contrato»* (indefinidos, temporales, a tiempo total, a tiempo parcial a domicilio, formativos, etc.)

(SSTS de 20 de julio de 2000, Ar/7190 o de 14 de julio de 2006, Recs. 196/2005 y 511/2004).

Por lo que se refiere al momento en que debe hacerse el cómputo de los trabajadores exigidos, aunque la ley guarde silencio, los tribunales han señalado que el momento idóneo es el de la designación de los delegados sindicales por la sección sindical, siempre que se mantenga permanentemente, ya que las variaciones de plantilla afectarían a la existencia y al número de los delegados sindicales (STS de 11 de abril de 2001, Ar/4911), pudiendo perder el delegado sindical su condición cuando la plantilla disminuya significativamente y se consolide en el tiempo esta reducción [SSTS de 3 de noviembre de 2008 *(Tol 1407880)* y de 23 de septiembre de 2015, Rec. 253/2014].

El número de trabajadores legalmente exigible posee carácter mínimo imperativo, por lo que un convenio colectivo podrá reducirlo (por todas, SSTS de 14 de julio de 2000, Ar/7190, de 11 de abril de 2001, Ar/4911, de 15 de marzo de 2004, Ar/2596 o de 14 de febrero de 2007, Ar/4155).

213. La exigencia de una mínima representación en los comités de empresa. La ley exige que la sección sindical *«tenga presencia en los comités de empresa»*, lo que significa que bastará con que un miembro del comité haya sido elegido en la candidatura de ese sindicato.

Esta referencia habrá de entenderse hecha a las últimas elecciones a comité de empresa ya que, como ha señalado la STSJ de Murcia, de 22 de junio de 1992, Rec. 201/1992, *«el nombramiento del delegado sindical no puede tener carácter permanente»*.

Obsérvese que la ley prescinde en esta ocasión de la representatividad *«por irradiación»* de los sindicatos más representativos a nivel estatal o de Comunidad Autónoma, exigiendo una representatividad real.

En relación con la posibilidad de obtener presencia en un comité de empresa, no en el momento de las elecciones sino en un momento posterior por cambio en la afiliación sindical de algún miembro, el Tribunal Supremo se ha inclinado por no dotar al transfuguismo sindical de efectos en este sentido (por todas, SSTS de 22 de septiembre y de 26 de octubre de 1999, Ar/9097 y 7498).

Por lo demás, la jurisprudencia viene manteniendo que por convenio colectivo puede suprimirse esta exigencia legal de un mínimo de representatividad sindical, entendiendo que se trata de una norma de carácter mínimo imperativo (por todas, SSTS de 189 de junio de 1990, Ar/5485, de 1 de junio de 1992, Ar/4505 o de 14 de julio de 2006, Ar/6337).

b) Designación de los delegados sindicales

214. La designación de los delegados sindicales. Los delegados sindicales serán elegidos por y de entre los afiliados al sindicato que sean trabajadores de la empresa o centro de trabajo, es decir, por y de entre los miembros de la sección sindical correspondiente (art. 10.1 LOLS), que podrá ser o no a la vez representante unitario del personal (miembro del comité de empresa).

No existe formalismo alguno para la elección, siendo los estatutos del sindicato los que, en su caso, podrán establecer el procedimiento (STC de 18 de octubre de 1993).

Aunque la ley guarda silencio, parece lógico que la elección de los delegados sindicales se comunique puntualmente al empresario que deberá reconocerlos si se ha cumplido con la legalidad (STC de 18 de octubre de 1993 y STS de 30 de marzo de 2001, Ar/2538), si bien el empresario podrá recabar de la sección sindical o del delegado sindical los datos que precise para comprobar la legitimidad de su creación y elección, siempre que respete los derechos fundamentales del trabajador, que no podrán ser vulnerados por el empresario (en concreto, el derecho a la intimidad) (SSTC de 18 de octubre de 1993 o de 22 de julio de 1999).

En el caso de que el empresario entendiese que existe ilegalidad en la designación de los delegados sindicales, podrá, bien impugnar el nombramiento por el procedimiento de conflicto colectivo, bien desconocer tal condición cuando el delegado sindical quisiera hacerla valer (STS de 25 de mayo de 1988, Ar/4297). En este último sentido, en uso de su libertad de organización, los sindicatos podrán dotarse de delegados sindicales *«extralegales»*, los cuales no disfrutarán de los derechos reconocidos expresamente en la LOLS [STS de 26 de junio de 2008, *(Tol 1369594)*].

c) Número de delegados sindicales

215. El número de delegados sindicales. La ley establece el número de delegados sindicales a elegir en cada sección sindical en función del número de trabajadores de la empresa o centro de trabajo, de acuerdo con la siguiente escala (art. 10.2 LOLS):

- De 250 a 750 trabajadores: 1.
- De 751 a 2000 trabajadores: 2.
- De 2001 a 5000 trabajadores: 3.
- De 5001 en adelante: 4.

La escala anterior sólo juega en el caso de que el sindicato a que pertenezca la sección sindical hubiera obtenido el 10 por 100 de los votos en las elecciones al comité de empresa. En caso contrario, las secciones sindicales estarán representadas por un solo delegado sindical (art. 10.2 LOLS). La jurisprudencia ha matizado que, a estos efectos, computarán los votos válidos y los votos en blanco, excluyéndose únicamente los votos nulos (STS de 19 de mayo de 1993, Ar/4110).

Esta escala legal posee un carácter imperativo mínimo. Así, bien por acuerdo, bien a través de la negociación colectiva, se podrá ampliar el número de delegados sindicales establecido por la escala legal (art. 10.2 LOLS), pudiendo aumentar más en unos sindicatos que en otros (STC 188/1995, de 18 de diciembre; STS de 20 de enero de 2004, Ar/2006).

Por lo que se refiere a los efectos de las variaciones de la plantilla de la empresa o del centro de trabajo sobre la aplicación de la escala legal, la ley guarda silencio, si bien la jurisprudencia y la doctrina judicial han interpretado que, en el caso de aumento de la plantilla, el empresario deberá reconocer *«de modo automático y por disposición legal imperativa»* los delegados sindicales que correspondan (STSJ de la Comunidad Valenciana, de 24 de septiembre de 1998, Ar/3623) y que, en el caso de disminución del número de trabajadores, el empresario podrá dejar de reconocerlos (STS de 11 de abril de 2001, Ar/4911), si bien para ello será necesario que se produzca una *«disminución esencial»* en el número de trabajadores (en cuanto al número y su mantenimiento)

d) *Garantías y facilidades*

216. Las garantías y facilidades de los delegados sindicales. Según el Convenio nº 135 de la OIT, los representantes de los trabajadores en la empresa (entendiendo por tales tanto los unitarios como los sindicales) deben gozar de eficaz protección contra todo acto que pueda perjudicarles, por razón de su condición de representantes de los trabajadores o de sus actividades como tales. Igualmente, *«deberán disponer en la empresa de las facilidades apropiadas para permitirles el desempeño rápido y eficaz de sus funciones»*.

En tema de garantías, el art. 10.3 de la LOLS establece que los delegados sindicales tendrán *«las mismas garantías establecidas legalmente para los miembros de los comités de empresa»*, de modo que se produce una equiparación a estos efectos entre los representantes unitarios y los delegados sindicales (SSTS de 11 de junio de 1997, Ar/5701, de 14 de febrero de 1997, Ar/1484 o de 15 de marzo de 1995, Ar/2014).

Por otra parte, si el delegado sindical forma también parte del comité de empresa, se entiende que las garantías son las que le corresponden en su condición de miembro de la representación unitaria.

Dado que el cuadro de garantías de la representación unitaria establecido en el ET es mínimo (*«a salvo de lo que se disponga en los convenios colectivos»*), si el convenio colectivo amplía las garantías y facilidades del comité de empresa, pese a la literalidad de la Ley, en los mismos términos habrá que entenderlas ampliadas a los delegados sindicales que formen parte del mismo (STS de 18 de mayo de 1992, Ar/3562).

En cuanto al crédito de horas de los delegados sindicales que no formen parte del Comité de empresa, la escala de horas a conceder mensualmente habrá de acomodarse al mínimo exigido por la LOLS para disponer de delegados sindicales con tal derecho.

Así, comoquiera que el art. 10.1 de la LOLS habla de 250 trabajadores, el mínimo de horas a disponer por el delegado sindical deberá ser 20, que son las reconocidas en el art. 68.3 del ET a los representantes unitarios en los centros de hasta 250 trabajadores, aumentándose el número de horas en función del incremento del número de trabajadores en relación con la escala establecida en el propio art. 68 ET (STS de 18 de mayo de 1992, Ar/3562).

Si por convenio colectivo está prevista la acumulación de horas de los distintos miembros del comité de empresa, esa misma posibilidad existe para los delegados sindicales, para el caso en que sean más de uno por sección y que no formen parte del comité de empresa seguramente, dada la genérica pero inequívoca remisión del art. 10.3 LOLS al art. 68 del ET.

En cualquier caso, lo que no cabe por convenio colectivo es reducir el número de horas a los miembros del comité para aumentárselas a los delegados sindicales (STSJ Andalucía, de 23 de julio de 1990, Ar/2793).

En cuanto a las razones que justifican la utilización del crédito horario por los delegados sindicales, dado que son representantes de la sección sindical «a todos los efectos», no cabe duda que podrán utilizarlo en la asistencia a las reuniones a las que pudieran ser convocados por su propio sindicato.

e) Derechos de los delegados sindicales

217. Los derechos de los delegados sindicales. A salvo de lo que pueda establecerse en convenio colectivo, el art. 10.3 de la LOLS reconoce a los delegados sindicales que no formen parte del comité de empresa los siguientes derechos:

a) Un derecho de asistencia a todas las reuniones del comité de empresa y de los órganos correspondientes en materia de seguridad e higiene, con voz pero sin voto.

El derecho de asistencia a las reuniones del comité de empresa «con voz pero sin voto» significa que los delegados sindicales quedan excluidos del derecho de información activa que corresponde al comité de empresa; entendido este derecho de información activa como el referido a los supuestos en los que la legislación exija un informe al propio comité. En estos casos, los delegados sindicales podrán manifestar su opinión a lo largo de los debates, pero su postura no será tenida en cuenta a la hora de la toma de la decisión final, que deberá adoptarse por acuerdo mayoritario de los miembros del comité.

b) Un derecho a ser oídos por la empresa previamente a la adopción de medidas de carácter colectivo que afecten a los trabajadores en general, y a los afiliados a su sindicato en particular.

La cuestión reside en determinar el alcance que hay que dar a la expresión *«ser oídos por la empresa previamente a la adopción de medidas de carácter colectivo»*. A mi juicio, los delegados sindicales pueden intervenir en el período de discusión y consultas (STS de 14 de junio de 1988, Ar/5290).

En todo caso, se trata de un consulta previa para la que, obviamente, deben disponer de un plazo razonable (STS de 7 de junio de 2005, Rec. 5200/2003).

c) El art. 10.3.1 de la LOLS establece una equiparación en materia de información pasiva entre el comité de empresa y los delegados sindicales que no formen parte del mismo, en cuanto que se les reconoce el derecho de *«tener acceso a la misma información y documentación que la empresa ponga a disposición del comité de empresa»*.

El derecho está reconocido a los delegados sindicales que no formen parte del comité de empresa.

Expresamente se les extiende el deber de sigilo profesional al respecto (art. 10.2 de la LOLS), que, sin embargo, no debe interpretarse de un modo tan restrictivo que impida el desenvolvimiento de la labor de representación y de eventual información a su sindicato de noticias de interés laboral y sindical (STC de 11 de noviembre de 2002).

d) En cuanto al despido de trabajadores afiliados al sindicato del delegado sindical, el art. 64.1.6 del ET establece que el comité de empresa debe *«ser informado de todas las sanciones impuestas por faltas muy graves»*. Lo que se viene interpretando (STS de 5 de abril de 1990, Ar/3109) como que cabe la comunicación *«a posteriori»* de la imposición de la sanción y, por ello, que la falta de notificación de los despidos al comité no afecta a su validez formal, sino que es una simple falta de orden administrativo.

Por el contrario, en el caso de delegados sindicales que no formen parte del comité de empresa, el art. 10.3.3 de la LOLS expresamente les atribuye el derecho de *«ser oídos por la empresa previamente a la adopción de medidas que afecten… a los afiliados a su sindicato en particular, y especialmente en los despidos y sanciones de estos últimos»*.

Las razones de la diferente intervención que se prevén para los delegados sindicales y para los comités de empresa en materia de despido derivan de que el trámite de audiencia previa al delegado sindical trata de que los trabajadores afiliados al sindicato tengan una protección reforzada frente al empresario por medio de una defensa sindical preventiva (STS de 23 de mayo de 1995, u.d., Ar/5897), lo que justifica que «*la función institucional del trámite preceptivo de audiencia a los delegados sindicales del despido o sanción de un trabajador afiliado no es la notificación de un acuerdo empresarial meramente pendiente de ejecución, sino la comunicación de un proyecto de sanción o despido en cuya decisión en firme puede influir la información proporcionada por el delegado sindical al empresario sobre determinados aspectos o particularidades de la conducta y de la situación del trabajador afectado*» (STS, u.d., de 31 de enero de 2001, Ar/2136).

El art. 55.1 del ET en materia de forma del despido disciplinario, señala que «*si el trabajador estuviere afiliado a un sindicato y al empresario le constare, deberá dar audiencia previa a los delegados sindicales de la sección sindical correspondiente a dicho sindicato*», considerándose improcedente el despido cuando no se ajustase a estos requisitos de forma (arts. 55.4 ET y 108.1 LPL).

Un problema que en la práctica se presenta será el que la audiencia previa al delegado sindical del sindicato al que pertenezca el trabajador se exigirá siempre que al empresario «*le conste*» esta condición de afiliado. Y ello sucederá, siendo respetuosos con lo dispuesto en el art. 16 de la CE, cuando cuente con la propia voluntad del trabajador afiliado.

El Tribunal Constitucional entiende en este sentido que «*no se puede hacer recaer en la empresa la obligación de notificar al delegado sindical correspondiente el despido de un trabajador afiliado, pues dicha obligación sólo puede surgir cuando el trabajador al menos ha puesto en conocimiento del empresario su condición de afiliado a un sindicato*» (STC de 9 de marzo de 1992).

No queda claro en la ley el plazo dentro del que el empresario debe dar audiencia previa al delegado sindical correspondiente. El Tribunal Supremo (SSTS, u.d., de 31 de enero de 2001, Ar/2136, de 6 de marzo de 2001, Ar/3169 o de 16 de octubre de 2001) se limita a hablar de «*plazo razonable*», sin mayores especificaciones. Señalando, al mismo tiempo, que de la «*prescripción corta*» de las faltas imputadas al trabajador afiliado (art. 60.2 del ET) debe deducirse el tiempo empleado en la evacuación del trámite de audiencia previa al delegado sindical, sin que este tiempo signifique interrupción de dicho plazo de prescripción, sino meramente suspensión del mismo.

4. *La representación y participación en empresas de dimensión comunitaria*

4.1. El comité de empresa europeo

218. La necesidad de un organismo de representación a nivel comunitario europeo. La consolidación de un mercado interior estable dentro del ámbito comunitario europeo planteó la necesidad de elaborar un instrumento que propiciase la participación de los trabajadores en la empresa, a partir de la realidad constatable en ese nuevo mercado, que determinaba que muchas decisiones estratégicas de los mismos, con trascendencia social, se adoptaban en centros ubicados en lugares diferentes a aquellos en que tenían presencia real los representantes de los trabajadores, constituidos mediante sus formas de configuración tradicional.

Para canalizar esta aspiración de mejorar la participación de los trabajadores en ese nuevo escenario, la Directiva 94/45 CE del Consejo, de 22 de septiembre de 1994, vino a regular un doble mecanismo alternativo, consistente en la constitución de un comité de empresa europeo o de un procedimiento de información y consulta a los trabajadores en las empresas y grupos de empresa de dimensión comunitaria. Esta Directiva más tarde sería modificada por la nueva Directiva 2009/38/CE del Parlamento Europeo y del Consejo, de 6 de mayo de 2009.

219. Ámbito de aplicación. La Ley 10/1997, de 24 de abril, modificada por la Ley 10/2011, de 19 de mayo, ha venido a transponer al Derecho español las Directivas de 22 de septiembre de 1996 y de 6 de mayo de 2009, sobre constitución de un comité de empresa europeo o de un procedimiento de información y consulta de los trabajadores en empresas y grupos de empresas de dimensión comunitaria.

A estos efectos, se considera que tienen dimensión comunitaria, las empresas o grupos de empresas que empleen 1.000 o más trabajadores en el conjunto de Estados miembros y 150 o más trabajadores en dos o más estados miembros.

La Ley se aplica tanto a las empresas y grupos de empresas que tengan su Dirección Central en España como a los centros de trabajo y empresas situadas en España pertenecientes a empresas o a grupos de empresas cuya Dirección Central esté situada en otro Estado miembro.

La Ley obliga a la Dirección Central de la empresa o grupo de empresas de dimensión comunitaria a constituir un comité de empresa europeo o, alternativamente, un procedimiento de información y consulta.

220. El procedimiento de constitución del comité de empresa europeo. La constitución del comité de empresa europeo o el procedimiento alternativo de información y consultas habrán de hacerse mediante negociación entre la Dirección

Central y los representantes de los trabajadores de todos y cada uno de los Estados miembros en que la empresa o grupo de empresas tenga centros de trabajo.

Esta negociación se iniciará por la Dirección Central, a iniciativa propia o previa petición escrita de, al menos, 100 trabajadores o de sus representantes que pertenezcan, al menos, a dos centros de trabajo o empresas de la empresa o grupo de empresas o a dos empresas del grupo, situados en Estados miembros diferentes.

La Dirección Central sólo puede negarse al inicio de las negociaciones por causas legalmente tasadas, entre las que se encuentra la vigencia de un acuerdo previo sobre constitución de un comité de empresa europeo o de un procedimiento alternativo de información y consulta.

La comisión negociadora de los representantes de los trabajadores estará compuesta por:

a) Un representante de los trabajadores de cada Estado miembro en que la empresa o grupo de empresas tenga centros de trabajo o empresas.

b) Los representantes suplementarios (según la escala establecida en la Ley), en representación de los trabajadores de aquellos Estados miembros, donde se hallen empleados porcentajes significativos del total de trabajadores de la empresa o grupo de empresas.

Los gastos derivados de la elección de miembros de la comisión negociadora, sus reuniones, viajes, alojamiento, intérpretes, experto asesor y manutención, serán sufragados por la Dirección Central de la empresa o grupo.

Dicha comisión negociadora puede, por una mayoría cualificada de dos tercios, decidir prescindir de estos mecanismos de participación, no iniciando las negociaciones o anulando las ya iniciadas. En cuyo caso tampoco se aplicarán las «disposiciones subsidiarias» a que se refiere la Ley (ver infra).

Si la negociación acaba en acuerdo, ya sea constituyendo un comité de empresa europeo o un procedimiento alternativo de información y consulta, este acuerdo obliga a todos los centros de trabajo de la empresa o grupo de empresas incluidos en su ámbito de aplicación durante todo el tiempo de su vigencia.

El acuerdo debe ser escrito, debiéndose presentar ante la autoridad laboral para su registro, depósito y publicación.

Si no hubiera acuerdo en el plazo de tres años, si la Dirección Central no abre negociaciones en el plazo de seis meses o si la Dirección Central y los representantes de los trabajadores así lo acuerdan, se aplicarán las «disposiciones subsidiarias» a que se refiere la Ley para estos casos.

221. Las «disposiciones subsidiarias». La Ley prevé en las «disposiciones subsidiarias» la constitución de un comité de empresa europeo con las siguientes características:

a) Será informado por la Dirección Central de la estructura de la empresa, de la situación económica y financiera, de la evolución probable de las actividades, de la producción y ventas, de la situación y evolución probable del empleo, de las inversiones, de los cambios sustanciales que afecten a la organización, de la introducción de nuevos métodos de trabajo o de nuevos métodos de producción, de los traslados de producción, de las fusiones, de la reducción del tamaño y cierre de empresas, centros de trabajo o de partes importantes de éstos y de los despidos colectivos.

b) Los gastos de funcionamiento del comité correrán a cargo de la Dirección Central.

c) Los miembros del comité están sometidos a un deber de confidencialidad acerca de la información a que tienen acceso frente a terceros.

d) Su composición es similar a la de la comisión negociadora (ver supra). A efectos de la determinación del modo de cálculo de los trabajadores empleados en los centros de trabajo o empresas situados en España se utilizan criterios similares a los del ET en materia de cálculo de trabajadores para la elección de la representación unitaria.

e) La designación de los miembros del comité de empresa europeo representantes de los trabajadores de los centros o empresas situados en España, se efectuará por acuerdo de las representaciones sindicales que en su conjunto sumen la mayoría de los miembros del comité o comités de empresa y delegados de personal o por acuerdo mayoritario de dichos miembros y delegados.

Elegibles serán los trabajadores que ostenten la condición de delegado de personal, miembro del comité de empresa o delegado sindical.

f) Se reunirá al menos una vez al año con la Dirección Central.

g) Sus competencias son de información y consulta (manteniendo, al menos, una reunión anual con la Dirección Central), sobre cuestiones que afecten al conjunto de la empresa o grupo o, al menos, a dos centros de trabajo o empresas situados en Estados miembros diferentes.

Debe también ser informado, en reuniones adicionales a la anual, de circunstancias excepcionales que afecten considerablemente a los intereses de los trabajadores en casos de traslados de empresas, cierres de empresas o centros y despidos colectivos.

h) Los miembros del comité de empresa europeo no pueden revelar a terceros informaciones facilitadas a título confidencial, no estando obligada la Dirección Central a facilitarle informaciones relacionadas con secretos industriales, financieros o comerciales cuya divulgación pudiera objetivamente obstaculizar el funcionamiento de la empresa o causar graves perjuicios a su estabilidad económica.

i) Los gastos de funcionamiento del comité de empresa europeo, incluidos los de viaje, manutención, alojamiento, traducción y experto, serán sufragados por la Dirección Central.

j) Los miembros del comité de empresa europeo gozan en el ejercicio de sus funciones de la protección y garantías establecidas para los representantes de los trabajadores.

Para los elegidos por centros de trabajo y empresas situados en España, hay que tener en cuenta, además, que:

• Gozan de un crédito adicional de sesenta horas anuales retribuidas.

• Tienen derecho a los permisos retribuidos necesarios para la asistencia a las reuniones que se celebren.

222. La Ley 10/2011, de 19 de mayo. Mediante la Ley 10/2011 se revisa la anterior Ley 10/1997, con la finalidad de *«avanzar y profundizar en los objetivos de información y consulta de los trabajadores en empresas y grupos de empresa de dimensión comunitaria»* (Exposición de Motivos).

Las principales modificaciones se han referido a los aspectos siguientes:

1ª) Se han incluido en primer lugar una serie de definiciones que o faltaban o no estaban adecuadamente contempladas, tales como *«información»* (art. 3.1.7), *«consulta»* (art. 3.1.7 bis) y *«cuestiones trasnacionales»* (art. 3.1.10).

En esta materia el propósito de la Directiva no se limita a establecer una mera conceptualización de los términos acotados, sino que busca la eficacia real de los derechos que define en un doble sentido:

a) En primer lugar, propugnando la efectividad real de esas modalidades de información y consulta, de forma que las mismas sean, obviamente, previas a la toma de decisiones por parte de las empresas. En este sentido, se resalta que se *«aplicaran de modo que se garantice su efectividad y se permita una toma de decisiones eficaz de la empresa o del grupo de empresa»* (art. 1.1.bis).

b) Se delimita el contenido de las materias que deben ser objeto de esas informaciones o consultas, que ha de quedar referido a *«cuestiones trasnacionales»*, efectuándose así una adecuada distribución de competencias funcionales entre los representantes internos y los representantes de dimensión comunitaria (art. 2.3).

2ª) Se establece el derecho de los representantes de los trabajadores en la comisión negociadora a recibir *«la información indispensable para la apertura de las negociaciones, en particular, la información relativa a la estructura de la empresa o del grupo y su plantilla»* (número de trabajadores). La responsabilidad de obtener y transmitir a las partes interesadas esas informaciones, será de la *«dirección de toda empresa incluida en el grupo de empresas de dimensión comunitaria, así como de la Dirección Central»* (art. 6.2).

Asimismo incumbirá a la señala Dirección Central *«la responsabilidad de establecer las condiciones y medios necesarios para la constitución de un comité de empresa europeo o procedimiento alternativo de información y consulta de los trabajadores»* (art. 6.1).

3ª) Se establece el derecho de los miembros de la comisión negociadora y del comité de empresa europeo a recibir formación relativa a su función representativa sin pérdida de salario (art. 28.4).

4ª) Se establece la posibilidad para la comisión negociadora de celebrar reuniones de seguimiento y preparatorias sin la presencia de la empresa (art. 11.2).

5ª) Se establece el derecho de la comisión negociadora a pedir que le asistan en su tarea expertos de su elección, quienes podrán asistir, con carácter consultivo, a las reuniones (art. 11.3).

6ª) Se establece la obligación de la comisión negociadora de informar de su composición a la Dirección Central. Ello efectuado, tanto la Dirección Central como la propia comisión negociadora deberán informar a todas las direcciones locales y a las organizaciones europeas de trabajadores y empresarios, de la composición de la comisión y del inicio de las negociaciones (art. 9.4).

7ª) Se delimita expresamente el cometido de los miembros del comité de empresa europeo, señalándose que *«representan colectivamente los intereses de los trabajadores de la empresa o del grupo de empresas de dimensión comunitaria»* dejándose a salvo la capacidad *«de otras instancias u organizaciones al respecto»* (art. 21.1).

8ª) Se establece que tales miembros del comité de empresa europeo dispongan *«de los medios necesarios para aplicar los derechos derivados de esta Ley»* (art. 21.1).

9ª) Asimismo, se establece de manera expresa la obligación de los miembros del comité de empresa europeo de informar a los representantes de los trabajadores de los centros o empresas del grupo de dimensión comunitaria o, en defecto de representantes, al conjunto de trabajadores, del contenido y resultados de los procesos de información y consulta, con la salvaguardia del deber de confidencialidad y el deber de la empresa o grupo de empresas de facilitar a los representantes de los trabajadores de nivel comunitario los medios apropiados para desarrollar su función representativa (art. 29.2).

10ª) Se modifica la composición de la representación de los trabajadores de la empresa o grupo de empresas de dimensión comunitaria en la comisión negociadora y en el comité de empresa europeo, estableciendo un sistema de composición proporcional, mediante la presencia de un representante de los trabajadores por cada grupo que constituya un diez por ciento del total de los trabajadores empleados en la empresa o grupo de empresas en el conjunto de los Estados miembros o bien una fracción de dicho porcentaje (arts. 9.1 y 17.2).

De ese modo, al introducir la posibilidad de contabilizar una *«fracción de dicho porcentaje»* se va a garantizar que los trabajadores de cualquier Estado miembro, aunque no alcancen el porcentaje del 10 por 100 del total de los empleados, dispongan al menos de un representante en los mencionados órganos de representación (Exposición de Motivos).

11ª) Se establece que el comité elija en su seno un *«comité restringido»* con un máximo de cinco miembros, con la función de coordinar las actividades del propio comité (art. 17.5).

Asimismo, se señala que en las reuniones de dicho *«comité restringido»*, tengan derecho a participar otros miembros del comité que puedan estar *«directamente afectados por las circunstancias o decisiones de que se trate»* (art. 19.2).

12ª) Se establece la obligatoriedad de mantenimiento de al menos una reunión anual entre el comité y la Dirección Central (art. 18.2).

13ª) Se establecen reglas para la coordinación y articulación de los derechos y competencias de los miembros del comité de empresa europeo y de los órganos nacionales de representación (art. 31).

14ª) Se especifica con mayor concreción el contenido del acuerdo logrado entre la comisión negociadora y la Dirección Central de la empresa o grupo de empresas, fijándose su contenido mínimo (art. 12.1).

15ª) Finalmente, se aclara el alcance aplicativo de la Ley a las empresas y grupos de empresas en las que ya se hubiera alcanzado un acuerdo (Disposición Adicional Única).

4.2. La implicación de los trabajadores en las sociedades anónimas y cooperativas europeas

223. La Directiva 2001/86/CE, de 8 de octubre de 2001 y la Ley 31/2006, de 18 de octubre. La Directiva 2001/86/CE, de 8 de octubre de 2001, completa, en lo que se refiere a la implicación de los trabajadores, ha sido desarrollada en España por la Ley 31/2006, de 18 de octubre, sobre implicación de los trabajadores en las sociedades anónimas y cooperativas europeas. Esta Ley contiene disposiciones aplicables a las SE domiciliadas en España (de momento no hay ninguna) (arts. 3 a 25) y disposiciones aplicables a los centros de trabajo y empresas filiales situados en España de cualquier SE (arts. 27 a 32).

Hay que tener en cuenta que en algunos Estados no hay ningún sistema de implicación legalmente previsto y que, cuando los hay, son muy variados: desde procedimientos de información y consulta, pasando por derechos de veto o de codecisión en ciertas materias, hasta participación en los propios órganos de las sociedades. También hay que recordar que, según los países, esos órganos societarios pueden ser únicos (modelo monista: consejo de administración) o duales (modelo dualista: consejo de administración y consejo de vigilancia o control). Y la forma de intervención respecto de los mismos puede ser muy diversa: designar o elegir miembros (una minoría, 1/3, 1/2), recomendar o proponer miembros, vetar u oponerse a la designación de miembros.

Por ello, la resistencia a una normativa comunitaria ha sido doble: por parte de países con ninguna o poca implicación y que no querían tenerla (como el Reino Unido, pero también Italia o Francia), y por parte de países con mucha implicación y que temían que quedara erosionada (como Alemania u Holanda). En todo caso, la divergencia de posturas no era nítidamente política: el sindicalismo británico o italiano ha desconfiado tradicionalmente de sistemas de participación o cogestión a la alemana.

El compromiso alcanzado es que, si se quiere constituir una SE, tiene que haber alguna forma de implicación de los trabajadores en la misma. La implicación puede consistir en derechos de información, de consulta o de participación. Esa implicación se acordará entre las sociedades participantes y una comisión negociadora y, en caso de falta de acuerdo, se aplicarán unas disposiciones subsidiarias (*«de referencia»*), pero tanto el posible acuerdo como esas disposiciones quedan limitados por la situación antes existente.

Una SE se podrá constituir ya sea mediante fusión (por absorción o creación de nueva sociedad, por parte de sociedades anónimas de dos o más Estados miembros), ya sea mediante constitución de una sociedad holding (por parte de sociedades anónimas o limitadas de dos o más Estados miembros o con filiales o sucursales en otro Estado), ya sea mediante constitución de una filial común (por parte de sociedades anónimas u otras sociedades o entidades de dos o más Estados miembros o con filiales o establecimientos en otro Estado), ya sea mediante transformación en SE (de una sociedad anónima que tenga una filial al menos en otro Estado miembro).

Para determinar la forma de implicación de los trabajadores, los órganos de dirección o administración de las sociedades participantes en el proyecto de SE entablarán negociaciones con una comisión negociadora representativa de los trabajadores de esas sociedades (arts. 4 a 13).

La comisión negociadora podrá, por mayoría cualificada (2/3 de los miembros, que representen a 2/3 de los trabajadores), no iniciar negociaciones o anular las ya iniciadas, aplicándose entonces las disposiciones sobre información y consulta vigentes en cada Estado; pero esta decisión no se puede tomar, en el supuesto de transformación, cuando en la sociedad que vaya a transformarse ya exista participación (derecho a designar, recomendar u oponerse a la designación de miembros del órgano de administración o control de la sociedad) (art. 8.2). Es decir, que los derechos adquiridos limitan la decisión de la comisión negociadora: es un aspecto de lo que se conoce como «principio antes-después».

La misma mayoría se requiere para aceptar un acuerdo que suponga una reducción de los derechos de participación ya existentes en las sociedades participantes (si esos derechos afectaban al 25 por 100 al menos de los trabajadores en caso de fusión; o al 50 por 100 en caso de creación de sociedad holding o de sociedad filial) (art. 9.2). En el supuesto de transformación, el nivel de implicación acordado tiene que ser equivalente al ya existente en la sociedad que vaya a transformarse (art. 11.2). De nuevo, los derechos adquiridos condicionan o limitan el acuerdo de la comisión negociadora («antes-después»).

El acuerdo puede consistir en diversas formas de implicación (art. 11): creación de un órgano de representación de los trabajadores con funciones de información y consulta, creación de un procedimiento de información y consulta sin existencia de órgano *ad hoc*, participación (derecho a designar, recomendar u oponerse a la designación de miembros de los órganos de administración o control de la SE). Pero, como acabamos de ver, el acuerdo tiene sus límites por el «antes-después».

Cuando así se acuerde con la comisión negociadora, o cuando no haya acuerdo en plazo (en principio, 6 meses), y no obstante se quiera constituir y registrar la SE, se aplicarán las disposiciones subsidiarias (*«de referencia»*) (arts. 14 a 20) establecidas en el Estado en que se vaya a situar la sede de la SE (por lo demás, sede y administración central tienen que estar en el mismo Estado: principio de sede real).

Estas disposiciones de referencia solamente se aplicarán, en lo que atañe a la participación (art. 20), si ya se aplicaban antes a las sociedades participantes (a una sociedad transformada; al 25 por 100, en principio, de los trabajadores en caso de fusión; al 50 por 100, en principio, de los trabajadores en caso de holding o filial): de nuevo, el «antes-después». Un Estado puede no incluir la participación en sus disposiciones de referencia (es lo que se conoce como *«opting-out»),* para el caso de fusión, pero en ese supuesto la SE no puede registrarse en ese Estado (salvo que haya un acuerdo de implicación o salvo que a las sociedades participantes no se les aplicaran antes derechos de participación). Pero tal opción no se ha formulado en la Ley española.

Las disposiciones de referencia de cada Estado regularán la composición de un órgano de representación de los trabajadores, sus derechos de información y consulta (que son los mismos, en cuanto a materias y régimen de reuniones, que los ya señalados en la Directiva anteriormente analizada), y, en fin, los derechos de participación. Respecto de estos últimos, lo que se establecerá en dichas disposiciones es que, en el caso de transformación, los derechos de participación ya aplicados antes se seguirán aplicando a la SE; en los demás casos (fusión, holding, filial), la designación, recomendación u oposición a la designación de miembros del órgano de administración o de control será igual a la mayor existente antes en cualquiera de las sociedades participantes.

224. La Directiva 2003/72/CE, de 22 de julio, y la Ley 31/2006. Por su parte, la Directiva 2003/72/CE, de 22 de julio, regula la implicación de los trabajadores en las Sociedades Cooperativas Europeas (SCE), en términos muy similares a los antes vistos para la SE. Se trata de un complemento del Reglamento CE nº 1345/2003, que contiene el Estatuto de la Sociedad Cooperativa Europea.

Su transposición se contiene en la misma Ley 31/2006, que regula la implicación en la SE.

EL DERECHO DE REUNIÓN

SUMARIO: I. LA NORMATIVA VIGENTE. II. EL RÉGIMEN JURÍDICO. 1. El lugar de reunión. 2. El tiempo de la reunión. 3. El procedimiento de la reunión. 4. Las limitaciones al derecho de reunión. III. EL DERECHO DE REUNIÓN DEL PERSONAL LABORAL DE LAS ADMINISTRACIONES PÚBLICAS.

I. LA NORMATIVA VIGENTE

225. Principios que rigen su regulación legal. El art. 4.1 f) del ET reconoce como uno de los *«derechos básicos de los trabajadores»* el *«derecho de reunión»*, con el contenido y alcance que disponga su específica normativa, que se encuentra en los arts. 77 a 80 del ET, viniendo el empresario obligado a dejar reunirse a sus trabajadores, sin que se exija la autorización de aquel, siempre que se cumplan las exigencias legales.

Estas normas legales poseen un carácter imperativo mínimo, por lo que podrán ser mejoradas en beneficio de los trabajadores por la negociación colectiva.

Como ha señalado el Tribunal Constitucional, este derecho de reunión, referido a todos los trabajadores de la empresa o centro de trabajo, es un derecho distinto al derecho de reunión de las secciones sindicales a que se refiere el art. 8.1 b) de la LOLS (STC de 29 de octubre de 1996).

II. EL RÉGIMEN JURÍDICO

1. *El lugar de reunión*

226. El centro de trabajo. El lugar de la reunión será el centro de trabajo, *«si las condiciones del mismo lo permiten»* (art. 78.1 ET), lo que será lo normal.

Cuando por insuficiencia de los locales de la empresa no pudiera reunirse simultáneamente toda la plantilla sin perjuicio o alteración en el normal desarrollo de la producción, cabrá celebrar *«reuniones parciales»*, que se considerarán como una sola y se fecharán el día de la primera (art. 77.2 ET).

2. *El tiempo de la reunión*

227. Las reuniones dentro o fuera de la jornada laboral. En principio, el art. 78.1 del ET establece que las asambleas de trabajadores tendrán lugar fuera de las horas de trabajo, por lo que el tiempo dedicado a las mismas no será retribuido.

No obstante ello, la Ley señala a continuación que *«salvo acuerdo con el empresario»*, siendo frecuente en este sentido que la negociación colectiva establezca un número de horas de la jornada laboral al año dedicable a reuniones y retribuidas por tanto (STS de 22 de noviembre de 2010, Rec. 15/2010).

Cuando en la empresa se trabaje a turnos impidiéndose la reunión simultánea de todos los trabajadores, podrán celebrarse *«reuniones parciales»* que se considerarán como una sola y se fecharán en el día de la primera (art. 77.2 ET).

3. *El procedimiento de la reunión*

228. Convocatoria. Están legitimados legalmente para convocar una asamblea los representantes unitarios del personal (los delegados de personal, los comités de empresa y los comités intercentros, en el caso de asambleas informativas sobre el convenio colectivo negociado por este último: STS de 10 de diciembre de 1999, Ar/9726) y el 33 por 100 de los trabajadores de la plantilla de la empresa o centro de trabajo (art. 77.1 ET).

Así, los sindicatos, las secciones sindicales o los delegados sindicales no están legalmente legitimados para convocar las asambleas de trabajadores (SSTC de 29 de octubre de 1996 o de 26 de marzo de 2001; STS de 11 de marzo de 2003, Ar/3087 o de 28 de abril de 2009, Rec. 1753/2008), a diferencia de lo que sucede en las Administraciones Públicas (ver infra).

229. Orden del día de la reunión. Solamente podrán tratarse en la asamblea los asuntos que figuren previamente incluidos en el orden del día que deberán elaborar los convocantes (arts. 77.1 y 79 ET).

230. Comunicación al empresario de la convocatoria y el orden del día de la reunión. La convocatoria y el orden del día propuesto por los convocantes deberá comunicarse al empresario, con cuarenta y ocho horas de antelación a la reunión como mínimo, debiendo éste acusar recibo de la comunicación (art. 79 ET).

En su caso, deberán comunicarle asimismo los nombres de las personas no pertenecientes a la empresa que vayan a asistir a la asamblea (art. 77.1 ET).

231. Presidencia de la reunión. La asamblea será presidida en todo caso, sea cual sea el sujeto convocante, por la representación unitaria (el comité de empresa o los delegados de personal mancomunadamente), que será responsable del normal desarrollo de la misma y de la presencia de las personas no pertenecientes a la empresa (art. 77.1 ET).

La jurisprudencia (STS de 19 de enero de 2004, Rec. 4179/2002) ha exceptuado el caso de que, la asamblea hubiese sido convocada para revocar a los
representantes unitarios (ver supra, Tema 3, acerca de las particularidades de la
asamblea revocatoria del mandato representativo).

232. Asistencia de personas ajenas a la empresa. En principio, el derecho de
reunión viene referido a los trabajadores de la empresa, si bien la ley prevé la
asistencia de personas ajenas a la misma (así, los cargos sindicales electivos de los
sindicatos más representativos en el art. 9 de la LOLS), debiendo en estos casos
los sujetos convocantes comunicar sus nombres a la empresa y responsabilizarse
de su presencia (art. 77.1 ET).

233. Régimen de las votaciones. Las asambleas podrán ser informativas o de-
cisorias. En este último caso, cuando se someta a la asamblea por los sujetos
convocantes la adopción de acuerdos que afecten al conjunto de los trabajadores,
se requerirá para su validez el voto favorable, personal, libre, directo y secreto,
incluido el voto por correo, de la mitad más uno de los trabajadores de la empresa
o centro de trabajo (art. 80 ET) y no de los asistentes a la asamblea.

La STS, u.d., de 30 de octubre de 2007, Ar/797, ha señalado que los únicos
acuerdos de carácter vinculante que corresponde adoptar a una asamblea con las
exigencias del art. 80 del ET son los siguientes:

a) La convocatoria de una reunión del comité de empresa (art. 66.2 ET).

b) La revocación de los representantes unitarios (art. 67.3 ET).

c) La designación de la representación sindical para negociar un convenio colectivo de franja (art. 87.1 ET) d) La promoción de elecciones (art. 2.2 RD
1944/1994).

Así, el acuerdo de declaración de huelga por los propios trabajadores exige tan
solo la mayoría simple de los trabajadores del centro de trabajo afectados por el
conflicto (art. 3.2 b) RDLRT).

En todos los demás supuestos de acuerdos asamblearios, habrá que estar a las
condiciones establecidas por los sujetos convocantes de la asamblea, si bien «*estas
condiciones habrán de interpretarse en el sentido más favorable al mantenimiento
de lo negociado*» (STS, u.d., de 30 de octubre de 2007, Ar/797).

En todo caso, la asamblea de trabajadores no podrá invadir competencias atribuidas a los representantes de los trabajadores (negociación de convenios colectivos estatutarios: STS, u.d., de 30 de octubre de 2007, Ar/797 o suspensiones o
despidos colectivos: STS 10 de octubre de 2007).

4. Las limitaciones al derecho de reunión

234. Las prohibiciones legales al derecho de reunión. El empresario deberá facilitar el centro de trabajo para la celebración de las asambleas, salvo en los siguientes casos (art. 78.2 ET):

a) Si no se cumplen las previsiones legales sobre convocatoria, orden del día, preaviso, presidencia, etc.

b) Si hubiesen trascurrido menos de dos meses desde la última reunión celebrada, si bien los convenios colectivos podrán establecer una periodicidad menor.

Esta limitación legal no juega en el caso de asambleas informativas sobre la negociación colectiva (art. 78.2 ET; STS de 10 de diciembre de 1999, Ar/9726) o sobre la finalización de una huelga, dado que la prohibición de la ocupación de locales durante una huelga no debe impedir el ejercicio del derecho de reunión de los trabajadores durante la misma (STC de 8 de abril de 1981: *«el derecho de reunión de los trabajadores (resulta) necesario para el desenvolvimiento del derecho de huelga y para la solución de la misma»*).

c) Si el empresario aún no se hubiera resarcido o afianzado el resarcimiento por los daños producidos en alteraciones ocurridas en una asamblea anterior.

d) En el caso de un cierre patronal legal.

III. EL DERECHO DE REUNIÓN DEL PERSONAL LABORAL DE LAS ADMINISTRACIONES PÚBLICAS

235. Las especialidades del derecho de reunión de este personal. Antes del EBEP, el derecho de reunión del personal funcionario y del personal laboral de las Administraciones Públicas venía regulado por disposiciones distintas: la LORAP en para el primero y el ET para el segundo. A partir del EBEP, con buen criterio, se ha optado por unificar el régimen jurídico del derecho de reunión de ambos tipos de personal en el art. 46 del EBEP, inclinándose por aplicar a todos los empleados públicos el régimen funcionarial y no el laboral, por su modernidad y por estar pensado más para las Administraciones Públicas que el ET.

Así pues, estarán legitimados para convocar las reuniones del personal laboral de las Administraciones Públicas, además de las organizaciones sindicales, directamente o a través de los delegados sindicales, los representantes unitarios del personal (comités de empresa y delegados de personal) y los propios empleados públicos de las respectivas Administraciones en número no inferior al 40 por 100 del colectivo convocado.

Por otra parte, a diferencia de la minuciosa regulación del ET (ver supra), el EBEP se reduce a señalar que las reuniones en el centro de trabajo se autorizarán fuera de las horas de trabajo, salvo acuerdo entre el órgano competente en materia de personal y los convocantes de la misma, que la celebración de la reunión no perjudicará la prestación de los servicios y que los convocantes de la misma serán responsables de su normal desarrollo. Las legislaciones de desarrollo del EBEP y la negociación colectiva pueden concretar algo más esta somera regulación legal.

Tema 5
LA ACCIÓN INSTITUCIONAL

SUMARIO: I. LA ACCIÓN INSTITUCIONAL. II. LA PARTICIPACIÓN EN ÓRGANOS DE LA ADMINISTRACIÓN PÚBLICA. 1. El Consejo Económico y Social y los Consejos Autonómicos. 1.1. El Consejo Económico y Social. 1.2. Los Consejos Autonómicos. 2. Otras formas de participación institucional. III. LA CONCERTACIÓN SOCIAL. 1. Significado de la concertación social. 2. Las experiencias históricas de concertación social en España. 3. La naturaleza jurídica de la concertación social. 4. Naturaleza de las comisiones previstas en los pactos sociales.

I. LA ACCIÓN INSTITUCIONAL

236. La acción institucional del sindicato y de las organizaciones empresariales. La acción colectiva de los trabajadores —y también de los empresarios— no se agota en el ámbito de la empresa con la participación institucional, la representación sindical, la negociación colectiva, las huelgas u otros procedimientos de solución de conflictos colectivos, sino que trasciende este ámbito participando, con mayor o menor intensidad, en la elaboración y aplicación de la política económica y social del Estado a través de muy diversas vías, que podrían genéricamente denominarse de *«acción institucional»* del sindicato y de las organizaciones empresariales, hecho que constituye uno de los fenómenos políticos más interesantes de nuestro tiempo.

237. Dos vías de acción institucional. La presencia de los sindicatos y organizaciones empresariales en la vida pública puede ser diferente. Básicamente, es posible distinguir entre la vía de la *«participación institucional»* en órganos de la Administración Pública (los Consejos Económicos y Sociales y la participación en los órganos colegiados de dirección y control de determinadas instituciones públicas) y la vía de la denominada *«concertación social»*, según que exista o no una normativa que prevea y regule la participación de los sindicatos y asociaciones empresariales.

II. LA PARTICIPACIÓN EN ÓRGANOS DE LA ADMINISTRACIÓN PÚBLICA

1. *El Consejo Económico y Social y los Consejos Autonómicos*

1.1. El Consejo Económico y Social

238. Fundamento constitucional: los arts. 9.2, 129.1 y 131.2 de la CE. En España existe base constitucional para la creación de un Consejo Económico-Social.

Así, el art. 131.2 de la CE señala que *«el Gobierno elaborará los proyectos de planificación, de acuerdo con las previsiones que le sean suministradas por las Comunidades Autónomas y el asesoramiento y colaboración de los sindicatos y otras organizaciones profesionales empresariales y económicas. A tal fin se constituirá un Consejo, cuya composición y funciones se desarrollarán por ley».* El art. 129.1 de la CE, por su parte, señala que *«la ley establecerá las formas de participación de los interesados en la Seguridad Social y en la actividad de los organismos públicos cuya función afecte directamente a la calidad de vida o al bienestar general».* Y el art. 9.2 de la CE, finalmente, ordena a los poderes públicos *«facilitar la participación de todos los ciudadanos en la vida política, económica, cultural y social».*

De estos tres preceptos constitucionales, la ley 21/1991, de 17 de junio, por la que se crea el Consejo Económico y Social, utiliza, sin explicitarlo, los dos últimos, despreciando el primero de ellos, al señalar en su Exposición de Motivos que *«la Constitución española recoge el mandato, dirigido a los poderes públicos, de promover y facilitar la participación de los ciudadanos, directamente o a través de organizaciones y asociaciones, en la vida económica y social».*

239. Naturaleza y funciones. El Consejo Económico y Social constituye un órgano consultivo del Gobierno en materia socioeconómica y laboral, de naturaleza jurídico-pública, con personalidad jurídica propia y plena capacidad, autonomía orgánica y funcional para el cumplimiento de sus fines y adscrito al Ministerio de Empleo y Seguridad Social (art. 1º).

Sus funciones vienen definidas por el art. 7º de la Ley 21/1991, atribuyendo al Consejo las siguientes:

a) Emitir dictámenes preceptivos sobre anteproyectos de leyes del Estado y de Reales Decretos Legislativos en materias socioeconómicas y laborales y sobre Proyectos de Reales Decretos *«que se considere por el Gobierno que tienen una especial trascendencia».* Queda exceptuado expresamente de consulta el Anteproyecto de ley de Presupuestos Generales del Estado.

b) Emitir dictámenes facultativos, en los asuntos que le sometan a consulta el Gobierno o algún Ministro.

c) Elaborar estudios o informes, a solicitud del Gobierno o por propia iniciativa, sobre las materias socioeconómicas y laborales relacionadas en la propia ley.

d) Regular el régimen organizativo interno del Consejo (Reglamento de organización y funcionamiento, aprobado por el Mº de Trabajo de 31 de marzo de 1993, modificado por Resoluciones de 20 de enero de 1994 y de 26 de junio de 1995).

e) Elaborar y elevar anualmente al Gobierno una Memoria sobre la situación socioeconómica y laboral de la Nación.

240. Composición. El Consejo Económico o Social está compuesto de 61 miembros, incluido su Presidente, de los que 20 representan a las organizaciones sindicales (Grupo primero), 20 a las organizaciones empresariales (Grupo segundo) y 20 al sector agrario (3), pesquero (3), consumidores y usuarios (4), economía mixta (4), siendo los 6 restantes expertos nombrados por el Gobierno a propuesta conjunta de distintos Ministerios previa consulta a las organizaciones representadas en el Consejo (Grupo tercero) (art. 2 Ley 21/1991).

1.2. Los Consejos Autonómicos

241. Los Consejos de Relaciones Laborales y los Consejos Económico-sociales de las Comunidades Autónomas. Algunas Comunidades Autónomas han creado un Consejo de Relaciones Laborales. Esto ha sucedido en el País Vasco, Cataluña, Andalucía, Castilla-La Mancha, Galicia, Madrid y Murcia.

En paralelo, algunas Comunidades Autónomas han creado un Consejo Económico y Social. Esto ha sucedido en el País Vasco, Asturias, La Rioja, Canarias, Navarra, Baleares, Aragón, Castilla y León, Extremadura, Madrid, Comunidad Valenciana, Murcia, Castilla-La Mancha y Galicia.

242. Problemas de constitucionalidad. La STC de 14 de junio de 1982. Se ha planteado el problema de la constitucionalidad de los Consejos de Relaciones Laborales autonómicos. El apoyo constitucional debe situarse en el art. 148.1 de la CE que atribuye a las Comunidades Autónomas como competencia propia la *«organización de sus instituciones de autogobierno»* y en los correspondientes Estatutos de Autonomía que la recogen, siempre que no asuman competencias de titularidad estatal exclusiva.

La STC de 14 de junio de 1982, resolviendo un recurso de inconstitucionalidad presentado por el Gobierno contra la ley de creación del Consejo de Relaciones Laborales del País Vasco, concluye que una Comunidad Autónoma es competente para crear un Consejo de Relaciones Laborales *«siempre que en su constitución y funcionamiento no supere los entornos que imponen la Constitución y el Estatuto de Autonomía»*, esto es, siempre que tales organismos no asuman competencias que son de titularidad estatal exclusiva.

Por esta razón, la Sentencia declaró inconstitucional el nº 7 de art. 2 de la ley vasca que atribuía al Consejo de Relaciones Laborales la facultad de *«proponer al Departamento de Trabajo o en su caso informar previamente la posibilidad de extensión de convenios colectivos en vigor a determinados sectores»* por entender el Tribunal Constitucional que, según el art. 92 del ET, tal facultad corresponde a las comisiones paritarias específicas allí previstas.

Asimismo, la Sentencia declaró inconstitucional el nº 2 del art. 3 de la Ley Autonómica Vasca que permitía al Consejo adoptar acuerdos de carácter inter-profesional sobre materias concretas y aquellas otras que tuvieran como finalidad crear un marco propio de las relaciones laborales en el País Vasco. El Tribunal Constitucional entendió que la Comunidad Autónoma carece de competencia *«para introducir norma alguna destinada a incidir sobre las relaciones laborales y perteneciente por tanto al ámbito de la legislación del Estado»*.

243. Las funciones atribuibles a los Consejos Autonómicos. Las funciones que en ningún caso podrá realizar un Consejo Autonómico son las siguientes (ROJO TORRECILLA):

1ª) La sustitución de los interlocutores sociales en la negociación colectiva, por ir contra el principio de autonomía colectiva de la CE (art. 37.1) y del ET (Título III). Podrá, tan sólo, elaborar propuestas de acuerdo que habrá luego que forma-lizar según el ET para que alcancen eficacia jurídica.

2ª) La sustitución del Estado en su potestad legislativa y reglamentaria, lo que atentaría contra el art. 149.1.7 de la CE, que atribuye la exclusiva al Estado en materia de legislación laboral, entendiéndose dentro de ella la actividad reglamen-taria, según el propio Tribunal Constitucional. Otra solución atentaría además al principio de no discriminación del art. 14 de la Constitución.

Las normas de creación de estos Consejos les suelen atribuir las competencias siguientes:

a) Funciones de mediación y arbitraje en conflictos colectivos, naturalmente, a petición de parte, esto es, actuación voluntaria, no obligada.

b) El fomento de la negociación colectiva. Así, por ejemplo, la búsqueda de alternativas tendentes a incentivar la negociación en las zonas o sectores donde no exista, o la promoción de una negociación colectiva regional o comunitaria.

c) La elaboración de proyectos en materia de política laboral o social para proponer al Gobierno Autónomo y la confección de estudios y dictámenes en estas materias a iniciativa propia o a petición del Gobierno o del Parla-mento Autónomo.

244. Su composición. En cuanto a su composición, se aprecian dos tipos de Consejos:

1) Los de carácter tripartito: Cataluña (11 representantes sindicales; 11 em-presariales; 6 gubernamentales; Consejero de Trabajo como presidente) o

Andalucía (10 representantes sindicales; 10 empresariales; 4 gubernamentales; 4 miembros de reconocida valía profesional designados por el Presidente de la Junta).

2) Los de carácter bipartito: País Vasco (no hay representantes gubernamentales. El presidente y vicepresidente son elegidos por el Consejo por su imparcialidad y conocimientos laborales) o Castilla-La Mancha (donde tan sólo preside el Consejero de Trabajo y es vicepresidente un Director General de la Consejería).

2. Otras formas de participación institucional

245. Fundamento constitucional y legal. La base constitucional de otras formas de participación institucional extraempresarial de los sindicatos y asociaciones empresariales se encuentra, con carácter general y no exclusivo —esto es, no referido sólo a ellos— en el art. 129.1 de la CE: *«la ley establecerá las formas de participación de los interesados en la Seguridad Social y en la actividad de los organismos públicos cuya función afecte directamente a la calidad de vida o al bienestar general»*. Según la STC 39/1986, de 31 de marzo, el derecho de participación institucional forma parte del contenido esencial del derecho de libertad sindical.

Por su parte, el art. 6.3 de la LOLS establece que *«las organizaciones que tengan la consideración de sindicato más representativo según el número anterior (a nivel estatal), gozarán de capacidad representativa a todos los niveles territoriales y funcionales para ostentar representación institucional entre las Administraciones Públicas u otras entidades y organismos de carácter estatal o de Comunidad Autónoma que la tengan prevista»*. En este mismo sentido, el art. 7.1 de la LOLS extiende esta capacidad representativa a los sindicatos más representativos a nivel de Comunidad Autónoma (ver supra).

Con apoyo en estos preceptos constitucionales y legales señalados, han proliferado en nuestro ordenamiento infinidad de disposiciones (decretos y órdenes ministeriales) que atribuyen al sindicato —y a las organizaciones empresariales— la posibilidad de participar en distintos organismos públicos (estatales, de Comunidad Autónoma, provinciales, locales), laborales (Entidades Gestoras de la Seguridad, Comisión Nacional de Seguridad y Salud en el trabajo, Fondo de Garantía Salarial o Comisión Consultiva Nacional de Convenios Colectivos) o no laborales (Consejos Sociales de las Universidades, el Consejo Escolar del Estado o a los Consejos previstos en la Sanidad), con muy distinto alcance (funciones informativas, consultivas, de propuesta, de gestión o de control).

Por otra parte, en múltiples disposiciones laborales aparecen preceptos aislados referidos a la participación de los sindicatos y organizaciones empresariales en la acción laboral de la Administración Pública. Se trata de obligaciones de consulta a las organizaciones sindicales y empresariales más representativas que la legislación exige del Estado.

Así, a título de ejemplo, entre otras muchas, el art. 6.2 del ET sobre trabajo de los menores, el art. 27.1 del ET sobre el salario mínimo interprofesional o el art. 34.7 del ET en materia de ampliaciones o limitaciones en la ordenación y duración de la jornada de trabajo y de los descansos.

246. La participación institucional internacional y comunitaria. La participación de los sindicatos y organizaciones empresariales en la Conferencia General de la OIT o en los múltiples organismos consultivos comunitarios europeos constituye en este sentido una expresión más de la acción institucional del sindicato.

Efectivamente, el art. 3.5 de la Constitución de la OIT señala que «*los (Estados) miembros se obligan a designar los delegados y consejeros técnicos no gubernamentales de acuerdo con las organizaciones profesionales más representativas, de los empleadores y de los trabajadores del país considerado, con la reserva de que tales organizaciones existan*», existiendo en el seno de la OIT a estos efectos una Comisión de Verificación de Poderes, que examina los poderes de los delegados y presenta informe a la Conferencia que decide en última instancia.

Por otra parte, son muchos los organismos comunitarios de naturaleza consultiva que prevén la participación de las organizaciones sindicales más representativas. Así, de entre los Comités previstos en los Tratados Fundacionales, el Comité Consultivo de la CECA, el Comité Económico y Social y el Comité del Fondo Social Europeo. Y de entre los Comités creados por el Derecho Derivado, el Comité Consultivo para la libre circulación de los trabajadores, el Comité Consultivo para la seguridad social de los trabajadores emigrantes, el Comité Consultivo para la Formación Profesional, el Centro Europeo para el desarrollo de la Formación Profesional, el Comité Permanente del empleo de las Comunidades Europeas, el Comité Consultivo para la Seguridad e Higiene y la protección de la salud en el lugar de trabajo, la Fundación Europea para la mejora de las condiciones de vida y trabajo o los distintos Comités Consultivos paritarios de carácter sectorial (transportes por carretera, ferrocarril, navegación interior, pesca marítima, trabajo agrícola, industria del carbón o minas de hulla).

No hay duda de que el lugar idóneo para haber hecho referencia a este tipo de representación institucional hubiera sido el apartado a) del art. 6.3 de la LOLIS, al hablar de la «*representación institucional ante las Administraciones Públicas*». En todo caso, parece que tales funciones representativas existen con base en el Derecho Internacional ratificado por España (Constitución de la OIT citada) o en el Derecho Comunitario igualmente aplicable en España a partir del 1 de enero de 1986, según establece el Tratado de Adhesión. Sin embargo, en estas disposiciones internacionales o comunitarias, no se concreta a qué organizaciones más representativas se refiere, dejando en este sentido libertad a los Gobiernos para que propongan ellos. Tan sólo cabrá «*a posteriori*» plantearse si la propuesta gubernamental es o no discriminatoria o atentatoria del derecho de libertad sindical.

El mayor problema que se plantea es el de la capacidad representativa en este orden de los sindicatos más representativos a nivel de Comunidad Autónoma, dada la ambigüedad de las normas internacionales y comunitarias.

Esta cuestión habrá de resolverse de la mano de la STC 65/1982, de 10 de noviembre, dictada en resolución del recurso de amparo promovido por Intersindical Nacional Galega por habérsele excluido de las consultas y, en definitiva, de la representación en la Conferencia Internacional de Trabajo. El Tribunal Constitucional vino a señalar entonces que «*los criterios para decidir cuales son a estos efectos las centrales más representativas deben ser establecidos por el Estado*», aunque en todo caso, según la OIT «*debe ser objetivo o fundarse en elementos que no ofrezcan posibilidades de parcialidad o abuso*», cuidándose de matizar que «*no es función del Tribunal Constitucional examinar la oportunidad del criterio adoptado, ni su mayor o menor adecuación al fin perseguido, ni decir si es el mejor de los posibles que puedan aplicarse*».

Así pues, lo único que se deduce claramente de la Sentencia del Tribunal Constitucional son dos cosas:

1ª) Que la conceptuación acerca de cuales son los sindicatos más representativos hecha por la LOLS resulta irrelevante a estos efectos, no pudiéndose aplicar tampoco por analogía.

2ª) Que la fijación de los criterios para decidir a estos efectos cuales sean los sindicatos más representativos es tarea del Estado, que deberán en todo momento fundarse en «*elementos que no ofrezcan posibilidades de parcialidad o abuso*».

III. LA CONCERTACIÓN SOCIAL

1. Significado de la concertación social

247. Significado de la concertación social. Independientemente de los cauces institucionales, sin un fundamento normativo preciso o aprovechando los cauces de la negociación colectiva, ha discurrido en estos últimos años en toda Europa una vía de participación sindical y empresarial que se ha dado en llamar genérica y ambiguamente «*concertación social*».

Hablar de «*concertación social*» es hablar de algo que no tiene contornos definidos o institucionalizados, pudiendo referirse a una variedad de situaciones heterogéneas.

Sin embargo, en todas las variopintas experiencias reconducibles en sentido amplio a la *«concertación social»* es posible encontrar algo en común: el *«intercambio político»* entre los agentes sociales y el Estado.

Esto significa fundamentalmente dos cosas, ambas de una gran trascendencia política:

a) En primer lugar, que la concertación social implica un cambio de papeles del Estado y de los agentes sociales. El Estado interviene en la autonomía colectiva de las partes sociales y las partes sociales intervienen en la actuación del Estado. Se ha llegado a decir que *la autonomía privada se estataliza y que el ejercicio del poder público, resulta privatizado»*, produciéndose una *«descomposición cruzada del sistema de normas»* en lo jurídico (ROMAGNOLI).

b) En segundo lugar, el Parlamento pierde importancia en beneficio de los agentes sociales (empresariado y sindicatos) y del Gobierno, que serán los actores principales de la concertación social. Se desplaza el centro de toma de decisiones del Parlamento al lugar donde se realiza el nuevo y complementario *«consenso social»*.

Precisamente por estas razones ha sido criticada la concertación social por la ortodoxia del Estado de Derecho, con acusaciones de *«neocorporativismo»*, esto es, de *«suplantar la vía parlamentaria»*.

Sin embargo, conviene no olvidar una diferencia fundamental existente entre los *«viejos corporativismos autoritarios del período de entreguerras»* y las *«prácticas neocorporativistas actuales»*. La concertación social, aunque dé entrada en la toma de decisiones políticas a los agentes sociales a través del pacto, no secuestra por ello la libertad de estos últimos; la concertación social nunca es obligatoria sino voluntaria; los agentes sociales tienen siempre libertad para pactar o no pactar y el Estado para aceptar o no los resultados del pacto. Cabría hablar, en este sentido, de un *«corporativismo liberal»* por oposición a un *«corporativismo autoritario»*.

En todo caso, los adversarios de la concertación social no se sitúan únicamente en la aséptica ortodoxia política del Estado de Derecho sino que abundan en las filas del monetarismo económico militante que, desde posiciones de neoliberalismo radical, defienden un tipo de política económica en el que no tienen cabida tales prácticas.

248. Modalidades de concertación social. La concertación social puede adoptar diversas modalidades. Básicamente, las siguientes:

a) La fórmula de la *«legislación negociada»:* los sindicatos y las asociaciones empresariales negocian el contenido de una ley o norma reglamentaria y el acuerdo lo hace suyo el Parlamento o el Gobierno. En ocasiones no se llega a tanto, siendo simplemente consultados previamente a la aprobación de una norma los sindicatos y las asociaciones empresariales más representativas.

b) La fórmula del «*pacto social tripartito*»: se trata de acuerdos tripartitos negociados directamente por el Gobierno, los sindicatos y las asociaciones empresariales, comprometiéndose todos ellos.

c) La fórmula del «*acuerdo o convenio marco*»: se trata de acuerdos bipartitos entre sindicatos y asociaciones empresariales que, a diferencia de los convenios colectivos en sentido propio, no pretenden pactar condiciones de trabajo de directa aplicación a trabajadores y empresariales individuales, sino establecer las condiciones de la negociación colectiva («*convenios para convenir*») —estructura de la negociación inferior, topes salariales a la negociación colectiva, condiciones mínimas y máximas de los posteriores pactos, etc.—, actuando siempre, con mayor o menor protagonismo, el Gobierno en el papel de muñidor. Normalmente son acuerdos interconfederales e intersectoriales y vinculan a las federaciones de sindicatos o de asociaciones empresariales a la hora de negociar convenios colectivos de ámbito inferior.

d) La fórmula de la «*negociación en mesas separadas*» entre Gobierno y sindicatos y/o entre Gobierno y asociaciones empresariales con identidad de temas o con temas distintos en los respectivos órdenes del día; pudiendo dar lugar también esta fórmula a «*legislación negociada*», de carácter bilateral o trilateral, según los casos.

2. *Las experiencias históricas de concertación social en España*

249. Las fórmulas de concertación social experimentadas. En nuestra experiencia histórica de los últimos años se han dado todas las fórmulas de concertación indicadas: de legislación negociada (el Acuerdo Básico Interconfederal de 10 de julio de 1979 entre la CEOE y la UGT acerca de las bases de una futura ley de negociación colectiva, acuerdo que asumieron los diputados de UCD y socialistas y que se convertiría en el Título III del ET o el reciente Real Decreto-ley 32/2021, de 28 de diciembre, de medidas urgentes para la reforma laboral, la garantía de la estabilidad en el empleo y la transformación del mercado de trabajo), de pacto social (el Acuerdo Nacional de Empleo de 1982 o el Acuerdo Económico y Social de 1984), de acuerdo marco (el Acuerdo Marco Interconfederal de 1980 o los sucesivos Acuerdos Interconfederales de Negociación Colectiva) y de negociación en mesas separadas (periodo de 1996 a 1998).

El año 1979 fue el año que marcó el inicio de los procesos de concertación, llegando hasta 1986 (Acuerdo Básico Interconfederal de 1979, Acuerdo Marco Interconfederal de 1980 y Acuerdo Marco Interconfederal de 1981, Acuerdo Nacional de Empleo de 1982, Acuerdo Interconfederal de 1983 y Acuerdo Económico y Social de 1984-86).

Con posterioridad a 1986 fracasaron los intentos del Gobierno socialista para lograrla. En el año 1989 se reabrió un nuevo proceso de concertación social, con resultados desiguales, de acuerdo con un modelo de negociación paralela a dos bandas, llegándose a acuerdos puntuales (así, por ejemplo, acerca del proyecto de ley sobre derechos de información de los representantes de los trabajadores en materia de contratación o en materia de formación profesional). Más tarde, se intentó concertar el Pacto por el Empleo (1993) y la Reforma del Mercado de Trabajo (1994), con saldo claramente negativo, si bien se lograron acuerdos parciales suscritos por distintos interlocutores según los casos (Acuerdo Administración-Sindicatos para el periodo 1995-1997, sobre condiciones de trabajo en la función pública, entre la Administración General del Estado, UGT, CCOO, CS-CSIF y CIG; Acuerdo para la Reforma del Plan de Empleo Rural, entre el Ministerio de Trabajo y Seguridad Social, UGT y CCOO; Acuerdo Interconfederal en materia de Ordenanzas Laborales y Reglamentaciones de Trabajo, entre UGT, CCOO, CEOE y CEPYME; Acuerdo sobre solución extrajudicial de conflictos laborales, entre UGT, CCOO, CEOE y CEPYME).

Con el Gobierno del Partido Popular, a lo largo de los años 1996 a 1998, se constituyeron una serie de mesas de concertación de naturaleza muy diversa, tripartitas unas (para el desarrollo reglamentario de la Ley de prevención de riesgos laborales; para el establecimiento del servicio Interconfederal de Mediación y Arbitraje creado en el ASEC; y para la formación profesional), bipartitas otras, siguiendo la fórmula de las «mesas separadas» entre la Administración-Sindicatos y la Administración-organizaciones empresariales (sobre el Plan de Empleo Rural, el sector público empresarial, los funcionarios públicos y el desarrollo del Pacto de Toledo sobre las pensiones públicas de la Seguridad Social), de muy desigual funcionamiento y resultados. Con posterioridad se negociaron los tres Acuerdos de Reforma Laboral de abril de 1997 (Acuerdo Interconfederal para la estabilidad en el empleo, Acuerdo Interconfederal sobre Negociación Colectiva y Acuerdo sobre Cobertura de Vacíos). Y en 1999 la reforma del contrato de trabajo a tiempo parcial entre el Gobierno y los sindicatos, con ausencia de los empresarios. Posteriormente fracasó la concertación de la reforma laboral establecida por el Real Decreto-Ley 5/2001, de 2 de marzo (más tarde, Ley 12/2001, de 9 de julio) y la reforma de la protección por desempleo (Real Decreto-Ley 2/2002, de 24 de mayo).

Con el último Gobierno Socialista se inició una nueva etapa de concertación social, caracterizada por la voluntad política declarada de propiciar el diálogo social, manifestada en el Programa Electoral del PSOE.

Así, el 8 de julio de 2004 se suscribirá por el Gobierno, CEOE/CEPYME y UGT/CCOO la «Declaración para el Diálogo Social», apostando rotundamente por él y estableciendo trece *«ámbitos de diálogo social»*: mercado de trabajo, estrategia europea de empleo, inmigración laboral, formación permanente, políticas activas de empleo y servicios públicos de empleo, instituciones laborales, política laboral y sostenimiento medioambiental, salario mínimo interprofesional, información, consulta y participación de los trabajadores y sus representantes en las empresas, prevención de riesgos laborales, estructura de la negociación colectiva, participación institucional de los sindicatos y organizaciones empresariales y Seguridad Social.

Con esta Declaración se creó un nuevo modelo de concertación social, por cuanto ya no se trataba de una concertación social *«puntual o estática»* sino de una concertación social *«dinámica, institucional o permanente»*, esto es, de un *«proceso de concertación social»* de duración indeterminada que no se agota con cada acuerdo o desacuerdo puntual.

Este nuevo proceso de concertación social dio algunos frutos, entre otros, en materias de prevención de riesgos laborales, de negociación colectiva, de Seguridad Social, de salario mínimo interprofesional o de Administraciones Públicas.

Con posterioridad, sin embargo, el abordaje, coincidente con la crisis económica, de la Reforma Laboral, por parte de los sucesivos Gobiernos Socialista y Popular, de más de tres años de duración, no constituyó un proceso de diálogo social ciertamente edificante.

Finalmente, con la constitución del Gobierno Bipartito (PSOE y Unidas/Podemos), coincidente con la crisis sanitaria de la COVID-19, se ha relanzado con éxito la concertación social de las grandes cuestiones (salario mínimo interprofesional, ERTES o reforma laboral).

3. *La naturaleza jurídica de la concertación social*

250. Naturaleza de las fórmulas de legislación negociada. El principal problema que plantea la concertación social desde el ángulo jurídico es el de su naturaleza o eficacia. Ciertamente, la naturaleza varía según el tipo de concertación de que se trate.

Por lo que se refiere a las fórmulas de legislación negociada, todo se reducirá a pactos de eficacia política y no jurídica.

251. Naturaleza de los acuerdos o convenios marco. En cuanto a los acuerdos marco, su fundamento se encuentra en el ET, al prever en el art. 83.2 la posibilidad de negociación de acuerdos interprofesionales o de convenios colectivos marco entre las organizaciones sindicales y patronales más representativas, de carácter estatal o de comunidad autónoma con un contenido regulador de futuros convenios colectivos subordinados. El propio art. 83.3 del ET atribuye a estos acuerdos «*el tratamiento de esta ley para los convenios colectivos*».

Así pues, estos acuerdos serán estatutarios si cumplen los requisitos de legitimación, fondo y forma que el Título III del ET establece para los convenios colectivos, obteniendo así una eficacia jurídica normativa y una eficacia personal «*erga omnes*», esto es, resultarán vinculantes para todos los representantes de trabajadores y de empresarios a la hora de negociar un convenio colectivo estatutario dentro del ámbito de aplicación del acuerdo marco, y un convenio colectivo estatutario que desoyera lo dispuesto en el convenio marco podría declararse nulo (PÉREZ DE LOS COBOS).

Los problemas surgirán cuando no se cumpla la regulación estatutaria en la elaboración del acuerdo marco, —especialmente del lado de la legitimación exigida—, y no pueda calificarse de estatutario. En tal caso, se tratará de un acuerdo marco extraestatutario, de eficacia personal limitada a los representantes por las partes firmantes y con una eficacia jurídica contractual, siendo esta última la fórmula más usual.

252. Naturaleza de los pactos sociales. Los pactos sociales poseen una naturaleza distinta a los acuerdos marco por su carácter tripartito, dada la intervención del Gobierno.

Cabe distinguir, sin embargo, entre pactos sociales puros —donde únicamente se establecen acuerdos tripartitos que comprometen a Gobierno, patronal y sindicatos firmantes— y pactos sociales mixtos donde, además de lo anterior, se establecen acuerdos marco entre asociaciones empresariales y sindicales firmantes.

Evidentemente, la parte de los pactos sociales de carácter mixto correspondiente a acuerdos bipartitos entre asociaciones patronales y sindicales tendrá la naturaleza jurídica del acuerdo marco, en los mismos términos que antes señalábamos, esto es, de carácter estatutario o extraestatutario según cumplan o no las exigencias legales.

Por lo que se refiere a los pactos sociales puros o a la parte de los mixtos correspondiente a compromisos tripartitos, como ha señalado la doctrina (BAYLOS, BORRAJO, CASAS, MORENO VIDA, PALOMEQUE o PÉREZ DE LOS COBOS), la intervención del Estado como «*órgano de poder público y garante de los intereses generales de la comunidad*» impide considerar a los pactos sociales como manifestación de la autonomía colectiva reconocida en el art. 37.1 de la Constitución. Así, un sector doctrinal ha configurado el pacto social como pacto de naturaleza jurídica obligacional y exigible ante los tribunales con base en el art. 1098 del Código Civil (SAGARDOY).

Otro sector doctrinal ha entendido que el pacto social es un concierto entre la Administración y los administrados, exigible en vía contencioso-administrativa (CASAS, PALOMEQUE y BAYLOS). Un tercer sector ha defendido, por el contrario, la naturaleza estrictamente política de los pactos sociales (BORRAJO, LANDA, MORENO VIDA, PÉREZ DE LOS COBOS, RAMÍREZ y SALA), cuyo cumplimiento no podrá exigirse judicialmente.

En nuestra experiencia histórica los pactos sociales han sido siempre mixtos, conteniendo acuerdos tripartitos y bipartitos, con mayor o menor separación formal.

253. Naturaleza de los pactos en «*mesas separadas*». La naturaleza de los pactos a los que se llegue en las mesas de concertación social separadas entre el Gobierno y los sindicatos o entre el Gobierno y las asociaciones empresariales será igualmente política, como en el caso de los acuerdos tripartitos del pacto social, plasmándose más tarde en «*leyes*» o «*reglamentos negociados*».

254. Los pactos sociales y el monopolio de los sindicatos más representativos como sujetos legitimados para negociarlos: la STC de 31 de marzo de 1986. En la experiencia histórica española han sido los sindicatos más representativos los llamados por el Gobierno a negociar los pactos sociales tripartitos o bipartitos.

Sin embargo, nada obliga al Estado a pactar sólo y exclusivamente con los sindicatos más representativos. Un sector doctrinal (GARCÍA MURCIA, CASAS y BAYLOS) ha defendido, en sentido contrario, la necesaria presencia de éstos por entender que los pactos sociales son una manifestación más de la participación institucional prevista por el art. 6 de la LOLS. Como ha señalado PÉREZ DE LOS COBOS, la tesis anterior parte del presupuesto erróneo de que la intervención del Gobierno en el pacto social se produce en la condición de Administración y no de sujeto político. En este último sentido se ha manifestado la STC de 31 de marzo de 1986.

4. *Naturaleza de las comisiones previstas en los pactos sociales*

255. Las comisiones creadas en los pactos sociales y la participación institucional: la doctrina del Tribunal Constitucional. Una de las características de los pactos sociales es la de crear una amplia serie de comisiones o prever la celebración de reuniones con funciones de propuesta, estudio y consulta sobre distintos aspectos socio-laborales, en la mayor parte de los cuales únicamente está prevista la participación o intervención de las agrupaciones sindicales firmantes del mismo.

La doctrina del Tribunal Constitucional, iniciada por las SSTC de 21 de enero y de 31 de marzo de 1986 y perfilada y profundizada por la STC de 30 de septiembre de 1991, referida a una serie de comisiones creadas en un convenio colectivo de los que resultaban excluidos los sindicatos no firmantes del mismo distingue entre *«comisiones aplicadoras de lo negociado»* —en las que la exclusión del sindicato no firmante sería perfectamente constitucional— y *«comisiones no aplicadoras de lo negociado»*, en las que esa exclusión es ilegítima: *«la no suscripción de un convenio colectivo no puede suponer para el sindicato disidente quedar al margen, durante la vigencia del mismo, en la negociación de cuestiones nuevas, no conectadas ni conectables directamente con dicho acuerdo».*

Tema 6
LA NEGOCIACIÓN COLECTIVA

SUMARIO: I. CONSIDERACIONES GENERALES. II. LOS PRINCIPIOS CONSTITUCIONALES EN MATERIA DE NEGOCIACIÓN COLECTIVA. III. LOS CONVENIOS COLECTIVOS EN EL ESTATUTO DE LOS TRABAJADORES. 1. Los distintos tipos de convenios colectivos. 1.1. Los acuerdos interprofesionales sobre materias concretas. 1.2. Los convenios marco. 1.3. Los convenios colectivos ordinarios. a) Las partes contratantes. b) Las unidades de negociación. c) El contenido de los convenios. d) El procedimiento negociador. e) La impugnación del convenio colectivo. f) El control administrativo del cumplimiento del convenio colectivo. g) La eficacia jurídica del convenio colectivo. h) La eficacia personal del convenio colectivo. i) La duración del convenio colectivo. j) La aplicación e interpretación de los convenios. k) La adhesión y extensión de los convenios colectivos. IV. LOS CONVENIOS COLECTIVOS EXTRAESTATUTARIOS. 1. Su fundamentación jurídica. 2. Los supuestos posibles de negociación colectiva extraestatutaria. 3. Contenido posible. 4. La normativa aplicable. 5. La naturaleza jurídica. 5.1. La eficacia jurídica. 5.2. La eficacia personal. 6. Régimen jurídico. 6.1. Las relaciones con otras fuentes normativas. 6.2. El deber de negociar. 6.3. El derecho de huelga. 6.4. El procedimiento de negociación. 6.5. El control de la legalidad. a) La publicidad. b) La impugnación judicial. 6.6. La responsabilidad empresarial por incumplimiento. 6.7. La duración del convenio. 6.8. La adhesión y extensión. 6.9. La administración del convenio colectivo. V. LOS ACUERDOS COLECTIVOS DE EMPRESA. 1. Los acuerdos de empresa sustitutivos de convenios colectivos estatutarios. 2. Los acuerdos colectivos que ponen fin a una huelga. 3. Los acuerdos colectivos que ponen fin a un conflicto colectivo. 4. Los acuerdos colectivos de empresa de inaplicación de un convenio colectivo estatutario. 5. Los acuerdos colectivos de empresa de modificación sustancial de condiciones contractuales de carácter colectivo. 6. Los acuerdos colectivos de empresa de fusión y absorción de empresas. VI. LA NEGOCIACIÓN COLECTIVA DEL PERSONAL LABORAL DE LAS ADMINISTRACIONES PÚBLICAS. VII. LA NEGOCIACIÓN COLECTIVA COMUNITARIA.

I. CONSIDERACIONES GENERALES

256. Los convenios colectivos en la Recomendación nº 91 de la OIT de 1951. El art. 2º 1 de la Recomendación de la OIT sobre convenios colectivos nº 91 de 1951 define el convenio colectivo como *«todo acuerdo escrito relativo a condiciones de trabajo y de empleo celebrado entre un empleador, un grupo de empleadores o una o varias organizaciones representativas de trabajadores, o en ausencia de tales organizaciones representantes de los trabajadores interesados debidamente elegidos y autorizados por estos últimos, de acuerdo con su legislación nacional»*.

257. La eficacia jurídica de los convenios colectivos. La cuestión de la eficacia jurídica del *«contenido normativo»* de los convenios colectivos no es otra que la esencial cuestión de la inserción o encuadramiento de los convenios colectivos dentro del ordenamiento jurídico estatal.

En este sentido, históricamente, la negociación colectiva ha sufrido en la mayoría de los países una evolución tendencial en su tratamiento jurídico desde la prohibición hasta el reconocimiento como derecho —bien atribuyendo a los convenios colectivos eficacia contractual, bien eficacia normativa—, pasando por una larga etapa de tolerancia y de «*pactos de hecho*».

La OIT no ha tomado partido a favor de uno u otro mecanismo público de aplicación del contenido normativo de los convenios colectivos, si bien en una antigua Recomendación (n° 91) sobre los convenios colectivos —adoptada por la Conferencia Internacional en su trigésima cuarta reunión celebrada en Ginebra en junio de 1951—, se manifestaba a favor del reconocimiento de eficacia normativa de los convenios colectivos. Así, en su art. 3° señala que «*todo convenio colectivo debería obligar a sus firmantes, así como a las personas en cuyo nombre se celebre el contrato. Los empleadores y los trabajadores obligados por un convenio colectivo no deberían poder estipular en los contratos de trabajo disposiciones contrarias a las del convenio colectivo. Las disposiciones en tales contratos de trabajo contrarias al convenio colectivo deberían ser consideradas como nulas y sustituirse de oficio por las disposiciones correspondientes del convenio colectivo*».

258. La eficacia personal de los convenios colectivos. La cuestión que aquí se plantea es la del ámbito de aplicación personal del convenio: ¿El convenio se aplicará a todos los empresarios y trabajadores existentes en un ámbito territorial y funcional determinado o, por el contrario, se aplicará únicamente a los empresarios y trabajadores representados por las partes contratantes?

En primer término, es preciso señalar que si bien la eficacia normativa y la eficacia general de los convenios suelen ir unidas, no se confunden necesariamente. Puede darse una eficacia general o «*erga ommes*» en convenios de naturaleza contractual y puede darse igualmente una eficacia normativa reducida a los representados por las partes contratantes.

En líneas generales, en una primera época el convenio colectivo viene a ser una ley del grupo, esto es, se aplicará restrictivamente a los miembros de los grupos u organizaciones que lo han suscrito, sin que pueda extenderse a quienes no estuvieran representados en la negociación, tanto del lado empresarial como de los trabajadores.

En una segunda época el convenio colectivo tenderá a convertirse en norma de la comunidad profesional total, aplicándose extensivamente también a los no representados en la negociación, pretendiéndose, pues, que el convenio tenga eficacia general o «*erga omnes*» en un ámbito territorial y funcional determinado.

La OIT no ha definido tampoco de una manera rotunda su postura acerca de la eficacia personal aplicativa que deban tener los convenios colectivos.

Tan sólo el art. 5° de la Recomendación n° 91 de la OIT sobre los convnios colectivos de 1951 establece que «*cuando ello fuera pertinente, —y habida cuenta a este respecto del sistema de convenios colectivos en vigor—, se deberían adop-*

tar las medidas que determine la legislación nacional y que se adapten a las circunstancias propias de cada país, para extender la aplicación de todas o ciertas disposiciones de un convenio colectivo a todos los empleadores y trabajadores comprendidos en el campo de aplicación profesional y territorial del contrato. La legislación nacional podrá supeditar la extensión de un convenio colectivo, entre otras, a las condiciones siguientes: a) El convenio colectivo debería comprender desde un principio un número de empleadores y de trabajadores interesados que, según la opinión de la autoridad competente, sea suficientemente representativo; b) la solicitud de extensión del convenio colectivo debería, por regla general, formularse por una o varias organizaciones de trabajadores o de empleadores que sean parte en el convenio colectivo; c) debería darse una oportunidad a los empleadores y a los trabajadores a quienes vaya a aplicarse el convenio colectivo para que presenten previamente sus observaciones».

259. El deber de negociar. Cuando en los distintos ordenamientos se reconoce el derecho a la negociación colectiva laboral, ello no supone en principio el establecimiento de un paralelo deber u obligación de negociar de la contraparte.

Como medida positiva de incentivación de la negociación colectiva, en algunos países se ha establecido el deber u obligación de negociar, que no el deber de llegar a un acuerdo o de convenir.

No existe una norma a nivel internacional que establezca con claridad y concreción la existencia de un deber de negociación. El art. 4º de Convenio nº 98 de la OIT tan sólo establece un principio de fomento y estímulo a la negociación colectiva al señalar que *«deberán adoptarse medidas adecuadas a las condiciones nacionales, cuando ello sea necesario, para estimular y fomentar entre los empleadores y las organizaciones de empleadores, por una parte, y las organizaciones de trabajadores, por otra, el pleno desarrollo y uso de procedimientos de negociación voluntaria con objeto de reglamentar, por medio de contratos colectivos, las condiciones de empleo».*

Tampoco se establece el deber de negociar entre las medidas de fomento de la negociación colectiva establecidas en el Convenio nº 154 de la OIT de 1981.

La posición del Comité de Libertad Sindical en punto al deber de negociar ha sido la siguiente:

1) La libertad de negociación incluye dos aspectos distintos:

- La libertad de optar entre acudir o no a negociar y de negociar con una o con otra organización representativa (libertad para negociar).

- Y la libertad de ponerse o no de acuerdo durante las deliberaciones (libertad para convenir).

2) Las partes deben negociar de buena fe, debiendo en este sentido realizar esfuerzos para llegar a un acuerdo.

3) Los Gobiernos no están obligados a imponer negociaciones colectivas por medios coactivos; todo lo más a través de la mediación.

4) Las partes pueden instar para su reconocimiento, dentro de los límites legales, a través de las medidas que consideren adecuadas y, entre ellas, la huelga.

260. Las partes contratantes. Las partes contratantes de un convenio colectivo son, de un lado, la parte empresarial y, de otro, la parte laboral.

La parte empresarial no ha de tener necesariamente naturaleza colectiva. Así, en los convenios colectivos de empresa la capacidad convencional corresponde siempre al empresario titular de la empresa, el cual actuará por sí mismo —si se trata de una persona física—, o a través de sus órganos representativos —caso de tratarse de una persona jurídica—, y en todo caso a través de representantes «*ad hoc*» de la empresa a los que se les ha atribuido poderes suficientes.

La capacidad convencional en los convenios de ámbito supraempresarial no viene, por regla general, limitada a las asociaciones patronales constituidas de modo permanente y mucho menos se exige un nivel de representatividad determinado para poder negociar este tipo de convenios. Predomina, por el contrario, el criterio flexible de reconocer capacidad a cualquier agrupación empresarial, institucional o no.

Los mayores problemas se plantean en todos los países del lado de los trabajadores, acerca de quien deba poseer la capacidad convencional.

En la negociación colectiva supraempresarial, con carácter general, los ordenamientos suelen atribuir capacidad convencional a las asociaciones sindicales con carácter de exclusividad negándosela a otras agrupaciones de hecho de trabajadores. Las diferencias entre los distintos ordenamientos se manifiesta únicamente respecto de qué sindicatos poseen capacidad convencional.

El problema principal surge a nivel de empresa. Las soluciones del derecho positivo se sitúan en esta doble alternativa: o bien es el sindicato el que exclusivamente posee capacidad convencional o bien son en general los organismos de representación unitaria y/o sindical del personal los detentadores de tal capacidad.

261. El principio de libertad de contenido de la negociación. Los convenios colectivos se refieren a las denominadas «*condiciones de trabajo*». Los dos instrumentos internacionales referidos a los convenios colectivos hablan en este sentido de «*condiciones de empleo*» (art. 4 del Convenio 98 de la OIT) o de «*condiciones de trabajo y empleo*» (art. 2.1º de la Recomendación 91 de la OIT).

El Comité de Libertad Sindical de la OIT ha interpretado ampliamente lo que deba entenderse por *«condiciones de trabajo y empleo»*, estimando por tales no solo las condiciones de trabajo sino también cualesquiera otras que afecten al trabajador en cuanto tal, ya que la negociación colectiva pretende *«mejorar las condiciones de vida y de trabajo»* de los trabajadores (DIEGUEZ).

Esta interpretación viene a suponer la existencia en cuanto al contenido de la negociación de un principio de libertad contractual en un doble sentido: Ausencia de un contenido legalmente obligatorio e inexistencia de límites al contenido a negociar, más allá de las normas legales imperativas.

En la mayoría de los ordenamientos rige este principio de libertad contractual.

262. Los ámbitos de negociación. Por su ámbito funcional de extensión, los convenios colectivos pueden ser de empresa (e incluso de centro de trabajo o aplicable tan sólo a un grupo de trabajadores dentro de la empresa), sectoriales o subsectoriales, intersectoriales o interprofesionales.

Por su ámbito territorial, los convenios colectivos pueden ser locales, provinciales, interprovinciales, regionales o nacionales.

La mayoría de los ordenamientos dejan en libertad a las partes contratantes para determinar los ámbitos territorial y funcional de negociación en función de sus distintos intereses y de la correlación de fuerzas existente.

No obstante ello, el desarrollo de la negociación colectiva en la empresa constituye una de las principales tendencias observables en los últimos años (REYNAUD). Los sindicatos recelan de este tipo de negociación, por el riesgo que conlleva de insolidaridad y de debilidad frente a la lógica empresarial. Por su parte, los empresarios desconfían igualmente de ella por lo que supone tanto de debilitamiento del mundo empresarial, al dividirlo, como por el hecho de introducir la lucha laboral en la empresa y no fuera de ella como era tradicional.

No hay duda, finalmente, de que la crisis económica incide negativamente sobre este tipo de negociación, propiciando una negociación centralizada a niveles sectoriales y, aún, intersectoriales con tendencias a articular la negociación a niveles inferiores. Las épocas de bonanza económica propician, en dirección contraria, una *«vuelta a la empresa»*

Este principio dispositivo en materia de fijación de los ámbitos funcionales de los convenios colectivos puede ocasionar y ocasiona frecuentemente, problemas de concurrencia entre los mismos.

Los criterios de solución de los problemas de concurrencia varían según los distintos ordenamientos: convenio posterior, convenio de ámbito aplicativo más amplio, convenio más favorable al trabajador, combinación de criterios, etc. Además, hay países donde se establecen reglas legales y otros donde es la autonomía colectiva la que decide el criterio de solución posible aplicable.

Una forma de evitar los problemas de concurrencia entre convenios es la negociación colectiva articulada, entendiendo por tal aquella en la que un convenio marco de ámbito funcional y/o territorial general viene integrado a niveles inferiores en determinados aspectos o materias.

263. El procedimiento de negociación. Un modelo democrático de negociación colectiva se encontrará siempre a salvo de eventuales intervenciones de la Administración Pública en el procedimiento de negociación, so pena de desvirtuación de la misma y conversión del convenio colectivo en un reglamento administrativo dictado por el Estado a través de un procedimiento especial, como sucede frecuentemente en los regímenes políticos autoritarios de corte corporativista.

Así pues, todo tipo de intervención administrativa, directa o indirecta en el procedimiento de negociación, y señaladamente en la aprobación del convenio (sanción, homologación o similar), viene repudiada en los distintos ordenamientos democráticos. La única intervención estatal que se reconoce es la dirigida a garantizar la «constatación de la existencia» del convenio colectivo negociado autónomamente por las partes contratantes. En esta línea se sitúan las exigencias de forma escrita del convenio, de depósito o registro del mismo en oficina pública y de publicación en el Boletín Oficial correspondiente.

Punto clave en tema de intervencionismo en materia de negociación colectiva es el del comportamiento del Estado ante una ruptura de las negociaciones por las partes contratantes.

La casi totalidad de los ordenamientos democráticos rechazan la posibilidad de que el Estado dicte una norma sustitutoria del convenio colectivo frustrado.

En casi todos los países, la ruptura de las negociaciones provoca tan sólo la apertura de un conflicto (normalmente a través de la huelga) y la iniciación de los denominados «procedimientos pacíficos» de solución de conflictos colectivos laborales (conciliación, mediación y arbitraje), dominando en todos ellos la idea de «voluntariedad», tanto en cuanto a su utilización como en lo relativo al resultado de ellos derivado.

Hay, sin embargo, ejemplos excepcionales de arbitrajes obligatorios o de procedimientos de conciliación y mediación obligatorios en algunos países.

264. El deber de paz. La cuestión que aquí se plantea se refiere al cumplimiento de lo que se conoce como «contenido obligacional o contractual» del convenio. La parte obligatoria de los convenios pretende garantizar la eficacia del convenio colectivo mediante la imposición de derechos y obligaciones a las partes contratantes.

La complejidad e importancia de esta parte obligatoria estará en función directa de dos coordenadas: a) Del grado de autonomía colectiva reconocida en un determinado país. b) De que los convenios colectivos posean eficacia normativa o no.

De ahí que la parte obligatoria tenga un mayor sentido en aquellos países y épocas en que el convenio no posee eficacia normativa per se —caso de los «gentlemen's agreements» británicos y de los convenios colectivos de derecho común italianos— debiendo incorporarse su contenido a los contratos individuales de trabajo para poder así ser aplicados.

Estas obligaciones contractuales pueden ser de varias clases —deber de cumplimiento leal de convenio, deber de influencia, causas de revisión del convenio, establecimiento de una comisión de «seguimiento» de su aplicación, procedimientos de conciliación o arbitraje en casos de conflicto de interpretación, etc.— y, en todo caso, pueden ser establecidas tanto por la ley como por las propias partes contratantes en el convenio colectivo.

De todas ellas, la de mayor interés por su trascendencia es sin duda el «deber de paz». Por deber de paz se entiende genéricamente, bien la prohibición de hacer huelgas novatorias, esto es, la imposibilidad de acudir a la huelga o a otro medio de acción directa durante la vigencia de un convenio colectivo para reivindicar mejoras en las condiciones ya negociadas en él, impidiéndose así la revisión o modificación «ante tempus» del mismo (deber de paz relativo), bien la prohibición de acudir a la huelga u otra medida de lucha directa durante la vigencia del convenio (deber de paz absoluto).

El Comité de Libertad Sindical de la OIT considera ilícitas aquellas huelgas que pretendan una modificación «ante tempus» de un convenio colectivo, aceptando como restricción temporal de la huelga las disposiciones que prohíben las huelgas que implican una ruptura del convenio. El Comité habla concretamente del «deber de abstenerse de huelgas contrarias a las disposiciones de los contratos colectivos».

II. LOS PRINCIPIOS CONSTITUCIONALES EN MATERIA DE NEGOCIACIÓN COLECTIVA

265. El art. 37 de la CE y su carácter preceptivo inmediato. El precepto nuclear de la Constitución sobre negociación colectiva es el art. 37.1, a cuyo tenor *«la ley garantizará el derecho a la negociación colectiva laboral entre representantes de los trabajadores y empresarios, así como la fuerza vinculante de los convenios».*

Por su ubicación dentro de la sección segunda del Capítulo 2 del Título I de la CE, se trata de un precepto dotado de eficacia directa e inmediata (art. 53.1 de la CE). La remisión constitucional a una futura ley no altera esta conclusión, por cuanto esa ley deberá *«garantizar»*, y sólo es posible garantizar aquello que ha sido reconocido previamente.

Ello no obstante, el precepto constitucional ha sido desarrollado parcialmente —*«la virtualidad del precepto constitucional no se agota con esta ley»* (STC de 27 de junio de 1984)— por el Título III (arts. 82 a 92, ambos inclusive) del ET (*«De la negociación y de los convenios colectivos»*).

El derecho de negociación colectiva no es un derecho fundamental y por ello su lesión no es susceptible de amparo constitucional. Ahora bien, en la medida en que forma parte del contenido esencial del derecho de libertad sindical (SSTC de 25 de marzo de 1983 o de 25 de julio de 1995, entre otras muchas), determinadas lesiones a este derecho, cuando supongan lesiones al derecho de libertad sindical, pueden propiciar el amparo constitucional, si bien no todas las lesiones constituirán una violación del derecho de libertad sindical (SSTC de 28 de junio de 1993, de 27 de marzo de 1994 o de 2 de junio de 2004).

266. El contenido esencial del art. 37.1 de la CE. Importa averiguar, para delimitar más precisamente el alcance de esa eficacia inmediata, cuál es el contenido normativo del art. 37.1 CE, es decir, qué enunciados jurídicos autosuficientes contiene, los cuales integrarán el *«contenido esencial»* del derecho a la negociación colectiva que la ley que se dicte en su desarrollo deberá necesariamente respetar (art. 53.1 CE) y garantizar (art. 37.1 CE). Operación interpretativa que deberá contar con el auxilio de los Tratados Internacionales sobre la materia ratificados por España, de conformidad con el art. 10.2 de la propia CE.

En este sentido, son cuatro las principales cuestiones que plantea el art. 37.1 de la CE:

1) El derecho a la negociación colectiva, ¿consiste en la imposición de un deber u obligación de negociar a las partes?

2) ¿Cuáles son, según la Constitución, los titulares del derecho a la negociación colectiva?

3) ¿Cuál sería el contenido posible de los convenios colectivos?

4) ¿Cuál es el sentido del término *«fuerza vinculante»* de los convenios?

267. El derecho a negociar y el deber de negociar. El derecho a la negociación colectiva no consiste en la imposición a las respectivas contrapartes de un deber de negociar ya que, de acuerdo con los presupuestos lógico-normativos del derecho a negociar, un sistema de negociación colectiva obligatorio implica la definición precisa de los agentes negociadores, cosa que no sucede en el texto constitucional, que establece una capacidad negocial amplísima (VALDÉS DAL-RÉ, RODRÍGUEZ SAÑUDO).

El derecho a la negociación colectiva se proclama, por consiguiente, no tanto frente a unos indeterminados representantes de los empresarios o de los trabajadores, sino frente al Estado. La Constitución reconoce, pues, un derecho de las partes a negociar sin injerencias externas limitativas del Estado.

La garantía constitucional implica, por otro lado, no solamente una actitud pasiva, no intervencionista, por parte del Estado, sino también una postura promocional de la negociación colectiva independiente de las instancias estatales a través de una legislación de apoyo al sindicato (por ejemplo, potenciando la acción sindical en la empresa, asegurando la posibilidad de utilización por parte de los trabajadores de medios de presión en apoyo de la negociación, etc.). Una de las manifestaciones de ese apoyo legislativo podría consistir en el establecimiento de un deber de negociar. El que la Constitución no lo establezca directamente no quiere decir, evidentemente, que una ley de desarrollo constitucional no pueda establecerlo como un plus de tutela adicional para garantizar el derecho a la negociación colectiva, como así ha sucedido en el art. 89.1 del ET, para los convenios colectivos estatutarios.

268. Los sujetos titulares del derecho de negociación colectiva. ¿Cuáles son, según el precepto constitucional, los titulares del derecho a la negociación colectiva a los que el art. 37.1 CE identifica con la expresión de *«los representantes de los trabajadores y empresarios»* sin otra matización o limitación posterior (SSTC de 13 de diciembre de 1983 y de 27 de marzo de 1984).

La cuestión no es pacífica. Para unos, la Constitución reconoce capacidad negocial a todas las estructuras organizativas, estables o espontáneas, internas o exteriores a la empresa, sin otra condición que representar los intereses de los trabajadores y empresarios. No se restringiría así la capacidad negocial a los sindicatos (STC de 3 de octubre de 1994) y, menos aún, a los sindicatos mayoritarios o más representativos (VALDÉS DAL-RÉ, DURÁN LÓPEZ). Para otros, por el contrario, cuando la Constitución habla de *«representantes»*, lo hace refiriéndose a un concepto de representación que preexiste institucionalmente a la negociación, lo que excluiría la negociación por representantes no estables de trabajadores o de empresarios (ALONSO OLEA).

La cuestión es importante, pues la ley que desarrolle este precepto constitucional deberá respetarlo so pena de inconstitucionalidad, debiendo respetar más o menos según cuál sea la interpretación que del art. 37.1 CE se haga.

En la actualidad, la tesis interpretativa que se ha mantenido prevalentemente ha sido la primera de ellas, esto es, la de la titularidad constitucional amplia del derecho a la negociación colectiva (STC de 9 de mayo de 1994, respecto de los comités de empresa o delegados de personal; y STC de 3 de octubre de 1994, respecto de todo tipo de sindicatos).

269. El contenido posible de la negociación colectiva. El contenido de la negociación colectiva viene marcado, de algún modo, por su carácter de negociación colectiva laboral, según precisa el art. 37.1 de la CE. El término *«laboral»* debe entenderse en un sentido amplio, englobando todas las cuestiones que afectan a las relaciones laborales y que, lógicamente, sean disponibles por las partes negociadoras. El art. 2 del Convenio nº 152 de la OIT señala, en este sentido, que el objeto de los convenios colectivos consiste en *«fijar las condiciones de trabajo y empleo»* y en *«regular las relaciones entre empleadores y trabajadores»* o *«las relaciones entre empleadores o sus organizaciones y una organización o varias organizaciones de trabajadores, o lograr todos estos fines a la vez»*.

En definitiva, el único límite material al contenido de la negociación colectiva viene dado, dentro de los condicionamientos ya apuntados, por el respeto a (o la coordinación con) aquellos otros derechos o valores protegidos por la Constitución con igual o superior intensidad que el derecho a la negociación colectiva, ya sea en su formulación constitucional, ya sea en la formulación dada por leyes ordinarias que sean concreción adecuada de los mismos (CAMPS, RIVERO y VALDÉS).

Importa advertir, en cualquier caso, que la reserva de ley contenida en el art. 53 de la CE no implica una imposibilidad de negociar colectivamente sobre tales temas. Lo que prohíbe el art. 53 es la regulación de los mismos por vía reglamentaria, con la intensidad ya señalada, pero no su aptitud para constituir materia de negociación colectiva. El propio Tribunal Constitucional, en Sentencias 58/1985, de 30 de abril, y 95/1985, de 29 de julio, entre otras muchas, ha declarado que *«del texto constitucional no se deriva expresa o implícitamente ningún principio que con carácter general sustraiga a la negociación colectiva la regulación de las condiciones de ejercicio de los derechos fundamentales»*.

270. La fuerza vinculante de los convenios colectivos. Dos posibles significados. El convenio colectivo tendrá, según el art. 37.1 CE, *«fuerza vinculante»*.

Este enigmático término constitucional ha suscitado dos importantes problemas interpretativos:

1º) Desde la perspectiva de las llamadas cláusulas obligacionales del convenio, ¿equivale *«fuerza vinculante»* a deber de paz relativo, esto es, a la prohibición constitucional de las huelgas novatorias, entendiendo por tales a aquellas que pretenden modificar lo pactado en un convenio colectivo vigente?

2º) Desde la perspectiva de las llamadas cláusulas normativas del convenio, ¿equivale «*fuerza vinculante*» a eficacia jurídica normativa del convenio, esto es, a la aplicación directa de la parte normativa del mismo a las relaciones individuales de trabajo sin necesidad de incorporación o recepción, expresa o tácita, por el contrato individual de trabajo, del contenido normativo del convenio?

271. La existencia de un deber de paz implícito a todos los convenios colectivos. Acerca de la primera de las cuestiones planteadas la doctrina se encuentra dividida.

En sentido positivo se ha manifestado un sector de la misma, entendiendo que la CE establece el principio del «*pacta sunt servanda*», lo que se concretaría en la imposibilidad de ir a la huelga durante la vigencia del convenio colectivo para alterar lo acordado (ALONSO OLEA, BARREIROS, MONTOYA, RIVERO, SAGARDOY y SUÁREZ GONZÁLEZ).

En sentido negativo se ha manifestado otro sector de la doctrina, defendiendo, con base en el art. 28.2 de la Constitución que reconoce el derecho de huelga a los trabajadores individuales y no a sus representantes, que el deber de paz relativo implica una disponibilidad sobre derechos ajenos (VALDÉS). Podría, en este sentido, comprometerse la parte contratante (el sindicato) con un convenio colectivo a no declarar la huelga so pena de responsabilidad; pero tal compromiso no debería vincular a los trabajadores individuales, cuyo derecho a ir o no a la huelga estaría fuera del tráfico jurídico negocial.

Lo cierto es que esta cuestión interpretativa constitucional ha perdido importancia en la medida en que el art. 11.c) del Real Decreto-Ley de Relaciones de Trabajo, de 4 de marzo de 1977, tiene establecido un deber de paz relativo de carácter legal al prohibir todo tipo de huelgas novatorias declarándolas ilegales, precepto que ha sido declarado expresamente constitucional por la STC de 11 de abril de 1981.

272. La eficacia normativa de los convenios colectivos. En cuanto a la segunda de las cuestiones planteadas, la polémica doctrinal y jurisprudencial continúa aún hoy abierta.

Mientras unos entienden que el término «*fuerza vinculante*» equivale a eficacia normativa o «*eficacia vinculante*» del convenio colectivo (ÁLVAREZ ALCOLEA, RIVERO, RODRÍGUEZ SAÑUDO, SALA y VALDÉS), otros piensan, por el contrario, que la CE no reconoce eficacia normativa a todo tipo de convenios sino que esta eficacia normativa es un «*plus*» que la ley ordinaria establecerá en su caso al garantizar el derecho de negociación colectiva tan sólo respecto de determinados convenios (ALONSO OLEA, BORRAJO y MARTÍNEZ EMPERADOR y OJEDA).

La STC de 30 de abril de 1985 parece haberse inclinado por la primera de estas tesis interpretativas, si bien la STC de 28 de junio de 1993 mantiene posiciones de mayor ambigüedad. La jurisprudencia ordinaria (SSTS u.d. de 4 de mayo de 1994, Ar/7225 o de 27 de mayo de 1998, Ar/4931), por su parte, entiende por fuerza vinculante de los convenios la atribución a los mismos de *«una eficacia jurídica en virtud de la cual el contenido normativo de aquéllos se impone a las relaciones de trabajo incluidas en sus ámbitos de aplicación de manera automática»*, pareciendo inclinarse por la eficacia normativa.

El tema es realmente importante, porque, de concluir en lo primero, la eficacia normativa de los convenios formaría parte del contenido esencial del derecho de negociación colectiva reconocido en el art. 37.1 de la Constitución, y todos los convenios colectivos —estatutarios o extraestatutarios— que tuvieran en él su fundamento, deberían poseer eficacia jurídica normativa (ver infra).

273. La inexistencia de un modelo constitucional de negociación colectiva. La actual postura del Tribunal Constitucional es la de que no existe propiamente un modelo constitucional de negociación colectiva, teniendo cabida en la Constitución distintas regulaciones de la misma (SSTC 119/2015, de 16 de julio y 8/20915, de 22 de enero).

III. LOS CONVENIOS COLECTIVOS EN EL ESTATUTO DE LOS TRABAJADORES

274. Concepto legal de convenio colectivo. El ET dedica su Título III (arts. 82 a 92) a la regulación de la negociación colectiva y de los convenios colectivos, a los que define como aquellos acuerdos, resultado de la negociación entre los representantes de los trabajadores y de los empresarios, adoptados libremente en virtud de su autonomía colectiva (art. 82.1 del ET).

1. *Los distintos tipos de convenios colectivos*

275. Tres tipos de convenios. Existen tres tipos de convenios colectivos estatutarios: los acuerdos interprofesionales sobre materias concretas, los convenios marco y los convenios colectivos ordinarios.

1.1. Los acuerdos interprofesionales sobre materias concretas

276. Legitimación, ámbitos y contenido. El art. 83.2 y 3 ET prevé la negociación de acuerdos interprofesionales sobre materias concretas.

Estos acuerdos deberán tener necesariamente un ámbito territorial estatal o de Comunidad Autónoma y un ámbito funcional intersectorial.

Las partes negociadoras han de ser organizaciones sindicales y empresariales más representativas, de carácter estatal o de Comunidad Autónoma.

El contenido de estos acuerdos interprofesionales habrá de ser una *«materia concreta»* (jornada laboral, salarios, procedimientos extrajudiciales de solución de conflictos laborales, negociación colectiva, formación profesional, etc.) o actuar de acuerdo marco, regulando la estructura de la negociación como los convenios marco (ver infra).

277. Régimen jurídico. Su régimen jurídico (eficacia jurídica y personal, ámbito temporal, procedimiento de negociación, interpretación o impugnación judicial) es el mismo que el de los convenios ordinarios (art. 83.3 ET).

1.2. Los convenios marco

278. El convenio colectivo marco. En el art. 83.2 del ET se reconoce la figura del *«convenio marco»*, cuyas características son las siguientes:

1) No se trata propiamente de un convenio colectivo en el sentido del art. 82.1 del ET, por cuanto lo esencial del mismo es que no se refiere a *«condiciones de trabajo»*, sino a condiciones de la negociación colectiva.

Se trata de *«convenios para convenir»* (ALONSO OLEA), que establecen la estructura de la negociación colectiva, fijando en su caso las reglas de solución de conflictos de concurrencia entre convenios de distinto ámbito. La dicción del precepto resulta enormemente abierta, ya que permite no sólo negociar a este nivel aquellos dos aspectos de la estructura de la negociación colectiva de mayor trascendencia —la concurrencia de convenios colectivos de distinto ámbito, fijando en su caso los criterios de solución de los conflictos de concurrencia y la articulación de la negociación, esto es, el reparto de las materias que pueden negociarse en cada nivel—, sino también cualquier otro aspecto que afecte a la estructura de la negociación (en materia de procedimiento, por ejemplo).

El posible contenido de estos convenios marco vendrá limitado por las posibilidades que las unidades de negociación supraempresarial inferiores tienen reconocidas por el art. 84 del ET en orden a la concurrencia convencional (ver supra).

2) Existen dos tipos de convenios marco. El convenio marco en sentido propio, que es el que sólo regula aspectos procedimentales que afecten a la negociación de futuros convenios. Y el convenio marco impropio o mixto, que, al mismo tiempo que establece reglas para la negociación de convenios de ámbito inferior, regu-

la condiciones de trabajo aplicables directamente en su ámbito correspondiente (STS de 16 de noviembre de 1989, Ar/8068).

Esta doble posibilidad se desprende de la ambigua referencia del art. 83.2 a los *«acuerdos interprofesionales»* y a los *«convenios colectivos»*. Cabría plantear la posibilidad de convenios colectivos con contenido exclusivamente marco, posibilidad que resulta factible pese al aparente silencio del texto legal, deduciéndose del contexto del art. 83 del ET, pues otra cosa sería una prohibición absurda en una regulación básicamente autonómica de la negociación colectiva.

3) Estos convenios marco deberán tener, necesariamente, un ámbito territorial estatal o de Comunidad Autónoma, no pudiendo celebrarse a niveles geográficos más reducidos. No existe entre los ámbitos estatal y de Comunidad Autónoma una relación jerárquica, rigiendo el principio de prioridad en el tiempo (STS de 25 de abril de 2019, Rec. 40/2018).

4) Están legitimadas para negociarlos, los sindicatos y asociaciones empresariales *«que cuenten con la legitimación necesaria, de conformidad con lo establecido en la presente Ley»* (arts. 87 y 88 ET), a nivel estatal o de comunidad autónoma (art. 83.2 ET).

5) Por lo demás, el art. 83.3 del ET equipara a los *«convenios marco»* en sentido propio a los convenios colectivos en cuanto a régimen jurídico (eficacia jurídica y personal, procedimiento, aplicación e interpretación), al señalar que *«los acuerdos interprofesionales a que se refiere el apartado 2 de este artículo tendrán el tratamiento de esta ley para los convenios colectivos»*. Por su parte, los convenios marco impropios, con mayor razón, aunque nada diga expresamente la ley, son convenios colectivos a todos los efectos.

Así, las reglas establecidas en los convenios marco serán obligatorias para los que negocien en ámbitos inferiores (por todas, SSTS de 18 de febrero y 27 de octubre de 1999, Ar/2600 y 8411).

1.3. Los convenios colectivos ordinarios

a) Las partes contratantes

279. Los arts. 87 y 88 del ET. Su carácter imperativo. Son partes contratantes en un convenio colectivo estatutario aquellos representantes de los trabajadores y empresarios que tengan capacidad negocial general (legitimación básica o interviniente) y legitimación específica (legitimación negociadora o complementaria), según los arts. 87 y 88 del ET (por todas, STS de 25 de mayo de 1996, Ar/4674).

Estas reglas de legitimación son de carácter imperativo absoluto y no son disponibles por las partes (SSTC de 27 de junio de 1984 y de 30 de septiembre de 1991: *«las reglas relativas a la legitimación constituyen un presupuesto de la ne-*

gociación colectiva que escapa al poder de disposición de las partes de las partes negociadoras que no pueden modificarlas libremente». La STS de 4 de junio de 1999, Ar/5068, las califica de normas de *«derecho necesario absoluto»*.

a') Capacidad negocial general

a") Del lado de los trabajadores

280. La capacidad negocial del lado de los trabajadores. Poseen capacidad negocial general, del lado de los trabajadores, según el ET:

a) El comité de empresa (art. 87.1 del ET), pudiendo ser asumida la negociación por el comité intercentros (STS de 25 de julio de 2000, Ar/7644).

b) Los delegados de personal (art. 87.1 del ET).

c) Las *«representaciones sindicales»* en las empresas o centros de trabajo, esto es, las secciones sindicales de empresa o de centro (art. 87.1 del ET).

d) Los sindicatos, federaciones y confederaciones constituidas de acuerdo con los arts. 4.1 y 7 de la LOLS, esto es, con personalidad jurídica y plena capacidad de obrar conseguida tras el depósito de sus estatutos y el transcurso de 20 días hábiles desde la fecha del mismo (art. 87.2 del ET).

No poseen capacidad negocial otras asociaciones de trabajadores no sindicales en el sentido anterior ni tampoco agrupaciones de delegados de personal y de miembros de comités de empresa (la STC 4/1983, de 28 de enero, denegó tal posibilidad basándose en la *«exclusividad sindical»* de los convenios colectivos de ámbito superior a la empresa) o delegados elegidos en asamblea de trabajadores a tal efecto (SSTC de 26 de enero y de 22 de febrero de 1983).

b") Del lado de los empresarios

281. La capacidad negocial del lado de los empresarios. Poseen capacidad negocial, del lado de los empresarios, según el ET:

a) El empresario (art. 88.1 del ET) directamente o a través de sus representantes.

b) Las asociaciones empresariales, federaciones y confederaciones constituidas de acuerdo con el art. 3 de la Ley 19/1977, de 1 de abril, de asociación sindical, esto es, con personalidad jurídica y capacidad de obrar conseguidas tras el depósito de sus estatutos y el transcurso de 20 días desde la fecha del mismo (art. 88.1 del ET; STS de 20 de junio de 2006, Rec. 189/2004).

No poseen capacidad negocial otras asociaciones empresariales o corporaciones de derecho público representativas de intereses profesionales, tales como colegios profesionales (por todas, SSTCT de 4 de mayo de 1982, Ar/3235 o de 4 de mayo de 1995, Ar/3247). Tampoco posee capacidad negocial una asociación que incluya a empresarios y a trabajadores autónomos (STS de 22 de diciembre de 1998, Ar/377/1999).

b') Legitimación negocial

a'') Convenios colectivos supraempresariales

282. La legitimación básica interviniente. La legitimación básica o interviniente para negociar convenios colectivos de ámbito superior a la empresa da derecho a *«formar parte de la comisión negociadora»* (art. 87.5 del ET) y corresponde, según el ET:

a) Del lado de los trabajadores (art. 87.2 del ET):

- A los sindicatos que tengan la consideración de más representativos a nivel estatal y, en sus respectivos ámbitos —que deberán coincidir con el funcional y territorial de la negociación— a los sindicatos afiliados, federados o confederados a los mismos, con independencia de su implantación real en el ámbito de que se trate (SSTC de 22 de febrero de 1983 y de 29 de enero de 1987). Actualmente, UGT y CCOO.

- A los sindicatos que tengan la consideración de más representativos a nivel de Comunidad Autónoma y, en sus respectivos ámbitos, a los sindicatos afiliados, federados o confederados a los mismos. Actualmente, ELA-STV y LAB en el País Vasco y CIG en Galicia.

- A los sindicatos que, sin ser más representativos a nivel estatal o de Comunidad Autónoma ni tampoco afiliados, federados o confederados a los mismos, cuenten con un mínimo del 10% de los miembros de los comités de empresa o delegados de personal en el ámbito geográfico y funcional al que se refiera el convenio.

Todo esto significa que un sindicato que por sí mismo no disponga de un 10 por 100 de representatividad en el ámbito geográfico y funcional a que se refiera el convenio, se encuentra no obstante legitimado para negociar si está afiliado, federado o confederado a un sindicato más representativo a nivel estatal o de Comunidad Autónoma. Lo que no cabrá es que una coalición de sindicatos minoritarios, esto es, que no alcancen el 10 por 100 de representatividad, obtengan legitimación interviniente para negociar mediante la suma de sus correspondientes porcentajes de representatividad (STC de 16 de marzo de 1989).

En todo caso, no cabrá jurídicamente que un sindicato que no reúna la representatividad exigida, aunque esté implantado en el ámbito de aplicación del convenio que se pretenda negociar pueda obligar a las partes negociadoras a soportar la presencia en la comisión negociadora de un «*observador sindical*» sin voz y sin voto.

b) Del lado de los empresarios, las asociaciones empresariales acogidas a la Ley 19/1977, de 1 de abril (STS 20 junio 2006, Rec. 189/2004) que cuenten con el 10 por 100 como mínimo de los empresarios (en el sentido del art. 1.2 del ET) del ámbito geográfico y funcional del convenio, siempre que den ocupación a igual porcentaje de los trabajadores afectados, así como aquellas asociaciones empresariales que en dicho ámbito den ocupación al 15 por 100 de los trabajadores afectados (art. 87.3 c) ET; STS 3 diciembre 2009, Rec. 84/2008), sin que puedan negociar las coaliciones de asociaciones empresariales minoritarias (de menos del 10 por 100 de representatividad) ni las asociaciones empresariales que incluyan a empresarios y a trabajadores autónomos (STS 22 diciembre 1998, RJ 1999/2007 o de 21 de noviembre de 2002, Ar/2003/509).

Obsérvese que el porcentaje de representatividad que el ET exige a las asociaciones empresariales viene referido no sólo al número de empresarios afiliados a las mismas, sino también al número de trabajadores que éstos emplean (STS de 15 de febrero de 1993. Ar/1164).

En los sectores en los que no existan asociaciones empresariales con la suficiente representatividad, estarán legitimados para negociarlos convenios colectivos sectoriales «*las asociaciones empresariales de ámbito estatal que cuenten con el 10 por 100 o más de las empresas o trabajadores en el ámbito estatal, así como las asociaciones empresariales de Comunidad Autónoma que cuenten en ésta con un mínimo del 15 por 100 de las empresas o trabajadores*» (art. 87.3 del ET).

c) Cuando se trate de convenios de ámbito estatal, además de los anteriores, estarán asimismo legitimados los sindicatos más representativos a nivel de Comunidad Autónoma, y las asociaciones empresariales de Comunidad Autónoma que cuenten en ésta con un mínimo del 15% de los empresarios y trabajadores, respectivamente, en el ámbito funcional a que se refiere el convenio (art. 87.4 y Disposición Adicional Sexta del ET).

Nótese, finalmente, que el criterio utilizado por la ley para valorar la representatividad de los sindicatos de trabajadores ha sido el de la audiencia sindical, esto es, el de los resultados obtenidos en las elecciones a delegados de personal y miembros de los comités de empresa, y no el del número de afiliados al sindicato, obviando así la dificultad técnica siempre existente a la hora de verificar el número real de los afiliados.

283. La legitimación negociadora o complementaria. La legitimación básica o interviniente anterior no es, por sí sola, suficiente para poder negociar válidamente un convenio colectivo estatutario. El art. 88.2 del ET exige, además, una legitimación complementaria que sólo la tendrán los sindicatos y asociaciones empresariales con legitimación inicial que representen por sí mismos o conjuntamente con otros como mínimo a la mayoría absoluta de los miembros de los comités de empresa y delegados de personal y a la mayoría de los empresarios que ocupen a la mayoría de trabajadores afectados por el convenio. Sólo en estos casos, dice la ley, *«la comisión (negociadora) quedará válidamente constituida»* (art. 88.1 del ET; SSTS de 19 de septiembre de 1991, Ar/10021 o de 22 de noviembre de 2005, Ar/10056). El hecho de que tales órganos de representación se hayan constituido sólo en un porcentaje muy reducido de empresas, no autoriza al juez a sustituir el criterio legal por el de la *«implantación sindical»* que, acaso, pudiera ajustarse mejor a la realidad material (STS de 4 de junio de 1999, Ar/5068).

Convendría, en relación con lo anterior, hacer algunas puntualizaciones:

1ª) Un convenio colectivo pactado con la exclusión de uno o varios sindicatos o de una o varias asociaciones empresariales que tuvieran la legitimación interviniente o básica sería nulo como convenio estatutario. Las SSTC de 27 de junio de 1984 y de 30 de septiembre de 1991 han señalado en este sentido que la exclusión de la comisión negociadora de un sindicato legitimado *«ex art. 87 del ET»* supone un atentado al derecho de libertad sindical del art. 28.1 de la CE. Y esto sucede aunque quien negocie ostente por sí mismo la mayoría absoluta exigida por el art. 88.1 del ET, ya que ello *«no faculta para excluir a quien tiene derecho a formar parte de la comisión negociadora»* (STS de 18 de enero de 1993, Ar/94).

Cosa distinta sería, por supuesto, que un sindicato o una asociación empresarial con legitimación básica o interviniente decidiera libremente autoexcluirse de la negociación, ya que se trata de un derecho renunciable (SSTS de 18 de enero de 1993. Ar/94, de 9 de abril de 2003, Ar/4840, de 15 de julio de 2005, Ar/8979 o de 20 de septiembre de 2006, Ar/8736).

Este derecho a formar parte de la comisión negociadora no conlleva un derecho a ser llamado expresamente, entendiéndose suficientemente garantizado cuando se acredita que todos los interesados tuvieron conocimiento suficiente de la negociación (STS de 24 de julio de 2008, Ar/4565).

Ni los sindicatos ni las asociaciones empresariales minoritarias que no alcancen el 10 por 100 de representatividad legalmente exigido podrán delegar su representatividad en otros sindicatos o asociaciones empresariales legitimadas (STC de 22 de febrero de 1983).

2ª) El momento oportuno para acreditar la representatividad ostentada por las partes negociadoras es el de la constitución de la comisión negociadora y la ausencia de mayoría absoluta en el momento de constituirse la comisión negociadora no podrá subsanarse con posterioridad mediante la adhesión de otro sindicato con legitimación interviniente a los acuerdos adoptados con anterioridad por el sindicato inicial y la patronal (SSTS de 23 de noviembre de 1993, Ar/8932, de

19 de junio de 1995. Ar/5208, de 18 de diciembre de 1995. Ar/9308 o de 15 de marzo de 1999, Ar/2917).

Las adhesiones posteriores a un convenio extraestatutario no modifican su naturaleza convirtiéndolo en un convenio estatutario (SSTS de 23 de noviembre de 1993, Ar/8932 o de 25 de mayo de 2006, Ar/3791).

3ª) Se entenderá válidamente constituida la comisión negociadora cuando la misma esté integrada por los sindicatos más representativos a nivel estatal o de Comunidad Autónoma y por las asociaciones empresariales estatales o autonómicas que posean el 10 o el 15 por 100 de las empresas o trabajadores en su respectivo ámbito (art. 88.2 ET).

4ª) El criterio de la audiencia sindical, tal como está configurado en el ET, puede quebrar en dos casos como parámetro para medir exactamente la mayor representatividad de los sindicatos: a) En primer lugar, por el elevado porcentaje de empresas que no tienen más de seis trabajadores y, por tanto, no han podido elegir delegados de personal (art. 62.1 del ET); b) en segundo lugar, porque pueden existir candidatos de trabajadores independientes con buenos resultados electorales que tampoco se computarán a efectos de representatividad a la hora de negociar convenios supraempresariales (RODRÍGUEZ SAÑUDO).

La STC de 28 de enero de 1983, en todo caso, ha declarado que no atenta a la libertad sindical el hecho de que los no sindicados no puedan negociar como independientes convenios supraempresariales, ya que *«los no sindicados no quedan excluidos de la negociación colectiva, por cuanto participan en la designación del comité de empresa (art. 67.1 del ET) y pueden celebrar, a través de sus representantes directos, convenios de ámbito no superior a la empresa (art. 87.1 del ET)»*.

b") Convenios colectivos empresariales o de ámbito inferior

284. Legitimación del lado empresarial. Del lado empresarial, estarán legitimados *«el empresario o sus representantes»* (art. 88.1 del ET).

Se plantea la cuestión de si un convenio empresarial podría ser negociado por una asociación patronal en representación del empresario. OJEDA, con buen criterio, distingue entre la posibilidad, que acepta, de que un empresario delegue en la asociación los enojosos trámites negociadores —designándola su representante voluntario—, y el supuesto de que la asociación patronal quisiera erigirse en negociador exclusivo a este nivel, prohibiendo a sus empresarios afiliados iniciar negociaciones. En esta última hipótesis, parece que los efectos de la prohibición sólo alcanzarían efectos internos, esto es, su incumplimiento por parte de un empresario podría originar, en su caso, una sanción disciplinaria a éste por parte de la asociación, pero el convenio negociado por aquél sería perfectamente válido.

285. Legitimación del lado de los trabajadores. Del lado de los trabajadores, la ley establece que están legitimados para negociar convenios colectivos de empresa o de ámbito inferior *«el comité de empresa, delegados de personal, en su caso, o las representaciones sindicales si las hubiere»* (art. 87.1 del ET).

La legitimación del comité de empresa la ostenta, según la ley, éste en su conjunto, mientras que los delegados de personal deben actuar *«mancomunadamente»* (arts. 65.1 y 62.2 del ET).

Por su parte, las *«representaciones sindicales»* vienen referidas a las secciones sindicales de empresa o de centro, pudiendo, desde luego, estas últimas, actuar conjunta o separadamente (art. 8.1.a de la LOLIS) siempre que acrediten presencia en los órganos de representación unitaria (STS de 17 de octubre de 1994, Ar/8053; bastando con uno solo: STS de 5 de marzo de 2007, Ar/2128) y no el sindicato, salvo que sea un sindicato de empresa (STS de 30 de abril de 1996. Ar/3623; ello no obstante, las SSTS de 28 de febrero de 2000, Ar/2246 y de 16 de septiembre de 2004, Rec. 129/2003, han admitido la legitimación de los sindicatos).

No podrá negociarse un convenio colectivo de empresa con varios centros de trabajo por los representantes de un solo centro de trabajo (STS de 7 de marzo de 2012, Rec. 37/2011).

No podrá tampoco negociarse un convenio colectivo de centro de trabajo por los representantes unitarios de otro centro (SSTS de 20 de mayo, 9 de junio y 21 de diciembre de 2015, Rec. 6/2014, 149/2014, 175/2014 y 6/2015).

286. Carácter alternativo de la doble legitimidad. Otra cuestión a plantear es la de si esta doble atribución de legitimidad a comités de empresa y delegados de personal, de una parte, y a las representaciones sindicales, de otra, es alternativa —siendo necesario que negocien unos u otras—, o es acumulativa —siendo posible la negociación conjunta de comités de empresa y representaciones sindicales—. La dicción legal es suficientemente rotunda, —utiliza un *«o»* disyuntivo— y permite concluir en el carácter alternativo de la legitimidad de ambas instituciones.

La jurisprudencia en este sentido es abundante (por todas, SSTS de 17 de octubre de 1994. Ar/8053, de 30 de octubre de 1995. Ar/7930 o de 14 de julio de 2000, Ar/9642).

287. El significado legal del reconocimiento como interlocutores de las partes. ¿Quién o quiénes deciden quién ha de negociar en cada caso concreto? ¿El empresario, los trabajadores, o el propio comité de empresa o los delegados de personal y las representaciones sindicales mediante acuerdo?

La ley establece la preferencia en la negociación de las secciones sindicales, «*cuando éstas así lo acuerden*» (art. 87.1 ET).

288. La exigencia de representación mayoritaria en los convenios que afecten a todos los trabajadores de la empresa. El art. 87.1 del ET señala que, «*en los convenios que afecten a la totalidad de los trabajadores de la empresa será necesario que tales representaciones sindicales, en su conjunto, sumen la mayoría de los miembros del comité*» o de los comités si hay varios centros de trabajo.

En cualquier caso, todas las secciones sindicales de empresa a que se refiere el art. 8.2.b) de la LOLIS tendrán derecho a formar parte de la comisión negociadora y no podrá una representación sindical mayoritaria excluir a otras legitimadas (STS de 1 de julio de 1999, Ar/5272).

Desde luego, no será posible una negociación colectiva estatutaria por las secciones sindicales cuando se trate de empresas que no tengan comité de empresa, al faltar el parámetro de medición de la representatividad sindical (SSTCT de 10 y 14 de junio de 1985, Ar/4358 y 4375).

c”) Convenios colectivos de franja o de grupo de trabajadores

289. Legitimación para negociar convenios de franja o grupo. Por convenios de «*franja*» se entiende aquellos que son aplicables a un grupo de trabajadores «*con perfil profesional específico*», caracterizados por pertenecer a un mismo grupo, categoría profesional o puesto de trabajo, por poseer una misma titulación profesional (por ejemplo, un convenio colectivo para el personal de vuelo de una determinada Compañía Aérea) o por pertenecer a una misma sección o departamento.

Cuando se trate de un convenio colectivo de ámbito empresarial, será de aplicación la regla prevista en el art. 87.1 del ET, según la cual estarán legitimadas «*las secciones sindicales que hayan sido designadas mayoritariamente por sus representados a través de votación personal, libre, directa y secreta*» (art. 87.1 ET).

Si se trata de convenios de ámbito supraempresarial, deberá negociarse según las reglas generales aplicables a los convenios colectivos sectoriales (sindicatos y asociaciones empresariales) (art. 87.2 y 3 ET). Así, por ejemplo, un convenio colectivo provincial de guías de turismo.

d”) Convenios colectivos de grupos de empresas o de una pluralidad de empresas vinculadas por razones organizativas o productivas y nominativamente identificadas

290. Legitimación para negociar. En el caso de convenios de grupos de empresas o de una pluralidad de empresas vinculadas por razones organizativas o productivas y nominativamente identificadas en su ámbito de aplicación, la legitimación para negociar en representación de los trabajadores será la establecida en el art. 87.2 del ET para los convenios colectivos sectoriales, esto es, los sindicatos (art. 871 ET) (ver supra).

Se trata propiamente de una unidad de negociación supraempresarial en tanto no se reconozca personalidad jurídica al grupo, solo que las previsiones normativas en materia de legitimación para negociar convenios supraempresariales están pensadas más para negociar convenios sectoriales o subsectoriales y no para los convenios de grupo.

En representación del grupo de empresas o de la pluralidad de empresas estará legitimada para negociar una representación de dichas empresas (art. 87.3 b) ET).

c') El control de la representatividad de las partes contratantes

291. El control de la representatividad sindical por las oficinas públicas y el difícil control de la representatividad empresarial. En cuanto a la verificación de la representatividad de las partes, ésta no puede dejarse al arbitrio de la contraparte, pues ello sería tanto como permitir conculcar por vía de pacto interesado entre ambas partes lo dispuesto con carácter general por la ley con exigencia de objetividad.

Del lado de los trabajadores, intervendrán las oficinas públicas dependientes de la autoridad laboral a que se refiere el art. 75.7 del ET, a quien corresponde el registro de las actas de las elecciones a los órganos de representación del personal de las empresas, pudiendo expedir certificaciones acreditativas de la capacidad representativa del sindicato. La representatividad se acreditará en el momento de la negociación (STS de 5 de octubre de 1995. Ar/8667).

El control de la representatividad de las asociaciones empresariales resulta sin embargo mucho más complejo por cuanto no hay elecciones ni existe organismo público alguno que pueda certificarla a estos efectos. Así pues, en las ocasiones en que se han planteado este tipo de problemas se ha acudido a los censos de la Tesorería General de la Seguridad Social, al Registro Mercantil o al Censo Fiscal de Actividades Comerciales e Industriales, a los datos del SEPE o de la EPA o a otros, procediendo al difícil deslinde de los empresarios autónomos de aquellos otros que tienen trabajadores a su servicio que son los únicos que computan (art. 87.4 del ET), existiendo en este punto una gran inseguridad jurídica.

La doctrina jurisprudencial al respecto es la de presumir «*iuris tantum*» que quienes hayan negociado un convenio colectivo, reconociéndose recíprocamente como interlocutores, gozan de legitimación y representatividad suficientes para negociar en los respectivos niveles, invirtiendo la carga de la prueba de manera que quien niegue alguna de estas cualidades habrá de demostrar que carece de ellas la asociación empresarial de que se trate, no pesando sobre la demandada el gravamen de probar la representatividad que se le niega (SSTS de 5 de octubre de 1995, Ar/8667, de 25 de enero de 2001, Ar/2065, de 7 de julio de 2004, Ar/7070, de 3 de abril y 20 de junio de 2006, Rec. 81/2004 y 189/2004, de 4 y 29 de noviembre de 2010, Ar/8469 y 2430 o de 24 de junio de 2014, Rec. 225/2013).

b) Las unidades de negociación

a') El principio de libre elección de las mismas y sus límites

292. Libertad de las partes. De conformidad con el art. 83.1 del ET, son las partes quienes deciden el *«ámbito de aplicación»* de cada convenio colectivo, determinando y haciendo constar sus respectivos ámbitos personal, funcional y territorial (art. 85.2.b del ET), que son los que, conjuntamente, delimitan la unidad de negociación correspondiente (STS de 20 de septiembre de 1993, Ar/6889).

293. Significado del ámbito funcional. En efecto, el ámbito funcional identifica la rama, el sector o subsector de actividad económica, la empresa o centro de trabajo o, incluso, el propio ámbito interprofesional al que se aplica el convenio.

La STC de 4 de febrero de 1986 ha señalado que la determinación del ámbito funcional del convenio corresponde en exclusiva a los negociadores sin intervención de las autoridades administrativas, lo que vulneraría el derecho constitucional a la negociación colectiva.

A efectos aplicativos, es la actividad real de la empresa y no la que figure en el objeto social de la misma la que determina el convenio colectivo sectorial o subsectorial aplicable (SSTS de 15 de junio y de 10 de julio de 2000, Ar/6621 y 7176).

Cuando una empresa desarrolla varias actividades, para identificar el convenio colectivo supraempresarial aplicable, habrá que atender en principio a la actividad principal o prevalente de la empresa en atención a una serie de parámetros tales como el número de trabajadores adscritos, el volumen del negocio, las mayores inversiones de la empresa, etc.

Para el caso de que no sea posible determinar la existencia de una sola actividad principal en una empresa, será posible la aplicación de varios convenios colectivos, no rigiendo el *«principio de unidad de empresa»*.

La Disposición Final Octava del ET encargó a la *«Comisión Consultiva Nacional de Convenios Colectivos»*, de naturaleza tripartita y con funciones de asesoramiento y consulta a las partes de las negociaciones colectivas, la elaboración de un *«catálogo de actividades»* que aclarase los distintos niveles de negociación posibles —piénsese, por ejemplo, en los problemas que pueden surgir al respecto en el caso de que los sindicatos negociadores no tengan una misma estructura, de tal forma que no coincidan los ámbitos de rama de sus federaciones sectoriales respectivas—, y que sirviera para combatir una excesiva atomización de la negociación colectiva (SÁNCHEZ-TERAN). Esta Comisión fue creada y regulada por el Real Decreto 2976/1983, de 9 de noviembre, desarrollado por la OM de 28 de mayo de 1984. Hasta la fecha, el *«catálogo»* no ha sido elaborado, si bien ha realizado abundantes *«dictámenes»* sobre concretos problemas planteados.

La competencia para establecer el convenio colectivo aplicable a una empresa corresponde a la jurisdicción laboral, si bien exista la posibilidad de consultar a la Comisión Consultiva Nacional de Convenios Colectivos, cuyas resoluciones no poseen eficacia jurídica vinculante.

En muchas ocasiones se hace difícil señalar cual sea el convenio colectivo supraempresarial aplicable a una empresa, dada la falta de seriedad de los ámbitos funcionales de estos convenios colectivos. El criterio jurisprudencial utilizado es el de aplicar aquel convenio que se corresponda con la actividad real que la empresa realiza (SSTS de 10 de julio de 2000, Ar/4794, de 30 de enero de 2002, Ar/3766 o de 20 de enero de 2009, Ar/661).

En el supuesto de que la empresa realice varias actividades, se aplicará el convenio colectivo correspondiente a su actividad principal, aunque en el caso de desarrollar varias actividades principales, habrá que aplicar tantos convenios colectivos cuantas actividades principales se realicen, salvo, naturalmente, que existiera un convenio colectivo e empresa. Esto sucede con las *«empresas multiservicios»*.

294. Significado del ámbito territorial. Por su parte, el ámbito territorial delimita el espacio geográfico —estatal, de Comunidad Autónoma, interprovincial, provincial, comarcal, local— en el que el convenio se aplica.

295. Significado del ámbito personal. El ámbito personal, en fin, no se refiere al problema de la eficacia personal reducida o general del convenio, por razón de la afiliación o no de los trabajadores o empresarios al sindicato o asociación firmante, sino a la aplicación del convenio —o, en su caso, no aplicación del mismo— a determinados grupos, o categorías profesionales existentes en una empresa. En principio, existe libertad para negociar por separado determinados grupos de trabajadores de una empresa, siempre que no incurran en discriminación (arts. 17 CE y 17 ET, STC de 22 de julio de 1987).

Así se admite la exclusión de los *«altos cargos»* (STS de 15 de marzo de 1990. Ar/2084), al *«personal directivo»* en general y de determinadas *«categorías profesionales»* (STC 177/1993, de 31 de mayo o STS de 22 de mayo de 1991, Ar/6826), siempre y cuando dichos trabajadores gocen por separado de la suficiente capacidad para negociar colectivamente sus propias condiciones de trabajo (*«personal fuera de convenio»*) (STC 136/1987, de 22 de julio y SSTS de 16 de junio de 2007,

Rec. 145/2007 o de 27 de diciembre de 2010, Rec. 229/2009). Los Tribunales han señalado, sin embargo, que no cabe la exclusión de los contratados temporales (art. 15.6 ET; por todas, SSTC de 7 de mayo y 22 de julio de 1987 o de 31 de mayo de 1993; SSTS de 22 de mayo de 1991. Ar/6826, de 5 de mayo de 2009, Rec. 2019/2008 o de 7 de diciembre de 2011, Rec. 4574/2010).

b') Los límites a la libertad de elección

296. Cinco límites. Esta libertad de elección de la unidad de negociación viene no obstante limitada:

1º) Por lo que la jurisprudencia denomina la *«naturaleza de las cosas»*.

2º) Por la legitimación para negociar de las partes.

3º) Por las reglas sobre concurrencia entre convenios colectivos.

4º) Por lo dispuesto en un convenio marco (ver supra).

297. La *«naturaleza de las cosas»*. En primer lugar, la elección del ámbito de negociación por las partes contratantes vendrá limitada por la propia *«naturaleza de las cosas»*, habiendo exigido en este sentido los tribunales que se trate de *«unidades adecuadas a las características y necesidades propias de quienes las constituyan»*, esto es, que se trate de *«unidades razonables o apropiadas»* (SSTS de 19 de diciembre de 1995. Ar/9315 o de 16 de noviembre y 18 de diciembre de 2002, Ar/2698 y 2344, doctrina que sigue vigente tras las últimas reformas), no pudiéndose incluir empresas o subsectores con intereses específicos que exijan una regulación diferenciada y autónoma (SSTS de 27 de abril y 30 de octubre de 1995, Ar/3273 y 7930 o de 21 de septiembre de 2006, Ar/8730) y no cabiendo, en general, la arbitrariedad de las partes (STC de 17 de diciembre de 1982; STS de 16 de noviembre de 2002, Ar/22698).

Así, se ha señalado que no es posible incluir en un mismo convenio colectivo a las grandes empresas aseguradoras y a los agentes de seguros autónomos que sean empresarios (STCT de 17 de diciembre de 1982, Ar/7941); a las empresas de máquinas fotocopiadoras en el convenio de artes gráficas (STS de 21 de septiembre de 2006, Ar/8730); a las empresas de la tercera edad al convenio colectivo de hostelería (STS de 2 de diciembre de 1996, Rec. 1149/1996).

Por el contrario, se han considerado admisibles la unidad funcional de las contratas ferroviarias con la limpieza (SSTS de 21 de octubre de 2010, Rec. 56/2010 o de 4 de noviembre de 2010, Rec. 9/2010) o la incorporación al sector de conservas vegetales de una nueva actividad relacionada con aquella y anteriormente carente de convenio (STS de 11 de noviembre de 2009, Rec. 235/2009).

Esta tesis jurisprudencial de la «*unidad apropiada de negociación*», siendo realmente razonable y funcional, es sin embargo de dudosa legalidad, por cuanto en el sistema de negociación colectiva del ET se prescindió de las concepciones organicistas anteriores según los cuales las unidades de negociación eran «*realidades objetivas anteriores e independientes de la voluntad de las partes negociadoras y a las que estas han de adaptarse ineludiblemente*» (VALDÉS). El art. 83.1 del ET, al establecer el principio de libertad de fijación de las unidades de negociación parece haber roto con esta concepción.

298. La legitimación para negociar y la fijación del ámbito de negociación. En segundo lugar, las partes que acuerdan el ámbito de aplicación de un convenio no son otras que las legitimadas para negociar en los términos previstos en los arts. 87 y 88 del ET (STS de 26 de enero de 2012, Rec. 185/2010).

Quien promueve la negociación —dice el art. 89.1 del ET— deberá expresar detalladamente en la comunicación escrita «*la legitimación que ostenta de conformidad con los artículos anteriores*», de donde se deduce que existe una clara interrelación entre la representación que se ostenta y los ámbitos de vigencia del convenio (SUÁREZ GONZÁLEZ).

De esta manera, un sindicato o asociación empresarial de un determinado ámbito no podrá proponer una negociación de ámbito territorial superior o de ámbito funcional distinto.

La libertad de elección de la unidad de negociación vendrá condicionada, pues, por la legitimidad negocial de las partes contratantes (OJEDA AVILÉS) (SSTS de 21 de septiembre de 2006, Rec. 27/2005 o de 21 de diciembre de 2010, Rec. 208/2009).

299. Las reglas sobre concurrencia entre convenios colectivos. En tercer lugar, la libertad de elección del ámbito de negociación vendrá limitada por las reglas relativas a la concurrencia entre convenios colectivos.

El ET establece, con carácter general, el principio de la no concurrencia aplicativa entre convenios colectivos de distinto ámbito, de manera que durante su vigencia un convenio colectivo no podrá ser afectado por otro (art. 84.1 ET), salvo que se de alguna de las siguientes situaciones:

a) Que el acuerdo interprofesional o convenio marco aplicable establezca expresamente la posibilidad de concurrencia, dado que el principio de no concurrencia posee carácter dispositivo al admitirse «*pacto en contrario, negociado conforme a lo dispuesto en el artículo 83.2*» (art. 84.1 y ET). En este sentido, el art. 83.2 ET prevé que mediante acuerdos interprofesionales o convenios colectivos marco se «*podrá establecer la estructura de la negociación colectiva, fijando en su caso las reglas que han de resolver los conflictos de concurrencia entre convenios de distinto ámbito»* (aplicación del convenio posterior, aplicación del más específico, aplicación del más favorable, etc.) (SSTS 17 octubre 2001, Rec. 4637/2000, de 20 de julio de 2007, Rec. 27/2006, de 24 de noviembre de 2015, Rec. 136/2014 o de 1 de diciembre de 2015, Rec. 349/2014).

b) Que el propio convenio colectivo vigente admita la concurrencia de otro convenio colectivo (STS 1 octubre 1998, Ar/7801). En este caso, se podrá aplicar el posterior, ya que entonces no habría realmente concurrencia, sino simplemente la aplicación de la voluntad del convenio anterior.

c) Salvo pacto en contrario negociado según el art. 83.2 del ET, que se trate de un acuerdo o convenio colectivo de Comunidad Autónoma que afecte a lo dispuesto en los de ámbito estatal y que haya sido pactado por los sindicatos y asociaciones empresariales que reúnan los requisitos de legitimación de los arts. 87 y 88 del ET, siempre que dicho pacto obtenga el respaldo de las mayorías exigidas para constituir la comisión negociadora en la correspondiente unidad de negociación (art. 84.3 ET) y siempre que no se refiera a alguna de las materias siguientes consideradas *«no negociables»*: el periodo de prueba, las modalidades de contratación, la clasificación profesional, la jornada máxima anual de trabajo, el régimen disciplinario, las normas mínimas en materia de prevención de riesgos laborales y la movilidad geográfica, *«salvo que resultare de aplicación un régimen distinto establecido mediante acuerdo o convenio colectivo de ámbito estatal negociado según el art. 83.2 del ET»* (art. 84.4 ET; STS de 19 de julio de 2007, Rec. 31/2006), sin que este listado pueda ser ampliado por convenio colectivo o por acuerdo interprofesional (STS 26 enero 2004, Rec. 21/2003).

d) Que se trate de convenios colectivos de empresa, de grupo de empresas o de una pluralidad de empresas vinculadas por razones organizativas o productivas y nominativamente identificadas, que tendrán prioridad aplicativa respecto del convenio sectorial estatal, autonómico o de ámbito inferior en una serie de materias (art. 84.2 ET).

Las reglas sobre la preferencia aplicativa de estos convenios colectivos son las siguientes:

1º) Estos convenios colectivos podrán negociarse en cualquier momento de la vigencia de convenios colectivos de ámbito superior y tendrán prioridad aplicativa respecto del convenio sectorial estatal, autonómico o de ámbito inferior en una serie de materias (art. 84.2 ET; STS de 8 de julio de 2014, Rec. 164/2013):

a) El abono o la compensación de las horas extraordinarias y la retribución específica del trabajo a turnos.

b) El horario y la distribución del tiempo de trabajo, el régimen de trabajo a turnos y la planificación anual de las vacaciones (la duración de la jornada y de las vacaciones no están incluidas: STS de 1 de abril de 2016. Rec. 147/2915).

c) La adaptación al ámbito de la empresa del sistema de clasificación profesional de los trabajadores (las tareas o funciones correspondientes a los grupos profesionales pero no la creación de otros grupos profesionales: STSJ de Navarra, de 30 de julio de 2014, Rec. 2472014).

d) La adaptación de los aspectos de las modalidades de contratación que se atribuyen por la presente Ley a los convenios de empresa.

e) Las medidas para favorecer la conciliación entre la vida laboral, familiar y personal.

f) Aquellas otras que dispongan los acuerdos y convenios colectivos a que se refiere el art. 83.2 del ET (acuerdos interprofesionales y convenios marco).

Esta enumeración de materias plantea desde luego problemas interpretativos acerca de su significado y alcance, debiendo utilizarse para la identificación de las materias de prioridad aplicativa la técnica del *espigueo*, esto es, analizar condición por condición (STS de 1 de abril de 2016, Rec. 147/2015)

2º) Se trata de una norma indisponible, siendo nulas las cláusulas del convenio colectivo superior que tratan de limitar la prioridad aplicativa del convenio de empresa o afín concurrente (STS de 26 de marzo de 2014, Rec. 129/2013. En todo caso, los acuerdos interprofesionales y convenios marco a que se refiere el art. 83.2 del ET *no podrán disponer de la prioridad aplicativa* de los convenios de empresa, de grupo de empresas o de una pluralidad de empresas vinculadas por razones organizativas o productivas y nominativamente identificadas.

3º) Respecto del convenio colectivo afectado de prioridad aplicativa, pese a la restrictiva literalidad de la ley, se debate acerca de si se incluyen o no los convenios colectivos de centro de trabajo y de grupo de trabajadores, existiendo doctrina judicial contradictoria (a favor, aunque no de forma directa y rotunda, se manifiesta la STS de 1 de abril de 2016, Rec. 147/2015).

4º) El art. 84.2 del ET no posee eficacia retroactiva, jugando la prioridad aplicativa de estos convenios solamente a partir de la entrada en vigor de la Ley de Reforma Laboral de 2012 (STS de 26 de marzo de 2014, Rec. 129/2013).

Por otro lado, la STS de 18 de febrero de 2015 (Rec. 18/2014) ha declarado que las condiciones de aplicación prioritaria de estos convenios solo tendrán efectos desde la firma del mismo, sin que pueda darse una aplicación retroactiva, *porque ello supondría una normalización del incumplimiento*.

5º) En el caso de que concurran dos convenios con prioridad aplicativa (un convenio de grupo de empresas y un convenio de empresa, por ejemplo), la doctrina mayoritaria se inclina por entender aplicable el principio de no concurrencia del art. 84.1 del ET (GORELLI FERNÁNDEZ, CRUZ VILLALÓN; DEL REY GUANTER es partidario de dar prioridad al convenio de empresa).

6º) En cuanto a la duración de la prioridad aplicativa de estos convenios, se plantea el clásico problema interpretativo de si finalizará su duración con el vencimiento y denuncia del convenio o si se extenderá al periodo de ultraactividad, no existiendo jurisprudencia hasta la fecha, si bien es previsible que se extienda su duración a este periodo *«mientras exista expectativa de una nueva negociación»*, como sucede con la no concurrencia aplicativa de los convenios (CASAS BAAMONDE).

7º) Cuestionada la constitucionalidad de esta prioridad aplicativa de los convenios colectivos de empresa, de grupo de empresas y de empresas afines por entenderse atentatoria del derecho de negociación colectiva y la fuerza vinculante de los convenios colectivos y de la libertad sindical, las SSTC de 16 de julio de 2014 y de 22 de enero de 2015 han declarado su constitucionalidad.

Conviene señalar a continuación otros límites al principio legal de la no concurrencia entre convenios colectivos estatutarios. Así:

1º) En primer lugar, en todo caso, las reglas legales acerca de la concurrencia entre convenios colectivos estatutarios, propiamente, no limitan tanto la libertad de elección de la unidad de negociación cuanto la aplicación de los convenios colectivos.

Así, durante la vigencia de un convenio colectivo podrá negociarse otro de ámbito distinto sin que éste sea nulo, resultando no obstante inaplicable por ser de aplicación preferente el convenio colectivo anterior (SSTS de 27 de marzo y 31 de octubre de 2003, Ar/2004/589 y Ar/5163, de 24 de abril de 2006, Ar/4708, de 19 de septiembre y 13 de noviembre de 2007, Ar/9175 y Ar/2008/998, de 23 de octubre de 2012, Rec. 228/2011 o de 1 de diciembre de 2015, Rec. 349/2014), salvo en determinadas materias en el caso de tratarse de un convenio colectivo de empresa, de grupo de empresas o de una pluralidad de empresas, siempre que no se hayan establecido reglas distintas por los acuerdos o convenios colectivos de ámbito estatal o de Comunidad Autónoma (art. 84.2 ET) (ver supra).

2º) En segundo lugar, la ley prohíbe la concurrencia aplicativa durante la vigencia de un convenio. Por tanto, a partir del momento en que deje de estar vigente un convenio, su ámbito de aplicación podrá ser ocupado por otro convenio del mismo o de distinto ámbito (SSTS de 29 de enero de 1992, Ar/133 o de 2 de febrero de 2004, Rec. 3069/2002).

A estos efectos, un convenio dejará de estar vigente cuando concluya la duración prevista en el mismo, previa denuncia expresa de una de las partes (art. 86.2 del ET). A partir de este momento la prohibición de concurrencia desaparece y es posible la aplicación de convenios colectivos de ámbito superior o inferior al hasta entonces aplicable.

Desde luego, la prórroga anual a que se refiere el art. 86.2 del ET cuando no exista denuncia debe equipararse a la vigencia efectiva del convenio a estos efectos, resultando inaplicable otro convenio mientras el preexistente no hubiera sido denunciado (STCT de 20 de septiembre de 1984, Ar/7273).

Como regla general, el Tribunal Supremo venía manteniendo que la prohibición de afectación no se aplicaba a los convenios en situación de ultraactividad del art. 86.3 del ET, ya que esta prórroga de efectos «*no es confundible con la vigencia a que se refiere el artículo 84 del mismo cuerpo legal*», pues otra conclusión «*supondría la "petrificación" de la estructura de la negociación colectiva y sería contraria a un sistema de libre negociación, en tanto que quedarían predeterminadas externamente las unidades correspondientes*» (SSTS de 23 de octubre de 1995, Rec. 2054/94; de 2 de febrero de 2004, Rec. 3069/02; o de 17 de mayo de 2004, Rec. 101/2003).

No obstante, esta regla general se exceptuó con el fin de proteger «*impermeabilizando*» la unidad de negociación inferior preexistente frente a su absorción por las de ámbito superior cuando la negociación de sustitución de aquella está activa (STS de 10 de diciembre de 2012, Rec. 48/2012), extendiendo más tarde esta doctrina a todos los convenios colectivos (SSTS de 30 de diciembre de 2015, Rec. 255/2014 o de 12 de diciembre de 2018, Rec. 166/2017).

Finalmente, la STS de 5 de octubre de 2021 (Rec. 4815/2018) ha vuelto a la tesis jurisprudencial tradicional, afirmando que «*la prohibición de concurrencia entre convenios colectivos que proclama como regla general el art. 84.1 ET se extiende durante la vigencia del convenio preexistente. Expresión legal que hay que entender como la referida a la vigencia inicial prevista en el convenio o prorrogada expresamente por las partes, pero no al período posterior a tal vigencia, una vez el convenio ha sido denunciado, conocido como de vigencia ultraactiva, ya sea prevista en el propio convenio o, en su defecto, la establecida en el art. 86.3 ET*}. A la vista de la rotundidad de la doctrina sentada por la Sentencia, podría parecer que la vuelta a la tesis «*tradicional*» de la «*no impermeabilización*» de los convenios colectivos se ha hecho «*sin fisuras*», esto es, para todos los casos, con independencia de que se trate de un convenio colectivo de empresa o sectorial el que se encuentre en situación de ultraactividad y, desde luego, con independencia del contenido favorable o desfavorable de los convenios concurrentes.

3º) En tercer lugar, por lo que se refiere al significado de la palabra «*afectar*», es claro que por tal debe entenderse la modificación, total o parcial, de lo ya pactado en el convenio colectivo de referencia. En todo caso, la concurrencia únicamente se produce si ambos convenios contienen regulaciones contrarias o divergentes, no si el nuevo convenio establece una regulación complementaria o suplementaria del anterior (SSTS de 24 de noviembre y 1 de diciembre de 2015, Rec. 136/2014 y 349/2014).

4º) En cuarto lugar, en cuanto a eventuales incidencias posteriores en el ámbito de que se trate sobre materias no contempladas en el mismo, podrán coexistir dos o más convenios colectivos estatutarios cuando se refieran a materias distintas y estén negociados en el mismo ámbito.

5º) En quinto lugar, a la vista del art. 84 del ET, lo que no cabe aplicar es *«otro convenio colectivo sobre la misma materia sujeto a las normas del ET»* (SSTS de 17 de octubre y 27 de diciembre de 1994. Ar/8052 y 10508, de 14 de febrero de 1996. Ar/1017 o de 12 de diciembre de 2006, Ar/2007/283). De donde se desprende que la regla del art. 84 ET no se aplica a la relación entre un convenio estatutario y otro extraestatutario.

300. El convenio colectivo aplicable a los trabajadores de las empresas contratistas y subcontratistas. El nuevo art. 46.2 del ET, introducido por el Real Decreto-Ley 32/2021, con la doble finalidad de establecer unas condiciones de trabajo dignas para los trabajadores de las empresas contratistas y subcontratistas y de garantizar a estas empresas frente a la competencia desleal entre ellas por la vía del *«dumping social»*, establece una suerte de articulación negocial desde la ley. Dirá en este sentido la Exposición de Motivos del Real Decreto-Ley lo siguiente: se pretende *«evitar que se utilice la externalización de servicios, a través de la subcontratación, como mecanismo de reducción de los estándares laborales de las personas que trabajan para las empresas subcontratistas»* y que *«las empresas compitan sobre la base de factores como la productividad, la eficiencia y el nivel de formación y de capacitación de la mano de obra, así como de la calidad de sus bienes y servicios y su grado de innovación, evitando las distorsiones competitivas derivados del uso de la externalización productiva como mecanismo de reducción de costes»*.

Así, el art. 42.6 del ET establece que *«el convenio colectivo de aplicación para las empresas contratistas y subcontratistas será el del sector de la actividad desarrollada en la contrata o subcontrata, con independencia de su objeto social o forma jurídica, salvo que exista otro convenio sectorial aplicable conforme a lo dispuesto en el título III. No obstante, cuando la empresa contratista o subcontratista cuente con un convenio propio, se aplicará éste, en los términos que resulten del artículo 84»*.

No obstante la plausible intención manifestada claramente en la Exposición de Motivos, ésta no queda garantizada con la dicción literal del nuevo art. 42.6 del ET, ya que en ningún momento se establece la aplicación del convenio colectivo de la empresa principal (como hace el art. 11.1 de la Ley 14/1994, de 1 de junio, por la que se regulan las empresas de trabajo temporal) y ni siquiera se establece con rotundidad la preferencia o prioridad aplicativa de los convenios colectivos sectoriales aplicables a los trabajadores de una empresa contratista o subcontratista en la materia salarial, ya que el nuevo precepto legal establece la «salvedad» de que «la empresa contratista o subcontratista cuente con un convenio propio», en cuyo caso se aplicará éste, si bien matiza esta última afirmación señalando que «en los términos que resulten del art. 84», con lo que parece dar a entender —si bien este entendimiento exige una interpretación sistemática no fácil, dado que se remite al art. 84 en general y no al art. 84.2 en particular— que en materia salarial no se aplicará nunca el convenio de la empresa contratista o subcontratista sino el convenio colectivo sectorial de la actividad desarrollada en la empresa principal.

De esta manera, ciertamente «alambicada», el Real Decreto-Ley parece venir a establecer un «salario mínimo standard» en los distintos sectores de actividad de una empresa contratista o subcontratista, de imposible reducción por el convenio de empresa o asimilado de estas últimas, impidiendo los convenios colectivos de éstas negociados muy probablemente «a la baja» en materia salarial respecto del convenio colectivo sectorial, como ha quedado suficientemente demostrado en los últimos años de aplicación de la Reforma de 2012.

Por otra parte, el nuevo precepto alude a una segunda salvedad en la aplicación del convenio del sector de la actividad real (no la que figure en su objeto social) desarrollada en la contrata o subcontrata, aludiendo a la posibilidad de «que exista otro convenio sectorial aplicable conforme a lo dispuesto en el Título III».

No resulta fácil interpretar a qué convenios sectoriales pudiera referirse la norma con esta ambigua referencia a «otro convenio sectorial aplicable conforme a lo dispuesto en el Título III», pensando probablemente en un eventual y futuro convenio colectivo sectorial de empresas multiservicios. O, acaso también, en los conflictos aplicativos en el sector hotelero entre el convenio colectivo de limpieza y el convenio colectivo de hostelería.

En el caso de que una empresa multiservicios prestase varios servicios en una misma empresa principal, deberá aplicarse a los trabajadores que presten tales servicios los convenios de los sectores de actividad correspondientes, pudiéndose, desde luego, plantearse problemas aplicativos en el caso de que un mismo trabajador prestara distintos servicios y, mucho más, si los prestara de manera indistinta a lo largo de la jornada laboral (STS de 11 de junio de 2020, Rec. 9/2019).

En todo caso, este nuevo precepto legal operará en todas las contratas y subcontratas y no solamente en aquellas cuya actividad se corresponda con la propia actividad de la empresa principal, ya que el título del art. 42 del ET habla en general de «subcontratación de obras y servicios» y su párrafo sexto de «empresas contratistas y subcontratistas» sin otra especificación.

El Real Decreto-Ley establece sin embargo una excepción expresa de la aplicación del nuevo art. 42.6 del ET a los centros especiales de empleo. En la nueva

Disposición Vigesimoséptima del ET se señala que *«en los casos de contratas y subcontratas suscritas con los centros especiales de empleo regulados en el texto refundido de la Ley General de derechos de las personas con discapacidad y de su inclusión social, aprobado por el Real Decreto Legislativo 1/2013, de 29 de noviembre, no será de aplicación el art. 42.6 del ET».*

c) El contenido de los convenios

301. Las distintas cláusulas de un convenio colectivo. En un convenio colectivo, además de las denominadas *«cláusulas delimitadoras»*, es posible distinguir entre las *«cláusulas normativas»* —aquellas dirigidas a los sujetos obligados por el convenio (los trabajadores y empresarios individuales y los representantes de unos y otros)— y las *«cláusulas obligacionales»* —las dirigidas a las partes negociadoras del convenio— (SSTS de 21 de diciembre de 1994, Ar/10346, de 29 de mayo de 1996, Ar/4703 o de 16 de junio de 1998, Ar/5398).

a') El contenido normativo

302. El principio de libertad de contenido negocial: Las cláusulas normativas. Los convenios colectivos pueden regular un amplio abanico de temas dado que rige una libertad plena de las partes con el único límite general del *«respeto a las leyes»* (arts. 3.3 y 85.1 ET; STC 210/1990, de 20 de diciembre).

El contenido material posible del convenio colectivo viene enumerado en el art. 85.1 ET, reiterando con mayor detalle lo que con carácter general establece el art. 82.2 ET. Así, interpretando estos preceptos legales, será posible negociar:

1º) Las condiciones que afecten a las relaciones individuales de trabajo *(«materias de índole laboral económica… y cuantas otras afecten a las condiciones de empleo»)*, tales como salarios, ascensos, jornadas, traslados, excedencias, vacaciones, horas extraordinarias, descanso semanal, etc.

2º) Las condiciones que afecten a las relaciones colectivas *(«materias de índole sindical… y en general cuantas otras afecten al ámbito de relaciones de los trabajadores y sus organizaciones representativas con el empresario y las asociaciones empresariales»)*, tales como las garantías de los representantes legales de los trabajadores (STS de 14 de abril de 1999, Ar/4402), los mecanismos de participación en la gestión de los trabajadores, la ampliación de los derechos de las secciones sindicales de empresa o la recaudación de cuotas o del canon sindical (SSTS de 26 de diciembre de 1989. Ar/9628, de 24 de enero de 1990. Ar/206 o de 13 de julio de 1994. Ar/7049, entre otras muchas).

3º) Materias relativas a la actuación económica empresarial con repercusión en las condiciones de trabajo (materias de índole económica») , tales como la política de inversiones o las reestructuraciones organizativas empresariales (STS de 24 de enero de 1990, Ar/206. La STS de 14 de abril de 1999, Ar/4402, niega carácter de *«negociación colectiva laboral»* a un pacto sobre ampliación del capital social).

4º) Las materias de seguridad social complementaria (SSTS de 24 de abril de 1990. Ar/3140, 26 de julio de 1995. Ar/6722, 20 de diciembre de 1996. Ar/9812 y 25 de enero o 17 de abril de 2000, Ar/1310 y 2768), cuya negociación viene autorizada por la LGSS (arts. 39, 191 y 192) y, en general, todas aquellas materias que afecten a la *«situación social de los trabajadores»* (DURÁN), tales como viviendas, guarderías, transportes, etc. Y ello pese a haber suprimido en la reforma de 1994 del art. 85.1 del ET la referencia a *«materias de índole asistencial»*, por irrelevante.

303. Límites al contenido negocial. Los límites que con carácter general las leyes señalan y que los convenios no pueden traspasar son los siguientes:

1º) En primer lugar, los convenios colectivos *«deberán respetar en todo caso los mínimos de derecho necesario»* (art. 3.3 ET) y las *«leyes»* (art. 85.1 ET). Por consiguiente, no podrán desconocer ni los preceptos de derecho necesario absoluto, esto es, indisponibles en cualquier sentido para las partes (así, las materias procesales —SSTC de 19 de noviembre de 1992 o de 23 de julio de 1996— las materias administrativas —STC de 20 de junio 1994 o STS de 20 de diciembre de 1996, Ar/9812— o que afecten a terceros —STS de 28 de octubre de 1996, Ar/7797—), ni los preceptos de derecho necesario relativo, tanto los máximos —indisponibles a efectos de mejora pero disponibles hacia abajo— como los mínimos —indisponibles hacia abajo, pero disponibles a efectos de mejora para los trabajadores—.

Estos preceptos de derecho necesario constituirán las paredes, el techo y el suelo de la negociación colectiva, que deberá realizarse dentro de esos límites (por todas, SSTC de 30 de abril de 1985 o de 20 de diciembre de 1990 o SSTS u.d. de 25 de febrero de 1988, Ar/948, de 24 de enero de 1992, Ar/69, de 14 de febrero de 1992, Ar/988, de 9 de marzo de 1992, Ar/1629, de 4 de mayo de 1994, Ar/7725, de 11 de mayo de 1997, Ar/3974, de 16 de junio de 1998, Ar/4397, de 17 de julio de 2000, Ar/7411 o de 22 de diciembre de 2005, Rec. 197/2003).

La STS de 18 de enero de 2000, Ar/950, establece que los incrementos de la masa salarial impuestos por las sucesivas leyes de presupuestos limitan los aumentos salariales efectuados en los convenios colectivos).

2º) En segundo lugar, los convenios colectivos deberán respetar las condiciones más beneficiosas de origen contractual, que por pertenecer a la esfera individual del trabajador son indisponibles colectivamente (art. 3.1.c ET). Y ello con independencia del juego de la absorción y compensación de condiciones (SSTC de 30 de abril de 1985, de 28 de junio de 1993 o de 30 de abril de 1996; SSTS de 20 de diciembre de 1999, Rec. 2481/1999 o de 5 de abril de 2001, Ar/4886).

En cuanto a las condiciones más beneficiosas disfrutadas con anterioridad con base en el convenio anterior, salvo que las partes del nuevo convenio decidan respetarlas «ad personam», no constituirán límite alguno a la negociación, siendo perfectamente disponibles y negociables (arts. 82.4 y 86.4 del ET; (SSTS, u.d., de 21 de mayo de 1990, Ar/4481, de 11 de mayo de 1992, Ar/3542 o de 5 de abril de 2001, Ar/4886).

3º) En tercer lugar, cabría señalar como límite genérico de la negociación colectiva la existencia de un principio de igualdad de trato que va más allá del principio de no discriminación por una serie de causas enumeradas en los arts. 14 CE y 4.2.c y 17.1 del ET (SSTC de 10 de octubre de 1988, de 19 de octubre de 1989, de 31 de mayo de 1993 o de 28 de febrero de 1994 o SSTS de 22 de mayo y 27 de noviembre de 1991, Ar/6826 y 8420, de 7 de julio de 1995, Ar/5483, de 22 de enero de 1996, Ar/479, de 14 de mayo de 1998, Ar/4651 o de 23 de marzo de 2004, Rec. 2/2004).

En relación con las cláusulas convencionales de doble escala salarial, la trayectoria de nuestra jurisprudencia ha sido ciertamente contradictoria.

Así, en un primer momento, la jurisprudencia del Tribunal Supremo aceptó la desigualdad retributiva basada en la fecha de ingreso en la empresa (la doble escala salarial establecida en un convenio colectivo estatutario) como el mantenimiento de un «status más favorable» del trabajador con base en el anterior convenio colectivo (por todas, SSTS de 21 de mayo de 1990, Ar/4481; de 24 de octubre de 1995, Rec. 3541/1995; o de 5 de abril de 2001, Ar/4486).

En un segundo momento, la jurisprudencia daría un «giro copernicano» a partir de las SSTS de 22 de enero de 1996, Rec. 523/1995 y de 18 de diciembre de 1997, Rec. 175/1997, manteniéndose esta doctrina, recientemente, entre otras muchas, en la SSTS, en unificación de doctrina, de 8 de octubre de 2019, Re. 3366/2018, o de 22 de octubre de 2019, Rec. 1288/2018, 2616/2018, 2622/2018, 3690 y 3685/2018. En esta nueva jurisprudencia se mantiene la nulidad de las cláusulas convencionales de doble escala salarial basadas exclusivamente en la fecha de ingreso de los trabajadores en la empresa, a salvo que exista otra justificación objetiva, razonable y proporcional, por atentar contra el «principio de igualdad de trato» del art. 14 de la CE. Quedará claro con esta nueva tesis interpretativa que no es posible aceptar que la fecha de ingreso en la empresa pueda justificar un trato retributivo desigual, por entender, con carácter general, que un convenio colectivo, dada su naturaleza normativa, no puede crear «condiciones más beneficiosas de carácter individual» o «derechos adquiridos» para el trabajador dado que las condiciones creadas por una norma (en este caso convencional) «nacen viven y mueren con la norma»; y, con carácter específico, que la fecha de entrada en la empresa no constituye por sí sola una «*causa razonable*» justificativa de un trato retributivo desigual entre los trabajadores de una misma empresa.

La doctrina mantenida viene a ser, sintéticamente, la siguiente:

1º) Un convenio colectivo estatutario, como fuente normativa que es de las relaciones laborales, tiene que someterse al principio de igualdad de trato y no solo al principio de no discriminación por una serie de causas constitucional y legalmente enumeradas, a diferencia de los pactos individuales y las decisiones empresariales unilaterales que únicamente se encuentran sometidos al principio de no discriminación.

Así pues, el restablecimiento de la legalidad y de la igualdad vulneradas exigirá la anulación de la desigualdad con la consecuencia de la equiparación retributiva de los trabajadores afectados o, como señaló la STS de 1 de octubre de 2019, Rec. 2417/2018, «*la existencia de una doble escala y su ausencia de justificación válida abocan a la declaración de nulidad parcial, es decir, a la generalización del nivel retributivo superior a favor de todas las personas (equiparación in melius), con independencia de la fecha en que hayan comenzado a trabajar*».

2º) La igualdad de trato no es sin embargo absoluta, existiendo un margen para establecer diferencias retributivas entre los distintos trabajadores de la empresa «*siempre que tales diferencias sean razonables, objetivas, y proporcionadas*» en función de las particulares circunstancias concurrentes en cada caso.

3º) La fecha de la contratación de los trabajadores en una empresa no puede ser por sí sola el único hecho diferencial justificativo de un tratamiento retributivo diferente en un convenio colectivo

Esta discriminación alcanza tanto a las discriminaciones entre trabajadores de la empresa cláusulas que establecen retribuciones inferiores para las mujeres para idénticos trabajos (STC de 1 de julio de 1991), que fijan pluses de antigüedad distintos para los trabajadores de la empresa (STS de 27 de noviembre de 1991, Ar/8420), que establecen una doble escala retributiva en función de la fecha de incorporación a la empresa (SSTS de 25 de julio de 2002, Ar/9904 o de 20 de septiembre de 2002, Ar/500), que excluyen a los trabajadores temporales (SSTC de 7 de mayo o de 22 de julio de 1987 o SSTS de 3 de octubre de 2000, Ar/8659 o de 19 de marzo de 2001, Ar/3388), que fijan condiciones inferiores para el personal no fijo (SSTC de 31 de mayo de 1993) o para el personal fijo en atención a la fecha de entrada en la empresa (STS de 18 de diciembre de 1997, Ar/9517), que establecen condiciones inferiores para los trabajadores a tiempo parcial no justificadas en el principio de proporcionalidad (STS de 27 de noviembre de 1991, Ar/8420) o para los trabajadores afiliados a determinados sindicatos (STS de 18 de enero de 1995, Ar/357), como a las discriminaciones que afecten a terceros (cláusulas de seguridad sindical vinculando la contratación o las condiciones de trabajo a la afiliación a los sindicatos firmantes o pactos estableciendo preferencias en el empleo para los huérfanos o hijos de trabajadores de la empresa).

4º) En cuarto lugar, sin perjuicio de la libertad de contratación que se reconoce a las partes en los convenios colectivos, será obligatorio negociar medidas dirigidas a promover la igualdad de trato y de oportunidades entre mujeres y hombres o, en su caso, planes de igualdad (art. 45 de la LOI), deber de negociar planes de igualdad en las empresas de más de 250 trabajadores que se articulará en la negociación colectiva de la siguiente forma: «*a) En los convenios colectivos de ámbito empresarial, el deber de negociar se formalizará en el marco de la negociación de dichos convenios. b) En los convenios colectivos de ámbito superior a la empresa, el deber de negociar se formalizará a través de la negociación colectiva que se desarrolle en la empresa en los términos y condiciones que se hubieran establecido en los indicados convenios para cumplimentar dicho deber de negociar a través de las oportunas reglas de complementariedad*» (art. 85.2 ET).

5º) En quinto lugar, en cuanto a las cláusulas convencionales de jubilación forzosa, «*se entenderán nulas y sin efecto las cláusulas de los convenios colectivos que posibiliten la extinción del contrato de trabajo por el cumplimiento por parte del trabajador de la edad ordinaria de jubilación fijada en la normativa de la Seguridad Social, cualquiera que sea la extensión y alcance de dichas cláusulas*» (Nueva Disposición Adicional Décima del ET, según redacción de la Ley 3/2012, de 6 de julio, declarada constitucional por la STC de 22 de enero de 2015). Lo que no impedirá que estas mejoras contractuales sean absorbidas o compensadas por las mejoras convencionales posteriores, salvo pacto expreso en contrario de renuncia del empresario (SSTC de 30 de abril de 1985 y de 20 de diciembre de 1990; STS de 5 de abril de 2001). Por lo que respecta a las condiciones más beneficiosas disfrutadas con anterioridad en base al convenio anterior, salvo que las partes del nuevo convenio decidan respetarlas «*ad personam*» no constituirán límite alguno a la negociación, siendo disponibles y negociables (arts. 82.4 y 86.4 del ET; SSTS de 21 de mayo de 1990, Ar/4481, de 11 de mayo de 1992 y de 20 de diciembre de 1999).

6º) En sexto lugar, están prohibidas las cláusulas gravemente lesivas de los intereses de terceros (ver infra).

304. Consideración especial de la política de rentas salariales. Una cuestión de amplio alcance es la de si es posible la intervención estatal limitando la negociación de los salarios. La cuestión, a la vista del amplio reconocimiento de una libertad negocial en el ET y en la Constitución, hay que plantearla en el contexto necesariamente ambiguo de la interpretación del alcance del derecho de negociación colectiva en el texto constitucional y a la vista de otros derechos constitucionales concurrentes.

Se trata, pues, de identificar el precepto constitucional que pudiera servir de fundamento a una política de rentas salariales por parte del Estado, limitativa de la libertad negocial reconocida, teniendo en cuenta los pronunciamientos internacionales sobre la materia y más, concretamente, a la doctrina sentada por el Comité de Libertad Sindical de la OIT, como criterios de interpretación de nuestra Constitución, *«ex art. 10.2»* de la misma.

En este último sentido, hay que decir que las decisiones del Comité de Libertad Sindical de la OIT no cierran completamente el paso a una política de rentas salariales, aunque no parece existir un criterio uniforme. Así, por ejemplo, en el Informe 110, caso nº 503, el Comité afirmó que *«si en virtud de una política de estabilización un gobierno considerase que las tasas de salarios no pueden fijarse libremente por negociación colectiva, tal restricción debería aplicarse como medida de excepción, limitarse a lo necesario, no exceder de un período razonable e ir acompañada de garantías adecuadas para proteger el nivel de vida de los trabajadores»* (en el mismo sentido, el Informe 129, caso nº 385; y el Informe 132, caso nº 691). En otros supuestos, se ha señalado la conveniencia de fijar mecanismos de consulta, a nivel nacional, que faciliten acuerdos en los que las partes *«tengan voluntariamente en cuenta las cuestiones de política económica y social del gobierno y la salvaguardia del interés general»* y, pese a que se plantea el supuesto de que la autoridad pública *«considerase que los términos del convenio propuesto son claramente contrarios a los objetivos de política económica»*, termina por concluir que queda *«entendido que las partes quedan libres de adoptar la decisión final»* (Informe 85, caso nº 431, y, en el mismo sentido, Informe 118, caso nº 559, Informe 1332, caso nº 691).

Si tratamos de encontrar un punto común, habrá que concluir que una política de rentas debería en todo caso ir acompañada de un intento previo de determinación de los topes salariales y, sobre todo, ser objeto de un previo proceso de consulta ante los organismos adecuados. El Comité habla en este sentido de *«un organismo consultivo tal como un Consejo Nacional consultivo de política social»*.

Descendiendo al orden normativo interno español, la doctrina científica (SAGARDOY, DURÁN, CAMPS y LÓPEZ GANDÍA) ha considerado que existe una base para la política de rentas en el art. 131 de la Constitución o en el art. 40.1 de la Constitución (RAMÍREZ y SALA), entendiendo que el artículo 131 de la Constitución tendría un carácter instrumental para alcanzar los objetivos del art. 40.

Así pues, una política de rentas, con apoyo constitucional en el art. 40 de la Constitución, no precisaría necesariamente del desarrollo previo del art. 131, pero en función de los criterios de la OIT —que resultan vinculantes en clave de interpretación, según el art. 10.2 de la Constitución— no podría ser adoptada sino en circunstancias excepcionales y sólo tras previas consultas con los grupos de intereses afectados, de modo similar a lo previsto en el art. 131 (RAMÍREZ y

SALA). En este sentido viene manifestándose la jurisprudencia (por todas, SSTS de 25 de febrero y 25 de marzo de 1998, Ar/1965 y 3013 o de 16 de febrero de 1999, Ar/2596).

b') El contenido obligacional

305. Las cláusulas obligacionales de los convenios colectivos. Junto al contenido normativo, los convenios colectivos pueden incluir también cláusulas de naturaleza obligacional, tendentes a garantizar la eficacia del convenio colectivo mediante la imposición de derechos y obligaciones a las partes contratantes (STS de 21 de diciembre de 1994. Ar/10346).

El ET, en su art. 82.2, habla de *«regular la paz laboral a través de las obligaciones que se pacten»*, refiriéndose a eventuales cláusulas de deber de paz absoluto por la que se renuncia al ejercicio del derecho de huelga durante la vigencia del convenio (STC de 14 de junio de 1993) o al establecimiento de reglas para la solución de los conflictos que se susciten durante la vigencia del convenio.

A esto último se refiere el art. 91 del ET, previendo el establecimiento de procedimientos de mediación y arbitraje para la solución de controversias colectivas derivadas de la aplicación e interpretación de los convenios colectivos (ver infra), el art. 85.2 d) del ET, obligando a determinar los procedimientos para solventar las discrepancias en el seno de la comisión paritaria o el art. 85.1 del ET, estableciendo la posibilidad de pactar procedimientos para resolver las discrepancias que surjan en los procedimientos de consulta/negociación previstos en los arts. 40, 41, 47 y 51 del ET.

c') El contenido mínimo

306. El contenido mínimo de los convenios colectivos. El art. 85.3 del ET habla de un *«contenido mínimo»* de los convenios colectivos refiriéndose a una serie de aspectos que enumera a continuación.

Lo que no queda ni mucho menos claro en la ley es si se trata de un verdadero mandato legal imperativo o una mera *«recomendación legal»*, por cuanto en el art. 85.3 del ET se dice, contradictoriamente, que *«sin perjuicio de la libertad de contratación a que se refiere el apartado anterior, los convenios habrán de expresar como contenido mínimo lo siguiente»*.

El contenido mínimo de los convenios colectivos se refiere a lo siguiente:

a) Determinación de las partes que los conciertan, esto es, de los legitimados por los arts. 87 y 88 del ET.

b) Ámbito personal, funcional, territorial y temporal de aplicación del convenio colectivo.

c) Procedimientos para solventar de manera efectiva las discrepancias que puedan surgir para la no aplicación de las condiciones de trabajo a que se refiere el art. 82.3 del ET, adaptando, en su caso, los procedimientos que se establezcan a este respecto en los acuerdos interprofesionales de ámbito estatal o autonómico conforme a lo dispuesto en tales artículos.

d) Forma, condiciones y plazo mínimo del preaviso de denuncia del convenio antes de finalizar su vigencia.

e) Designación de una comisión paritaria de la representación de las partes negociadoras para entender de aquellas cuestiones establecidas en la ley y de cuantas otras le sean atribuidas, así como establecimiento de los procedimientos y plazos de actuación de esta comisión, incluido el sometimiento de las discrepancias producidas en su seno a los sistemas no judiciales de solución de conflictos establecidos mediante los acuerdos interprofesionales de ámbito estatal o autonómico previstos en el art. 83 del ET.

Aunque la ley no exige que los miembros de la comisión paritaria sean miembros de la comisión negociadora, es lógico que así sea (SSTS de 9 de mayo de 2001 o de 13 de marzo de 2002). En todo caso, no podrá atribuirse a las comisiones paritarias funciones «*negociadoras*» sino simplemente «*administradoras*» del convenio, esto es, de interpretación, adaptación y aplicación del convenio (SS. TS de 3 de junio de 1991, de 28 de enero de 2000 o de 14 de octubre de 2005).

d') Remisiones de la ley a la negociación colectiva

307. Tres tipos de remisión legal a la negociación colectiva. En materia de negociación colectiva, son abundantes las remisiones de la ley a la misma, bien dispositivizando determinados preceptos legales a los efectos de la negociación colectiva, bien delegando totalmente en ella la regulación de determinadas materias o bien delegando parcialmente y reclamando de la negociación colectiva la concreción de determinados mandatos legales.

Los efectos de uno y otro tipo de remisión legal son distintos. Así:

a) En el caso de dispositivización de la regulación de una determinada materia, admitiendo el pacto colectivo (o, incluso, en ocasiones, también, el pacto individual) en contrario («*salvo pacto en contrario*»), la norma legal solamente se aplicará en defecto de norma convencional sobre esa materia.

b) En el caso de delegación total respecto de la regulación de una materia, de no existir una expresa regulación en el convenio colectivo, no existirá regulación y la ordenación de esa materia pertenecerá al ámbito del poder de dirección y organización de la empresa del empresario.

c) En el caso de delegación parcial respecto de la regulación de una materia, se plantea el problema de saber cuando nace para el trabajador el derecho que la ley establece, en la medida en que resulta incompleta la regulación legal sin la asistencia del convenio colectivo.

En unos y en otros supuestos, las remisiones se hacen en unos casos a los convenios colectivos en general; en otros casos, tan sólo a los convenios colectivos sectoriales o supraempresariales; y, en otros más, a los acuerdos entre la empresa y los representantes del personal. En alguna ocasión se llega más lejos en la remisión legal, haciéndolo a la propia contratación individual.

Por lo demás, en unos casos, la remisión legal se hace en blanco y, en otros, sometiendo la negociación colectiva o la contratación individual a determinados límites legales.

308. Los supuestos de dispositivización en el ET. Los supuestos de dispositivización de preceptos legales localizados en el ET son los siguientes:

1) Art. 11.3 e) del ET: dispositiviza la duración del período de prueba del contrato de trabajo en prácticas respecto de los convenios colectivos en general: «*Se podrá establecer un periodo de prueba que en ningún caso podrá exceder de un mes, salvo lo dispuesto en convenio colectivo*».

2) Art. 11.3.j) del ET: dispositiviza la fijación de la retribución mínima del contrato de trabajo en prácticas respecto de los convenios colectivos en general: «*La retribución por el tiempo de trabajo efectivo será la fijada en el convenio colectivo aplicable en la empresa para estos contratos o en su defecto la del grupo profesional y nivel retributivo correspondiente a las funciones desempeñadas. En ningún caso la retribución podrá ser inferior a la retribución mínima establecida para el contrato para la formación en alternancia ni al salario mínimo interprofesional en proporción al tiempo de trabajo efectivo*».

3) Art. 11.2.m) del ET: dispositiviza la fijación de la retribución mínima del trabajador en formación respecto de los convenios colectivos en general: «*La retribución será la establecida para estos contratos en el convenio colectivo de aplicación. En defecto de previsión convencional, la retribución no podrá ser inferior al sesenta por ciento el primer año ni al setenta y cinco por ciento el segundo, respecto de la fijada en convenio para el grupo profesional y nivel retributivo correspondiente a las funciones desempeñadas, en proporción al tiempo de trabajo efectivo. En ningún caso la retribución podrá ser inferior al salario mínimo interprofesional en proporción al tiempo de trabajo efectivo*».

4) Art. 12.4.b) del ET: dispositiviza el régimen de interrupciones de la jornada diaria en el trabajo a tiempo parcial respecto de los convenios colecti-

vos en general: «*Cuando el contrato a tiempo parcial conlleve la ejecución de una jornada diaria inferior a la de los trabajadores a tiempo completo y esta se realice de forma partida, solo será posible efectuar una única interrupción en dicha jornada diaria, salvo que se disponga otra cosa mediante convenio colectivo*».

5) Art. 14.1 del ET: dispositiviza la duración del periodo de prueba respecto de los convenios colectivos en general: «*Podrá concertarse por escrito un periodo de prueba, con sujeción a los límites de duración que, en su caso, se establezcan en los convenios colectivos. En defecto de pacto en convenio, la duración del periodo de prueba no podrá exceder de seis meses para los técnicos titulados, ni de dos meses para los demás trabajadores. En las empresas de menos de veinticinco trabajadores el periodo de prueba no podrá exceder de tres meses para los trabajadores que no sean técnicos titulados. En el supuesto de los contratos temporales de duración determinada del artículo 15 concertados por tiempo no superior a seis meses, el periodo de prueba no podrá exceder de un mes, salvo que se disponga otra cosa en convenio colectivo*».

6) Art. 15.2 del ET: dispositiviza la duración máxima de los contratos temporales por circunstancias de la producción respecto de los convenios colectivos sectoriales estatales: «*Por convenio colectivo de ámbito sectorial se podrá ampliar la duración máxima del contrato hasta un año*».

7) Art. 26.3 del ET: dispositiviza el carácter no consolidable de los complementos salariales vinculados al puesto de trabajo o a la situación y resultados de la empresa, respecto de los convenios colectivos en general: «*Igualmente se pactará el carácter consolidable o no de dichos complementos salariales, no teniendo el carácter de consolidables, salvo acuerdo en contrario, los que estén vinculados al puesto de trabajo o a la situación y resultados de la empresa*».

8) Art. 29.1 del ET: dispositiviza el recibo de salarios respecto de los convenios colectivos en general o, en su defecto, de los acuerdos de empresa: «*El recibo de salarios se ajustará al modelo que apruebe el Ministerio de Empleo y Seguridad Social, salvo que por convenio colectivo o, en su defecto, por acuerdo entre la empresa y los representantes de los trabajadores, se establezca otro modelo que contenga con la debida claridad y separación las diferentes percepciones del trabajador, así como las deducciones que legalmente procedan*».

9) Art. 34.2 del ET: dispositiviza la distribución irregular de la jornada de trabajo respecto de los convenios colectivos en general y de los acuerdos entre la empresa y los trabajadores: «*Mediante convenio colectivo o, en su defecto, por acuerdo entre la empresa y los representantes de los tra-*

bajadores, se podrá establecer la distribución irregular de la jornada a lo largo del año. En defecto de pacto, la empresa podrá distribuir de manera irregular a lo largo del año el diez por ciento de la jornada de trabajo».

10) Art. 34.3 del ET: dispositiviza el límite de nueve horas diarias ordinarias de trabajo efectivo respecto de los convenios colectivos en general o, en su defecto, de los acuerdos de empresa: *«El número de horas ordinarias de trabajo efectivo no podrá ser superior a nueve diarias, salvo que por convenio colectivo o, en su defecto, acuerdo entre la empresa y los representantes de los trabajadores, se establezca otra distribución del tiempo de trabajo diario, respetando en todo caso el descanso entre jornadas».*

11) Art. 34.4 del ET: dispositiviza el carácter de *«tiempo de trabajo no efectivo»* del período de descanso en las jornadas continuadas de más de seis horas respecto de los convenios colectivos en general: *«Siempre que la duración de la jornada diaria continuada exceda de seis horas, deberá establecerse un periodo de descanso durante la misma de duración no inferior a quince minutos. Este periodo de descanso se considerará tiempo de trabajo efectivo cuando así esté establecido o se establezca por convenio colectivo o contrato de trabajo».*

12) Art. 35.1 del ET: dispositiviza la compensación mediante descanso de las horas extraordinarias respecto de los convenios colectivos en general: *«Mediante convenio colectivo o, en su defecto, contrato individual, se optará entre abonar las horas extraordinarias en la cuantía que se fije, que en ningún caso podrá ser inferior al valor de la hora ordinaria, o compensarlas por tiempos equivalentes de descanso retribuido. En ausencia de pacto al respecto, se entenderá que las horas extraordinarias realizadas deberán ser compensadas mediante descanso dentro de los cuatro meses siguientes a su realización».*

13) Art. 35.4 del ET: dispositiviza el carácter voluntario de las horas extraordinarias respecto de los convenios colectivos en general: *«La prestación de trabajo en horas extraordinarias será voluntaria, salvo que su realización se haya pactado en convenio colectivo o contrato individual de trabajo, dentro de los límites del apartado 2».*

14) Art. 38.2 del ET: dispositiviza la duración y la planificación anual de las vacaciones respecto de los convenios colectivos en general: *«El periodo o periodos de su disfrute se fijará de común acuerdo entre el empresario y el trabajador, de conformidad con lo establecido en su caso en los convenios colectivos sobre planificación anual de las vacaciones. En caso de desacuerdo entre las partes, la jurisdicción social fijará la fecha que para el disfrute corresponda y su decisión será irrecurrible. El procedimiento será sumario y preferente».*

15) Art. 39.2 del ET: dispositiviza los períodos legales establecidos de realización de funciones superiores a las del grupo profesional a los efectos
de reclamar el ascenso o la cobertura de vacante correspondiente a las
funciones realizadas respecto de los convenios colectivos en general: «*En
el caso de encomienda de funciones superiores a las del grupo profesional
por un periodo superior a seis meses durante un año u ocho durante dos
años, el trabajador podrá reclamar el ascenso, si a ello no obsta lo dispuesto en convenio colectivo o, en todo caso, la cobertura de la vacante
correspondiente a las funciones por él realizadas conforme a las reglas en
materia de ascensos aplicables en la empresa, sin perjuicio de reclamar la
diferencia salarial correspondiente*».

16) Art. 39.4 del ET: dispositiviza «*las reglas previstas para las modificaciones
sustanciales de condiciones de trabajo*» del art. 41 del ET a los efectos de
la movilidad funcional, cuando exceda de los límites que para ella prevé el
art. 39 del ET, respecto de los convenios colectivos en general:

«*El cambio de funciones distintas de las pactadas no incluido en los supuestos previstos en este artículo requerirá el acuerdo de las partes o, en
su defecto, el sometimiento a las reglas previstas para las modificaciones
sustanciales de condiciones de trabajo o a las que a tal fin se hubieran establecido en convenio colectivo*».

17) Art. 46.3 del ET: dispositiviza la duración máxima de la excedencia por
cuidado de familiares respecto de los convenios colectivos en general:
«*También tendrán derecho a un periodo de excedencia, de duración no
superior a dos años, salvo que se establezca una duración mayor por negociación colectiva, los trabajadores para atender al cuidado de un familiar
hasta el segundo grado de consanguinidad o afinidad, que por razones de
edad, accidente, enfermedad o discapacidad no pueda valerse por sí mismo, y no desempeñe actividad retribuida*».

18) Art. 49.1.c) del ET: dispositiviza la cuantía de la indemnización por fin de
contrato por circunstancias de la producción respecto de «*la normativa específica que sea de aplicación*»: «*A la finalización del contrato, excepto en
los contratos formativos y el contrato de duración determinada por causa
de sustitución, la persona trabajadora tendrá derecho a recibir una indemnización de cuantía equivalente a la parte proporcional de la cantidad que
resultaría de abonar doce días de salario por cada año de servicio, o la
establecida, en su caso, en la normativa específica que sea de aplicación*».

19) Art. 55.1 del ET: dispositiviza los requisitos formales del despido disciplinario respecto de los convenios colectivos en general: «*El despido deberá
ser notificado por escrito al trabajador, haciendo figurar los hechos que lo*

motivan y la fecha en que tendrá efectos. Por convenio colectivo podrán establecerse otras exigencias formales para el despido».

20) Art. 69.2 del ET: dispositiviza relativamente los plazos de antigüedad legalmente exigibles a los electores y elegibles por movilidad del personal, respecto de los convenios colectivos en general: *«Serán electores todos los trabajadores de la empresa o centro de trabajo mayores de dieciséis años y con una antigüedad en la empresa de, al menos, un mes, y elegibles los trabajadores que tengan dieciocho años cumplidos y una antigüedad en la empresa de, al menos, seis meses, salvo en aquellas actividades en que, por movilidad de personal, se pacte en convenio colectivo un plazo inferior, con el límite mínimo de tres meses de antigüedad».*

21) Art. 71.1 del ET: dispositiviza el establecimiento de nuevos colegios electorales respecto de los convenios colectivos en general: *«En las empresas de más de cincuenta trabajadores, el censo de electores y elegibles se distribuirá en dos colegios, uno integrado por los técnicos y administrativos y otro por los trabajadores especialistas y no cualificados. Por convenio colectivo, y en función de la composición profesional del sector de actividad productiva o de la empresa, podrá establecerse un nuevo colegio que se adapte a dicha composición».*

22) Art. 86.2 del ET: dispositiviza la prórroga automática anual de los convenios colectivos en general: *«Salvo pacto en contrario, los convenios colectivos se prorrogarán de año en año si no mediara denuncia expresa de las partes».*

23) Art. 86.3 del ET: dispositiviza el mantenimiento de la vigencia de las cláusulas convencionales durante las negociaciones para la renovación del convenio, excepto aquellas cláusulas por las que se hubiera renunciado a la huelga durante la vigencia del convenio, respecto de los convenios colectivos en general: *«Durante las negociaciones para la renovación de un convenio colectivo, en defecto de pacto, se mantendrá su vigencia, si bien las cláusulas convencionales por las que se hubiera renunciado a la huelga durante la vigencia de un convenio decaerán a partir de su denuncia».*

En todo caso, esta dispositivización legal vendrá limitada por la aplicación de la doctrina del abuso de derecho del art. 7.2 del Código Civil.

309. Los supuestos de delegación legal en la regulación de materias. Los supuestos de delegación legal al convenio colectivo en la regulación de materias, localizados en el ET, son los siguientes:

1) Art. 12.4.d) del ET: Se remite a los convenios colectivos en general la reducción proporcional de los derechos del trabajador a tiempo parcial en función del tiempo trabajado.

2) Art. 12.4.e) del ET: Se remiten a los convenios colectivos sectoriales o, en su defecto, de ámbito inferior los procedimientos de conversión voluntaria de un contrato a tiempo completo en contrato a tiempo parcial y viceversa o para el incremento del tiempo de trabajo de los trabajadores a tiempo parcial.

3) Art. 12.4.f) del ET: Se remite a los convenios colectivos las medidas para facilitar el acceso efectivo de los trabajadores a tiempo parcial a la formación profesional continua.

4) Art. 12.7.e) del ET: Se remite a los convenios colectivos en general respecto de los medios para impulsar la celebración de contratos de relevo.

5) Art. 15.8 del ET: Se remite a los convenios colectivos para establecer planes de reducción de la temporalidad, así como fijar criterios generales relativos a la adecuada relación entre el volumen de la contratación de carácter temporal y la plantilla total de la empresa, criterios objetivos de conversión de los contratos de duración determinada o temporales en indefinidos, así como fijar porcentajes máximos de temporalidad y las consecuencias derivadas del incumplimiento de los mismos. Asimismo, los convenios colectivos podrán establecer criterios de preferencia entre las personas con contratos de duración determinada o temporales, incluidas las personas puestas a disposición. Los convenios colectivos establecerán medidas para facilitar el acceso efectivo de estas personas trabajadoras a las acciones incluidas en el sistema de formación profesional para el empleo, a fin de mejorar su cualificación y favorecer su progresión y movilidad profesionales.

6) Art. 15.8 del ET: Se remite a los convenios colectivos o, en su defecto, al acuerdo de empresa, para establecer los criterios objetivos y formales por los que debe regirse el llamamiento de los trabajadores fijos-discontinuos.

7) Art. 17.4 del ET: Se remite a los convenios colectivos en general para establecer medidas de acción positiva que favorezcan el acceso de las mujeres a todas las profesiones: reservas y preferencias en las condiciones de contratación, así como en las condiciones de clasificación profesional, promoción y formación, de modo que en igualdad de condiciones tengan preferencia las personas del sexo menos representado.

8) Art. 22.1 del ET: Se remite a los convenios colectivos en general o, en su defecto, a los acuerdos de empresa para establecer el sistema de clasificación profesional de los trabajadores.

9) Art. 23.2 del ET: Se remite a los convenios colectivos en general la concreción de los términos del ejercicio de los derechos al disfrute de permisos de promoción y formación profesional y de adaptación de la jornada ordinaria de trabajo para asistir a cursos de formación profesional.

10) Art. 24.1 del ET: Se remite a los convenios colectivos en general o, en su defecto, a los acuerdos de empresa el establecimiento del régimen de los ascensos.

11) Art. 25.1 del ET: Se remite a los convenios colectivos en general la delimitación de los términos del derecho a una promoción económica.

12) Art. 26.3 del ET: Se remite a los convenios colectivos en general la determinación de la estructura del salario.

13) Art. 29.1 del ET: Se remite a los convenios colectivos en general la fecha y el lugar del pago del salario.

14) Art. 31 del ET: Se remite a los convenios colectivos en general la fecha de disfrute de una de las dos pagas extraordinarias legales, la cuantía de tales gratificaciones y el prorrateo de las mismas en doce mensualidades.

15) Art. 34.2 del ET: Se remite a los convenios colectivos en general o, en su defecto, a los acuerdos de empresa, para establecer la distribución irregular de la jornada a lo largo del año.

16) Art. 34.8 del ET: Se remite a los convenios colectivos en general para regular los términos en que el trabajador tendrá derecho a adaptar la duración y distribución de la jornada de trabajo para hacer efectivo su derecho a la conciliación de la vida personal, familiar y laboral.

17) Art. 36.2 del ET: Se remite a los convenios colectivos en general la determinación de la retribución específica del trabajo nocturno.

18) Art. 37.3.d) del ET: Se remite a los convenios colectivos en general para establecer la duración y la compensación económica de las ausencias para el cumplimiento de un deber inexcusable de carácter público y personal.

19) Art. 37.3.e) del ET: Se remite a los convenios colectivos en general para la regulación del régimen jurídico de los permisos retribuidos para realizar funciones sindicales o de representación del personal.

20) Art. 37.4 del ET: Se remite a los convenios colectivos en general para la regulación de los términos en que la trabajadora podrá acumular en jornadas completas el derecho a una hora de ausencia de su trabajo por lactancia de un hijo menor de nueve meses.

21) Art. 37.7 del ET: Se remite a los convenios colectivos en general los términos en que la trabajadora víctima de la violencia de género puede ejercer, para hacer efectiva su protección o su derecho a la asistencia social integral, los derechos a la reducción de la jornada de trabajo con disminución proporcional del salario o a la reordenación del tiempo de trabajo, a través de la adaptación del horario, de la aplicación del horario flexible o de otras formas de ordenación del tiempo de trabajo que se utilicen en la

empresa. En su defecto, la concreción de estos derechos corresponderá a la trabajadora.

22) Art. 40.1 del ET: Se remite a los convenios colectivos en general la regulación de los gastos propios y de familiares en el caso de movilidad geográfica.

23) Art. 42.7 del ET: Se remite a los convenios colectivos que sean de aplicación para regular la capacidad de representación, el ámbito de actuación y el crédito horario de los representantes legales de los trabajadores de la empresa principal y de las empresas contratistas y subcontratistas cuando compartan de forma continuada centro de trabajo.

24) Art. 46.6 del ET: Se remite a los convenios colectivos en general la previsión de supuestos de excedencia y régimen jurídico de los mismos distintos de los legales.

25) Art. 48 bis del ET: Se remite a los convenios colectivos en general para regular los términos en que el trabajador deberá comunicar al empresario la suspensión del contrato de trabajo por paternidad.

26) Art. 49.1.d) del ET: Se remite a los convenios colectivos en general la duración del preaviso en caso de extinción del contrato de trabajo por dimisión del trabajador.

27) Art. 58.1 del ET: Se remite a los convenios colectivos en general para la graduación de las faltas y sanciones de los trabajadores.

28) Art. 63.3 del ET: Se remite a los convenios colectivos en general para la constitución y funcionamiento de los Comités Intercentros.

29) Art. 64.7.b) del ET: Se remite a los convenios colectivos en general para la regulación de la participación del comité de empresa en la gestión de obras sociales de la empresa.

30) Art. 64.7.c) del ET: Se remite a los convenios colectivos en general para la regulación de la colaboración del comité de empresa con la dirección de la empresa en materia de productividad.

31) Art. 67.1 del ET: Se remite a los convenios colectivos en general la acomodación de la representación de los trabajadores a las disminuciones significativas de la plantilla.

32) Art. 68 e) del ET: Se remite a los convenios colectivos en general la posibilidad de acumulación de horas de los representantes del personal.

33) Art. 81 del ET: Se remite al acuerdo con la empresa principal para regular los términos en que pueden hacer uso de sus locales las representaciones legales de los trabajadores de las empresas contratistas y subcontratistas que comparten de forma continuada el centro de trabajo.

34) Art. 82.2 del ET: Se remite a los convenios colectivos en general para la regulación de la paz laboral a través de las obligaciones que se pacten.

35) Art. 83.2 del ET: Se remite a los acuerdos interprofesionales y a los convenios marco la regulación de la estructura de la negociación colectiva y de las reglas de concurrencia.

36) Art. 85.1 del ET: Se establece el deber de negociar medidas dirigidas a promover la igualdad de trato y de oportunidades entre mujeres y hombres en el ámbito laboral o, en su caso, de planes de igualdad.

37) Art. 85.2 del ET: Se remite a los convenios colectivos en general la articulación de procedimientos de información y seguimiento de los despidos objetivos en el ámbito correspondiente. Se remite asimismo a la negociación colectiva para articular el deber de negociar planes de igualdad en las empresas de más de doscientos cincuenta trabajadores.

38) Art. 91 del ET: Se remite a los convenios colectivos en general y a los acuerdos interprofesionales del art. 83.2 y 3 del ET el establecimiento de procedimientos para la solución de los conflictos colectivos de interpretación y aplicación de los convenios colectivos.

Otros supuestos de remisión legal a la negociación colectiva realizados por otras leyes son los siguientes:

1) Art. 42.1 de la Ley General de Derechos de las Personas con Discapacidad y de su Inclusión Social, de 29 de noviembre de 2013: Se habilita a la negociación colectiva sectorial de ámbito estatal y, en su defecto, de ámbito inferior para establecer exenciones a la obligación de que en las empresas, públicas o privadas, de 50 o más trabajadores, al menos el 2 por 100 sean trabajadores con discapacidad.

2) Art. 2.2 de la LPRL: Se remite a la negociación colectiva en general para mejorar y desarrollar las disposiciones de carácter laboral contenidas en la propia Ley y en sus normas reglamentarias.

3) Art. 43 de la LOI: Se remite a la negociación colectiva en general para establecer medidas de acción positiva que favorezcan el acceso de las mujeres al empleo y la aplicación efectiva del principio de igualdad y no discriminación en las condiciones de trabajo entre mujeres y hombres.

Se establece la obligación de negociar, y en su caso acordar, medidas dirigidas a evitar cualquier tipo de discriminación laboral entre mujeres y hombres. En el caso de las empresas de más de 250 trabajadores se establece el deber de negociar un plan de igualdad, al igual que en aquellas empresas que no alcanzan este umbral mínimo si así viene establecido en el convenio colectivo aplicable. Por último, se establece también el deber de negociar con los representantes de los trabajadores la elaboración y aplicación de un plan de igualdad cuando la autoridad laboral lo acuerde en sustitución de las sanciones accesorias por violación del principio de igualdad.

4) Art. 48.1 de la LOI: Se remite a la negociación colectiva para el establecimiento de medidas que eviten el acoso sexual y el acoso por razón de sexo, tales como la elaboración y aplicación de códigos de buenas prácticas, la realización de campañas informativas o acciones de formación.

5) Art. 62 de la LOI: Se remite a la negociación colectiva entre la Administración General del Estado y la representación legal de los trabajadores para la elaboración de un protocolo de actuación frente al acoso sexual y al acoso por razón de sexo.

6) Art. 64 de la LOI: Se remite a la negociación colectiva entre la Administración General del Estado y la representación legal de los trabajadores para la elaboración de un Plan de Igualdad en la Administración General del Estado y en los organismos públicos vinculados o dependientes de ella.

7) Art. 73 de la LOI: Se remite a la concertación con la representación de los trabajadores para la realización de acciones de responsabilidad social en materia de igualdad.

d) El procedimiento negociador

a') La iniciativa de las negociaciones por la parte promotora

310. Las partes legitimadas «*ex arts. 87 y 88 del ET*». La iniciativa para promover la negociación de un convenio colectivo corresponde a cualquiera de las partes legitimadas en su respectivo ámbito según los arts. 87 y 88 del ET, mediante comunicación por escrito a la otra parte (escrito que puede ser común a la denuncia del convenio colectivo anterior: STS de 1 de junio de 1990, Ar/5001), haciendo constar la legitimación que se ostenta, los ámbitos del convenio y las materias objeto de negociación (art. 89.1 del ET).

Por «*parte legitimada*» deberá entenderse no sólo la que lo esté en función del art. 87 sino también respecto del art. 88 del ET. Dicho de otra manera, no podrán promover la iniciación de negociaciones los legitimados por el art. 87 sin saber todavía si cumplen con la mayoría exigible por el art. 88. Así, un sindicato o asociación que alcanzase el 10 por ciento de representatividad en el ámbito correspondiente y no llegase a la mayoría absoluta no podría iniciar las negociaciones.

Esto se deduce del tenor literal del art. 89 del ET, al indicar que en la comunicación se expresará «*la representación que se ostenta de conformidad con los artículos anteriores*», esto es, los arts. 87 y 88 del ET.

En la práctica, sin embargo, no es infrecuente que se adopten iniciativas exploratorias, que sólo se formalizan si se obtiene la conformidad de otras representaciones de entidad suficiente para alcanzar completamente la mayoría pedida por el art. 88 del ET (SSTS de 9 de marzo de 1994, Ar/2218, de 5 de octubre de 1995, Ar/8667 o de 21 de mayo de 1997, Ar/4279).

311. El escrito de iniciación de las negociaciones. Requisitos exigidos. En el escrito de iniciación habrá de concretarse:

a) La legitimación que se ostenta. La parte que promueva la negociación expresará detalladamente en la comunicación la legitimación que ostenta según los arts. 87 y 88 del ET (SSTS de 5 de octubre de 1995, Ar/8667 o de 21 de mayo de 1997, Ar/4279).

   Si no aportara tal justificación la parte promotora y, no obstante ello, la contraparte la aceptara y se iniciaran las negociaciones, será a posteriori cuando habrá de demostrarse la legitimidad representativa de las partes, bien porque la autoridad administrativa suscitase una impugnación judicial en base al art. 90.5 del ET por este motivo, bien porque cualquier interesado pretendiese su inaplicación por esta causa.

b) Los ámbitos de aplicación del convenio. Habrá que entender por tales los que señala el art. 85.2.b del ET: *«Ámbito personal, funcional, territorial y temporal»*.

c) Las materias objeto de negociación. Parece con ello el ET indicar la necesidad de expresar en el momento inicial la tabla reivindicativa. No obstante ello, no parece que pueda interpretarse en un sentido de trámite procesal rígido que impida jurídicamente el planteamiento de cuestiones nuevas a lo largo de la negociación por conculcar el principio de congruencia, ya que ello atentaría a una mínima libertad de negociación.

Esta comunicación que inicia el procedimiento de elaboración del convenio es distinta de la denuncia del convenio anterior (STS de 1 de junio de 1990, Ar/5001), pero nada obsta a que se haga la denuncia y la comunicación de la iniciación de negociaciones en el mismo documento escrito, siempre que cumplan ambos los requisitos legales exigidos a cada uno de ellos.

En el supuesto de que la promoción de la negociación sea el resultado de la denuncia de un convenio colectivo vigente, la comunicación deberá efectuarse simultáneamente con el acto de la denuncia. De esta comunicación se enviará copia a efectos de registro, a la autoridad laboral correspondiente en función del ámbito territorial del convenio (art. 89.1 ET).

312. Obligación de comunicación a la autoridad administrativa laboral de la apertura de negociaciones. Deberá enviarse copia de la comunicación a la autoridad administrativa laboral competente, según los ámbitos, a efectos de registro (art. 89.1 del ET; STC de 12 de julio y de 23 de diciembre de 1982), sin que el incumplimiento de esta obligación anule el convenio colectivo (STS de 25 de enero de 2001, Ar/2065) ya que el registro y publicación del convenio posteriormente subsana esta irregularidad.

La intervención administrativa se producirá tan sólo «*a efectos de registro*», sin que pueda la autoridad intervenir en esta fase inicial aun cuando dedujese de la comunicación remitida que el futuro convenio previsiblemente conculcará la legalidad vigente o causará lesión grave en el interés de terceros; ello sería contrario al principio de autonomía colectiva reconocido en la Constitución y en el ET (MARTÍNEZ EMPERADOR; STS de 14 de febrero de 1996, Ar/1017).

La autoridad laboral competente, estatal o autonómica o provincial, dependerá del ámbito territorial del convenio colectivo.

b') El deber de negociar de la parte receptora

313. El deber de negociar del art. 89.1 del ET. Significado legal y alcance. El ET impone el deber de negociar a la parte receptora de la comunicación de iniciación de negociaciones. En efecto, la ley señala que «*la parte receptora de la comunicación sólo podrá negarse a la iniciación de las negociaciones por causa legal o convencionalmente establecida, o cuando no se trate de revisar un convenio ya vencido, sin perjuicio de lo establecido en los artículos 83 y 84; en cualquier caso se deberá contestar por escrito y motivadamente*» (art. 89.1 del ET; STS de 17 de noviembre de 1998, Ar/9750).

La «*ratio legis*» del precepto seguramente es la de potenciar la negociación colectiva. En este sentido, la obligación de negociar constituye un plus, junto con la eficacia personal general o «*erga omnes*» que el ET introduce en estos convenios colectivos a diferencia de los convenios extraestatutarios.

Con este deber normalmente se apoya al sindicato al obligar al empresario a negociar. Aunque cabría pensar en la eventual hipótesis contraria, que podría plantearse al solicitar los empresarios negociar a un nivel determinado, impidiendo por esta vía el cambio de unidad de contratación.

Hay que destacar, sin embargo, que se trata, en todo caso, de una tímida y débil regulación del deber de negociar, por cuanto el ET no establece mecanismo alguno para el caso de incumplimiento del mismo (ver infra), y de un análisis detallado de las causas excluyentes de este deber de negociar se deducen enormes limitaciones a su aplicabilidad.

Por deber de negociar hay que entender, por lo demás, con MARTÍNEZ EMPE-RADOR, no solamente la mera evacuación dentro del plazo establecido de la correspondiente contestación afirmativa, sino también *«la adopción de las medidas procedentes para que la negociación se haga realidad»*, es decir, el cumplimiento del iter procedimental que el art. 89.2 del ET establece. Esto es, tendrá el deber legal de *«sentarse a la mesa»*, si bien, en ningún caso, el deber de negociar significa obligación de llegar a un acuerdo (SSTS de 11 de marzo de 1994, Ar/2284, de 10 de abril de 2002, Ar/5321 o de 30 de septiembre de 2003, Ar/4750).).

El deber de negociar existe *«desde que se denuncia hasta que se concierta el que lo sustituye»* (STS de 30 de septiembre de 2003, Ar/7450), aunque el deber de negociar no exige mantener indefinidamente la negociación (STS de 22 de mayo de 2006, Ar/4567).

314. Dos causas excluyentes del deber de negociar. La ley establece dos causas excluyentes del deber de negociar por las que la parte receptora de la comunicación podrá negarse a iniciar las negociaciones (SSTS de 10 de abril de 2002, Ar/5321 o de 5 de noviembre de 2008, Ar/7042):

1ª) En primer lugar, la *«causa legal o convencionalmente establecida»*. Por causa legal habrá que entender la falta de legitimación de la parte promotora o de la parte receptora (STS de 17 de noviembre de 1998), la no comunicación en forma del escrito de iniciación de negociaciones (STCT de 6 de noviembre de 1986) o el intento de negociar en una unidad de negociación *«artificial»* (STS de 10 de diciembre de 2002).

Parece más dudoso que la ilegalidad de una tabla reivindicativa (MARTÍNEZ EMPERADOR) pueda justificar la negativa a negociar (ALONSO OLEA); ni tampoco la existencia en esa unidad de negociación de un convenio colectivo extraestatutario (STC de 8 de junio de 1989 o STS, u.d., de 30 de septiembre de 1999, Ar/8395).

La STS de 19 febrero de 2008, Ar/3844, ha entendido causa legal para negarse a negociar el hecho de que el proceso de negociación iniciado siete años antes hubiera decaído y la parte laboral pretendiera su reiniciación siete años más tarde.

Por causa convencional podrá entenderse el incumplimiento de los requisitos convencionales de forma, condiciones y plazo de la denuncia del convenio anterior o la existencia de un convenio marco que hubiere prohibido la negociación en este ámbito (STS de 3 de junio de 1999, Ar/6734) o cuando ya se está negociando en un ámbito superior (STS de 28 de febrero de 2000, Ar/2246).

2ª) En segundo lugar, *«cuando no se trate de revisar un convenio ya vencido, sin perjuicio de lo establecido en los artículos 83 y 84»*. O, como señala ALONSO OLEA positivando la dicción legal, *«cuando se trate de revisar un convenio en vigor»*. No hay causa legal para negarse a negociar a nivel sectorial cuando la unidad está parcialmente cubierta por convenios de empresa (STS de 3 de mayo de 2000, Ar/4258).

Finalmente, el ET habla de *«convenio ya vencido»*, lo que, en principio, equivale al fin de su período de vigencia, esto es, a la expiración de la duración pactada del convenio denunciado (FERNÁNDEZ LÓPEZ).

En todo caso, de no existir causa, la parte receptora deberá responder a la propuesta de negociación en el plazo máximo de un mes (art. 89.2 del ET) y, de existir causa que excluya el deber de negociar, deberá contestar por escrito y motivadamente (art. 89.1 del ET).

315. Sanciones a imponer en caso de incumplimiento del deber de negociar. En cuanto a la posible sanción a imponer por incumplimiento del deber de negociar, el ET nada dice expresamente, lo que no obstará para que jueguen los mecanismos garantizadores de tal precepto.

Así, la autoridad laboral podría sancionar administrativamente, incluso de oficio, a la parte receptora cuando está fuera una empresa pero no cuando se tratase de una asociación empresarial.

Sin embargo, tal posibilidad no aparece tipificada más allá de una genérica referencia a *«los actos u omisiones que fueran contrarios a los derechos de los trabajadores reconocidos en el art. 4 del ET»* y, entre ellos, el de negociación colectiva (art. 95.10 del ET).

También, la parte laboral promotora podrá utilizar la vía del conflicto colectivo.

En el supuesto de que sea la parte empresarial la que se niegue a negociar, los trabajadores podrán acudir eventualmente a la declaración de huelga legal.

En todo caso, cabría ejercitar la acción de tutela de la libertad sindical (arts. 13 de la LOLS y 179 y ss. de la LJS).

c') La constitución de la comisión negociadora

316. Su designación por las partes contratantes legitimadas *«ex arts. 87 y 88 del ET»*. Su carácter paritario. La comisión negociadora deberá constituirse dentro del plazo de un mes a partir de la recepción de la comunicación de iniciación de negociaciones debiendo la parte receptora responder a la propuesta de negociación y ambas partes fijar un calendario o plan de negociación dentro de ese mismo plazo (art. 89.2 del ET), si bien no se ha considerado nula ni ineficaz la constitución de la mesa con posterioridad a dicho plazo (STS de 27 de septiembre de 1997, Ar/8081).

La designación de los componentes de la comisión negociadora corresponde a las partes negociadoras, esto es, a aquéllos que están legitimados para negociar según los arts. 87 y 88 del ET. Existe en este punto una libertad plena (art. 88.2 del ET; SSTS de 15 de febrero y de 29 de octubre de 1993, Ar/1165 y 8033, de 27 de abril de 1995, Ar/3273, de 13 de noviembre de 1997, Ar/8310 o de 5 de noviembre de 1998, Ar/8916).

Una vez designados, durante la tramitación del convenio colectivo, no será posible revocar tales representantes (STS de 1 de junio de 1990, Ar/5001), cuando se trate de representantes unitarios (art. 67.3 del ET). Y una vez constituida la comisión negociadora no influyen sobre ella los resultados electorales posteriores (SSTS de 19 de junio y de 18 de diciembre de 1995, Ar/5208 y 9308).

No existe una forma legal especial de designación, y en cuanto a quiénes puedan ser designados, no hay más límites que la capacidad civil del designado y, en el caso de comités de empresa o delegados de personal no es necesario que se ostente tal condición (STS de 27 de noviembre de 2008, Ar/7170).

Cuando se trate de representantes sindicales o de asociaciones empresariales corresponderá a los órganos de gobierno de los mismos la designación y acreditación de éstos conforme a sus estatutos y reglamentos internos. El empresario no podrá, desde luego, exigir la designación o el mantenimiento de determinados representantes sindicales, facultad autónoma del sindicato, sin incurrir en práctica antisindical.

No se dice en ninguna parte expresamente que la comisión negociadora deba ser paritaria, pero ello se deriva indirectamente de las normas de procedimiento establecidas en los arts. 88.3 y 89.3 del ET, además de la costumbre.

Podría, sin embargo, pensarse en una representación patronal, en un convenio colectivo de empresa, constituida por el empresario y dos directivos de su confianza, hallándose así en minoría respecto de la contraparte (OJEDA).

317. Convenios colectivos de empresa o de ámbito menor. En cuanto a los convenios colectivos de empresa o de ámbito menor, la exigencia legal de que el número de representantes de cada parte no exceda de trece (art. 88.4 del ET) —norma de derecho necesario (STC de 20 de junio de 1991)— y la ausencia de un criterio legal de proporcionalidad en la designación de los componentes de la comisión negociadora plantea el problema de cómo elegir a los miembros de la misma.

Ante esta laguna legal, habrá que distinguir entre secciones sindicales y comités de empresa. Cuando se trate de secciones sindicales, la jurisprudencia ha señalado que «*es claro que en esta materia, aunque no lo precise aquel precepto (el art. 87.1 del ET), debe regir el criterio proporcional por ser el más acorde con los principios de libertad sindical y autonomía negocial*» (STC de 20 de junio de 1991 y SSTS, u.d., de 31 de octubre de 1995, Ar/7937 o de 7 de marzo de 2002, Ar/4667).

Cuando se trate de comités de empresa, en principio regirá el sistema de mayorías vigente con carácter general en la toma de decisiones de los mismos, lo que, desde luego, puede llevar, al menos potencialmente, a que las mayorías del comité impongan su criterio y excluyan a las minorías. Este criterio fue seguido inicialmente por los tribunales (por todas, STCT de 22 de junio de 1981, Ar/4275), si bien fue modificado posteriormente acogiéndose al criterio proporcional de las representaciones sindicales presentes en el comité (STS u.d. de 31 de octubre de 1995, Ar/7937), debiendo respetarse la participación de los trabajadores procedentes de candidaturas independientes (STS de 30 de octubre de 1995, Ar/7930).

318. Convenios colectivos supraempresariales. En los convenios colectivos supraempresariales el número máximo de componentes de la comisión negociadora es el de quince (art. 88.2 del ET; STS de 7 de marzo de 2002, Ar/4667).

En los convenios colectivos supraempresariales el art. 86.5 del ET señala que «*todo sindicato, federación, confederación sindical y asociación empresarial que reúna el requisito de legitimidad, tendrá derecho a formar parte de la comisión negociadora*», y el art. 88.1 del ET habla del «*derecho de todos los sujetos legitimados a participar (en la comisión negociadora) en proporción a su representatividad*», siendo atentatorio de la libertad sindical atribuir un menor número de puestos a un sindicato por una minoración injustificada de su representatividad o aumentar el número de miembros de otro sindicato (SSTC de 24 de noviembre de 1987 y de 20 de junio de 1991.

En todo caso, la legitimación de los sindicatos más representativos a nivel estatal o de Comunidad Autónoma, planteará el problema adicional de saber el número de representantes que les corresponderá por este concepto de «*mayor representatividad*» y en relación con los que accedan a la comisión negociadora por su porcentaje de representatividad probado en los ámbitos funcional y geográfico de referencia.

Estas dificultades se pueden solucionar en la práctica en caso de coincidencia entre los sindicatos más representativos a nivel estatal o a nivel autonómico y los más representativos al nivel funcional y geográfico de negociación (SEMPERE). En todo caso, al no haberse modificado el art. 88 del ET, que continúa exigiendo para la constitución válida de la comisión negociadora la mayoría absoluta de representatividad en el ámbito de negociación de que se trate, permite seguir interpretando que el criterio para el reparto del número de representantes en la comisión negociadora haya de ser el de la representatividad del sindicato legitimado en el ámbito negociador, con la única novedad de tener que garantizar al menos un puesto a los sindicatos más representativos a nivel estatal o autonómico que no pudieran disponer de ninguno de acuerdo con el criterio del reparto proporcional utilizado (ALBIOL y SALA).

De no llegarse a un acuerdo en la designación de los vocales de la comisión negociadora, habrá que arbitrar algún procedimiento de solución, sin que el ET diga nada al respecto. Cabe pensar en el procedimiento de conflicto colectivo (CARO SANTILLAN).

319. Nombramiento de los asesores. El nombramiento de los asesores, —con voz y sin voto— es de libre designación por cada una de las partes, sin que para ello la ley exija la conformidad de la otra parte (art. 88.3 ET).

320. El presidente de la comisión negociadora. Para proceder al nombramiento del presidente de la comisión negociadora, la ley exige el mutuo acuerdo de las partes (art. 88.3 y 5 ET).

Este mutuo acuerdo podrá consistir, bien en designar un presidente ajeno a las partes —con voz y sin voto— bien en consignar en el acta constitutiva de la comisión negociadora otro procedimiento para moderar las sesiones. Esto último debe entenderse como designación de un presidente o moderador interno a las partes, con voz y voto por tanto, y seguramente turnante, o la sumisión a un código de conducta previamente pactado (OJEDA).

Las funciones del presidente serán las de *«moderar las sesiones»*, lo que significa conceder y retirar el uso de la palabra, procurar el orden en las negociaciones, citar para las reuniones, actuar razonablemente de mediador entre las partes, etc (ALONSO OLEA).

Por otra parte, el ET no resuelve el problema del pago, en su caso, de la labor que desarrolla el presidente de la comisión, dejando en libertad para hacerlo conjunta o separadamente, lo que no resulta ciertamente deseable.

321. El secretario de la comisión negociadora. El necesario nombramiento de un secretario viene establecido en el art. 88.4 ET.

El secretario deberá levantar acta de todas las sesiones y firmarlas junto con un representante de cada una de las partes. Ahora bien, nada obsta para que el secretario de la comisión negociadora sea ajeno o miembro de la misma, existiendo en este punto plena libertad para las partes en orden a su nombramiento.

Estas actas no poseen *«relevancia vinculante»* y sólo son *«instrumento de obligado acatamiento»* cuando se incorporan al convenio por voluntad de las partes (SSTS de 27 de abril de 1991, Ar/3273 o de 9 de marzo de 1998, Ar/2372).

d') La obligación de negociar de buena fe

322. El art. 89.1 del ET y el deber de negociar de buena fe. El párrafo 1° del art. 89 del ET alude a la obligación de las partes de negociar de buena fe (*«ambas partes estarán obligadas a negociar bajo el principio de la buena fe»*).

Las partes, así, están obligadas a realizar *«un esfuerzo sincero de aproximación mutua para obtener un convenio»* (ALONSO OLEA). Como ha señalado MARTÍNEZ EMPERADOR, *«el deber de negociar bajo el principio de la buena fe no obliga a las partes a llegar a un convenio, pero sí a realizar un serio y verdadero intento para conseguirlo»* (SSTS de 9 de marzo de 1998, Ar/2372 o de 17 de noviembre de 1998, Ar/9750).

La jurisprudencia ha concretado la exigencia legal de negociar de buena fe:

a) La buena fe negocial no impone alcanzar un acuerdo final (STS de 9 de marzo de 1998, Ar/2372).

b) La buena fe negocial implica mantener una actitud dialogante, violando este deber la formulación de una oferta irrevocable por parte de la empresa que provoca la ruptura de las negociaciones (STC de 5 de mayo de 2000).

c) La buena fe negocial no impone el deber de reanudar conversaciones ya finalizadas, salvo cuando se plantean plataformas negociadoras novedosas en el contenido o en el tiempo (STS de 30 de septiembre de 1999, Ar/8395).

d) No hay violación del deber de negociar de buena fe si, rotas las negociaciones, se pacta un convenio colectivo extraestatutario con uno solo de los negociadores iniciales (STS de 1 de marzo de 2001, Ar/2829).

e) Sería contrario a la buena fe negocial impugnar un convenio colectivo por un sindicato que en las negociaciones ha sido representado por determinadas personas que han llegado a un acuerdo, creando una *«apariencia de representación»* (STS de 22 de febrero de 1999, Ar/2017).

A partir del Acuerdo Interconfederal sobre Negociación Colectiva de 1997, mantenido en los Acuerdos posteriores, se ha pactado un *«Código de buena conducta negocial»* donde se concreta esta obligación de negociar de buena fe. En el AINC de 2007 se recomienda (no tratándose, por tanto, de una norma obligatoria, siendo no obstante, deseable que lo fuera):

a) Iniciar de inmediato los procesos de negociación una vez producida la denuncia del convenio, e intercambiar la información que facilite la interlocución en el proceso de negociación y una mayor corresponsabilidad en la aplicación de lo pactado.

b) Mantener la negociación abierta hasta el límite de lo razonable.

c) Formular propuestas y alternativas por escrito.

d) Acudir a los sistemas de autocomposición de los conflictos ante situaciones de bloqueo ya para evitar la ruptura de las negociaciones, así como en el caso de que surjan discrepancias.

323. El significado legal de las *«violencias sobre personas y bienes».* El art. 89.1 del ET se refiere a las *«violencias sobre personas o bienes»,* indicando que en el supuesto que se den, y *«ambas partes comprueben su existencia»,* se suspenderá de inmediato la negociación en curso hasta la desaparición de aquéllas (STS de 22 de febrero de 1999, Ar/2017).

Acerca de lo que deba entenderse por violencia, *«tanto sobre las personas como sobre los bienes»,* nada concreta el ET, pudiendo, no obstante, afirmarse con toda seguridad que las acciones colectivas consideradas lícitas por la Constitución (arts. 37.2 relativo a los conflictos colectivos y 28.2 relativo a la huelga) no constituirán *«violencia»* en ningún caso y no autorizarán consiguientemente la suspensión de las negociaciones (ALONSO OLEA).

No se entiende bien, por lo demás, la exigencia de que *«ambas partes comprueben su existencia»* —salvo en el caso de *«violencia externa»* (ALONSO OLEA)— ya que en ningún caso la parte que ejerza la violencia admitirá que la está ejercitando. No parece, pues, que deba corresponder a las partes el reconocimiento de su existencia sino a la autoridad administrativa o judicial. Habrá, pues, que interpretar que si una de las partes entiende que hay violencia puede suspender de inmediato unilateralmente la negociación y si posteriormente la otra parte lo reclamara —ante la autoridad administrativa laboral o ante la jurisdicción competente—, se podrá sancionar a la que suspendió las negociaciones por atentar contra la buena fe negocial (ALONSO OLEA).

324. El incumplimiento del deber de negociar de buena fe. En todo caso, en los supuestos de incumplimiento por la parte empresarial o laboral de esta obligación de negociar de buena fe cabrá la utilización de los procedimientos de conflicto colectivo, pudiendo llegar a la declaración de huelga legal por la parte trabajadora.

Independientemente de estas actuaciones, podrá intervenir la autoridad laboral en orden a imponer sanciones a la parte incumplidora (MARTÍNEZ EMPERADOR), si bien sucede aquí lo mismo que señalamos para las infracciones del deber de negociar, esto es, la falta de tipificación expresa de esta infracción más allá de lo dispuesto en el art. 95.10 del ET y referido únicamente al empresario y no a las asociaciones empresariales.

En todo caso, cabría ejercitar la acción de tutela de la libertad sindical (arts. 13 de la LOLS y 175 y ss. de la LPL).

e') La incomparecencia de las partes

325. La incomparecencia de las partes y sus efectos. Nada dice la ley acerca de la posible incomparecencia a las sesiones de una de las partes y de los efectos de la misma. Aunque, evidentemente, se ha suprimido todo el régimen sancionatorio vigente en la legislación anterior para empresarios o trabajadores inasistentes, la doble obligación legal del ET de negociar y de negociar con buena fe parece indicar la existencia de una obligación de asistencia a las deliberaciones, lo que, desde luego, no significa obligación de llegar a un acuerdo.

No obstante, en la práctica, la incomparecencia, tanto en el momento constitutivo como en un momento posterior, pese a la obligación legal existente, va a resultar de difícil ataque legal, siendo la vía idónea la de la presión sindical o empresarial indirecta, a salvo lo que dispone la LOLS acerca de las conductas antisindicales (arts. 12 a 15).

f') La toma de acuerdos en la negociación

326. Requisitos para la toma de acuerdos. Los acuerdos en el seno de la comisión negociadora requerirán en cualquier caso el voto favorable de la mayoría de cada una de las dos representaciones (art. 89.3 del ET).

En relación con la exigencia del voto favorable de la mayoría de cada una de las dos representaciones en el seno de la comisión negociadora para la validez de los acuerdos (art. 89.3 del ET), se plantean dudas a la hora de interpretar el sentido del término legal «representaciones».

Así, cabría referir el término legal *«representaciones»* a los *«miembros de la comisión negociadora»* o a *«las partes negociadoras»* (votos personales o proporcionales), siendo esta última la tesis interpretativa seguida por la jurisprudencia (SSTS de 23 de noviembre de 1993, Ar/8932, de 22 de febrero de 1999, Ar/2017, de 17 de enero de 2006, Ar/3000 o de 3 de junio de 2008, Ar/3466; en contra, STS de 5 de noviembre de 2002, Ar/2003/759). Debiendo tenerse en cuenta los niveles de representatividad existentes en el momento de constituirse la comisión negociadora (STS de 22 de diciembre de 2008, Ar/9172).

No hay duda de que esta última tesis es mucho más respetuosa con la legitimación que ostentan, en la medida en que la proporción entre representatividad y presencia en la comisión negociadora resulta en ocasiones imposible de traducir en términos exactos o absolutos (STC de 2 de junio de 1991).

Por lo demás, el refrendo asambleario no es una exigencia legal. Como han señalado los tribunales, *«puede ser síntoma de un buen ejercicio de la acción sindical, pero no está exigido por la ley»* (STS de 11 de julio de 2000, Ar/6628).

Los preacuerdos obtenidos durante la negociación carecen de entidad definitiva pudiendo modificarse en posteriores reuniones, por lo que sólo el acuerdo final gozará de eficacia (SSTS de 19 de junio de 1991, Ar/5155 o de 3 de junio de 2008).

g') La ruptura de las negociaciones

327. Ruptura de las negociaciones por falta de acuerdo y sus consecuencias. El ET guarda silencio respecto de lo que pueda ocurrir en el caso de falta de acuerdo en el seno de la comisión negociadora.

Cuando no se alcance acuerdo en la comisión negociadora, podrá declararse la huelga o, alternativamente, plantearse un conflicto colectivo de intereses de acuerdo con el procedimiento previsto en el RDLRT o en las normas convencionales (acuerdos autonómicos sobre procedimientos extrajudiciales de solución de conflictos colectivos)(ver infra).

328. La mediación voluntaria del art. 89 del ET. El ET señala que en cualquier momento de las deliberaciones, las partes podrán acordar la intervención de un mediador designado por ellas (art. 89.4).

Se trata, pues, de la posibilidad de una mediación voluntaria, puesto que el acudir a ella será fruto de la decisión de las partes. El acuerdo sobre la intervención de un mediador deberá ser tomado en el seno de la comisión —aunque el ET hable de *partes*—, y se requerirá, como es lógico, el porcentaje de votos favorables que prevé el párrafo 3° del art. 89.

Por lo demás, la mediación podrá desembocar en fracaso o en una solución de mutuo acuerdo, que, evidentemente, tendrá la eficacia jurídica de un convenio colectivo si ése hubiese sido el objeto de la mediación.

h') La forma escrita del convenio

329. Exigencia de forma escrita como requisito de validez del convenio. El art. 90.1 del ET sanciona expresamente con la nulidad del convenio colectivo la ausencia de forma escrita que, como es lógico, deberán firmar las partes negociadoras en la comisión.

Con ello el ET cumple con lo dispuesto en la Recomendación de la OIT n° 91 de 1951 (art. 2.1), que habla de *acuerdo escrito*.

También será requisito formal de validez la firma de las partes negociadoras (art. 90.2 del ET) (MARTÍNEZ EMPERADOR).

Los acuerdos provisionales, preliminares o preparatorios carecen de eficacia si no se incorporan al acuerdo final (STS de 29 de abril de 2010).

i') Los trámites administrativos posteriores a la aprobación de un convenio colectivo

330. Trámites administrativos impuestos por la ley. Los trámites administrativos posteriores a la aprobación de un convenio colectivo impuestos por ley son los tres siguientes:

1º) En primer lugar, la presentación del convenio acordado para registro ante la autoridad administrativa laboral competente dentro del plazo de quince días contados a partir de la firma de las partes negociadoras (art. 90.2 del ET).

Se trata de una obligación que se impone a la comisión negociadora y dentro, de ella, a su presidente. A estos efectos, el RD 713/2010, de 28 de mayo, ha creado un Registro de ámbito estatal o suprautonómico, con funcionamiento a través de medios electrónicos, adscrito a la Dirección General de Empleo del Ministerio de Empleo y Seguridad Social y Registros en las Comunidades Autónomas y en las ciudades de Ceuta y Melilla, en donde debe presentarse el texto del convenio, según el ámbito de aplicación territorial del mismo, junto a la documentación a que se refiere el art. 6 del RD 713/2010.

Los arts. 6 y 7 del RD 713/2010 establece la documentación que habrá que presentarse a registro por parte de la comisión negociadora:

a) La solicitud de inscripción de la persona designada para ello por la comisión negociadora, con indicación de los datos que figuran en el Anexo del RD.

b) Texto original del convenio firmado por los componentes de la comisión negociadora o de la parte que formula solicitud.

c) Actas de las distintas sesiones celebradas, incluyendo las referidas a la constitución de la comisión y firma del convenio, con expresión de las partes que lo suscriban.

d) Hojas estadísticas cumplimentadas conforme a los modelos oficiales existentes (Anexos 2.I, 2.II, 2.III y 2.IV del RD 713/2010).

2º) En segundo lugar, la remisión por parte de las autoridades laborales competentes en materia de convenios del convenio registrado a la Base de Datos Central, ubicada en la Dirección General de Trabajo del Ministerio de Trabajo e Inmigración (art. 17 RD 713/2010).

3º) En tercer lugar, el envío de convenio para su publicación en el Boletín Oficial correspondiente (BOE, BOCA o BOP) en el plazo máximo de 10 días, a contar desde la presentación del mismo en el registro (art. 90.3 del ET; STC de 23 de mayo de 1994 y STS, u.d., de 28 de noviembre de 2000, Ar/2001/4436).

Se trata de una obligación que la ley impone asimismo a la autoridad laboral que registró el convenio.

331. Alcance de la tramitación administrativa. La finalidad de estos tres trámites administrativos no es en ningún caso la de que la Administración Laboral efectúe un control de legalidad del convenio, control que pertenece a los Tribunales, sino la de *«asegurar la publicidad»* de los convenios colectivos (STC de 5 de diciembre de 1988). A ello se une la función de convenio previo de legalidad de los convenios que la ley atribuye asimismo a la autoridad laboral (art. 90.5 ET y RD 713/2010) y se traduce en la facultad de remitirlos a la jurisdicción social en los casos de presunta ilegalidad o lesividad (arts. 163 y 164 LJS).

Por ello las resoluciones administrativas ordenando el registro, el depósito o la publicación del convenio no serán recurribles en vía administrativa y posteriormente ante la jurisdicción contencioso-administrativa. Quien entienda ilegal un convenio colectivo deberá impugnarlo ante la jurisdicción laboral.

La jurisprudencia ha insistido en la idea de que todo convenio colectivo publicado oficialmente en el Boletín correspondiente goza de una presunción de legitimidad y validez que solamente puede ser destruida por el oportuno procedimiento tendente a declarar su nulidad e ineficacia (por todas, SS. de 17 de febrero de 1998, Ar/1840 o de 15 de marzo de 1999, Ar/2917).

332. El incumplimiento de los trámites administrativos. En caso de incumplimiento de los trámites administrativos señalados habrá que distinguir según los casos. La obligación impuesta a la presidencia de la comisión negociadora de presentar el convenio acordado para registro, si se incumple, puede originar la no publicación del convenio en el Boletín Oficial correspondiente y, con ello, la inaplicabilidad jurídica con valor normativo del mismo, por cuanto la publicación de una norma jurídica escrita en el Boletín Oficial es un requisito esencial para la existencia de ésta y no una mera regla formal. Como ha señalado DE CASTRO, «la *disposición no promulgada es ineficaz y los jueces no deberán aplicarla»*.

Y ello con independencia de que sólo para el BOE y para los BOCA rija el principio *«iura novit curia»* (STC de 23 de mayo de 1994) y de que el inicio de la vigencia del convenio lo fijen las partes, que únicamente jugará a partir de la publicación del convenio en el Boletín Oficial correspondiente. En otro orden de cosas, no parece que quepa imponer sanción alguna a los miembros de la comisión negociadora o a su presidente por el incumplimiento de esta obligación.

Si, por el contrario, la obligación que se incumple es alguna de las impuestas a la autoridad administrativa laboral, cabrá exigir responsabilidades a la Administración de acuerdo con la legislación vigente.

Del lado de la eficacia del convenio, la situación variará, según se trate del incumplimiento de la obligación de envío del convenio para su publicación al Boletín Oficial —que originará las mismas consecuencias que las examinadas con anterioridad— o del envío del convenio para su depósito, —en cuyo caso no se originará consecuencia alguna del lado de la eficacia del convenio, pues el depósito de éstos no tiene otra finalidad que la de llevar un control administrativo de la negociación efectuada.—

e) La impugnación del convenio colectivo

333. Los diferentes cauces de impugnación judicial de los convenios colectivos. Los convenios colectivos pueden ser impugnados judicialmente de oficio por la autoridad administrativa laboral o a través del procedimiento de conflicto colectivo. También cabe la solicitud al juez de su inaplicación al caso concreto en cualquier procedimiento.

a') La impugnación de oficio

334. La impugnación de oficio. Si la autoridad laboral estimase que algún convenio colectivo conculca la legalidad vigente o lesiona gravemente el interés de tercero, podrá impugnar judicialmente de oficio ese convenio ante la jurisdicción laboral, a través de un procedimiento especial regulado en los arts. 163 a 166 de la LJS (art. 90.5 ET).

a") Las causas posibles de impugnación

335. El significado de la ilegalidad y de la lesividad como causas de impugnación del convenio. El art. 90.5 ET establece dos posibles causas de impugnación de un convenio: la ilegalidad del mismo («*conculca la legalidad vigente*»), y la lesividad («*lesiona gravemente el interés de terceros*»).

Dentro de la ilegalidad, habrá que entender tanto la de forma (el incumplimiento de las normas del ET en materia de procedimiento de negociación y, muy especialmente, los atentados al principio de buena fe negocial —art. 89.1 del ET— de no concurrencia —art. 84 del ET— y la falta de legitimidad para negociar de las partes contratantes) como la de fondo (esto es, los atentados contra el derecho necesario, absoluto o relativo en los términos ya analizados.

No existe ilegalidad cuando las disposiciones del convenio colectivo se oponen a las de otro convenio diferente o cuando la contradicción se da entre distintos artículos o cláusulas de mismo convenio colectivo (SSTS de 3 de mayo de 2001, Ar/5196 o de 30 de septiembre de 2008, Ar/7307).

Por lesividad habrá que entender, lógicamente, algo distinto a ilegalidad, ya que de no ser así, resultaría innecesariamente iterativa la ley (CAMPS/SALA). No es fácil, sin embargo, concretar el significado de esta segunda causa de impugnación judicial. La jurisprudencia (SSTS de 15 de marzo de 1993, Ar/1859 o de 11 de marzo de 1997, Ar/2309) ha entendido que existe lesividad cuando existe un daño, no potencial o hipotético sino verdadero y real, de entidad grave, no necesariamente causado con *«animus nocendi»*, que afecte a un interés jurídicamente protegido y que no pudiese subsanarse con otro procedimiento que con la nulidad parcial o total del convenio colectivo.

El art. 165) de la LJS entiende por *«terceros»* a los no incluidos en el ámbito de aplicación del convenio (SSTS de 10 de febrero de 1992, Ar/960, de 17 de junio de 1994, Ar/5545, de 11 de marzo de 1997, Ar/2309 o de 9 de febrero de 1999, Ar/2483).

b") El plazo de impugnación

336. Plazo de impugnación de oficio: el registro del convenio. El ET no fija plazo alguno para la impugnación judicial de oficio del convenio colectivo.

El art. 163.2 de la LJS prevé la impugnación de oficio hasta el registro del mismo, momento a partir del cual la impugnación podrá hacerse directamente por los legitimados a través del proceso de conflicto colectivo.

La jurisprudencia ha entendido que la impugnación administrativa *«puede ejercitarse tanto antes como después de los trámites administrativos del registro y la publicación del convenio impugnado»* (SSTS, u.d. de 2 de noviembre de 1993, Ar/8349, de 2 de febrero de 1994, Ar/783 o de 31 de marzo de 1995, Ar/2353).

c") El procedimiento de impugnación

337. El procedimiento. El procedimiento para impugnar judicialmente de oficio un convenio colectivo se encuentra regulado en los arts. 90.5 del ET y 163, 164 y 166 de la LJS.

Según el art. 163 de la LJS, la impugnación del convenio podrá promoverse de oficio mediante comunicación remitida por la autoridad laboral correspondiente, bien a instancia de los representantes legales o sindicales de los trabajadores o de los empresarios o de los terceros presuntamente lesionados, bien *«de motu propio»* (STC de 5 de diciembre de 1988).

El proceso se seguirá, además de con las representaciones integrantes de la comisión negociadora del convenio colectivo, con los terceros reclamantes, presuntamente lesionados, en su caso y, si los hubiere, con los denunciantes ante la autoridad laboral de la ilegalidad o lesividad del convenio (art. 164.4 LJS).

Cuando la impugnación procediera de la autoridad laboral y no hubiera denunciantes, será citado también el Abogado del Estado (art. 164.5 LJS el Ministerio Fiscal será siempre parte en estos procesos (art. 164.6 LJS).

El procedimiento será el ordinario, si bien la sentencia habrá de dictarse dentro de los tres días siguientes a la finalización del proceso, se comunicará a la autoridad laboral y será ejecutiva desde el momento en que se dicte, no obstante el recurso que contra ella pudiera imponerse (art. 166.2 LJS).

b') El proceso de conflicto colectivo

338. La impugnación del convenio a través del procedimiento especial de conflicto colectivo. La LJS, en sus arts. 163 y 164, prevé la impugnación judicial del convenio colectivo a través del procedimiento especial de conflicto colectivo (SS. TS de 15 de febrero de 1993, Ar/1164 o de 25 de marzo de 1997, Ar/2617).

La impugnación de un convenio colectivo por los trámites del proceso de conflicto colectivo podrá iniciarse, en los siguientes casos (art. 163.3 LPL):

1°) Cuando el convenio colectivo no hubiera sido aún registrado, hubieran las partes o terceros interesados instado de la autoridad laboral que cursare su comunicación de oficio y esta no contestara la solicitud en el plazo de quince días, o la desestimara.

2°) Cuando el convenio colectivo ya hubiere sido registrado.

La legitimación activa corresponde, según se trate de una impugnación fundamentada en ilegalidad del convenio o en lesividad del mismo:

a) En el primer caso, a los órganos de representación legal o sindical de los trabajadores —esto es, los comités de empresa, delegados de personal o delegados sindicales— a los sindicatos y a las asociaciones empresariales interesados (*que tengan una relación directa con el objeto del conflicto*: STC de 29 de noviembre de 1982). Las SSTS de 23 de marzo de 1994 (Ar/2622) y de 16 de diciembre de 1996 (Ar/9709) permiten que el comité de empresa de un centro de trabajo impugne un convenio colectivo de empresa aplicable en otros centros de la misma.

El término legal *«interesados»* parece limitar las posibilidades de legitimación activa a aquellas representaciones de trabajadores o de empresarios cuyos representados estén incluidos en el ámbito de aplicación del convenio (SSTS de 15 de marzo de 2004, Ar/4389, de 3 de abril de 2006, Ar/5307 o de 20 de marzo de 2007, Ar/3254).

Parecen quedar fuera de esta legitimación activa los concretos empresarios afectados por un convenio (STS de 15 de octubre de 1996, Ar/7764). Ciertamente la LJS habla únicamente de sindicatos, órganos de representación unitaria de trabajadores y asociaciones empresariales. Llama la atención este silencio legal en la LJS respecto de los empresarios pues, de un lado, el art. 154.c) de la ley concede legitimación para promover procesos sobre conflictos colectivos en general a los empresarios y el art. 162.2, referido al procedimiento de oficio de impugnación de convenios colectivos, permite que los empresarios individuales soliciten de la autoridad laboral que curse al órgano judicial correspondiente su comunicación de oficio.

No están legitimados tampoco los trabajadores individuales ni las partes firmantes del convenio (STS de 1 de junio de 1996, Ar/5746); sí lo está el sindicato con presencia en la representación unitaria firmante del convenio (STS de 15 de octubre de 1996, Ar/7764).

En cuanto al plazo de impugnación, la jurisprudencia ha señalado que la impugnación directa del convenio que se fundamenta en la ilegalidad del mismo no está sujeta a plazo alguno y que puede hacerse a lo largo de toda su vigencia (SSTS de 15 de marzo de 2004, Ar/4389 o de 19 de septiembre de 2006, Ar/ 6669).

b) En el segundo caso, los terceros cuyo interés haya resultado gravemente lesionado, por el convenio. La ley se cuida de especificar que no se tendrá por terceros a *«los trabajadores y empresarios incluidos en el ámbito de aplicación del convenio»* (SSTS de 9 de mayo de 1994, Ar/4009 o de 15 de octubre de 1996, Ar/7764 o de 2 de marzo de 2007, Ar/3170), ni tampoco, lógicamente, aunque la ley no lo diga expresamente a los que han negociado el convenio colectivo impugnado. Tampoco serán terceros los trabajadores jubilados (SSTS de 28 de septiembre de 1994, Ar/7258, de 11 de marzo de 1997, Ar/2309 o de 9 de febrero de 1999, Ar/2483).

Por lo demás, el Ministerio Fiscal será siempre parte en estos procesos.

La legitimación pasiva corresponderá a *«todas las representaciones integrantes de la comisión negociadora del convenio»*, esto es, no a los miembros de la comisión negociadora sino a las partes negociadoras (STS de 4 de junio de 1984, Ar/3328).

c') Los efectos de la impugnación judicial de un convenio

339. Los resultados de la impugnación judicial del convenio. El art. 90.5 del ET establece que la jurisdicción competente *«adoptará las medidas que procedan al objeto de subsanar supuestas anomalías previa audiencia de las partes».*

¿Qué significa esto? Evidentemente, la sentencia judicial, de estimar la demanda de oficio, deberá declarar bien la nulidad total del convenio, bien la nulidad parcial del mismo o sobreseerlo en caso contrario, debiendo las partes negociar un nuevo convenio (ALONSO OLEA).

Ahora bien, lo que el ET parece indicar es la posibilidad de sustituir las cláusulas nulas por parte del Magistrado, previa audiencia de las partes, en los casos de nulidad parcial del convenio, que, sin duda, serán los más frecuentes.

Un problema adicional surge en cuanto a la nulidad parcial en los casos, frecuentísimos por lo demás, en que las partes hayan establecido una cláusula de *«vinculación a la totalidad»* o *«indivisibilidad del convenio»*, por la cual las condiciones pactadas en el convenio forman un todo orgánico o indivisible que imposibilitaría que el Magistrado, por su cuenta, pudiera *«subsanar las anomalías»* de un convenio acordado, debiéndose declarar en tales casos la nulidad total, con la devolución del convenio a las partes para que sean estos quienes las subsanen. Claro está que la audiencia de las partes puede amortizar este último trámite. La jurisprudencia ha señalado, sin embargo, que la nulidad de algunas cláusulas del convenio no pueden suponer la nulidad total del convenio (STS de 22 de septiembre de 1998, Ar/7576).

Cuando la sentencia sea anulatoria, en todo o en parte, del convenio colectivo impugnado y éste hubiera sido publicado, también su publicará en el *«Boletín Oficial»* en que aquél se hubiera insertado (art. 166.3 LJS). El efecto de la sentencia anulatoria se producirá «ex tunc» al tener la acción de nulidad naturaleza declarativa y no constitutiva (SSTS de 11 de mayo, 15 de junio y 21 de junio de 2010).

En otras ocasiones no se declarará la nulidad del convenio colectivo sino su naturaleza extraestatutaria y su eficacia personal limitada (STS de 4 de junio de 1999, Ar/5068).

d') La inaplicación singular a través del proceso ordinario

340. La inaplicación de las cláusulas convencionales ilegales. Por otra parte, es claro que los trabajadores individuales podrán acudir al procedimiento ordinario para conseguir del tribunal laboral la inaplicación por nulidad de la cláusula normativa del convenio que considere ilegal.

El fundamento se encuentra, como ha puesto de relieve el Tribunal Constitucional, en el art. 24.1 de la Constitución, esto es, en el derecho a la tutela judicial efectiva contra actos aplicativos del convenio colectivo del empresario (SSTC de 21 de marzo de 1988, de 4 de mayo de 1990 o de 10 y 29 de enero de 1996).

f) *El control administrativo del cumplimiento del convenio colectivo*

341. El control administrativo del cumplimiento empresarial del convenio colectivo. El incumplimiento empresarial de las cláusulas normativas de un convenio colectivo podría ser objeto de sanción administrativa por parte de la autoridad laboral competente, previo levantamiento de acta de infracción por la Inspección del Trabajo y de la Seguridad Social (art. 5 de la LISOS).

g) La eficacia jurídica del convenio colectivo

342. La eficacia jurídica normativa de los convenios colectivos estatutarios. El art. 82.3 del ET y la jurisprudencia aplicativa. Tanto el art. 82.3 del ET —«*los convenios colectivos regulados por esta ley obligan a todos los empresarios y trabajadores incluidos dentro de su ámbito de aplicación durante todo el tiempo de su vigencia*»—, como el art. 3.3 del ET —«*los conflictos originados entre los preceptos de dos o más normas laborales tanto estatales como pactadas*»— reconocen a los convenios colectivos estatutarios una eficacia jurídica normativa y no contractual.

Así viene siendo reconocido por la jurisprudencia (STC de 31 de enero de 1991; SSTS, u.d., de 7 de octubre de 1992, Ar/7619 o de 4 de mayo de 1994, Ar/7725).

343. Las consecuencias del carácter normativo de los convenios colectivos. Los efectos o consecuencias de este carácter normativo de los convenios colectivos estatutarios son los siguientes:

1) En primer lugar, su aplicación imperativa y automática a las concretas relaciones laborales individuales sin necesidad de incorporación expresa o tácita del articulado del convenio a las mismas como condiciones más beneficiosas (SSTS, u.d., de 4 de mayo de 1994, Ar/7725 o de 14 de marzo 2007, Ar/3389); lo que excluye la posibilidad de contratos de trabajo que establezcan peores condiciones para el trabajador (art. 3.1.c) del ET), así como eventuales renuncias de los trabajadores (art. 3.5 del ET; STC de 10 de octubre de 1988 y SSTS, u.d., de 4 de mayo de 1994, Ar/7725 o de 29 de abril de 1993, Ar/3381) o que se someta a mecanismos de aceptación individual (STS de 14 de marzo de 2007, Ar/3389).

2) En segundo lugar, la aplicación del principio de modernidad en la sucesión de los convenios colectivos, de tal modo que, a salvo una cláusula expresa de mantenimiento, el convenio posterior deroga el anterior y los contratos individuales de trabajo pasan a regirse por el nuevo convenio (arts. 82.4 y 86.4 del ET; SSTS, u.d., de 28 de octubre de 1991, Ar/767, de 11 de mayo de 1992, Ar/3542, de 17 de octubre de 1992, Ar/7650, de 26 de julio de 1995, Ar/6722, de 26 de febrero de 1996, Ar/1507, de 20 de diciembre de 1996, Ar/9812, de 19 de enero de 1998, Ar/741, de 22 de junio de 2005, Ar/5928, de 22 de diciembre de 2005, Ar/2006/1424 o de 7 de diciembre de 2006, Ar/8246), no existiendo en este sentido un «*principio de irreversibilidad de condiciones*».

En la práctica de la negociación colectiva es no obstante frecuente el mantenimiento de las condiciones más beneficiosas del convenio colectivo anterior mediante la técnica de la «*garantía ad personam*» para los trabajadores que las hubieran disfrutado con anterioridad (por todas, STS de 5 de abril de 2001, Ar/4886) (ver supra).

3) En tercer lugar, la aplicación del principio de publicidad, existiendo la obligación de publicación (arts. 9.3 de la Constitución y 2.1 del Código Civil) en el Boletín Oficial que corresponda según el ámbito de aplicación del convenio. Los convenios colectivos publicados oficialmente gozan de una presunción «*iuris tantum*» de validez (STS de 15 de marzo de 1999, Ar/2917). Y ello con independencia de que solamente rija el «*principio iura novit curia*» para los convenios colectivos publicados en el BOE y en los BOCAs y no para los publicados en los BOPs (STC de 23 de mayo de 2004).

4) En cuarto lugar, en caso de incumplimiento del convenio, los trabajadores y empresarios individuales tendrán una responsabilidad contractual individual exigible judicialmente.

Asimismo, en caso de incumplimiento empresarial del convenio, la autoridad administrativa laboral, previo informe de la Inspección de Trabajo, podrá sancionar las infracciones empresariales en los términos establecidos por la LISOS (art. 5°).

5) En quinto lugar, finalmente, será posible la impugnación en casación o en suplicación de las infracciones de los convenios colectivos en que hayan incurrido las sentencias de instancia como infracciones de ley y no como error de hecho (arts. 193 y 207 de la LJS; STS de 20 de mayo de 1997, Ar/4275).

344. La posible inaplicación del convenio vigente. La Ley prevé la posibilidad de inaplicar el convenio colectivo vigente en las materias y por las causas establecidas en el art. 82.3 del ET (ver infra).

h) La eficacia personal del convenio colectivo

345. La eficacia personal «*erga omnes*». El art. 82.3 del ET y la doctrina jurisprudencial consolidada al respecto. En cuanto a la eficacia personal de los convenios colectivos regulados por el ET, el art. 82.3 del ET, aunque no de una manera ciertamente ejemplar, les reconoce una eficacia general o erga omnes.

Según este artículo, «*los convenios colectivos regulados por esta ley obligan a todos los empresarios y trabajadores incluidos dentro de su ámbito de aplicación y durante todo el tiempo de su vigencia*». Ámbito de aplicación que, según el art. 83.1 del ET, podrán libremente fijar las partes, con los límites ya expuestos (ver supra).

En todo caso, esta libertad deberá entenderse referida a los ámbitos funcional y territorial de aplicación de un convenio y al ámbito personal, entendido como conjunto de grupos y categorías profesionales, al que el convenio colectivo resulta aplicable y no a su eficacia personal, que le viene predeterminada por el art. 82.3 del ET.

Hay, en este sentido, consolidada una doctrina jurisprudencial que afirma con toda rotundidad que los convenios colectivos obligan a todos los empresarios y trabajadores de su ámbito de aplicación territorial y funcional aunque no pertenezcan a la/s asociación/es profesional/es firmante/s del convenio (STC de 8 de junio de 1989 y SSTS de 23 de noviembre de 1992, Ar/8828 o de 29 de junio de 1995, Ar/6251), no siendo lícito pactar en un contrato individual el sometimiento a un convenio colectivo distinto del aplicable (STS de 16 de junio de 1998, Ar/7791).

346. La alteración de los presupuestos de legitimación representativa durante la vigencia del convenio y la incorporación de nuevos empresarios y trabajadores a la unidad de negociación. Cuando por cualquier razón se alterasen los presupuestos de legitimación representativa de una de las partes o de ambas durante la vigencia de un convenio colectivo (elecciones a comités de empresa y delegados de personal con cambios importantes en la correlación de fuerzas sindicales o la pérdida o aumento de afiliados en las asociaciones empresariales), tales alteraciones no afectarán a la aplicabilidad con eficacia erga omnes del convenio, dado que la ley exige los presupuestos subjetivos únicamente en el momento inicial de la negociación (SSTS de 18 de diciembre de 1995, Ar/9308, de 20 de diciembre de 1996, Ar/981200, de 15 de marzo de 1999, Ar/2917 o de 13 de febrero de 2008, Ar/3835). El art. 82.3 del ET subraya esta idea al señalar que los convenios colectivos obligan a todos *durante todo el tiempo de su vigencia*.

Por otra parte, el convenio colectivo se aplicará a todos los empresarios y trabajadores que durante la vigencia del mismo se incorporen a la unidad de negociación (nuevas empresas y nuevos trabajadores) (STS de 26 de julio de 1995, Ar/6722).

i) La duración del convenio colectivo

a') La duración y la entrada en vigor del convenio

347. Libertad de las partes para fijar la duración y la entrada en vigor del convenio colectivo. La duración de los convenios colectivos viene fijada libremente por las partes negociadoras, no estableciendo el ET una duración mínima o máxima, pudiéndose establecer duraciones distintas según materias (art. 86.1 ET).

Corresponde igualmente a las partes la fijación de la fecha de entrada en vigor del convenio (art. 90.4 del ET), fecha que puede ser incluso anterior a la finalización de las negociaciones o a la publicación oficial del convenio, admitiéndose la retroactividad total o parcial del mismo, pues la ley permite, con carácter general, pactar distintos períodos de vigencia *para cada materia o grupo homogéneo de materias dentro del mismo convenio»* (art. 86.1 in fine del ET; STS de 29 de diciembre de 2004, Ar/2005/2309), si bien debiendo respetar los derechos ya nacidos y consumados *«por pertenecer al patrimonio del trabajador»* (SSTS de 7 de julio de 2014, Rec. 206/2014 o de 10 de noviembre de 2015, Rec. 340/2014).

Las prácticas más frecuentes en este sentido son hacia el pasado, esto es, las de pactar que las condiciones económicas del nuevo convenio se apliquen al período que pueda haber mediado entre la terminación de la vigencia del convenio anterior y la entrada en vigor del nuevo o, hacia el futuro, el pacto de condiciones salariales para menos tiempo que la duración del convenio (STS de 15 de septiembre de 1989, Ar/6444). En este sentido, el convenio colectivo resultará aplicable no sólo a los trabajadores que mantuviesen vivo su contrato de trabajo en la fecha de firma del mismo, sino también a los que han prestado servicios en el pasado y en tal fecha ya habían extinguido su contrato (SSTS, u.d., de 30 de septiembre de 1992, Ar/683, de 23 de noviembre de 1992, Ar/8828 o de 13 de noviembre de 2007, Ar/9214).

b') La denuncia del convenio

348. La denuncia del convenio. Procedimiento y efectos. La denuncia expresa del convenio en los términos fijados en el mismo es condición *«sine qua non»* para que el convenio extinga su vigencia a la llegada del término legal pactado. En ausencia de denuncia el convenio se prorroga automáticamente por un año y sucesivamente de año en año de no mediar denuncia expresa de una de las partes (art. 86.2 del ET).

Este es el sentido del tenor literal de la ley. Ahora bien, se trata de una norma que posee naturaleza dispositiva, pues en ella se prevé la posibilidad de que exista *«pacto en contrario»* en el convenio colectivo. Cabrá, pues, pactar una prórroga menor o mayor que la legal, la prórroga indefinida en tanto no medie denuncia o la denuncia tácita o automática con la llegada del término final.

La denuncia habrá de ser hecha por alguna de las partes que negociaron el convenio colectivo, esto es, por sujetos que tienen legitimación plena, no bastando la legitimación inicial (STS de 21 de mayo de 1997, Ar/ 4279). No pudiendo realizarla empresas aisladas o trabajadores afectados por el convenio (STCT de 8 de febrero de 1983, Ar/1649).

Por otra parte, de acuerdo con un principio contractualista sólo podrían denunciar el convenio aquellas representaciones laborales y empresariales que lo hubiesen firmado y no los que, pudiendo hacerlo, no lo hicieron (autoexclusión o descuelgue posterior en la negociación (STCT de 29 de abril de 1985, Ar/ 2894).

Caben, no obstante, excepciones a este principio admitiendo en estos casos una *«sucesión en la representación»*:

a) En el supuesto límite de disolución de un comité de empresa negociador por dimisión de todos sus miembros y denuncia por las secciones sindicales de empresas del convenio.

b) Cabría asimilar al supuesto anterior el de desaparición de la representación empresarial o sindical durante la vigencia de un convenio colectivo supraempresarial.

Mayores problemas surgen en el caso de que, vigente un convenio colectivo, se produjeran elecciones y se alterase sustancialmente la representatividad en la unidad de negociación.

Por lo demás, la denuncia podrá realizarse «*ante tempus*» por mutuo acuerdo de las partes (SSTS de 390 de junio de 1998, Ar/5793, de 18 de octubre de 2004, Ar/2005/143 o de 18 de octubre de 2004, Rec. 191/2003), siempre que los sujetos que negocien la revisión del convenio reúnan los requisitos de legitimación previstos en los arts. 87 y 88 del ET (art. 86.1 del ET) o por aplicación de la cláusula «*rebus sic stantibus*».

Sin embargo, la doctrina judicial se muestra reticente a su admisión «*dado que su limitada vigencia (del convenio) y fundamentalmente la libertad de las partes para crear nuevos y posteriores convenios, hacen más dinámica la solución para situaciones de desequilibrio que puedan sobrevenir*» (SSTCT de 3 de abril y de 20 de abril de 1987, Ar/9085 y 9078), pudiéndose, además, descolgar del convenio en materia salarial (ver infra) o ser modificado esencialmente su contenido en materia de horarios, régimen de trabajo a turnos, sistema de remuneración y sistema de trabajo y rendimiento y funciones (art. 41.6 del ET; ver infra).

c') La ultraactividad normativa del convenio colectivo (art. 86.3 del ET)

349. El mantenimiento de la vigencia del contenido normativo del convenio tras su denuncia. El art. 86.3 ET establece la que se denomina ultraactividad normativa al señalar que «*transcurrido un año desde la denuncia del convenio colectivo sin que se haya acordado un nuevo convenio, las partes deberán someterse a los procedimientos de mediación regulados en los acuerdos interprofesionales de ámbito estatal o autonómico previstos en el art. 83, para solventar de manera efectiva las discrepancias existentes. Asimismo, siempre que exista pacto expreso, previo o coetáneo, las partes se someterán a los procedimientos de arbitraje regulados por dichos acuerdos interprofesionales, en cuyo caso el laudo arbitral tendrá la misma eficacia jurídica que los convenios colectivos y solo será recurrible conforme al procedimiento y en base a los motivos establecidos en el art. 91. Sin perjuicio del desarrollo y solución final de los citados procedimientos de mediación y arbitraje, en defecto de pacto, cuando hubiere transcurrido el proceso de negociación sin alcanzarse un acuerdo, se mantendrá la vigencia del convenio colectivo*».

350. El alcance de la ultraactividad normativa de los convenios colectivos. Hasta ahora, la ultraactividad normativa del convenio colectivo anterior finalizaba cuando las partes alcanzaran un acuerdo sobre el nuevo convenio que sustituyese al anterior o, en ausencia de acuerdo de revisión, cuando acordasen cerrar dicha unidad de negociación por estar de acuerdo las partes en someterse a un convenio colectivo de ámbito superior.

Ahora bien, en el caso de desacuerdo de las partes (tanto para revisar el convenio anterior como para someterse a un convenio de ámbito superior), la ley venía a establecer un procedimiento de naturaleza dispositiva y no imperativa, dado que siempre cabía la posibilidad de pactar en el convenio colectivo *los términos de la ultraactividad* (*«La vigencia de un convenio colectivo, una vez denunciado y concluida la duración pactada, se producirá en los términos que se hubiesen establecido en el propio convenio»*) (art. 86.3 del ET).

El procedimiento a seguir en defecto de pacto era el siguiente:

a) En primer lugar, la ley preveía el sometimiento a los procedimientos de mediación y arbitraje de necesario establecimiento en los acuerdos interprofesionales de ámbito estatal o autonómico previstos en el art. 83 del ET (*«se deberán establecer»* decía el anterior precepto legal), llegando a afirmar que *«dichos acuerdos interprofesionales deberán especificar los criterios y procedimientos de desarrollo del arbitraje, expresando en particular para el caso de imposibilidad de acuerdo en el seno de la comisión negociadora el carácter obligatorio o voluntario del sometimiento al procedimiento arbitral por las partes; en defecto de pacto específico sobre el carácter obligatorio o voluntario del sometimiento al procedimiento arbitral, se entenderá que el arbitraje tiene carácter obligatorio»*.

b) Y, una vez *«transcurrido un año desde la denuncia del convenio colectivo sin que se hubiese acordado un nuevo convenio o dictado un laudo arbitral, aquél perdía, salvo pacto en contrario, vigencia y se aplicaba, si lo hubiere, el convenio colectivo de ámbito superior que fuera de aplicación»* (art. 86.3 del ET) y, en ausencia de convenio colectivo, se mantenía la aplicación de algunas de las condiciones del convenio colectivo con carácter contractual, pudiendo ser modificadas en su caso por la vía del art. 41 del ET (art. 86.3 del ET y, por todas, la STS de 22 de diciembre de 2016 Rec. 17/2015).

Las diferencias entre el anterior régimen legal de la ultraactividad de los convenios colectivos y el actual son ciertamente sustanciales. Así:

1º) En primer lugar, se mantiene el carácter dispositivo de la regulación legal, admitiendo el pacto en contrario en los mismos términos que antes: *«La vigencia de un convenio colectivo, una vez denunciado y concluida la duración pactada, se producirá en los términos que se hubiesen establecido en el propio convenio»* (art. 86.3 del ET).

2º) En segundo lugar, aunque se mantiene la obligación de acudir a los procedimientos de mediación previstos en los acuerdos interprofesionales de solución de los conflictos una vez transcurrido un año desde la denuncia del convenio colectivo sin que se haya acordado un nuevo convenio, el sometimiento al arbitraje es ahora claramente voluntario para las partes.

3º) En tercer lugar, y sobre todo, el nuevo precepto legal suprime el límite temporal de un año para la ultraactividad del convenio colectivo, manteniendo su vigencia *«sine die»* y, a diferencia del precepto legal anterior, no aplica el convenio colectivo de ámbito superior ni mantiene la aplicación de ciertas condiciones del convenio en su ausencia del convenio colectivo con carácter contractual, como hacía la jurisprudencia.

Por lo demás, la Disposición Transitoria Séptima del Real Decreto-Ley establece que *«los convenios colectivos denunciados a la fecha de entrada en vigor de este Real Decreto-Ley, y en tanto no se adopte un nuevo convenio, mantendrán su vigencia en los términos establecidos en el art. 86.3 del Estatuto de los Trabajadores en la redacción dada por el presente Real Decreto-Ley»*. Lo que significa que el nuevo régimen de la ultraactividad de los convenios colectivos posee un carácter retroactivo, siendo de aplicación a aquellos convenios colectivos negociados con anterioridad a la fecha de entrada en vigor del Real Decreto-Ley.

d') La sucesión de convenios colectivos

351. La sucesión de convenios colectivos. En caso de sucesión de convenios colectivos, el convenio posterior deroga en su integridad al convenio anterior, salvo en los aspectos que expresamente se mantengan (art. 86.4 del ET), pudiéndose disponer sobre los derechos reconocidos en aquel (art. 82.4 del ET).

En este sentido, se ha abandonado por completo el principio de irregresividad o intangibilidad de lo pactado en convenio colectivo (SSTS de 8 de abril de 2005, Ar/6400 o de 7 de diciembre de 2006, Ar/8246) y los derechos reconocidos en un convenio colectivo pueden perder eficacia incluso durante la vigencia del convenio que los reconoció, si así se hubiese pactado (STS de 7 de diciembre de 2006, Ar/8246).

j) La aplicación e interpretación de los convenios

a') La interpretación general de los convenios colectivos

352. La interpretación de los convenios colectivos y la jurisdicción laboral. El art. 91.1 del ET señala que *«sin perjuicio de las competencias legalmente atribuidas a la jurisdicción competente, el conocimiento y resolución de las cuestiones derivadas de la aplicación e interpretación de los convenios colectivos, corresponderá a la comisión paritaria de los mismos»*.

Ahora bien, ¿cómo se realizará esa interpretación de convenios colectivos la jurisdicción laboral? Las sentencias no tendrán carácter abstracto sino que deberán ser congruentes con la pretensión formulada (ALONSO OLEA) y vinculantes tan sólo para los que fueron parte en el conflicto. De ahí que no deba hablarse de *«interpretación general»* de los convenios colectivos en sentido estricto.

Así pues, la jurisdicción realizará *«interpretaciones ordinarias del convenio»* a través de la solución de los conflictos individuales y colectivos que se planteen (MARTÍNEZ EMPERADOR).

b') La función interpretativa de las comisiones paritarias

353. La función interpretativa de las comisiones paritarias. En los supuestos de conflicto colectivo relativo a la interpretación o aplicación del convenio colectivo deberá intervenir la comisión paritaria del mismo con carácter previo al planteamiento formal del conflicto en el ámbito de los procedimientos no judiciales o ante el órgano judicial competente (art. 91.3 ET).

Las resoluciones de las comisiones paritarias sobre aplicación e interpretación del convenio tendrán la misma eficacia jurídica y tramitación que los convenios colectivos (art. 91.4 ET).

En todo caso, excede de las funciones atribuidas a la comisión paritaria introducir, bajo la apariencia de una interpretación, modificaciones al texto del convenio colectivo (SSTS de 28 de enero de 1993, Ar/375 o de 29 de junio de 1999, Ar/5231). La jurisprudencia constitucional (STC de 30 de septiembre de 1991) y ordinaria (SSTS de 10 de febrero y 7 de octubre de 1992, Ar/1140 y 76129 o de 9 de julio de 1999, Ar/6161) distingue en este sentido entre actos de administración del convenio y actos de negociación, limitando las facultades de las comisiones a las primeras.

En cualquier caso, la función interpretativa que cumplen las comisiones paritarias no pueden ser óbice para la presentación de una demanda en vía judicial ya que *«los trabajadores tienen derecho al ejercicio individual de las acciones derivadas de su contrato de trabajo»*, si bien por el mismo procedimiento de impugnación judicial de los convenios colectivos y por las mismas causas: ilegalidad o lesividad del convenio) (art. 4.2.g. del ET; STC de 14 de noviembre de 1991).

c') Los procedimientos extrajudiciales pactados de solución de los conflictos de interpretación de los convenios colectivos

354. Los procedimientos extrajudiciales: mediación y arbitraje. El art. 91 del ET prevé la posibilidad de pactar en los convenios colectivos marco y en los acuerdos sobre materias concretas procedimientos extrajudiciales —mediación o arbitraje— para la solución de las controversias colectivas y aún individuales —siempre que las partes expresamente se sometan a ellos— derivadas de la aplicación e interpretación de los convenios colectivos.

Los acuerdos logrados a través de la mediación y los laudos arbitrales tendrán la eficacia jurídica y personal aplicativa de un convenio colectivo estatutario siempre que quienes hubiesen adoptado el acuerdo o suscrito el compromiso arbitral reuniesen los requisitos de legitimación establecidos en los arts. 87 a 89 del ET (ver infra).

La impugnación de estos acuerdos y laudos arbitrales se hará por los mismos procedimientos y motivos previstos para los convenios colectivos, si bien cabrá recurso contra el laudo arbitral cuando no se hubiesen observado en el desarrollo de la actuación arbitral los requisitos y formalidades establecidos al efecto o cuando el laudo hubiese resuelto sobre puntos no sometidos a su decisión.

d') Las reglas generales de interpretación de los convenios colectivos

355. Aplicación de las reglas generales de interpretación de las normas y de los contratos. La jurisprudencia ha reconocido el carácter ambivalente del convenio colectivo que, por su forma de elaboración, es un contrato, y por su eficacia jurídica, una norma. En consecuencia, ha defendido la aplicación simultánea de las reglas generales de interpretación de las normas y de los contratos (SSTS, u.d., de diciembre de 1991, Ar/9068, de 20 de mayo de 1997, Ar/4107 o de 29 de junio de 1999, Ar/5231 o de 13 de junio de 2000, Ar/5114). Así, habrá de utilizarse:

1) La interpretación literal: *«según el sentido propio de sus palabras»* (art. 3.1 del Código Civil); *«al sentido literal de sus cláusulas»* (art. 1.281 del Código Civil). Esta es la principal norma hermenéutica (SSTS de 1 de julio de 1994, Ar/6323 o de 13 de octubre de 2004, Ar/8088).

2) La interpretación sistemática: *«en relación con el contexto»* (art. 3.2 del Código Civil): *«las unas por las otras, atribuyendo a las dudosas el sentido que resulte del conjunto de todas»* (art. 1.285 C. Civil; STS de 4 de junio de 2008, Ar/7541).

3) La interpretación histórica: *«los antecedentes históricos y legislativos»* (art. 3.1 del Código Civil); *«los actos (de los contratantes) coetáneos y posteriores al contrato»* (art. 1.282 del Código Civil). En este sentido, las manifestaciones de las partes en el curso de la negociación colectiva serán elementos aclaratorios a la hora de interpretar las cláusulas convencionales (STS de 1 de junio de 1992, Ar/4503).

4) La interpretación teleológica: *«atendiendo fundamentalmente al espíritu y finalidad de aquéllas»* (art. 3.1 del Código Civil); *«la intención de los contratantes»* (arts. 1.281 y 1.283 C. Civil).

5) No cabrá la interpretación analógica para cubrir las lagunas del convenio colectivo aplicable (STS de 9 de abril de 1992, Ar/6154).

k) *La adhesión y extensión de los convenios colectivos*

a') La adhesión a convenios

356. El art. 92.1 del ET. El art. 92.1 del ET prevé que *«en las respectivas unidades de negociación, las partes legitimadas para negociar podrán adherirse, de común acuerdo, a la totalidad de un convenio colectivo en vigor, siempre que no estuvieran afectadas por otro, comunicándolo a la autoridad laboral competente a efectos de registro».*

357. El régimen jurídico de la adhesión a convenios. El régimen jurídico para la adhesión a otros convenios es el siguiente:

1º) Para proceder a la adhesión a un convenio colectivo en una determinada unidad de negociación se necesita, en primer lugar, el común acuerdo de las partes legitimadas para negociar en ese ámbito conforme a los arts. 87 y 88 del ET.

2º) Aunque nada diga el ET sobre el particular, el ámbito del convenio objeto de la adhesión habrá de guardar una cierta homogeneidad con el de la unidad de negociación que se adhiere (STCT de 18 de diciembre de 1986, Ar/14211).

3º) La ley señala la necesidad de que la adhesión se refiera a la totalidad de un convenio colectivo, si bien tal exigencia legal parece un requisito imposible, injustificado e inútil (CAMPS).

El hecho de la existencia, por una parte, de idénticos requisitos de fondo y forma para proceder a la adhesión que para negociar un convenio colectivo y, de otra, de una plena libertad de contenidos negociales permite concluir que, pese a lo señalado por la ley, nada impide que las partes negocien la adhesión parcial a un convenio con la única diferencia formal, quizá, de que en este último caso no bastará la indicada remisión al convenio de adhesión sino que será necesaria la concreta transcripción de su articulado. Otra cosa cabría pensar de haberse establecido un procedimiento distinto con requisitos diversos para la negociación de estas adhesiones. Todo ello hace pensar en la innecesariedad de este precepto, que podría tener un sentido en el marco rígido de una negociación colectiva intervenida, pero que en las actuales circunstancias de libertad legal de contenido negocial y de fijación de unidades de negociación pierde su funcionalidad más allá del mero recordatorio de su posible existencia. De no existir, hubiera sido perfectamente posible la adhesión total o parcial a un convenio colectivo anterior.

4º) Por otra parte, se ha de referir la adhesión a un convenio colectivo en vigor. Y si tenemos en cuenta que el art. 90.4 del ET señala que *«el convenio entrará en vigor en la fecha que acuerden las partes»*, tan sólo a partir de este momento podrá producirse la adhesión (STS de 17 de octubre de 1992, Ar/7619).

5°) La adhesión a un convenio implica que las vicisitudes que afecten al convenio base repercuten en el sector adherido. Es decir, que, si posteriormente a su vigencia fuese declarado nulo el convenio en todo o en parte, se producirá paralelamente la nulidad total o parcial del convenio de adhesión, con el necesario replanteamiento de esta última al nuevo convenio que resultase de la subsanación. Pero ello, naturalmente, solo cuando la nulidad afecte al contenido negocial, no así cuando la nulidad afectase a problemas de legitimación, concurrencia o procedimiento del convenio al que se adhieren.

6°) La Ley exige que las unidades de negociación que pretendan la adhesión no se encuentren afectadas por otro convenio. En el fondo, no se hace sino repetir para la adhesión la regla de la no concurrencia de convenios prevista en el art. 84 del ET, regla que, aunque no se diga, debe matizarse o completarse con lo previsto en el art. 83.2 referente a los convenios marco y en el propio art. 84 in fine del ET.

7°) Finalmente, será preceptiva la comunicación a la autoridad laboral competente *«a efectos de registro»* —dice la ley— y de publicación y depósito habría que añadir (ALONSO OLEA).

Se trata, pues, de un verdadero convenio colectivo simplificado (CAMPS), de eficacia similar a los convenios colectivos ordinarios, cuya única diferencia formal con éstos reside en la expresión de su contenido articulado —adhesión a un convenio colectivo ya negociado y en vigor—, exigiéndose, por ello, los mismos requisitos de procedimiento que para la negociación de un convenio colectivo ordinario.

b') La extensión de convenios

a") La finalidad de la extensión: motivaciones

358. El art. 92.2 del ET. El art. 92.2 del ET (desarrollado por RD 718/2005, de 20 de junio) concede una facultad al Ministerio de Trabajo o al órgano correspondiente de la Comunidad Autónoma, según el ámbito de la extensión (STS de 17 de enero de 2003, Ar/1594), para extender administrativamente las disposiciones de un convenio colectivo supraempresarial o, excepcionalmente, de empresa en vigor, a una pluralidad de empresas y trabajadores o a un sector o subsector de actividad, del mismo o parecido ámbito funcional o con características económico-laborales equiparables en el caso de que no pudiera negociarse un convenio colectivo estatutario en esa unidad de negociación por la ausencia de partes legitimadas para ello.

El art. 87.3 del ET, modificado por Real Decreto-Ley 7/2011, de 10 de junio, al establecer que *«en aquellos sectores en los que no existan asociaciones empresariales que cuenten con la suficiente representatividad...estarán legitimadas para negociar los correspondientes convenios colectivos de sector las asociaciones empresariales de ámbito estatal que cuenten con el 10 por 100 o más de las empresas o trabajadores en el ámbito estatal, así como las asociaciones empresariales de Comunidad Autónoma que reúnan los requisitos señalados en la Disposición Adicional Sexta del ET»*, sin suprimir la extensión administrativa de los convenios, ha proporcionado un *«golpe de gracia»* a la misma, por cuanto ha dado solución negocial a la principal causa de las extensiones administrativas de convenios: la ausencia de asociaciones empresariales legitimadas en un determinado ámbito funcional y territorial.

359. El procedimiento de extensión. La autoridad laboral competente (Ministerio de Trabajo o Administración Laboral Autonómica, según al ámbito de la extensión) está facultada por la Ley para extender administrativamente las disposiciones de un convenio colectivo supraempresarial o, excepcionalmente de empresa en vigor a una pluralidad de empresas y trabajadores o a un sector o subsector de actividad, del mismo o parecido ámbito funcional o con características económico-laborales equiparables, en el caso de que no pudiera negociarse un convenio colectivo estatutario en esa unidad de negociación por ausencia de partes legitimadas para ello (art. 92.2 del ET).

El procedimiento de extensión viene concretado en el RD 718/2005, de 20 de junio:

a) La iniciativa será siempre a instancia de parte legitimada (art. 3 del RD 718/2005).

b) La solicitud habrá de hacerse por escrito dirigido a la autoridad administrativa competente para resolver, debiéndose acompañar de la documentación acreditativa de la ausencia de convenio colectivo aplicable y de partes legitimadas para negociar en esa unidad de negociación (art. 5 del RD 718/2005).

c) Deberán ser oídos preceptivamente las organizaciones sindicales y empresariales más representativas tanto en el nivel estatal como autonómico (art. 6 del RD 718/2005).

d) Deberá ser oída preceptivamente la Comisión Consultiva Nacional de Convenios Colectivos en los casos de extensiones de ámbito superior al de una Comunidad Autónoma y potestativamente en caso contrario, pudiendo en este caso ser consultado el organismo consultivo autonómico caso de existir (art. 7 del RD 2718/2005).

e) La extensión surtirá efectos desde la fecha de presentación de la solicitud hasta la finalización de la vigencia inicial o prorrogada (ordinaria anual por falta de denuncia o forzosa del art. 86.3 del ET) del convenio colectivo extendido (art. 9 del RD 718/2005).

g) El acto administrativo de extensión está sometido a las mismas exigencias administrativas de registro, depósito y publicación oficial que los convenios colectivos (art. 12 del RD 718/2005).

h) La duración del procedimiento administrativo de extensión no podrá exceder de tres meses, teniendo la ausencia de resolución expresa en el plazo establecido los efectos desestimatorios de la solicitud (art. 92.2 del ET).

i) Sustituido un convenio colectivo extendido por otro posterior, las partes legitimadas podrán solicitar de la autoridad administrativa laboral competente, en el plazo de un mes desde la publicación del nuevo convenio, una nueva extensión del convenio publicado por no haberse modificado las circunstancias que dieron lugar a la primera extensión. En el plazo de un mes, la resolución administrativa podrá proceder a la extensión que se retrotraerá a la fecha de inicio de efectos del convenio extendido (art. 10 del RD 718/2005).

j) Si durante la vigencia de la extensión se modificaran o desaparecieran las circunstancias justificativas de la misma, cualquiera de las partes legitimadas podrá promover la negociación de un convenio colectivo propio, comunicando tal decisión a la autoridad competente. En el caso de llegar a un acuerdo, se comunicará igualmente y la autoridad laboral dictará una resolución que dejará sin efecto la extensión (art. 11.1 del RD 718/2005).

k) Finalizada la vigencia inicial de un convenio colectivo extendido, si las partes legitimadas para solicitar la extensión tuvieran conocimiento de la existencia de un convenio más acorde con la realidad sociolaboral de su ámbito, podrán solicitar su sustitución, indicando la necesidad de dicha sustitución, manteniéndose durante la tramitación la vigencia del anterior convenio extendido (art. 11.2 del RD 718/2005).

IV. LOS CONVENIOS COLECTIVOS EXTRAESTATUTARIOS

1. *Su fundamentación jurídica*

360. Los convenios colectivos extraestatutarios en la CE. Los convenios colectivos extraestatutarios poseen fundamento constitucional. En efecto, los arts. 7 y 28.1 de la CE, de un lado, y el artículo 37.1, por otro, dan cobertura formal suficiente a los mismos.

Los arts. 7 y 28.1 de la CE reconocen la libertad sindical y no se puede reconocer constitucionalmente la libertad sindical y negar por la ley ordinaria a determinadas representaciones sindicales derecho a negociar convenios colectivos, ya que la negociación colectiva forma parte del contenido esencial de la libertad sindical.

La jurisprudencia del Tribunal Constitucional ha insistido en esta última idea. Paradigmática resulta en este sentido la STC de 27 de junio de 1984: «*Al pronunciarse sobre el contenido fundamental del derecho de libertad sindical este Tribunal Constitucional ha declarado ya en numerosas ocasiones que forma parte del mismo el derecho de los sindicatos al ejercicio de las facultades de negociación y conflicto a que se refieren los párrafos 1 y 2 del artículo 37 CE. Ello no es sino consecuencia de una consideración del derecho de libertad sindical que atiende no sólo a su significado individual consagrado en el artículo 28.1 CE, sino también a su significado colectivo, en cuanto derecho de los sindicatos al libre ejercicio de su actividad de cara a la defensa y promoción de los intereses económicos y sociales que le son propios (art. 7 CE), permitiendo así integrar el contenido del derecho a la propia actividad del sindicato, dentro de la cual la negociación colectiva constituye, sin duda, el medio primordial de acción*» (en este mismo sentido se expresan las SSTC, de 29 de noviembre, 22 y 28 de enero, 11 de mayo, 6 y 30 de julio y 30 de diciembre de 1983, 27 de marzo de 1984, 29 de julio de 1985 y 8 de junio de 1989).

Estos preceptos constitucionales serían, sin embargo, insuficientes para fundamentar una negociación colectiva extraestatutaria extrasindical —en la medida en que tan sólo se refieren a los sindicatos institucionalizados y no a otras formas de representación—, de no existir otro precepto constitucional donde más genéricamente el derecho resulta reconocido.

Esto sucede con el art. 37.1, donde, con gran dosis de ambigüedad, se reconoce directa e inmediatamente —esto es, ejercitable sin necesidad de desarrollo legal ordinario— un derecho de negociación colectiva apoyado en una amplia legitimación negocial, no reducida a los sindicatos y asociaciones empresariales registradas y, mucho menos, a los más representativos o mayoritarios (STS de 30 de marzo de 1999, Ar/3779).

Así, la ley ordinaria que desarrolle el art. 37.1 de la CE deberá «*garantizar*» este derecho y, si cree oportuno el legislador, conceder una eficacia personal general o erga omnes a determinados convenios colectivos, exigiendo lógicamente determinadas legitimaciones para negociar —exigencia de que negocien determinados sindicatos que reúnan determinadas representatividades—, puede hacerlo, pero siempre que respete el contenido esencial del derecho de negociación colectiva reconocido en la Constitución, esto es, permita la negociación potencial de otras representaciones de trabajadores y empresarios no autorizadas por esa ley ordinaria a negociar convenios colectivos de eficacia general o erga omnes.

Así pues, el derecho constitucional puede ser encauzado por una ley ordinaria, pero no absorbido, salvo que esa ley fuera tan amplia y generosa que concediera una legitimación negocial a todo tipo de representantes de los trabajadores y empresarios, como hace la Constitución (SUÁREZ GONZÁLEZ, MARTÍNEZ EMPERADOR y SALA).

361. Los convenios colectivos extraestatutarios en la legislación ordinaria. Consecuencia lógica de lo anterior, aunque no con la claridad que sería deseable, la legislación ordinaria da también pie para fundamentar suficientemente la existencia de convenios colectivos extraestatutarios. O mejor, quizá, partiendo de la Constitución, no impide legalmente la existencia de estos últimos.

De esta manera, los arts. 82.3 y 90.1 del ET hablan de *«los convenios colectivos regulados en la presente ley»* y de *«los convenios colectivos a que se refiere esta ley»*, respectivamente. Lo que, a sensu contrario, permite pensar en otro tipo de convenios colectivos no regulados por el ET, esto es, extraestatutarios.

Referencias ambas que no existían en el proyecto gubernamental y que aparecieron a instancias del grupo parlamentario socialista, mediante enmiendas presentadas en la Comisión de Trabajo del Congreso, motivadas precisamente por *«el necesario ajuste a la Constitución»* (BORRAJO, MARTÍNEZ EMPERADOR y SALA).

Por otro lado, el art. 82.1 del ET suprime significativamente la apostilla final, que incluía el correspondiente art. 80.1 del Proyecto de ley —*«Los convenios colectivos de trabajo… constituyen la expresión del acuerdo libremente adoptado por ellos en virtud de su autonomía colectiva dentro del marco de esta ley»*— y que pretendía claramente excluir la posibilidad de otro tipo de negociación.

Finalmente, el art. 2.2 de la LOLIS, al enumerar el dintel mínimo de actuación permitido a los sindicatos, en la empresa o fuera de ella, con independencia de su representatividad, entre los derechos que reconoce aparece, en primer lugar, el *«derecho a la negociación colectiva»*.

Así pues, todos los sindicatos, aunque no estén legitimados para negociar convenios colectivos estatutarios, según el art. 87 del ET, tendrán derecho a negociar convenios colectivos extraestatutarios de eficacia personal limitada.

Esta ha sido la interpretación aceptada por la STC de 29 de julio de 1985: *«El Proyecto… garantiza expresamente el derecho de negociación a todo sindicato»* (Fundamento Jurídico núm. 3); *«…la negociación de eficacia reducida se reconoce a todo sindicato»* (Fundamento Jurídico núm. 10). Añade esta sentencia, con intención clara de despejar cualquier duda interpretativa que pudiera plantear la dicción legal del art. 2.2.d) de la LOLS, que *«la referencia a —las normas correspondientes— no significa limitación alguna, sino una remisión a la regulación normativa específica, si es que ésta existe o debe existir, sólo en relación con los convenios colectivos de eficacia general, y por razones obvias el legislador ha debido ordenar la negociación colectiva para garantizar la validez de los convenios.*

Pero los preceptos que el ET dedica a la negociación colectiva, ninguno se requiere en una negociación común de eficacia limitada. Cuando los recurrentes aducen que no se desarrolla esta negociación y entienden que la existencia y regulación de la negociación de eficacia general impide aquéllas, vienen a cuestionar la opción legal (no excluyente) por la eficacia general. Esta opción ha sido, sin embargo, declarada legítima y adecuada al texto constitucional por este Tribunal. Desde el momento en que el proyecto (de LOLS) se ajusta a este esquema y garantiza expresamente el derecho de negociación a todo sindicato no incurre, pues, en inconstitucionalidad».

362. La posición doctrinal minoritaria. Ello no obstante, existe una posición minoritaria en la doctrina contraria al reconocimiento jurídico de los convenios colectivos extraestatutarios por parte de nuestro ordenamiento (MONTOYA MELGAR).

Rechaza MONTOYA los argumentos constitucionales señalados, manifestando sus dudas acerca de los mismos y, en todo caso —esta es su argumentación principal—, señalando que incluso aceptando por hipótesis «que el ET, al *excluir de su regulación a determinados tipos de convenios, no desarrolló con exactitud el mandato constitucional, o que para que ese mandato fuera fielmente cumplido debería dictarse una nueva ley que reconociera y garantizase el derecho a negociar convenios de eficacia limitada… en tanto no exista una declaración de inconstitucionalidad en el sentido apuntado (del ET), ni una ley con el alcance que se acaba de señalar, parece obvio que los únicos convenios colectivos pueden negociarse legalmente en nuestro país son los regulados en el ET, y precisamente a través de los trámites y con los efectos previstos en el propio Estatuto»,* manifestándose así a favor del carácter programático estricto del art. 37.1 de la CE.

Por lo que se refiere a los argumentos legales, rechaza la interpretación a sensu contrario de la dicción literal de los arts. 82.3 y 90.1 del ET, señalando que *«querer derivar, por vía de razonamiento a sensu contrario del tenor textual de los artículos 82.3 y 90.1, el reconocimiento legal de los convenios extralegales (lo que, de por sí, no es pequeña paradoja) parece una operación lógica exorbitante»,* y que *«parece obvio que si el ET hubiera querido admitir las dos figuras de convenios, lo habría hecho de modo terminante y claro, y es también evidente que esa admisión no se halla en los preceptos invocados ni, por supuesto, en ningún otro del Estatuto».*

363. La posición jurisprudencial: el Tribunal Constitucional y los Tribunales ordinarios. En todo caso, las posiciones jurisprudenciales son claras y rotundas acerca de la admisión en nuestro ordenamiento de este tipo de convenios colectivos.

El Tribunal Constitucional, en primer lugar, además de las sentencias ya señaladas afirmando que el derecho de negociación colectiva forma parte del contenido esencial del derecho de libertad sindical que indirectamente llevan de un modo necesario a afirmar la existencia de convenios extraestatutarios, so pena de inconstitucionalidad del ET (SSTC de 29 de noviembre, 22 y 28 de enero, 11 de mayo, 6 y 30 de julio y 30 de diciembre de 1983, 27 de marzo y 27 de junio de 1984, 29 de julio de 1985 y 8 de junio de 1989), ha dictado dos sentencias en las que expresamente se ha reconocido la posibilidad de negociar convenios colectivos extraestatutarios:

a) La STC de 27 de junio de 1984, reconoce directamente que *«la legítima opción legislativa en favor de un convenio colectivo dotado de eficacia personal general... en todo caso no agota la virtualidad del precepto constitucional»* (en igual sentido, la STC de 8 de junio de 1989).

b) La STC de 29 de julio de 1985 reconoce indirectamente que *«sólo en relación con los convenios colectivos de eficacia general, y por razones obvias, el legislador ha debido ordenar la negociación colectiva para garantizar la validez de los convenios. Pero de los preceptos que el ET dedica a la negociación colectiva, ninguno se requiere en una negociación común de eficacia limitada»*.

Por lo que se refiere a los Tribunales ordinarios, salvo en una primera etapa en que parecían desconocerse (así, por ejemplo, la STCT de 8 de febrero de 1982, Ar/1219), existe hoy una doctrina legal consolidada que los admite y reconoce explícitamente (por todas, SSTS, u.d., de 7 de octubre de 1992, Ar/7619, de 2 de febrero de 1994, Ar/784 o de 21 de junio de 1994, Ar/5464).

2. *Los supuestos posibles de negociación colectiva extraestatutaria*

364. La negociación extraestatutaria necesaria. La negociación colectiva extraestatutaria podrá producirse en todos aquellos casos en que no se respeten las normas establecidas en el ET para la negociación colectiva y, muy singularmente, las relativas a la legitimación inicial o complementaria para negociar y tomar acuerdos (STC de 29 de julio de 1985). Así:

a) Por inexistencia de representantes legitimados o por no alcanzar los porcentajes de representatividad requeridos para la legitimación inicial o para la legitimación complementaria por los arts. 87 y 88 del ET, o cuando se alcancen, pero se excluya a uno o a varios sindicatos y/o asociaciones empresariales con legitimación inicial *«ex artículo 87 del ET»*, y, por tanto, con derecho a sentarse en la mesa de negociación (STCT de 22 de septiembre de 1982, Ar/5104).

Regirán en punto a la legitimación negocial las reglas de la representación civil, no resultando aplicables las reglas de los arts. 87 y 88 del ET. Por ello no podrá negociar una minoría del comité de empresa, ya que el art. 65.1 del ET exige la mayoría de sus miembros para la toma de decisiones, aunque cabría la delegación a una parte de él (STS de 4 de mayo de 1998, Rec. 536/1997).

b) Por imposibilidad de llegar a un acuerdo mayoritario en cada una de las dos representaciones «*ex artículo 89.3 del ET*», continuando la negociación por las restantes partes negociadoras. En la realidad no es infrecuente que un sindicato se descuelgue por no estar de acuerdo con lo pactado, continuando las negociaciones la patronal y el otro u otros sindicatos en vía extraestatutaria (RODRÍGUEZ PIÑERO; STS de 24 de enero de 1997, Ar/572).

c) Por la simple voluntad de las partes. Conviene dejar claro que, en todo caso, las vías estatutaria y extraestatutaria constituyen cauces alternativos de utilización, en principio, voluntaria y libre para las partes. Así, se podrá utilizar la vía extraestatutaria con el único límite del cumplimiento por ambas partes de los deberes de negociar y de negociar de buena fe que el art. 89.1 del ET establece (STC de 8 de junio de 1989 o STS de 8 de junio de 1999, Ar/5208). Así, no viola el derecho a la libertad sindical la exclusión de un sindicato legitimado para negociar extraestatutariamente (STC de 8 de junio de 1989; SSTS de 28 de mayo de 2009, Ar/3257 o de 5 de noviembre de 2009, Ar/2010/68)

365. La negociación extraestatutaria derivada. Por lo demás, la negociación colectiva extraestatutaria se puede pretender desde el principio o puede derivarse de una negociación inicialmente estatutaria.

Así, un convenio colectivo negociado en vía estatutaria, impugnado judicialmente por conculcar la legalidad y que ha sido declarado nulo, tendrá validez como convenio extraestatutario si la nulidad proviene de la infracción de la normativa específica establecida en el Título III del ET (STC de 8 de junio de 1989 y STS de 24 de enero de 1997, Ar/572).

Tan sólo si la nulidad proviniera de la infracción de lo dispuesto en el art. 3 del ET, esto es, de no respetar el derecho necesario, el convenio colectivo sería nulo en ambas vías (estatutaria y extraestatutaria) (por todas, SSTS de 24 de febrero de 1992, Ar/1052 o de 22 de octubre de 1993, Ar/7856).

Así, comoquiera que el art. 65.1 del ET exige la mayoría para que el comité de empresa adopte sus decisiones, un convenio colectivo pactado por una minoría del mismo no tendría validez alguna, ni como convenio estatutario, ni tampoco como convenio extraestatutario. En este sentido se han manifestado la doctrina científica (RODRÍGUEZ PIÑERO) y la doctrina legal (por todas, STCT de 16 de octubre de 1986, Ar/10735).

3. Contenido posible

366. El contenido posible de los convenios colectivos extraestatutarios. La jurisprudencia (SSTS de 30 de mayo de 1991, Ar/5233 o de 21 de febrero de 2006, Ar/1903) ha venido a recortar los posibles contenidos de los convenios colectivos extraestatutarios, declarando la nulidad —acaso sea excesivo— de aquellas cláusulas de imposible aplicación individualizada y de necesaria aplicación a todos los trabajadores de la empresa, aún a los no representados por los sujetos colectivos firmantes (por ejemplo, el sistema de clasificación profesional, el régimen de turnos, los horarios o el control de los rendimientos) (SSTS de 30 de mayo de 1991, Ar/5233, de 21 de febrero de 2006, Ar/1903, de 1 de junio de 2007, Ar/6349 o de 25 de febrero de 2009, Ar/2873). Por esta vía, sin duda, se reducen considerablemente las posibilidades de negociar convenios colectivos extraestatutarios.

En todo caso, los convenios colectivos extraestatutarios están limitados por las normas legales y reglamentarias imperativas (absolutas y mínimas) (por todas, STS de 24 de febrero de 1992, Ar/1052 o de 22 de octubre de 1993, Ar/7856).

4. La normativa aplicable

367. La normativa aplicable a los convenios colectivos extraestatutarios. A los convenios colectivos extraestatutarios, como su nombre indica, no les es de aplicación lo dispuesto en el Título III del ET en ninguno de sus preceptos (STS de 2 de febrero de 2005, Ar/2014), rigiéndose con carácter general por el art. 37.1 y concordantes de la Constitución —que los fundamenta y reconoce— y por la voluntad de las partes negociadoras, que gozarán de gran autonomía dentro del lógico respeto a las normas superiores en cuanto al contenido negocial —art. 3.1.b) y c) del ET, según se califiquen de normas o de contratos (ver infra)— y a las normas generales del Código Civil sobre los contratos en cuanto a los requisitos de capacidad, consentimiento, objeto y causa (arts. 1.091 y 1.254 y ss. del Código Civil).

En este preciso sentido se mueve la jurisprudencia (por todas, SSTS de 17 de octubre de 1994, Ar/8052, de 14 de diciembre de 1996, Ar/9462, de 24 de enero de 2002, Ar/2697 o de 20 de febrero de 2008, Ar/1634).

Por lo demás, resulta puntualmente aplicable lo dispuesto en el art. 1.c) del Real Decreto-ley 5/1979, de 26 de enero, sobre creación del SMAC, en tema de publicación oficial de estos convenios colectivos extraestatutarios (ver infra).

5. *La naturaleza jurídica*

5.1. La eficacia jurídica

368. La posición doctrinal. División. La posición de la doctrina acerca de la eficacia jurídica de los convenios colectivos extraestatutarios, pese al paso de los años, continúa dividida entre quienes le atribuyen eficacia normativa y quienes le otorgan eficacia contractual.

A favor de la eficacia contractual se encuentra un importante sector de la doctrina. Así ALONSO GARCÍA, ALONSO OLEA, BORRAJO, MARTÍNEZ EMPERADOR, OJEDA y LAHERA. Entienden todos ellos que la Constitución española no reconoce un derecho a negociar convenios colectivos de eficacia normativa, sino que la eficacia normativa es un «*plus*» que establece la ley ordinaria al garantizar tal derecho tan sólo respecto de determinados convenios. OJEDA, por su parte, matiza lo anterior y partiendo de una construcción constitucional bipolar —«*convenios colectivos*» y «*acuerdos colectivos*»—, entiende que la Constitución privilegia con la fuerza vinculante tan sólo a los «*convenios colectivos*», si bien más tarde, a través de las teorías de la buena fe contractual y del mandato con representación viene a atribuir una cierta «*supercontractualidad*» a los convenios colectivos extraestatutarios (en este mismo sentido, MARTÍNEZ JIMÉNEZ).

A favor de la eficacia normativa se han manifestado RIVERO VALDÉS —si bien antes de la aparición del ET—, y más tarde ÁLVAREZ ALCOLEA, ESCUDERO, DE LA VILLA, GARCÍA BECEDAS y GARCÍA PERROTE, PALOMEQUE y SALA. Entiende este sector doctrinal que los convenios colectivos extraestatutarios tienen su razón de ser en la Constitución (art. 37.1), donde la eficacia normativa forma parte del contenido esencial del derecho de negociación colectiva reconocido, haya o no ley ordinaria garantizadora, al identificar el término constitucional «*fuerza vinculante*» con eficacia normativa.

VALDÉS ha matizado posteriormente su afirmación inicial llegando a calificar el convenio colectivo extraestatutario como «*acto normativo intermedio*» no integrado en el sistema formal de fuentes del derecho del Estado, pero con «*eficacia imperativa aun cuando sólo sea de modo limitado, a los trabajadores y empresas afiliados y asociados a las organizaciones sindicales y a las asociaciones empresariales signatarias del acuerdo*». Concluye, en este sentido, que «*la diferencia entre convenios extraestatutarios y convenios estatutarios queda desplazada, desde el nivel de los efectos, al plano de su posición en el sistema de fuentes*».

369. La posición jurisprudencial del Tribunal Constitucional y de los Tribunales ordinarios. De las SSTC de 23 de mayo de 1994 y de 30 de abril de 1985, es posible deducir la eficacia normativa de los convenios colectivos extraestatutarios al señalar, de un lado, que el ET no agota la virtualidad del precepto constitucional y, de otro, que la garantía constitucional de la fuerza vinculante de los convenios implica atribuir a los mismos *«una eficacia jurídica (que) en virtud del contenido normativo de los mismos se impone a las relaciones individuales de trabajo incluidas en sus ámbitos de aplicación de manera automática, sin precisar el complemento de voluntades individuales»*. La STC de 28 de junio de 1983 mantiene, sin embargo, una postura más matizada.

La jurisprudencia ordinaria, sin embargo, sigue atribuyéndoles, en todo caso, una eficacia jurídica contractual y no normativa, al sostener que *«carecen de virtualidad para crear derecho objetivo (creando) simples derechos subjetivos amparados en el derecho común»* (por todas, SSTS, u.d., de 9 de febrero de 1994, Ar/784, de 14 de diciembre de 1996, Ar/9462, de 24 de enero de 1997, Ar/572 o de 19 de febrero de 2001, Ar/2805).

Ello no obstante, se aprecia una doctrina judicial altamente contradictoria que, después de afirmar la eficacia jurídica contractual de este tipo de convenios, aplica a éstos principios jurídicos propios de la eficacia normativa. Esto sucede, por ejemplo, con la aplicación del principio de norma más favorable del art. 3.3 del ET a un supuesto de concurrencia entre un convenio estatutario y otro extraestatutario (STS de 30 de noviembre de 1998, Ar/10047).

370. Las consecuencias de la eficacia contractual de los convenios colectivos extraestatutarios. Naturalmente, las consecuencias de una u otra calificación jurídica son importantes, no tratándose de un debate teórico sino eminentemente práctico, ya que de atribuírseles eficacia contractual:

1) El convenio colectivo no crearía derecho objetivo para los empresarios y trabajadores sindicales, sino simples derechos subjetivos entre las partes contratantes.

2) No regiría el principio de publicidad, no exigiéndose su publicación oficial.

3) No regiría el principio de automaticidad, sino que su aplicabilidad a los trabajadores y empresarios individuales se produciría por vía de incorporación expresa o tácita de sus cláusulas a los contratos de trabajo individuales como condiciones contractuales (STS de 1 de julio de 1991, Ar/5863).

4) No regiría el principio de imperatividad relativa concretable en los de inderogabilidad singular y de irrenunciabilidad.

5) En consecuencia, serían válidos los contratos individuales de trabajo celebrados por debajo de lo estipulado en el convenio, siendo así posible la derogación *«in peius»* del convenio colectivo por parte de aquéllos. Cabría, no obstante, pensar en la aplicabilidad de la *«teoría del mandato*

con representación» conferido por los trabajadores aplicados al sindicato en el momento de afiliarse o a los delegados *«ad hoc»* o de la *«teoría de la buena fe contractual»* (entendida como *«la prioridad de la autonomía colectiva sobre la individual, lo cual significa la unánime conceptuación del pacto colectivo como superior en rango al contrato singular»*) (OJE-DA) el momento de su elección para conjurar la derogabilidad *«in peius»* que en caso contrario podría derivarse de la doctrina de la incorporación contractual. Sin embargo, si bien su aplicación sería relativamente fácil en los convenios de empresa, resultaría más difícil en los convenios supraempresariales en los que negocian asociaciones empresariales. En este último caso habría que acudir a la asociación empresarial para que éste obligase a sus afiliados a cumplir con lo establecido en el convenio a través de la amenaza de sanciones disciplinarias estatutarias internas.

La jurisprudencia ha señalado que un contrato individual no puede contradecir lo dispuesto en el convenio colectivo extraestatutario, primando las condiciones convencionales sobre las pactadas y disfrutadas a título individual (SSTS de 2 de febrero 1994, Ar/784, de 1 de junio de 2007, Rec. 71/2006 o de 16 de julio de 2014, Rec. 110/2013).

Por otra parte, la aplicación de esta teoría quedaría supeditada *«a la diligencia de los sujetos colectivos y de los tribunales de justicia, consiguiendo a su través una tímida y débil inderogabilidad del convenio colectivo extraestatutario por parte de la autonomía individual»* (VALDÉS DAL-RÉ).

De otro lado, el ámbito material de la prohibición del art. 3.5 del ET no alcanza los derechos nacidos del propio contrato, que serán disponibles en todo caso por el trabajador a efectos de modificación o supresión por acuerdo individual. No obstante ello, la jurisprudencia ha mantenido que la irrenunciabilidad de derechos del art. 3.5 del ET resulta aplicable a los derechos nacidos de convenios colectivos extraestatutarios (STCT de 12 de noviembre de 1987, Ar/2484)

6) En caso de incumplimiento del convenio, surgiría únicamente una responsabilidad contractual para la parte contratante incumplidora y concretable en una indemnización de daños y perjuicios, que alcanzaría no sólo al incumplimiento de las cláusulas obligacionales por ellas mismas sino también al de las cláusulas normativas cuando fueran incumplidas por algún empresario o trabajador individual, de muy difícil ejecución en la práctica.

7) En caso de incumplimiento de convenio, surgen dudas acerca de la aplicabilidad de la LISOS (SSTS de 19 de febrero de 2001, Ar/2805 o de 2 de noviembre de 2002, Ar/9183).

8) No sería posible que la infracción de un convenio motivase un recurso de casación o de suplicación por infracción de la ley.

9) No jugaría el principio de modernidad en la sucesión de convenios colectivos sino que por obtener su eficacia jurídica de la incorporación, expresa o tácita, al contrato individual de trabajo serían condiciones más beneficiosas contractuales de necesario respeto por normas posteriores, no pudiendo ser modificadas sino por novación contractual individual o por la vía del art. 41 del ET, si bien, en principio, absorbibles o compensables por normas posteriores. Ello no obstante, dado el carácter naturalmente temporal de los convenios colectivos extraestatutarios, el contrato individual de trabajo sería igualmente temporal (SSTS de 20 de septiembre de 1993, Ar/6887, de 10 de febrero y de 22 de septiembre de 1995, Ar/1148 y 6789 o de 25 de enero de 1999, Ar/896).

Se plantean aquí, sin embargo, importantes dificultades de prueba, no en el caso de incorporación expresa, pero sí en el de incorporación empresarial tácita por el paso del tiempo. Aunque seguramente cabría utilizar la prueba de presunciones derivada del hecho de que a todos los trabajadores afectados por el convenio colectivo extraestatutario se les han aplicado las mismas condiciones.

En todo caso, su configuración como condiciones más beneficiosas de origen contractual plantea problemas de individualización de condiciones de trabajo, tanto del lado empresarial —dificultades de modificación posterior—, como del lado de los trabajadores —efectos retardatarios de conquistas colectivas posteriores, situaciones de desigualdad de trato por esta causa, etc.—.

10) Finalmente, jugaría el principio de jerarquía normativa matizado por el de norma mínima, pero no en cuanto convenio colectivo (art. 3.1.b del ET), sino en cuanto contrato individual de trabajo (art. 3.1.c del ET).

Sus cláusulas sólo serían eficaces jurídicamente en la medida en que se hubieran incorporado expresa o tácitamente a los contratos individuales de trabajo. Ello traería como consecuencia mayores dificultades a la hora de negociar un convenio colectivo extraestatutario dado que los derechos reconocidos en normas legales y convencionales (estatutarias, se entiende) son indisponibles en vía contractual (art. 3.5 del ET), cosa que no sucede con los convenios colectivos.

5.2. La eficacia personal

371. Eficacia personal limitada de los convenios extraestatutarios. La eficacia personal de los convenios colectivos extraestatutarios está claramente limitada a los trabajadores y empresarios representados por las partes contratantes. En ella reside su carácter distintivo respecto de los convenios estatutarios de eficacia personal general o *«erga omnes»* (SSTS u.d. de 14 de diciembre de 1994, Ar/1009, de 20 de diciembre de 1996, Ar/9812, de 24 de enero de 1997, Ar/572, de 8 de junio de 1999, Ar/5208, de 24 de enero de 2002, Ar/2697 o de 12 de diciembre de 2006, Rec. 2006/21).

En el caso de tratarse de convenios supraempresariales, serán sujetos obligados los trabajadores y empresarios afiliados en el/los sindicato/s y asociación/es empresarial/es firmantes del convenio.

En los convenios empresariales o de ámbito inferior, serán sujetos obligados tan sólo los trabajadores afiliados a los sindicatos firmantes. Pero de negociar el comité de empresa, los delegados de personal o unos delegados elegidos en asamblea, el convenio colectivo poseería eficacia personal general pese a su carácter extraestatutario, por coincidir de hecho los representantes y los trabajadores existentes en el ámbito de aplicación (por todas, STCT de 27 de diciembre de 1983, Ar/11358).

372. Los convenios colectivos extraestatutarios y el principio de no discriminación por razones sindicales. Planteada la cuestión de si la no aplicación de un convenio colectivo extraestatutario a los trabajadores no afiliados al sindicato firmante del mismo constituye una discriminación por razones sindicales contraria a lo dispuesto en los arts. 14 de la Constitución y 4.2 c) y 17.1 del ET, la jurisprudencia no la ha entendido discriminatoria porque su eficacia limitada es consustancial a esta clase de pactos, que encuentra su fundamento constitucional en el art. 37.1 de la Constitución (por todas, STC de 8 de junio de 1989 o STS de 30 de mayo de 1991, Ar/5233).

373. Las adhesiones individuales y colectivas a un convenio colectivo extraestatutario y su constitucionalidad. Pese a la eficacia personal limitada de este tipo de convenios colectivos, es frecuente que se prevea en ellos la posibilidad de adhesiones voluntarias individuales o colectivas de los trabajadores no representados por los sujetos negociadores firmantes (SSTS de 14 de noviembre de 1994, Ar/9071 o de 8 de junio de 1999, Ar/5208).

Planteada la cuestión de si estas adhesiones atentan a la libertad sindical de los sindicatos firmantes y no firmantes del convenio colectivo extraestatutario, la jurisprudencia ha señalado que *«no hay práctica antisindical al prever en el propio pacto la posibilidad de adhesión al mismo, en forma individual o colectiva»* (por todas, SSTS de 10 de junio de 1998, Ar/4105 o de 8 de junio de 1999, Ar/5208), habiendo llegado más lejos el Tribunal Constitucional al afirmar que tales cláusulas de adhesión son las que legitiman la posibilidad de negociar convenios colectivos extraestatutarios (STC de 8 de junio de 1989).

La jurisprudencia viene admitiendo las adhesiones tácitas de los trabajadores individuales, bastando la aplicación del convenio por el empresario sin protestas del trabajador (por todas, STS de 30 de marzo de 2000, Ar/3779).

En todo caso, el alcance de la eficacia personal general de un convenio colectivo extraestatutario por la vía fáctica de las adhesiones individuales o colectivas no trasforma al convenio en estatutario (SSTS de 9 de marzo de 1994, Ar/2218 o de 8 de junio de 1999, Ar/5208).

6. *Régimen jurídico*

6.1. Las relaciones con otras fuentes normativas

374. Los conflictos de concurrencia y la inaplicación del art. 84 del ET. En cuanto a los conflictos de concurrencia, habrá que distinguir entre los conflictos entre convenios estatutarios y extraestatutarios y los conflictos entre convenios extraestatutarios.

En el bien entendido de que en cualquier caso no jugara lo dispuesto en el artículo 84 ET, esto es, el principio general de la no concurrencia aplicativa entre convenios de distinto ámbito, precepto únicamente aplicable a los conflictos entre convenios estatutarios (por todas, SSTS de 17 de octubre de 1994, Ar/8052, de 14 de febrero de 1996, Ar/1017 o de 17 de abril de 2000, Ar/3963 o de 12 de diciembre de 2006, Rec. 21/2006).

375. Conflictos de concurrencia entre convenios estatutarios y extraestatutarios. Respecto de los conflictos de concurrencia producidos entre convenios colectivos estatutarios y extraestatutarios, todo dependerá de la eficacia jurídica que se atribuya a estos últimos.

De entender que los convenios extraestatutarios poseen eficacia normativa, se tratará de un conflicto de concurrencia entre normas paccionadas de los previstos en el art. 3.3 del ET, a resolver en consecuencia aplicando el principio de norma más favorable. Resultaría de aplicación aquel convenio que en su conjunto y en conjunto anual —naturalmente respecto de las materias reguladas en ambos convenios— resultara más favorable para los trabajadores.

Si, por el contrario, se partiese de la eficacia contractual de los convenios extraestatutarios, los eventuales conflictos de concurrencia entre ambos habrían de resolverse con lo dispuesto en el art. 3.1.c) del ET, esto es, mediante la aplicación del convenio que, cláusula por cláusula, resultase más favorable para los trabajadores, dada la indisponibilidad de los representantes de los trabajadores a la hora de negociar acerca de los derechos reconocidos a estos últimos a título contractual individual (STS de 18 de febrero de 2003, Ar/3372).

Es decir, que las condiciones del convenio extraestatutario, una vez aplicadas, operarían como derechos adquiridos de naturaleza contractual, por lo que resultarían inatacables por un convenio colectivo posterior, sin otra posibilidad de neutralización que el juego de la absorción y compensación. Podría, no obstante, traerse aquí a colación de nuevo lo dicho acerca de la posibilidad, aun cuando con dificultades, de entender que tales condiciones contractuales nacidas de un convenio extraestatutario posean una naturaleza temporal (ver supra).

Y, desde luego, en este punto, como en otros, dado el libre juego de la autonomía de las partes en la negociación extraestatutaria, cabe que estas establezcan expresamente que la vigencia del convenio extraestatutario alcanzará tan sólo hasta la aplicación de un nuevo convenio estatutario.

Ello no obstante, tras afirmar el Tribunal Supremo rotundamente la eficacia jurídica contractual y no normativa de los convenios colectivos extraestatutarios (por todas, STS de 19 de febrero de 2001, Rec. 296472000), contradictoriamente con esta naturaleza contractual atribuida, viene a atribuirle efectos típicamente normativos en los casos de concurrencia entre un convenio colectivo estatutario y otro extraestatutario aplicando el principio de norma más favorable del art. 3.3 del ET (STS de 30 de noviembre de 1998, Ar/10047).

376. Conflictos de concurrencia entre convenios extraestatutarios. En cuanto a los conflictos de concurrencia entre convenios extraestatutarios, habrá que estar igualmente a la eficacia jurídica atribuida a los mismos.

Si se parte de la eficacia normativa, a los conflictos de concurrencia resultará aplicable el art. 3.3 del ET, debiendo resolverse mediante la aplicación del principio de norma más favorable.

Si, por el contrario, se partiese de la eficacia contractual, no habría propiamente conflicto de concurrencia, por cuanto la aplicación de estos convenios no se produciría automáticamente sino que se haría precisa la incorporación expresa o tácita de sus cláusulas a los distintos contratos individuales de trabajo como condiciones más beneficiosas contractuales. Sucedería entonces que, vigente una cláusula contractual apoyada en un primer convenio extraestatutario, se pretendería aplicar otra nueva apoyada en el segundo convenio extraestatutario. Regiría aquí la libre voluntad de las partes individuales —trabajador y empresario—, con el solo límite de la ausencia de vicios en el consentimiento del trabajador, pero, desde luego, el empresario no podría imponerla, aunque fuese objetivamente más favorable para el trabajador, sin el acuerdo de éste. Así pues, se trataría de una novación contractual individual y regirían sus propias reglas, por lo que la existencia de un convenio colectivo extraestatutario no impediría la negociación de otro convenio colectivo posterior, igualmente extraestatutario (STS de 12 de diciembre de 2006, Ar/2007/283).

6.2. El deber de negociar

377. Inexistencia de un deber de negociar convenios colectivos extraestatutarios. El deber de negociar que establece el artículo 89.1 del ET —cuya *«ratio legis»* del precepto es seguramente la de potenciar la negociación colectiva estatutaria, estableciendo un plus de tutela adicional para los mismos— se circunscribe única y exclusivamente a los convenios estatutarios, no existiendo una obligación similar cuando la negociación pretendida sea extraestatutaria, gozando esta vía de una libertad absoluta de las partes para la apertura o no de las negociaciones (STS de 24 de febrero de 2005, Ar/2914).

6.3. El derecho de huelga

378. El juego del deber de paz relativo en los convenios colectivos extraestatutarios. Por lo que se refiere al derecho de huelga, es obvio que este viene reconocido como mecanismo coadyuvante de la negociación colectiva del lado de los trabajadores, tanto si ésta es estatutaria como extraestatutaria.

El problema surge de la prohibición legal de las huelgas novatorias y de la posible concurrencia de las dos vías negociales en un mismo ámbito o unidad de negociación.

De un lado, el deber de paz relativo —prohibición de acudir a la huelga o a otra medida de acción directa en relación con aquellos puntos o temas incluidos o resueltos en el convenio colectivo durante su vigencia— establecido en el art. 11.c) del RDLRT, resultaría en un principio aplicable tanto a los convenios estatutarios como a los extraestatutarios, por encontrarse ubicado en una disposición distinta del Título III del ET y referirse sin distinción ulterior a *«lo pactado en un convenio colectivo»*.

Por otra parte, resulta importante señalar que si los convenios colectivos extraestatutarios son legalmente admitidos, legales habrán de ser también las huelgas que tengan por objeto presionar para y durante la negociación de un convenio colectivo de esta naturaleza.

No obstante esto dicho, a la vista de la literalidad del art. 11 del RDLRT, pese a no existir una prohibición de concurrencia, como vimos, entre convenios estatutarios y extraestatutarios y existir un deber de negociar un convenio estatutario vigente uno extraestatutario anterior, en la hipótesis de que existiera un convenio colectivo anterior (estatutario o extraestatutario), ¿podría iniciarse una huelga legal para presionar la negociación de otro posterior (extraestatutario o estatutario)? Dicho de otra manera, ¿serían novatorias las huelgas de presión de una negociación colectiva extraestatutaria vigente un convenio estatutario o las de presión de una negociación colectiva estatutaria vigente un convenio colectivo extraestatutario? De la respuesta dependerá la existencia, por vía indirecta, de una importante limitación de la concurrencia entre convenios colectivos sea cual sea la naturaleza de éstos y, de hecho, una gran limitación a la negociación de convenios extraestatutarios pues, salvo en escasas unidades de negociación, habrá siempre vigente un convenio colectivo estatutario, bien durante su período normal de duración, bien prorrogado anualmente por falta de denuncia *«ex art. 86.2 del ET»*.

En tanto no aparezca una normativa legal que ordene nuestro sistema de negociación colectiva, habrá que admitir que no puede hablarse de huelgas novatorias cuando de lo que se trata es de negociar un convenio de distinta naturaleza y régimen jurídico, vigente otro anterior. Tanto en el caso de que se califiquen los convenios extraestatutarios como normativos o como contractuales, dado que los convenios estatutarios y extraestatutarios no se novan entre sí sino que concurren y se aplican según lo dispuesto en el art. 3.3 del ET o en el art. 3.1.c) del ET.

6.4. El procedimiento de negociación

379. La libertad de las partes. No existe regla legal alguna acerca del procedimiento de negociación, siendo las partes totalmente libres en este sentido.

6.5. El control de la legalidad

380. Dos tipos de problemas. En cuanto al control de legalidad, la ausencia de regulación especial de los convenios colectivos extraestatutarios plantea tres tipos de problemas: El de su publicidad, el de su posible impugnación judicial y el del control administrativo de su cumplimiento.

a) La publicidad

381. La publicación oficial de los convenios extraestatutarios. Respecto de los convenios extraestatutarios no existe norma clara y precisa que establezca la publicación oficial de los mismos ya que el art. 90.3 del ET no rige para estos convenios, si bien el Real Decreto-ley 5/1979, de 26 de enero, en su art. 1.c) establece la necesidad de su depósito, pudiendo publicarse como resolución del SMAC en el periódico oficial correspondiente.

La ausencia de norma expresa que obligue a la publicación oficial de este tipo de convenios, lleva a plantear la siguiente cuestión: Un convenio extraestatutario no publicado oficialmente por la vía señalada, ¿dejaría por ello de poseer eficacia normativa y derivaría en un mero contrato entre partes?

Seguramente sí de entender que el principio de publicidad normativa a que se refiere el art. 9.3 de la Constitución ha sido desarrollado con carácter exclusivo y totalizador por el art. 2.2 del Código Civil, el cual traduce la *«publicidad de las normas»* a que se refiere la Constitución por *«publicación en el BOE»*.

Pero cabría también atribuir al principio constitucional un alcance menor e interpretar que la exigencia de publicación oficial no posee siempre carácter constitutivo sino probatorio. En esa precisa dirección apunta la tesis de VALDÉS (ver supra) cuando afirma que los convenios extraestatutarios no son normas aunque tengan eficacia normativa y que, en consecuencia, no les sería exigible la publicidad normativa del art. 9.3 de la Constitución y del art. 2.2 del Código Civil.

Cabría pensar, profundizando en esta dirección, que existen normas —por ejemplo, los bandos municipales—, que no se publican en Boletines Oficiales sino en otros lugares y que no por ello dejan de ser normas. Así, los convenios extraestatutarios deberían ser suficientemente conocidos por los sujetos obligados (empresarios y trabajadores individuales) y para exigirse responsabilidades por incumplimiento habría de probarse esa *«suficiencia de conocimiento»*, en cada caso obtenida seguramente de manera diferente.

b) La impugnación judicial

382. La posible impugnación de los convenios extraestatutarios. Los convenios colectivos extraestatutarios no podrán ser impugnados de oficio por la autoridad laboral a través del procedimiento previsto en los arts. 90.5 del ET y 163 y ss. de la LJS (SSTS de 16 de mayo de 2002, Ar/7561 o de 29 de enero de 2004, Ar/958), siempre que se haya reconocido expresamente como convenio colectivo extraestatutario o pueda ser calificado como tal *«prima facie»* y sin necesidad de más averiguaciones (STS de 20 de febrero de 2008, Ar/1634).

Por otra parte, el art. 165.1 de la LPL prevé la posibilidad de impugnación de los convenios colectivos sin otra matización, lo que permite interpretar que incluye también a los convenios colectivos extraestatutarios, con idénticas reglas de legitimación activa y pasiva y de procedimiento que los ya señalados para la impugnación directa de los convenios colectivos estatutarios (ver supra).

6.6. La responsabilidad empresarial por incumplimiento

383. El control administrativo de los convenios extraestatutarios. Una importante cuestión viene a plantearse con la LISOS respecto del control administrativo del cumplimiento empresarial de los convenios colectivos extraestatutarios.

En efecto, el art. 5º de la Ley, al establecer el concepto de *«infracciones laborales»* señala que *«son infracciones laborales las acciones u omisiones de los empresarios contrarios a las normas legales, reglamentarias y cláusulas normati-*

vas de los convenios colectivos en materia laboral, de seguridad e higiene y salud laborales, tipificadas y sancionadas de conformidad a la presente ley».

A la vista de este precepto, ¿son infracciones laborales las acciones y omisiones empresariales contrarias a lo dispuesto en un convenio colectivo extraestatutario?

Ciertamente la ley no distingue. Habla sin más de *«cláusulas normativas de los convenios colectivos»*, literalidad que puede referirse indistintamente a los convenios colectivos estatutarios y extraestatutarios y, pese a hablar de *«cláusulas normativas»*, lo hace por oposición a las denominadas *«cláusulas obligacionales»*, tratándose de un concepto aplicable tanto a uno como a otro tipo de convenio colectivo. En este sentido, podría defenderse la inclusión de este tipo de infracciones laborales en el concepto legal transcrito.

Sin embargo, el problema reside en que la jurisprudencia ordinaria —y, detrás de ella un importante sector de la doctrina— sigue manteniendo, como vimos, la eficacia contractual de los convenios colectivos extraestatutarios. Si esto es así, dado que la LISOS no incluye en las infracciones laborales los incumplimientos contractuales, quedarían seguramente excluidas de la misma las infracciones derivadas de convenios extraestatutarios.

La doctrina ya se ha manifestado críticamente en este sentido, señalando la marginación de los convenios de eficacia limitada.

ESCUDERO apunta la paradoja que puede producirse de mantener la interpretación de los convenios colectivos extraestatutarios como de eficacia contractual. Ello supone una *«desvalorización o devaluación»* de los mismos y, al mismo tiempo, *«un verdadero estímulo a pretensiones empresariales en pro de la concertación de convenios de eficacia limitada, ya que su degradado valor jurídico no deja de ofrecer importantes ventajas a aquéllos».* Efectivamente, el mantenimiento de la eficacia contractual de los convenios extraestatutarios y la consiguiente ausencia de responsabilidad administrativa empresarial por su incumplimiento puede suponer, a nuestro juicio, el golpe de gracia definitivo al ya maltratado sistema de negociación colectiva estatutario diseñado en el Título III del ET.

6.7. La duración del convenio

384. La libertad de las partes. La duración del convenio colectivo extraestatutario será la que las partes pacte libremente, sin que sus cláusulas normativas tengan la ultraactividad normativa establecida en el art. 86.3 del ET, que les es inaplicable (SSTS, u.d., de 25 de enero de 1999, Ar/896, de 11 de julio de 2007, Ar/6727, de 8 de junio de 2015, Rec. 264/2013 o de 29 de marzo de 2016, Rec. 248/2016).

6.8. La adhesión y extensión

385. Inaplicabilidad del art. 92 del ET. El art. 92 del ET establece reglas muy concretas para posibilitar la adhesión y extensión de los convenios colectivos estatutarios.

Estas reglas, naturalmente, vienen referidas, al igual que el resto del Título III del ET, exclusivamente a este tipo de convenios, no siendo de aplicación a los convenios colectivos extraestatutarios.

Esto no quiere decir que no quepa la adhesión a convenios extraestatutarios, rigiendo para ello la libre voluntad de las partes (STC de 8 de junio de 1989; STS de 22 de mayo de 2006, Ar/4568), pero no será posible la extensión administrativa de este tipo de convenios.

6.9. La administración del convenio colectivo

386. La interpretación judicial. Los convenios colectivos extraestatutarios podrán ser interpretados por los Tribunales laborales, bien a través del procedimiento especial de conflicto colectivo, bien a través de los procedimientos ordinarios y especiales individuales.

387. La comisión paritaria. No existe obligación alguna de establecer en estos convenios colectivos una comisión paritaria para la interpretación y aplicación de los mismos, pero nada obsta legalmente a que así se haga por libre voluntad de las partes negociadoras.

388. Los procedimientos extrajudiciales de solución de conflictos interpretativos. Con dudoso fundamento en el art. 91 del ET, por tratarse de convenios colectivos extraestatutarios y referirse éste a los convenios colectivos estatutarios, los distintos Acuerdos Interprofesionales, estatal (ASEC) y autonómicos, sobre solución extrajudicial de conflictos colectivos, vienen aplicándose a los convenios colectivos extraestatutarios, bien por referencia expresa a ellos, bien por remisión a lo dispuesto en el art. 151 de la Ley de Procedimiento Laboral, que se refiere a ambos tipos de convenios colectivos.

389. Las reglas de interpretación de los convenios colectivos extraestatutarios. En la medida en que la jurisprudencia ha reconocido el carácter contractual del convenio colectivo extraestatutario, habrán de utilizarse las siguientes reglas:

a) La interpretación literal, atendiendo al sentido literal de sus cláusulas (art. 1281 del Código Civil).

b) La interpretación sistemática, atribuyendo a las cláusulas dudosas el sentido que resulte del conjunto de todas (art. 1285 del Código Civil).

c) La interpretación histórica, atendiendo a los antecedentes históricos y a los actos de los partes negociadoras (art. 1282 del Código Civil).

d) La interpretación finalista, atendiendo a la intención de las partes negociadoras (arts. 1281 y 1283 del Código Civil).

V. LOS ACUERDOS COLECTIVOS DE EMPRESA

390. Variedad de acuerdos colectivos. Existe una gran variedad de acuerdos colectivos de empresa, todos ellos con base normativa en el art. 37.1 de la Constitución. A saber:

a) Los acuerdos colectivos sustitutivos de convenios colectivos estatutarios sobre materias concretas.

b) Los acuerdos colectivos que ponen fin a una huelga.

c) Los acuerdos colectivos que ponen fin a un conflicto colectivo.

d) Los acuerdos colectivos de inaplicación de un convenio colectivo estatutario.

e) Los acuerdos colectivos de modificación sustancial de condiciones contractuales de carácter colectivo.

f) Los acuerdos colectivos de fusión o absorción de empresas.

1. *Los acuerdos de empresa sustitutivos de convenios colectivos estatutarios*

391. Supuestos legales. El ET se refiere en seis ocasiones distintas a «*acuerdos entre la empresa y los representantes de los trabajadores*». Así, respecto de:

1ª) El sistema de clasificación profesional (art. 22.1).

2ª) El régimen de los ascensos (art. 24.1).

3ª) El recibo de salarios (art. 29.1).

4ª) La fecha de la segunda paga extraordinaria (art. 31.1).

5ª) La distribución irregular de la jornada laboral a lo largo del año (art. 34.2).

6ª) El límite de nueve horas diarias ordinarias de trabajo efectivo (art. 34.3).

7ª) La acomodación de la representación de los trabajadores a las disminuciones significativas de la plantilla (art. 67.1).

392. Características generales. Dos son las características de estos acuerdos de empresa derivados de la escasa regulación legal de las mismas en el ET. De una parte, la informalidad de su procedimiento, dado el silencio de la ley. De otra, su carácter subsidiario de los convenios colectivos («*en defecto de convenio colectivo*», dirá siempre el ET en todos los supuestos enumerados) (SALA, ALFONSO y PEDRAJAS).

Estos acuerdos de empresa participarán, en consecuencia, del régimen jurídico de los convenios extraestatutarios —dada su informalidad— y de los convenios estatutarios —dado su carácter subsidiario de la negociación colectiva estatutaria—.

393. Eficacia jurídica y personal. Pese al silencio del ET en este punto, del carácter subsidiario de los acuerdos de empresa respecto de los convenios colectivos estatutarios cabe deducir que su eficacia jurídica y personal debe ser la misma que posee el convenio al que sustituye, esto es, una eficacia jurídica normativa (con todas sus consecuencias) y una eficacia personal general dentro de la empresa, es decir, estos pactos o acuerdos de empresa resultarán aplicables a todo el personal de la empresa.

Pese a su carácter sustitutivo de un convenio colectivo estatutario, debiendo por ello lógicamente tener la misma eficacia jurídica normativa y general que ellos, la jurisprudencia los ha calificado de «*pactos colectivos de eficacia contractual*» (STS de 24 de enero de 2013, Rec. 42/2012), si bien «*obiter dicta*» venga a señalar que hubiera sido preferible incluirlos como anexo del convenio colectivo estatutario de referencia; lo cual no soluciona ciertamente el problema por cuanto estos acuerdos colectivos sustitutivos también existen en el caso de que no haya siquiera un convenio colectivo estatutario.

394. Legitimación para negociar. Consecuencia igualmente de su carácter subsidiario y de la eficacia jurídica normativa y personal general que estos acuerdos poseen, cabe deducir, pese al silencio legal en este punto, que los negociadores del lado de los trabajadores habrán de cumplir con los requisitos de legitimación exigidos para la negociación colectiva estatutaria de empresa por el art. 87.1 del ET.

Así, sólo podrán negociar estos acuerdos el comité de empresa o los delegados de personal o, en su caso, las secciones sindicales que, en su conjunto, sumen la mayoría de los miembros del comité o, en el caso de pactos o acuerdos que no afecten a la totalidad de los trabajadores de la empresa, las representaciones sindicales con implantación en tal ámbito que los trabajadores hubiesen elegido en asamblea, cumpliendo los requisitos del art. 80 del ET.

Una representación sindical minoritaria en el comité de empresa no podría negociar estos acuerdos, cosa lógica dada la naturaleza de los supuestos contemplados por la ley para este tipo de pactos o acuerdos de empresa, de necesaria aplicación general a todo el personal.

Si un acuerdo de empresa no cumpliera con los requisitos de legitimación establecidos en el art. 87.1 del ET no sería un acuerdo de empresa sustitutorio de la negociación colectiva estatutaria sino, pura y simplemente, un convenio extraestatutario de empresa, con la eficacia jurídica contractual y la eficacia personal limitada que a ellos corresponde.

395. Procedimiento de negociación. Los acuerdos de empresa, al igual que los convenios colectivos extraestatutarios, no poseen un procedimiento especial reglado, siendo las partes contratantes absolutamente libres en este sentido, sin que exista obligación de publicación oficial de los mismos, ni tampoco de depósito y registro.

396. Impugnación judicial. Los acuerdos de empresa, como sucede con los convenios colectivos extraestatutarios, sólo podrán ser impugnados judicialmente a través del procedimiento especial de conflicto colectivo (arts. 161 y ss. de la LPL), no cabiendo la impugnación judicial de oficio por la autoridad administrativa laboral (art. 90.5 del ET) dada la informalidad del procedimiento y la ausencia de intervención de esta última al no existir obligación de registro, depósito y publicación de los mismos.

397. Control administrativo del incumplimiento empresarial de los acuerdos de empresa. Dada la eficacia jurídica normativa atribuida a estos acuerdos de empresa, su incumplimiento por parte del empresario podrá considerarse una *«infracción de carácter laboral»* —como en el caso de los convenios colectivos estatutarios a los que sustituyen— sancionable administrativamente, previo levantamiento de acta de infracción por la Inspección de Trabajo.

398. La duración del acuerdo colectivo de empresa. La duración de estos acuerdos colectivos de empresa será la que las partes establezcan y, en todo caso, perderán su vigencia cuando se publique un convenio colectivo sobre la materia por él regulada.

2. Los acuerdos colectivos que ponen fin a una huelga

399. Normativa aplicable: el art. 8.2 del RDLRT. El art. 8.2 del RDLRT prevé la negociación de acuerdos que ponen fin a una huelga.

400. Los ámbitos de aplicación de los acuerdos colectivos. El acuerdo puede tener una variedad grande de ámbitos:

a) Un ámbito funcional infraempresarial (de centro de trabajo o de sección de trabajadores), empresarial o supraempresarial (sectorial o intersectorial).

b) Un ámbito territorial estatal, interprovincial, comunitario, provincial, comarcal o local.

c) Un ámbito personal general o limitado, según cual sea el ámbito de la huelga a la que se le ponga fin con el acuerdo.

401. Los conflictos de concurrencia. La resolución de los eventuales conflictos de concurrencia dependerá del tipo de conflicto colectivo que resuelve el acuerdo:

1) Si el acuerdo resuelve un conflicto colectivo de intereses:

  a) Y concurre con un convenio colectivo estatutario:

   • Del mismo ámbito: en cuyo caso se tratará de una especie de renegociación *«ante tempus»* del convenio colectivo y no habrá concurrencia.

   • De distinto ámbito: en cuyo caso regirá la prohibición de concurrencia entre convenios colectivos estatutarios del art. 84 del ET y no resultaría aplicable el acuerdo colectivo.

  b) Y el acuerdo concurre con un convenio colectivo extraestatutario: en este caso, con base en lo dispuesto en el art. 3.3 del ET, regirá el más favorable para los trabajadores en su conjunto y en cómputo anual, aplicando al supuesto la jurisprudencia existente sobre conflictos de concurrencia entre convenios colectivos estatutarios y extraestatutarios (STS de 16 de noviembre de 1998, Ar/10047).

2) Si el acuerdo resuelve un conflicto colectivo jurídico (de interpretación o aplicación de un convenio colectivo): no pueden plantearse conflictos de concurrencia entre acuerdos y convenios colectivos ya que en tal caso no existirán dos normas sino una sola y su interpretación se incorporará a ella con la misma eficacia jurídica y personal.

402. Las partes negociadoras. Están legitimados legalmente para negociar estos acuerdos el comité de huelga (o los representantes de los trabajadores que al efecto designe el comité de huelga) y el empresario o asociación/es empresarial/es, según el ámbito de la huelga.

403. El contenido del acuerdo. El contenido del acuerdo puede consistir en:

a) La resolución de un conflicto jurídico (de interpretación y/o aplicación de una norma legal, reglamentaria o convencional existente).

b) La resolución de un conflicto de intereses respecto de la negociación de materias no reguladas en un convenio colectivo estatutario anterior, ya que la modificación de la regulación existente en otro convenio colectivo estatutario anterior viene prohibida por el art. 11.1.c) del RDLRT, que declara ilegales las huelgas novatorias y por el art. 84 del ET que prohíbe la concurrencia de convenios colectivos estatutarios.

404. El procedimiento de negociación. El procedimiento de negociación es absolutamente informal, no siendo aplicable el Título III del ET.

Ahora bien, para que el acuerdo alcance la eficacia jurídica normativa y personal general como convenio colectivo estatutario equiparado, será necesario que cumpla las formalidades exigidas a éstos por el art. 90 del ET (depósito, registro y publicación oficial) (art. 2.f) del RD 1040/1981, de 22 de mayo, sobre registros y depósitos de convenios colectivos).

405. La eficacia jurídica y personal del acuerdo colectivo. La eficacia jurídica y personal del acuerdo dependerá de las partes negociadoras del mismo.

Si las partes que suscriben el acuerdo están legitimadas para negociar un convenio colectivo estatutario, el acuerdo tendrá eficacia jurídica normativa y eficacia personal general, siendo equiparable al convenio colectivo estatutario.

En caso contrario, se equiparará al convenio colectivo extraestatutario, poseyendo una eficacia jurídica contractual y una eficacia personal limitada (art. 8.2 del RDLRT; SAN de 24 de febrero de 1992, Ar/736/92).

406. La administración del acuerdo colectivo. Desde luego, cabe acudir, en caso de conflicto colectivo jurídico (de interpretación y/o aplicación de estos acuerdos) a los procedimientos extrajudiciales de solución de estos conflictos: estatales (el previsto en el RDLRT) o convencionales (los previstos en los Acuerdos interprofesionales sobre solución de conflictos colectivos).

407. La impugnación judicial del acuerdo colectivo. Rigen las mismas reglas de impugnación judicial de los convenios colectivos estatutarios o extraestatutarios, según los casos.

408. El control administrativo del cumplimiento del acuerdo colectivo. La existencia de control administrativo del incumplimiento empresarial de los acuerdos colectivos dependerá de la eficacia jurídica normativa o contractual de los mismos.

409. La duración del acuerdo colectivo. El acuerdo tendrá la duración temporal que las partes negociadoras establezcan: una duración indefinida o temporal.

Si nada se establece, el acuerdo será de duración indefinida, sin perjuicio de una eventual modificación sustancial de las condiciones de trabajo pactadas, siguiendo el procedimiento de modificación sustancial de las condiciones de origen normativo convencional (el acuerdo entre la empresa y los representantes de los trabajadores) o contractual (la negociación/consulta entre la empresa y los representantes de los trabajadores), según se equipare el acuerdo a los convenios estatutarios o a los convenios extraestatutarios (art. 41 del ET).

Desde luego, de tratarse de un acuerdo que pone fin a un conflicto colectivo jurídico (de aplicación o interpretación de un convenio colectivo), durará como máximo lo que dure el convenio interpretado.

3. Los acuerdos colectivos que ponen fin a un conflicto colectivo

410. La normativa aplicable. Los arts. 17 y ss. del RDLRT y 91 del ET prevén la posibilidad de llegar a acuerdos colectivos para la solución de conflictos colectivos, a través de los procedimientos administrativos o convencionales en ellos previstos.

411. Los ámbitos de aplicación de los acuerdos colectivos. El acuerdo puede tener una variedad grande de ámbitos:

a) Un ámbito funcional infraempresarial (de centro de trabajo o de sección de trabajadores), empresarial o supraempresarial (sectorial o intersectorial).

b) Un ámbito territorial estatal, interprovincial, comunitario, provincial, comarcal o local.

c) Un ámbito personal general o limitado, según cual sea el ámbito del conflicto colectivo al que se le ponga fin con el acuerdo.

412. Los conflictos de concurrencia. La resolución de los eventuales conflictos de concurrencia dependerá del tipo de conflicto colectivo que resuelve el acuerdo:

a) Si el acuerdo resuelve un conflicto colectivo de intereses:

- Y concurre con un convenio colectivo estatutario:

  1. Del mismo ámbito: en cuyo caso se tratará de una especie de renegociación «ante tempus» del convenio colectivo y no habrá concurrencia.

  2. De distinto ámbito: en cuyo caso regirá la prohibición de concurrencia entre convenios colectivos estatutarios del art. 84 del ET y no resultaría aplicable el acuerdo colectivo.

- Y concurre con un convenio colectivo extraestatutario: en este caso, con base en lo dispuesto en el art. 3.3 del ET, regirá el más favorable para los trabajadores en su conjunto y en cómputo anual, aplicando al supuesto la jurisprudencia existente sobre conflictos de concurrencia entre convenios colectivos estatutarios y extraestatutarios (STS de 16 de noviembre de 1998, Ar/10047).

b) Si el acuerdo resuelve un conflicto colectivo jurídico (de interpretación o aplicación de un convenio colectivo): en cuyo caso no pueden plantearse conflictos de concurrencia entre acuerdos y convenios colectivos ya que en tal caso no existirán dos normas sino una sola y su interpretación se incorporará a ella con la misma eficacia jurídica y personal.

413. Las partes negociadoras. Las partes negociadoras del acuerdo colectivo que pone fin a un conflicto colectivo dependerán del procedimiento de conflicto colectivo que se haya planteado y del ámbito del mismo:

a) En el caso del procedimiento administrativo de conflicto colectivo del RDL-RT, serán partes negociadoras la representación unitaria o sindical de los trabajadores en la empresa y esta última en el ámbito empresarial o los sindicatos y las asociaciones empresariales en el ámbito supraempresarial (art. 18 del RDLRT).

b) En el caso de procedimientos convencionales de conflicto colectivo, la variedad de previsiones es grande en los distintos acuerdos interprofesionales o convenios colectivos marco, dependiendo en todo caso del tipo y ámbito del conflicto de que se trate.

414. El contenido de la negociación. El contenido del acuerdo puede consistir en:

a) La resolución de un conflicto jurídico (de interpretación y/o aplicación de una norma legal, reglamentaria o convencional existente).

b) La resolución de un conflicto de intereses respecto de la negociación de materias no reguladas en un convenio colectivo estatutario anterior, ya que la modificación de la regulación existente en otro convenio colectivo estatutario anterior viene prohibida por el art. 84 del ET, cuando establece la prohibición de concurrencia entre convenios colectivos estatutarios.

415. El procedimiento de negociación. El procedimiento de negociación del acuerdo que pone fin al conflicto colectivo varía según se trate de un acuerdo logrado en conflicto colectivo planteado ante la autoridad administrativa laboral de acuerdo con el procedimiento administrativo de conflicto colectivo del RDL-RT o en conflicto colectivo planteado ante los órganos de conciliación/mediación previstos en los procedimientos convencionales de conflicto colectivo establecidos por acuerdo interprofesional o por convenio colectivo.

416. La eficacia jurídica y personal del acuerdo colectivo. La eficacia jurídica y personal del acuerdo dependerá de las partes negociadoras del mismo.

Si las partes que suscriben el acuerdo están legitimadas para negociar un convenio colectivo estatutario, el acuerdo tendrá eficacia jurídica normativa y eficacia personal general, siendo equiparable al convenio colectivo estatutario.

En caso contrario, se equiparará al convenio colectivo extraestatutario, poseyendo una eficacia jurídica contractual y una eficacia personal limitada (arts. 24 del RDLRT, 91 del ET y 154.2 de la LPL).

417. La administración del acuerdo colectivo. Desde luego, cabe acudir, a su vez, en caso de conflicto colectivo jurídico (de interpretación y/o aplicación de estos acuerdos) a los procedimientos extrajudiciales de solución de estos conflictos: estatales (el previsto en el RDLRT) o convencionales (los previstos en los Acuerdos interprofesionales sobre solución de conflictos colectivos).

418. La impugnación judicial del acuerdo colectivo. Rigen las mismas reglas de impugnación judicial de los convenios colectivos estatutarios o extraestatutarios, según los casos (art. 91 del ET).

419. El control administrativo del cumplimiento del acuerdo colectivo. La existencia de control administrativo del incumplimiento empresarial de los acuerdos colectivos dependerá de la eficacia jurídica normativa o contractual de los mismos.

420. La duración del acuerdo colectivo. El acuerdo que pone fin a un conflicto colectivo económico o de intereses tendrá la duración temporal que las partes negociadoras establezcan: una duración indefinida o temporal.

Si nada se establece, el acuerdo será de duración indefinida, sin perjuicio de una eventual modificación sustancial de las condiciones de trabajo pactadas, siguiendo el procedimiento de modificación sustancial de las condiciones de origen normativo convencional o contractual, según se equipare el acuerdo a los convenios estatutarios o a los convenios extraestatutarios (art. 41 del ET).

El acuerdo que pone fin a un conflicto colectivo jurídico (de aplicación o interpretación de un convenio colectivo), durará como máximo lo que dure la norma interpretada.

4. Los acuerdos colectivos de empresa de inaplicación de un convenio colectivo estatutario

421. La normativa aplicable. Los arts. 82.3 y 85.3.c) del ET prevén la posibilidad de que una empresa se descuelgue de la aplicación de una serie de materias establecidas en un convenio colectivo estatutario por causas económicas, técnicas, organizativas o de producción.

Estas materias susceptibles de inaplicación son las siguientes:

a) Jornada de trabajo.

b) Horario y la distribución del tiempo de trabajo.

c) Régimen de trabajo a turnos.

d) Sistema de remuneración y cuantía salarial.

e) Sistema de trabajo y rendimiento.

f) Funciones, cuando excedan de los límites que para la movilidad funcional prevé el artículo 39 de esta Ley.

g) Mejoras voluntarias de la acción protectora de la Seguridad Social.

422. La justificación del acuerdo de inaplicación. El acuerdo de inaplicación deberá estar necesariamente justificado en causas económicas («*cuando de los resultados de la empresa se desprenda una situación económica negativa, en casos tales como la existencia de perdidas actuales o previstas, o la disminución persistente de su nivel de ingresos o ventas. En todo caso, se entenderá que la disminución es persistente si se produce durante dos trimestres consecutivos*»), técnicas («*concurren causas técnicas cuando se produzcan cambios, entre otros, en el ámbito de los medios o instrumentos de producción*»), organizativas («*cuando se produzcan cambios, entre otros, en el ámbito de los sistemas y métodos de trabajo del personal o en el modo de organizar la producción*») y causas productivas («*cuando se produzcan cambios, entre otros, en la demanda de los productos o servicios que la empresa pretende colocar en el mercado*»).

423. El necesario ámbito de empresa. El acuerdo colectivo, en principio, tendrá necesariamente un ámbito de empresa, no pudiendo afectar a un solo centro de trabajo o únicamente a determinados trabajadores, salvo causa justificativa objetiva o razonable, so pena de atentar contra el principio de igualdad de trato.

424. Las partes negociadoras. Las partes negociadoras son la empresa y los representantes de los trabajadores legitimados para negociar un convenio colectivo conforme a lo previsto en el art. 87.1 del ET.

En los supuestos de ausencia de representación legal de los trabajadores en la empresa, éstos podrán atribuir su representación a una comisión designada por los trabajadores afectados, a su elección, de un máximo de tres miembros integrada por trabajadores de la propia empresa y elegida por éstos democráticamente o a una comisión de igual número de componentes designados, según su representatividad, por los sindicatos más representativos y representativos del sector a que pertenezca la empresa y que estuvieran legitimados para formar parte de la comisión negociadora del convenio colectivo de aplicación a la misma.

En todos los casos la designación deberá realizarse en un plazo de cinco días desde el inicio de la solicitud de descuelgue salarial por parte de la empresa, sin que la falta de designación pueda suponer las paralización de la negociación. En el supuesto de que la negociación se realice con la comisión cuyos miembros sean designados por los sindicatos, el empresario podrá atribuir su representación a las organizaciones empresariales a las que estuviera integrado, pudiendo ser las mismas más representativas a nivel autonómico, y con independencia de la organización en las que estuviese integrado tenga carácter sectorial o intersectorial.

425. El contenido de la negociación. El acuerdo colectivo deberá determinar con exactitud la determinación de las nuevas condiciones de trabajo aplicables a la empresa y su duración, que no podrá prolongarse *«más allá del momento en que resulte aplicable un nuevo convenio en dicha empresa»*.

El acuerdo de inaplicación deberá respetar el principio de igualdad de género y no puede tener efectos retroactivos (SSTS de 7 de julio, 16 de septiembre o 265 de octubre de 2015, Rec. 206/2014, 110/2014 y 276/2014).

426. El procedimiento de negociación. La inaplicación del convenio colectivo aplicable se podrá realizar por acuerdo entre los representantes del personal y la empresa en una negociación cuya duración no podrá ser superior a quince días.

Durante el periodo de consultas, las partes deberán negociar de buena fe, con vistas a la consecución de un acuerdo. Dicho acuerdo requerirá la conformidad de la mayoría de los miembros del comité o comités de empresa, de los delegados de personal en su caso de las representaciones sindicales que, en su conjunto, representen la mayoría de aquellos.

Cuando el periodo de consultas acabe en acuerdo, se presumirá que concurren las causas justificativas alegadas por la empresa y solo podrá ser impugnado ante la jurisdicción social por fraude, dolo, coacción o abuso de derecho en su conclusión.

El acuerdo deberá ser comunicado a la comisión paritaria del convenio colectivo y a la autoridad laboral.

En caso de desacuerdo durante el periodo de consultas, cualquiera de las partes podrá someter la discrepancia a la comisión paritaria del convenio, que dispondrá de un plazo máximo de siete días para pronunciarse, a contar desde que la discrepancia le fuera planteada. Cuando ésta no alcanzara un acuerdo, las partes podrán recurrir a los procedimientos de solución extrajudicial de las discrepancias establecidos por los acuerdos interprofesionales de ámbito estatal o autonómico de solución extrajudicial de conflictos laborales y en los convenios colectivos ordinarios (art. 85.3 c) del ET), incluido el compromiso previo de someter las discrepancias a un arbitraje vinculante, en cuyo caso el laudo arbitral tendrá la misma eficacia que los acuerdos de inaplicación logrados en el periodo de consultas y solo será recurrible conforme al procedimiento y en base a los motivos establecidos en el art. 91 para los convenios colectivos (ilegalidad, lesividad grave de intereses de terceros y actuación «ultra vires» del laudo). Lo que no podrá entenderse como que la Ley obliga a las partes negociadoras de un acuerdo interprofesional a pactar la existencia de arbitrajes obligatorios, lo que sería probablemente inconstitucional a la vista de la jurisprudencia del Tribunal Constitucional sobre la materia (STC de 8 de abril de 1981).

Cuando el periodo de consultas finalice sin acuerdo y las partes no se hubieran sometido a los procedimientos de solución extrajudicial o éstos no hubieran solucionado la discrepancia, cualquiera de las partes podrá someter la solución de las mismas a la Comisión Consultiva Nacional de Convenios Colectivos cuando la inaplicación de las condiciones de trabajo afectase a centros de trabajo de la empresa situados en el territorio de más de una comunidad autónoma, o a los órganos correspondientes de las comunidades autónomas en los demás casos. La decisión de estos órganos podrá ser adoptada en su propio seno o por un árbitro designado al efecto por ellos mismos, habrá de dictarse en plazo no superior a veinticinco días a contar desde la fecha del sometimiento del conflicto ante dichos órganos. Tal decisión tendrá la eficacia de los acuerdos alcanzados en periodo de consultas y sólo será recurrible conforme al procedimiento y en base a los motivos establecidos en el art. 91.

427. La eficacia jurídica y personal del acuerdo. Los acuerdos tendrán una eficacia jurídica normativa y personal general o «erga omnes», con base en una interpretación teleológica del precepto, dada la eficacia normativa y general del convenio colectivo supraempresarial estatutario del que se descuelga el acuerdo.

428. La administración del acuerdo colectivo. En caso de conflicto jurídico (de interpretación y/o aplicación del acuerdo) cabrá acudir a los procedimientos extrajudiciales de solución de los conflictos colectivos laborales.

429. La impugnación judicial del acuerdo colectivo. Rigen las mismas reglas de impugnación judicial de los convenios colectivos estatutarios, con la única especialidad respecto de aquellos que la de que un motivo de ilegalidad del acuerdo será la falta de causa justificativa, para evitar el «dumping social» entre las empresas de un sector, abaratando injustificadamente los costos salariales.

430. El control administrativo del cumplimiento del acuerdo colectivo. En la medida que estos acuerdos colectivos poseen una eficacia normativa, su incumplimiento empresarial será controlable por la autoridad administrativa laboral (art. 5 de la LISOS), como en el caso de los convenios colectivos estatutarios.

431. La duración del acuerdo colectivo. El acuerdo tendrá la duración temporal que las partes negociadoras decidan, sin que en ningún caso el acuerdo de inaplicación salarial pueda superar al periodo de vigencia del convenio.

5. Los acuerdos colectivos de empresa de modificación sustancial de condiciones contractuales de carácter colectivo

432. La normativa aplicable. El art. 41 del ET posibilita la modificación sustancial por parte de una empresa de las condiciones establecidas en un convenio colectivo extraestatutario o en una decisión empresarial de efectos colectivos por causas económicas, técnicas, organizativas o de producción, a través de una negociación/consulta con los representantes de los trabajadores.

433. El necesario ámbito de empresa. El acuerdo tendrá necesariamente un ámbito de empresa y, dentro de ella, podrá afectar a determinados centros de trabajo o a determinados trabajadores, en función de la causa justificativa.

434. Las partes negociadoras. Las partes negociadoras son la empresa y los representantes de los trabajadores legitimados para negociar un convenio colectivo conforme a lo previsto en el art. 87.1 del ET. Las secciones sindicales, cuando así lo acuerden, tendrán preferencia sobre los representantes unitarios para intervenir en el procedimiento de consultas (art. 41.2 ET).

En los supuestos de ausencia de representación legal de los trabajadores en la empresa, éstos podrán atribuir su representación a una comisión designada por los trabajadores afectados, a su elección, de un máximo de tres miembros integrada por trabajadores de la propia empresa y elegida por éstos democráticamente o a una comisión de igual número de componentes designados, según su representatividad, por los sindicatos más representativos y representativos del sector a que pertenezca la empresa y que estuvieran legitimados para formar parte de la comisión negociadora del convenio colectivo de aplicación a la misma.

En todos los casos la designación deberá realizarse en un plazo de cinco días desde el inicio de la solicitud de descuelgue salarial por parte de la empresa, sin que la falta de designación pueda suponer las paralización de la negociación. En el supuesto de que la negociación se realice con la comisión cuyos miembros sean designados por los sindicatos, el empresario podrá atribuir su representación a las organizaciones empresariales a las que estuviera integrado, pudiendo ser las mismas más representativas a nivel autonómico, y con independencia de la organización en las que estuviese integrado tenga carácter sectorial o intersectorial.

435. El contenido de la negociación. Según la Ley, serán objeto de la negociación/consulta con los representantes de los trabajadores:

a) Las condiciones de trabajo a modificar.

b) La posibilidad de evitar o de reducir los efectos de la modificación.

c) Las medidas necesarias para atenuar sus consecuencias para los trabajadores afectados.

436. El procedimiento de negociación. Sin perjuicio de los procedimientos específicos que puedan establecerse en la negociación colectiva, la decisión de modificación sustancial de condiciones de trabajo de carácter colectivo deberá ir precedida de un periodo de consultas de duración no superior a quince días.

Durante el periodo de consultas, las partes deberán negociar de buena fe, con vistas a la consecución de un acuerdo. Dicho acuerdo requerirá la conformidad de la mayoría de los miembros del comité o comités de empresa, de los delegados de personal en su caso de representaciones sindicales si las hubiere, que, en su conjunto, representen la mayoría de aquellos.

Cuando el periodo de consultas acabe en acuerdo, se presumirá que concurren las causas justificativas alegadas por la empresa y solo podrá ser impugnado ante la jurisdicción social por fraude, dolo, coacción o abuso de derecho en su conclusión.

En caso de inexistencia de acuerdo, al finalizar el periodo de consultas, el empresario, en virtud de una decisión unilateral de efectos colectivos, notificará a los trabajadores su decisión sobre la modificación, que surtirá efectos a los treinta días.

El empresario y la representación de los trabajadores podrán acordar en cualquier momento la sustitución del periodo de consultas por el procedimiento de mediación o arbitraje que sea de aplicación en el ámbito de la empresa, que deberá desarrollarse dentro del plazo de quince días.

437. La eficacia jurídica contractual y la eficacia personal limitada. Los acuerdos modificativos tendrán una eficacia jurídica contractual y una eficacia personal limitada, esto es, la misma eficacia jurídica y personal que el convenio colectivo extraestatutario o decisión empresarial de efectos colectivos modificados.

El acuerdo vincula a las partes y, especialmente, al empresario. Si el empresario incumpliera, en este sentido, lo acordado, su decisión modificativa sería nula.

438. La administración del acuerdo colectivo. En caso de conflicto colectivo jurídico (de aplicación y/o interpretación del acuerdo), cabe acudir a los procedimientos extrajudiciales de solución de conflictos colectivos laborales (legales o convencionales) (art. 85.1 del ET). Los Acuerdos Interprofesionales sobre procedimientos de solución de conflictos colectivos los incluyen (conciliaciones, mediaciones y arbitrajes).

439. La impugnación de los acuerdos colectivos. Rigen las mismas reglas de impugnación judicial de los acuerdos colectivos de modificación sustancial de condiciones de trabajo establecidas en convenios colectivos estatutarios.

440. El control administrativo del cumplimiento del acuerdo colectivo. En la medida que estos acuerdos colectivos poseen una eficacia contractual, su incumplimiento empresarial no será controlable por la autoridad administrativa laboral (art. 5 de la LISOS), como en el caso de los convenios colectivos extraestatutarios.

441. La duración temporal del acuerdo colectivo. El acuerdo tendrá la duración temporal que fijen las partes negociadoras, en función de la causa justificativa (indefinido o temporal), sin más límite natural que la duración de la vigencia del convenio colectivo extraestatutario modificado, precisándose un nuevo acuerdo modificativo para el caso de que éste fuese sustituido por otro posterior.

6. *Los acuerdos colectivos de empresa de fusión y absorción de empresas*

442. La normativa aplicable. No existe norma legal alguna que regule los pactos de empresa que suelen producirse entre la empresa o empresas que se fusionan y los representantes de los trabajadores afectados para prever las condiciones de trabajo aplicables a resultas de la fusión, si bien en la práctica suelen negociarse en el marco del art. 44 del ET.

443. Tres tipos de pactos de fusión de empresas. Los pactos de fusión de empresas pueden ser de tres tipos:

a) Pactos meramente declarativos de derechos.

b) Pactos de fusión con contenido novatorio.

c) Pactos de mejora de las condiciones laborales.

444. Los pactos meramente declarativos de derechos: régimen jurídico. Los pactos meramente declarativos de los derechos suscritos por las empresas absorbente y absorbida o por todas las empresas fusionadas con los respectivos representantes de sus trabajadores son, ciertamente, innecesarios desde una perspectiva jurídica, ya que las fusiones de empresas (fusiones por absorción o fusiones propiamente dichas) son supuestos de transmisión de empresas del art. 44 del ET, lo que implica legalmente la subrogación contractual de la empresa absorbente o de la empresa resultante de la fusión respecto de los trabajadores de las empresas absorbida o fusionadas.

445. Los pactos de fusión con contenido novatorio: régimen jurídico. Los pactos de fusión con contenido novatorio pueden ser de dos tipos:

a) Pactos que limitan la capacidad novatoria de la empresa resultante de la fusión o de la empresa absorbente. Así, por ejemplo, limitando las posibilidades de movilizar geográfica o funcionalmente a los trabajadores en un momento posterior a la fusión. Como, en el fondo, lo que se establece en ellos son obligaciones adicionales para la empresa futura, es posible asimilarlos a los pactos de mejora de las condiciones laborales.

b) Pactos que modifican las condiciones laborales de los trabajadores afectados por la fusión, posibilitando movilizaciones funcionales o geográficas o modificaciones sustanciales de las condiciones de trabajo que tendrían efectos una vez producida la fusión. Su finalidad es la de homogeneizar las condiciones laborales de todos los trabajadores en el futuro. En todo caso, deberán cumplirse las reglas establecidas en los arts. 39, 40 y 41 del ET para la movilidad funcional, movilidad geográfica y modificación sustancial de las condiciones de trabajo.

446. Los pactos de mejora de las condiciones laborales: régimen jurídico. Es frecuente que, con ocasión de la fusión, se ofrezca a los trabajadores algunas compensaciones adicionales a los derechos que ya disfrutaban. Comoquiera que los empresarios que se fusionan no están legitimados para vincular jurídicamente a la empresa resultante de la fusión, en el caso de la fusión por absorción tendrá que suscribir estos pactos la empresa absorbente juntamente con la empresa absorbida. Y, en el caso de una fusión de empresas, todas las empresas fusionadas deberán participar y prestar su conformidad al pacto, vinculando así a la empresa resultante de la fusión.

VI. LA NEGOCIACIÓN COLECTIVA DEL PERSONAL LABORAL DE LAS ADMINISTRACIONES PÚBLICAS

447. Régimen jurídico. La negociación colectiva del personal laboral de las Administraciones Públicas se rige por los arts. 82 a 91 del ET, sin perjuicio de los preceptos del EBEP que expresamente le son de aplicación: *«La negociación colectiva de los empleados públicos con contrato laboral se regirá por la legislación laboral, sin perjuicio de los preceptos de este capítulo que expresamente les son de aplicación»* (art. 32.1 del EBEP).

La negociación colectiva del personal laboral de las Administraciones Públicas se diferencia de la negociación colectiva del sector privado y también de la de los funcionarios públicos. Las principales peculiaridades de la negociación colectiva del personal laboral son las siguientes:

1ª) A diferencia de la negociación colectiva de los funcionarios públicos (art. 35 del EBEP), en cuanto a las partes negociadoras, la negociación colectiva no está absolutamente sindicalizada, pudiendo negociar también en unidades de negociación inferiores los representantes unitarios del personal (Delegados de Personal y Comités de Empresa) (arts. 87 y 88 ET).

2ª) A diferencia de la negociación colectiva de los funcionarios públicos (art. 34 del EBEP), las unidades de negociación las establecen las partes negociadoras (art. 89.1 ET) y no vienen prefijadas por la Ley.

Ello no obstante, el EBEP viene a reconocer expresamente la existencia de una negociación colectiva conjunta del personal funcionario y laboral en las distintas Administraciones Públicas. Así, el art. 36 del EBEP establece la constitución de una serie de Mesas Generales de Negociación en las distintas Administraciones Públicas para la negociación conjunta de materias y condiciones de trabajo comunes al personal funcionario y al laboral:

a) Una Mesa General de Negociación de las Administraciones Públicas (art. 36.1 del EBEP), que será competente para negociar aquellas materias susceptibles de regulación estatal con carácter de norma básica y, en concreto, el incremento global de las retribuciones del personal al servicio de las Administraciones Públicas que corresponda incluir en el Proyecto de Ley de Presupuestos Generales del Estado de cada año (art. 36.2 del EBEP).

b) Otras Mesas Generales de Negociación en la Administración General del Estado y en cada una de las Comunidades Autónomas, Ciudades de Ceuta y Melilla y Entidades Locales, que serán competentes para negociar todas aquellas materias y condiciones de trabajo comunes al personal funcionario, estatutario y laboral de cada una de estas Administraciones Públicas (art. 36.3 del EBEP).

Por su parte, el art. 38 del EBEP señala que *«los pactos y acuerdos que contengan materias y condiciones generales de trabajo comunes al personal funcionario y laboral, tendrán la consideración y efectos previstos en este artículo para los funcionarios y en el art. 83 del Estatuto de los Trabajadores para el personal laboral»*. Así pues, un mismo pacto o acuerdo colectivo tendrá una doble naturaleza y régimen jurídico: de pacto o acuerdo colectivo para los funcionarios públicos y de convenio colectivo para el personal laboral.

3ª) En cuanto a las materias objeto de negociación y sus límites, a diferencia de la negociación en el sector privado, es de aplicación lo dispuesto en el art. 37 del EBEP para la negociación colectiva de los funcionarios públicos en cuanto a las materias negociables y no negociables (ver infra).

4ª) En cuanto al procedimiento de negociación, las Leyes de Presupuestos Generales del Estado vienen fijando la obligatoriedad de un informe favorable conjunto del Ministerio para las Administraciones Públicas y de Economía y Hacienda para aceptar o modificar las condiciones retributivas del personal laboral al servicio de la Administración Pública.

La ley sanciona con la nulidad los convenios colectivos que se adopten con omisión del informe previo, que obtengan un informe previo desfavorable o que comprendan pactos que impliquen crecimientos salariales para ejercicios sucesivos contrarios a los que determinen las futuras Leyes de Presupuestos.

5ª) La situación de supremacía de una de las partes en la negociación colectiva, la Administración Pública, se manifiesta en lo dispuesto en el art. 32.2 del EBEP. En él se establece que «*se garantiza el cumplimiento de los convenios colectivos y acuerdos que afecten al personal laboral, salvo cuando excepcionalmente y por causa grave de interés público derivada de una alteración sustancial de las circunstancias económicas, los órganos de gobierno de las Administraciones Públicas suspendan o modifiquen el cumplimiento de convenios colectivos o acuerdos ya firmados en la medida estrictamente necesaria para salvaguardar el interés público. En este supuesto, las Administraciones Públicas deberán informar a las organizaciones sindicales de las causas de la suspensión o modificación. A los efectos de lo previsto en este apartado, se entenderá, entre otras, que concurre causa grave de interés público derivada de la alteración sustancial de las circunstancias económicas cuando las Administraciones Públicas deban adoptar medidas o planes de ajuste, de reequilibrio de las cuentas públicas o de carácter económico financiero para asegurar la estabilidad presupuestaria o la corrección del déficit público*».

6ª) Es notoria la diferente competencia jurisdiccional para la impugnación judicial de los convenios colectivos, reservada al orden contencioso-administrativo en el caso de los funcionarios públicos (arts. 9.4 y 24 Ley Orgánica del Poder Judicial), en tanto es competencia del orden social cuando conciernen al personal laboral, sea pública o privada la unidad empleadora (arts. 9.5 y 25 Ley Orgánica del Poder Judicial).

La impugnación judicial de los pactos y acuerdos colectivos de negociación conjunta para el personal funcionarial y laboral se encuentra excluida de la jurisdicción laboral y sometida a la jurisdicción contencioso-administrativa:"*No conocerán los órganos jurisdiccionales del orden social: e) De los pactos o acuerdos concertados por las Administraciones públicas con arreglo a lo previsto en la Ley 7/2007, de 12 de abril, del Estatuto Básico del Empleado Público, que sean de aplicación al personal funcionario o estatutario de los servicios de salud, ya sea de manera exclusiva o conjunta con el personal laboral; y sobre la composición de las Mesas de negociación sobre las condiciones de trabajo comunes al personal de relación administrativa y laboral"* (art. 3 e) de la Ley de Jurisdicción Social).

7ª) En todo caso, sigue sin resolverse la cuestión de si es o no posible la aplicación al personal laboral de una determinada Administración Pública de los convenios colectivos sectoriales del sector privado, existiendo en este sentido una jurisprudencia contradictoria (a favor, STS de 7 de octubre de 2004, Ar/2005/2167; en contra, STS de 21 de diciembre de 1999, Ar/2000/528).

8ª) Por último, habrá que constatar que, con base en el principio de igualdad de trato del art. 14 de la CE y al necesario control previo de la legalidad del convenio (ver supra), no son admisibles los convenios colectivos extraestatutarios en las Administraciones Públicas, por tener una eficacia personal limitada a los trabajadores representados por las partes negociadoras: o se negocia por la vía del ET o no será posible otro tipo de negociación colectiva informal.

VII. LA NEGOCIACIÓN COLECTIVA COMUNITARIA

448. Los obstáculos históricos a la negociación colectiva europea comunitaria. Han sido muchos los obstáculos históricos al reconocimiento y a la práctica de la negociación colectiva a este nivel, que aún hoy permanecen en gran medida, lo que empuja a ser moderadamente escéptico acerca del futuro desarrollo de la negociación colectiva a nivel comunitario. A saber:

a) La inicial ausencia de una política social comunitaria en la naciente Comunidad Económica Europea, preocupada únicamente, desde un planteamiento liberal de partida, por los objetivos económicos de crear y consolidar un mercado común.

b) La generalizada resistencia empresarial a crear un nuevo ámbito de negociación a este nivel, alejado de los tradicionales centros empresariales de decisión y de inciertos resultados.

c) La difícil manifestación de una conflictividad laboral a nivel comunitario, si bien existente, desde luego, en algunos sectores potencial y realmente conflictivos a este nivel, tal y como sucede paradigmáticamente con el transporte por carretera.

d) La ausencia de interlocutores sociales a nivel comunitario, dado que los sindicatos y las asociaciones empresariales han sido tradicionalmente de ámbito nacional, funcionando las organizaciones internacionales como superestructuras sin apoderamiento suficiente para tomar decisiones vinculantes.

e) La existencia de una gran diversidad en las legislaciones nacionales reguladoras de la negociación colectiva en materias tales como la legitimación para negociar, la estructura de la negociación, la eficacia jurídica y personal aplicativa de los convenios colectivos o el procedimiento de negociación. Siendo igualmente distintas las prácticas negociadoras en cuanto a los niveles de negociación (empresarial o supraempresarial) y en cuanto a los contenidos (normativo y obligacional) de los convenios colectivos.

f) Finalmente, y sobre todo, las razonables dudas de los expertos y de los propios agentes sociales acerca de la viabilidad y utilidad de una negociación colectiva unitaria aplicable a realidades socioeconómicas muy diversas. Sin duda alguna, la falta de cohesión económica y social entre los países miembros de la Unión Europea ha constituido la principal razón de la falta de desarrollo de la negociación colectiva a nivel comunitario.

449. Los precedentes históricos de la negociación colectiva europea comunitaria. Hasta el Tratado de Maastricht de 1992 no existió negociación colectiva comunitaria; tan sólo *«sucedáneos»* que operaron, ciertamente, como precedentes de una futura negociación colectiva comunitaria.

Estas experiencias negociadoras se produjeron en todos los ámbitos imaginables: a nivel empresarial, a nivel sectorial y a nivel intersectorial.

En el ámbito empresarial, en el seno de determinadas empresas o grupos de empresas multinacionales, desde hace ya algunos años, con anterioridad incluso a la aplicación en 1997 de la Directiva 94/95, *«sobre la creación de comités de empresa europeos en las empresas o grupos de empresas de dimensión comunitaria»*, ha habido prácticas de acuerdos comunitarios de grupos o de empresas, más o menos formalizados, aunque de contenido ciertamente reducido, limitándose a reconocer los derechos de información y consulta a los trabajadores de la empresa o grupo de empresas de dimensión comunitaria. Esto ha sucedido, por ejemplo, en empresas tales como Thompson, Danone, Bull, Elf, Saint Gobain, Siemens, Philips, Airbus, Volkswagen o Continental Can.

Precedentes de la negociación colectiva a nivel sectorial han existido de antiguo en el seno de los denominados *«comités consultivos paritarios»* de carácter sectorial (más tarde, *«comités de diálogo social»*), comités, cuya actuación, en alguna ocasión, ha desembocado en acuerdos sectoriales de naturaleza recomendatoria.

Así, sus cláusulas no han sido directamente aplicables ni sus incumplimientos sancionables por los Tribunales Nacionales de los países comunitarios, tratándose más bien de una *«guía de conducta»* para la futura negociación colectiva nacional.

Estos Comités han actuado en aquellos sectores de actividad económica donde ha existido una política comunitaria común (sector agrícola, del transporte, de las comunicaciones o del comercio). Así, por ejemplo, cabe citar la existencia, en el sector agrícola, de varios Acuerdos en tema de duración máxima de la jornada laboral de los años 1968, 1972 y 1987; o, en el sector del comercio al detalle, el Acuerdo sobre formación profesional de 1989.

A nivel intersectorial, el precedente negocial hay que situarlo en el marco de las denominadas *«Conversaciones de Val Duchesse»* en Bélgica, a partir de 1985, entre la UNICE (Unión de Industrias de la Comunidad), la CEEP (Centro Europeo de la Empresa Pública) y la CES (Confederación Europea de Sindicatos), reuniéndose los agentes sociales para debatir sobre determinadas cuestiones de interés general intersectorial y actuando la Comisión Europea de promotora y mediadora y aportando apoyo técnico.

Este diálogo social a nivel comunitario dio sus frutos a través de la aprobación de los llamados *«dictámenes comunes»* —veintiuno en total— sobre muy distintas materias. Así, entre otros más, sobre empleo, nuevas tecnologías, movilidad europea de los trabajadores, formación, política económica, igualdad de trato o el propio diálogo social. Tratándose, en definitiva, de acuerdos recomendatorios consensuados para los Estados miembros y para las empresas y no de verdaderos acuerdos jurídicos vinculantes.

450. Las bases normativas de la negociación colectiva europea comunitaria. El anterior panorama cambió con el Tratado de Maastricht de 1992, más tarde refrendado por el Tratado de Ámsterdam de 1997, donde se establecieron dos reglas innovadoras en esta materia, potenciadoras ambas del papel institucional de los agentes sociales a nivel comunitario:

1ª) En primer lugar, los Tratados introdujeron el *«procedimiento de la doble consulta obligatoria»* a los interlocutores sociales comunitarios.

En efecto, de acuerdo con este principio, la Comisión Europea debe consultar a los interlocutores sociales acerca de la viabilidad y oportunidad y, en su caso, contenido de una determinada propuesta de acción social comunitaria (Directiva, Recomendación o Decisión), debiendo remitir éstos a la Comisión, bien un Dictamen, bien una Recomendación, según se hayan puesto de acuerdo o no sobre la contestación o consulta solicitada (art. 138.2 y 3 del Tratado de la Unión Europea).

Con ocasión de dicha consulta, los interlocutores sociales pueden informar también a la Comisión Europea de su intención de iniciar una negociación colectiva sobre esa materia. En cuyo caso, la Comisión debe abandonar su propuesta normativa en beneficio de la negociación, estableciéndose así un *«principio de subsidiariedad horizontal»*, de modo que sólo habrá legislación comunitaria cuando no haya negociación colectiva comunitaria.

La duración del procedimiento de negociación no puede exceder de nueve meses (salvo prolongación de mutuo acuerdo entre los interlocutores sociales y la Comisión Europea: art. 138.4 del Tratado de la Unión Europea), recuperando la Comisión la iniciativa normativa de no haberse llegado a un acuerdo en ese periodo de tiempo.

En todo caso, el incumplimiento de este trámite de doble consulta a los interlocutores sociales comunitarios por parte de la Comisión Europea implica un vicio en el procedimiento que puede causar la nulidad de la norma comunitaria adoptada.

2ª) En segundo lugar, el art. 139.2 del Tratado regula también la aplicación de los acuerdos comunitarios en los distintos Estados Miembros, estableciendo que ésta se realizará:

a) Bien a través de los procedimientos y prácticas propios de los interlocutores sociales y de los Estados Miembros.

b) Bien, en los ámbitos permitidos por el art. 137 del Tratado de la Unión Europea (esto es, excluyendo las materias referidas a remuneraciones, derechos de asociación, sindicación, huelga y cierre patronal), a petición conjunta de ambas partes firmantes, a través de una decisión del Consejo adoptada a propuesta de la Comisión, decisión que se adoptará por mayoría o por unanimidad en función del contenido del acuerdo. En todo caso, esta Directiva no podrá cambiar el contenido del acuerdo comunitario sino tan sólo aceptarlo o rechazarlo en su totalidad. Otra cosa sería atentatoria de la autonomía colectiva, según ha manifestado la mayoría de la doctrina RODRÍGUEZ PIÑERO, LYON CAEN, SCHNORR o GHERY).

451. La eficacia jurídica de los acuerdos comunitarios. De seguirse el primer procedimiento, el acuerdo colectivo comunitario no posee efectos normativos, teniendo el carácter de *«convenio marco recomendatorio»* en tanto su contenido no sea recogido por los convenios colectivos nacionales, sin poderse sancionar a los agentes sociales que eventualmente desobedecieran lo establecido en el acuerdo colectivo comunitario.

Respecto de esta vía de aplicación de los acuerdos comunitarios, la Declaración sobre el apartado 2 del art. 139 del Tratado de la Unión Europea aclaraba que *«dicha modalidad no implica que los Estados Miembros estén obligados a aplicar de forma directa dichos acuerdos o a elaborar normas de transposición de los mismos ni a modificar la legislación nacional vigente para facilitar su ejecución».* De esta manera, el acuerdo colectivo comunitario no tiene efectos jurídicamente vinculantes y continúa teniendo el carácter de un acuerdo marco recomendatorio, en tanto su contenido no sea incluido en un convenio colectivo nacional, de acuerdo con su respectiva legislación reguladora, sin que pueda sancionarse a las organizaciones empresariales o sindicales nacionales eventualmente incumplidoras ni reclamarse siquiera su cumplimiento ante un Tribunal, nacional o comunitario, produciendo tales incumplimientos únicamente responsabilidades intrasociativas en su caso (ROCELLA Y TREU).

De seguirse el segundo procedimiento, el acuerdo comunitario tiene una eficacia jurídica normativa y personal *«erga omnes»* en los ordenamientos jurídicos internos de los Estados Miembros, vinculante tanto para ellos —que deberán, en su caso, modificar la legislación que se oponga a su aplicación—, como para los agentes sociales nacionales —que deberán negociar colectivamente a nivel nacional respetando lo dispuesto en el acuerdo comunitario de referencia—.

Podría decirse que, a partir del Tratado de Maastricht, se ha creado una nueva norma comunitaria de origen convencional pero con la forma y eficacia jurídica de una decisión del Consejo, que se impone a la legislación y a la negociación colectiva de los distintos Estados Miembros del mismo modo que cualquier otra norma comunitaria, respondiendo por todo ello ante las Instituciones Comunitarias.

Esta última ha sido la vía seguida con los Acuerdos Marco sobre los permisos parentales, sobre el trabajo a tiempo parcial y sobre el trabajo de duración determinada, aprobados como Directivas de 14 de diciembre de 1995, de 15 de diciembre de 1997 y de 28 de junio de 1999, respectivamente. Y, a nivel sectorial, por ejemplo, con los Acuerdos sobre la ordenación del tiempo de trabajo de la gente del mar, de 21 de junio de 1999.

Así pues, la *«negociación colectiva comunitaria»* introducida por el Tratado de Maastricht no es la negociación colectiva que se conoce a nivel nacional, tratándose, como hemos visto, bien de acuerdos colectivos marco recomendatorios, bien de una forma de *«concertación social»* de las normas comunitarias en materia laboral.

452. Los obstáculos actuales a la negociación colectiva europea comunitaria. Conviene señalar igualmente que, en relación con la remoción de los obstáculos históricos inicialmente señalados, no se ha avanzado mucho.

Sin duda, la filosofía de partida abstencionista en lo social ha cedido limitadamente, no constituyendo hoy un verdadero obstáculo para el desarrollo de una cierta negociación colectiva comunitaria.

La reticencia empresarial a este nivel comunitario de negociación se mantiene, no obstante, en parecidos términos a como se ha manifestado históricamente.

En cuanto a la importante cuestión de los interlocutores sociales a nivel comunitario, dos problemas se entrelazan en este punto:

1º) Por una parte, la ambigüedad normativa comunitaria acerca de quienes deban ser las partes negociadoras de los acuerdos colectivos a este nivel, refiriéndose la norma sin más a *los interlocutores sociales a nivel de la Unión*.

Aunque es cierto que la Comisión Europea ha tratado de concretar la indefinición jurídica de la norma comunitaria señalando que para merecer la consideración de *interlocutores sociales* a este nivel, exigiendo el cumplimiento de determinados requisitos mínimos —ser organizaciones interprofesionales, sectoriales o de categoría de trabajadores, de nivel europeo, con miembros nacionales reconocidos como interlocutores en su país, con capacidad para negociar acuerdos, representativas en la medida de lo posible de todos los Estados Miembros, con estructuras adecuadas (Comunicación de la Comisión Europea relativa a la aplicación del Protocolo sobre la Política Social de diciembre de 1993), libres en cuanto a la afiliación a las mismas y con un mandato representativo para negociar de sus afiliados (Comunicación de la Comisión Europea relativa al desarrollo del diálogo social a escala comunitaria de septiembre de 1996)—, lo cierto es que estos criterios de la Comisión carecen de fuerza jurídica vinculante (NAVARRO NIETO).

Por su lado, la Sentencia del Tribunal de Justicia Comunitario de 17 de junio de 1998, ha mantenido la tesis interpretativa de que la negociación colectiva comunitaria se rige por el principio de libertad de negociación y por el reconocimiento mutuo de los propios interlocutores sociales (CASAS BAAMONDE).

2º) Por otra parte, el carácter limitado de los poderes otorgados a las organizaciones profesionales sindicales y empresariales a nivel comunitario.

Así, del lado sindical, aunque la CES, desde el Congreso de Estocolmo de 1991, tiene poderes para negociar acuerdos comunitarios europeos, los Estatutos exigen la mayoría cualificada de los dos tercios de su Comité Ejecutivo para decidir acerca del mandato y la composición de las delegaciones para negociar en un caso concreto, lo que dificulta las cosas (arts. 11 y 13 de los Estatutos).

Y, del lado empresarial, para obtener un mandato negociador a nivel comunitario, se necesita el voto favorable de 14 de las 17 Federaciones que componen la UNICE, exigiéndose, además, para la aprobación del acuerdo comunitario *el consenso de todos los miembros interesados en el acuerdo en cuestión* (art. 7.8 de los Estatutos).

Por lo que se refiere a la diversidad de legislaciones existentes sobre la negociación colectiva en los distintos estados Miembros —problema, sin duda, agravado con la reciente ampliación—, nada se ha hecho porque nada se puede hacer, por cuanto los derechos colectivos de sindicación, huelga y cierre patronal quedan fuera de las competencias de la Unión Europea (art. 137 del Tratado de la Unión Europea).

Finalmente, las diferencias socioeconómicas, acentuadas notablemente en la nueva Europa de los 25, podrían, desde luego, hacer presagiar una mayor lentitud en el desarrollo de la negociación colectiva a nivel comunitario. Ello no obstante, se ha señalado en sentido contrario, que los riesgos de un mayor *«dumping social»* entre las economías de los Estados Miembros que la nueva situación comunitaria permite vislumbrar (procesos de desregulación o de reducción de niveles de protección de los trabajadores para evitar las *«deslocalizaciones»* de empresas) pueden paradójicamente empujar, especialmente a los países más desarrollados, a buscar en la negociación colectiva comunitaria mecanismos compensatorios (SANGUINETTI).

En este preciso sentido, la CES creó en 1999 un *«Comité Permanente para la Coordinación de la Negociación Colectiva»* con la finalidad de propiciar la coordinación sectorial de la negociación colectiva en orden a combatir el riesgo de *«dumping social»*.

453. Acerca de la posibilidad de una legislación comunitaria reguladora de la negociación colectiva a este nivel. No existe duda alguna, finalmente, acerca de la necesidad de una legislación comunitaria que, además de concretar y regular los aspectos obscuros del marco normativo constitucional de la negociación colectiva comunitaria, sirva de elemento promocional de la misma.

En este sentido, habrá que subrayar que no existe una imposibilidad jurídica para ello, pese a no contemplarse expresamente en ninguna parte del Tratado de la Unión Europea.

Por un lado, las limitaciones a la intervención normativa de la Unión Europea en materia de derechos colectivos de sindicación, huelga y cierre patronal de los arts. 137 del Tratado de la Unión Europea sólo vienen referidas a la armonización legislativa de las legislaciones nacionales pero no a la regulación del ejercicio de estos derechos a nivel comunitario.

Por otro lado, el actual art. 308 del Tratado de la Unión Europea, si bien exigiendo la unanimidad, da cobertura al Consejo para que adopte las disposiciones que considere pertinentes en aquellos casos —como éste— en que el Tratado no hubiera previsto expresamente su actuación normativa (OJEDA).

Tema 7
LA HUELGA

SUMARIO: I. CONSIDERACIONES GENERALES. II. NORMATIVA APLICABLE. III. LA TITULA-RIDAD DEL DERECHO DE HUELGA. 1. La titularidad individual o colectiva del derecho de huelga. 2. Los concretos titulares del derecho de huelga. IV. LAS MOTIVACIONES DE LA HUEL-GA. 1. El art. 11 del RDLRT y las motivaciones de las huelgas. 2. La huelga política. 3. La huelga de solidaridad. 4. La huelga motivada por conflictos jurídicos. 5. La huelga novatoria. V. EL PROCEDIMIENTO DE ACTUACIÓN HUELGUÍSTICA. 1. La declaración de huelga: las huelgas salvajes y las huelgas sorpresa. 2. La constitución del Comité de huelga. 3. Los piquetes. 4. La política de información de la empresa. 5. El esquirolaje. 6. La huelga con ocupación de locales. 7. Las modalidades abusivas del ejercicio del derecho de huelga. 8. El respeto de los servi-cios de seguridad y mantenimiento. VI. EL MANTENIMIENTO DE LOS SERVICIOS ESENCIALES PARA LA COMUNIDAD. 1. Diferencias con los servicios de seguridad y mantenimiento. 2. Fundamento constitucional. 3. Significado de los «servicios esenciales para la comunidad». 4. Las garantías del mantenimiento de los servicios esenciales. 5. Efectos del incumplimiento de los servicios mínimos. VII. LA FINALIZACIÓN DE LA HUELGA. VIII. LOS EFECTOS DE LA HUELGA. 1. Sobre los trabajadores no huelguistas. 2. Sobre los trabajadores huelguistas. 2.1. Los efectos de la huelga legal. 2.2. Los efectos de la huelga ilegal. 3. Sobre otras empresas.

I. CONSIDERACIONES GENERALES

454. El concepto de huelga. Conceptos restrictivo y extensivo. Tradicional-mente se entiende por huelga la cesación temporal del trabajo decidida por una colectividad de trabajadores con abandono del centro de trabajo, con motivo de un conflicto y con el fin de presionar en la defensa de sus intereses.

Sin embargo, esta concepción restrictiva de la huelga viene extendida moder-namente a todo tipo de perturbación concertada colectivamente del proceso de producción, de las que la cesación del trabajo con abandono de centro sería segu-ramente paradigmática pero no excluyente de otras, tales como una *«huelga de celo o reglamento»* —donde no sólo no hay cesación del trabajo sino aumento del mismo por la aplicación exagerada de los reglamentos del servicio—, una *«huelga de trabajo lento»* —donde tampoco hay cesación sino disminución en el traba-jo—, una *«huelga con ocupación de local»* —sin abandono del centro de trabajo, por tanto—, o una *«huelga articulada»* (rotatoria, intermitente o estratégica).

455. La huelga y el ordenamiento jurídico estatal. Tres opciones del Estado frente a la huelga: delito, libertad y derecho. El Estado puede adoptar, por hipóte-sis, tres posiciones frente a la huelga:

a) Puede considerarla un delito, derivando de la huelga sanciones penales y contractuales, esto es, el despido del trabajador o una sanción disciplinaria inferior.

b) Puede considerarla una libertad, derivando tan sólo de la huelga sanciones contractuales.

c) Puede considerarla un derecho, no derivando en tal caso sanción alguna de la huelga, ni penal ni contractual, configurándola como una simple causa de suspensión del contrato de trabajo, sin derecho a salario y con derecho a ser readmitido en el mismo puesto de trabajo al finalizar la huelga. Ahora bien, en ningún caso «derecho de huelga» equivale a «derecho a cobrar un salario por no trabajar».

456. Evolución de los modelos normativos acerca de la huelga. Estos tres modelos normativos se corresponden, de alguna manera, con tres estadios de la evolución histórica normativa en los distintos países. Primero, la huelga es considerada como un delito; más tarde, se tolera; y, finalmente, se reconoce como un derecho.

Desde los comienzos del siglo XIX, bajo la influencia del Código Penal francés en 1810, en toda Europa la huelga era considerada como un delito. Esta situación se mantuvo hasta muy avanzado el siglo XIX. La abolición del delito de huelga varía de fecha según los países. Por ejemplo, en Francia se produce en 1864, en Alemania en 1869 y en Italia en 1890.

Será en una época más reciente cuando se reconozca el derecho de huelga en la mayor parte de los países, variando igualmente de fecha en cada uno de ellos. Podría afirmarse que a lo largo de los últimos cuarenta años, con los paréntesis de los regímenes autoritarios, se ha reconocido el derecho de huelga en Europa, bien por la Constitución (en Alemania, Francia o Italia), bien por la propia jurisprudencia de los Tribunales (en Holanda o Bélgica).

457. Clases de huelga. No obstante, la transición histórica de una a otra fase no se efectúa con limpieza, pudiendo coexistir en un mismo ordenamiento calificaciones de huelga-derecho, situaciones de mera libertad e, incluso, delictivas, en atención a quienes sean los sujetos que vayan a la huelga, cual sea su objetivo y cuáles sean los procedimientos y las modalidades de huelga utilizadas.

Por razón de los sujetos individuales que van a la huelga, es posible distinguir entre las «huelgas de los trabajadores dependientes y por cuenta ajena» y las «huelgas de los funcionarios públicos».

Por razón de los sujetos colectivos que las convocan, cabe hablar de «huelgas sindicales» y de «huelgas salvajes» o «no sindicales», según las haya o no declarado un sindicato.

Por razón del objeto o de las motivaciones de la huelga, cabe distinguir, entre «huelgas políticas», —las causas de las mismas no son laborales sino políticas—, y «laborales».

Dentro del amplio concepto de *«huelga política»* quedarían incluidas hasta tres tipos de huelga: Las *«huelgas revolucionarias o insurreccionales»*, necesariamente generales; las *«huelgas políticas puras no insurreccionales»* contra los Poderes Públicos (Parlamento, Gobierno, Autoridad Pública o Tribunales) de corta duración (*«huelga protesta»*) o de mayor duración (*«huelgas de lucha»*); y las *«huelgas de imposición económico-política o mixtas»*, en las que aparecen entremezclados los motivos laborales y políticos (por ejemplo, una huelga contra la política económica social del Gobierno).

Las huelgas laborales, por su parte, pueden ser de *«solidaridad»*, —el interés en juego no les afecta directamente—, o *«directas»*. A su vez, las huelgas laborales pueden estar *«motivadas por un conflicto colectivo jurídico»*, —o de interpretación o aplicación de normas legales, reglamentarias o convencionales— o *«por un conflicto colectivo económico o de intereses»* —la negociación de un convenio colectivo. De pretenderse la modificación de un convenio colectivo durante su vigencia, estaremos en presencia de una *«huelga novatoria»*.

Por razón del procedimiento seguido en la huelga y de las modalidades, cabe hablar de *«huelgas sorpresa»*, cuando no se haya cumplido un preaviso mínimo; de *«huelga con ocupación de locales»*; de *«huelga de brazos caídos»*, permaneciendo sin trabajar en el propio centro de trabajo; de *«huelgas articuladas»* cuya finalidad es la de causar el máximo de daños a la empresa con el mínimo de sacrificio para los trabajadores, de entre las que haya que destacar las *«huelgas rotatorias o turnantes»* que se producen en tiempo distintos por trabajadores distintos, las *«huelgas intermitentes»* que se realizan por todos los trabajadores intermitentemente y de una manera coordinada, las *«huelgas estratégicas o tapón»* que afectan únicamente a los sectores estratégicos de la empresa (picadores en las minas o pilotos de líneas aéreas, por ejemplo), o las ya citadas *«huelgas de reglamento o de celo»* y *«de trabajo lento»*.

II. NORMATIVA APLICABLE

458. El art. 28 CE y la STC de 8 de abril de 1981. Otras sentencias del Tribunal Constitucional referidas a la huelga. La situación normativa actual. Con base constitucional en el art. 28.2 —según el cual *«se reconoce el derecho a la huelga de los trabajadores para la defensa de sus intereses. La ley que regule el ejercicio de este derecho establecerá las garantías precisas para asegurar el mantenimiento de los servicios esenciales de la comunidad»*—, se mantiene vigente el Real Decreto-Ley 17/1977, de 4 de marzo, sobre relaciones de trabajo, si bien la STC de 8 de abril de 1981, dictada frente a un recurso de inconstitucionalidad, anuló algunos preceptos del RDLRT, fijándose respecto de otros la interpretación constitucionalmente ajustada. Existen, además, otras Sentencias posteriores del

Tribunal Constitucional, dictadas en amparo o en conflictos de competencia, que matizan lo dispuesto en el RDLRT.

Así pues, la situación normativa es la siguiente:

1°) El art. 28.2 de la Constitución reconoce el derecho de huelga y prevé una ley orgánica de desarrollo constitucional.

2°) Esta ley no ha aparecido hasta la fecha.

3°) Existe una normativa preconstitucional (el RDLRT) valorada y depurada constitucionalmente por la STC de 8 de abril de 1981 y por otras SSTC posteriores.

459. Características básicas del art. 28.2 CE. Las características básicas del art. 28.2 de la CE son las siguientes:

1ª) Se trata, por su ubicación y redacción, de un derecho de eficacia jurídica inmediata y no programática, esto es, que no necesita ley de desarrollo para poder ser alegado y aplicado por los Tribunales. Por otra parte, el derecho de huelga forma parte del contenido esencial del derecho de libertad sindical (SSTC de 8 de abril de 1981 o de 27 de junio de 1984).

2ª) El derecho de huelga es un derecho fundamental y, por ello, exige ley orgánica para su desarrollo constitucional (art. 81.1 de la CE; SSTC de 8 de abril de 1981 y de 5 de noviembre de 1981), no consintiendo regulaciones autonómicas diferenciadas (STC de 5 de noviembre de 1981).

3ª) Conforme al art. 53.2 de la CE, el derecho de huelga está sometido a una especial protección, en la medida en que se podrá recabar su tutela ante los Tribunales ordinarios por un procedimiento basado en los principios de preferencia y sumariedad (arts. 174 a 181 de la LPL) y, en su caso, a través del recurso de amparo ante el Tribunal Constitucional.

460. Juicio crítico acerca de la STC de 8 de abril de 1981. Realmente, el RDLRT mantenía bastantes límites y requisitos formales en los ámbitos subjetivo, objetivo y funcional del derecho de huelga. Naturalmente, estos límites resultaban sospechosos de inconstitucionalidad después del reconocimiento constitucional del derecho de huelga.

La STC de 8 de abril de 1981 deja en vigor la mayor parte del RDLRT. Pero, en buena medida, es una sentencia interpretativa respecto de lo que mantiene vigente, es decir, indica cómo debe aplicarse el RDLRT para que pueda ser considerado constitucional.

Esta labor interpretativa la hace a veces explícitamente pero, en otras ocasiones, de forma implícita, sin acabar de clarificar su postura, posiblemente de forma intencionada para ir profundizando en el futuro por la vía del recurso de amparo en casos concretos. Ello obliga al jurista a interpretar, a su vez, lo que ha querido decir y dejar en vigor y como el Tribunal Constitucional.

En términos generales, se trata de una sentencia avanzada en el terreno de los principios pero muy prudente en el terreno de las conclusiones concretas; en el fallo sobre todo. Lo que, por otro lado, era de esperar, ya que resultaba previsible que, enfrentado el Tribunal Constitucional al dilema de mantener o derogar la práctica totalidad del RDLRT y, caso de derogarlo, crear una situación de vacío legal, el Tribunal rehusara aceptar tal responsabilidad —más propia del poder legislativo—, y se inclinara a considerar constitucional y mantener la mayor parte del RDLRT.

El Tribunal Constitucional mantiene la vigencia de la mayor parte del RDLRT pero, eso sí, indicando explícita o implícitamente como debe ser interpretado y aplicado. Tarea esta, de aplicación del RDLRT que corresponderá a los Tribunales ordinarios pero que, vía recurso de amparo, puede terminar siempre de nuevo en el Tribunal Constitucional.

La STC hace dos tipos de declaraciones sobre el contenido del derecho de huelga (MARTÍN VALVERDE):

1º) Aquellas que se refieren al contenido esencial o mínimo del derecho, en el que figuran los elementos o ingredientes indispensables de tal derecho, por debajo del cual el RDLRT incurre en inconstitucionalidad. Estas declaraciones se remiten al marco constitucional.

2º) Aquellas otras referidas al contenido posible del derecho de huelga, que puede variar con los cambios legislativos. Estas últimas declaraciones se remiten al modelo político normativo del RDLRT.

La Sentencia provoca en general muchas dudas de interpretación por las a veces aparentes e incluso verdaderas contradicciones entre los fundamentos jurídicos y el fallo. En ocasiones, el fallo se queda corto respecto de lo que se dice en los fundamentos; y, en otras, el fallo parece ir más allá de lo que se dice en los fundamentos. En otros casos, el fallo mantiene en vigor aspectos del RDLRT sobre los que los fundamentos no llegan a pronunciarse.

III. LA TITULARIDAD DEL DERECHO DE HUELGA

461. Dos cuestiones a considerar acerca de la titularidad del derecho de huelga. El ámbito subjetivo del derecho de huelga se identifica con su titularidad. Ahora bien, el análisis de la titularidad del derecho de huelga comprende dos órdenes de cuestiones diferenciadas:

1ª) La de la titularidad individual o colectiva.

2ª) La de quienes sean los concretos trabajadores a los que se reconoce tal titularidad.

1. La titularidad individual o colectiva del derecho de huelga

462. Dos perspectivas del derecho de huelga: individual y colectiva. El art. 28.2 de la CE. El art. 28.2 de la CE atribuye la titularidad del «*derecho de huelga*» a los concretos trabajadores (titularidad individual) y no a los sujetos colectivos que los representan (titularidad colectiva), habiéndose interpretado tradicionalmente que el legislador constitucional ha atribuido a los trabajadores no sólo el derecho a ir o no ir a la huelga pertenece al trabajador sino también el derecho de convocatoria (establecimiento de las reivindicaciones, publicidad o proyección exterior, negociación y decisión de darla por terminada) que corresponde también a los trabajadores y no sólo a sus representantes.

El Tribunal Constitucional ha sido claro y explícito en este punto. El fundamento jurídico nº 11 de la STC de 8 de abril de 1981 proclama inicialmente que el derecho de huelga es «*un derecho atribuido a los trabajadores 'uti singuli' aunque tenga que ser ejercitado colectivamente mediante concierto o acuerdo entre ellos*», para concluir más tarde que «*si bien la titularidad del derecho de huelga pertenece a los trabajadores y que a cada uno de ellos corresponde el derecho a sumarse o no a las huelgas declaradas, las facultades en que consiste el ejercicio del derecho de huelga, en cuanto acción colectiva y concertada, corresponden tanto a los trabajadores como a sus representantes y a las organizaciones sindicales*».

2. Los concretos titulares del derecho de huelga

463. Los trabajadores dependientes y por cuenta ajena y la exclusión de las actividades profesionales y de los estudiantes. El segundo aspecto a determinar es el de los trabajadores que son titulares de ese derecho. Titular del derecho lo es el trabajador; pero ¿qué trabajador?

Según el fundamento jurídico nº 11 de la STC de 8 de abril de 1981, lo son los trabajadores subordinados y por cuenta ajena ya que la finalidad de este derecho es restaurar o conseguir una igualdad de poderes. Por ello, el fundamento jurídico nº 12 no reconoce que tengan tal derecho a los trabajadores autónomos o independientes, a los autopatronos (comerciantes o agricultores), a los profesionales libres o a los estudiantes.

Así pues, el derecho de huelga se consagra sólo en relación con los trabajadores subordinados, quedando las actividades profesionales al margen de la huelga, debiendo reconducirse a otros derechos (huelga de comerciantes o de transportes, por ejemplo). También resultan excluidos los estudiantes.

Todos los trabajadores con contrato de trabajo tendrán, pues, derecho a la huelga, incluidos los sometidos a relaciones laborales especiales (art. 2 del ET), tanto los trabajadores nacionales como los extranjeros, con permiso de trabajo o sin él (art. 11.2 LO 4/2000, de extranjería; STC de 19 de diciembre de 2007).

Los trabajadores al servicio de la Administración Militar (Disposición Final Séptima del ET), no obstante la exclusión por parte de la Disposición Adicional Primera del RDLRT de su ámbito de aplicación («*lo dispuesto en el presente Real Decreto-Ley en materia de huelgas no es de aplicación al personal civil dependiente de establecimientos militares*»), como trabajadores especiales que son, tienen derecho de huelga. El Tribunal Constitucional (SSTC de 8 de abril de 1981 y de 17 de febrero de 1986), ha declarado expresamente que no es discutible que este personal ostente el derecho de huelga, aunque deba entenderse que se trata de trabajos en servicios esenciales y por ello limitados.

Pero el tema trascendental aquí es, sin duda, el de la extensión o no del ámbito subjetivo del derecho de huelga a los funcionarios públicos (ver infra).

IV. LAS MOTIVACIONES DE LA HUELGA

1. El art. 11 del RDLRT y las motivaciones de las huelgas

464. Las prohibiciones del art. 11 RDLRT en cuanto a las motivaciones de las huelgas. El art. 11 del RDLRT, en su versión inicial, establecía la ilegalidad de las huelgas políticas, de las huelgas de solidaridad y de las huelgas novatorias.

Así pues, en el orden de las motivaciones, las únicas huelgas legales eran las huelgas laborales directas no novatorias, esto es, las motivadas por conflictos colectivos jurídicos y las de presión en la negociación colectiva, cuando no hubiera un convenio colectivo aplicable.

2. La huelga política

465. La regulación legal. El art. 11.a) del RDLRT, en su versión inicial, establecía la ilegalidad de la huelga «*cuando se inicie o sostenga por motivos políticos o con cualquier finalidad ajena al interés profesional de los Tribunales afectados*»

466. La posición doctrinal. Argumentos a favor de la constitucionalidad de la huelga política. En cuanto a las huelgas políticas, un importante sector de la doctrina se había manifestado, a la vista del art. 28.2 de la CE por la constitucionalidad de las mismas (DURÁN, MARTÍN VALVERDE, OJEDA, RAMÍREZ, RODRÍGUEZ PIÑERO Y DE LA VILLA).

Los argumentos manejados por esta doctrina para justificar la constitucionalidad de las huelgas políticas eran los siguientes:

a) En primer lugar, la literalidad del art. 28.2 que reconoce el derecho a la huelga a los trabajadores *«para la defensa de sus intereses»* en un sentido enormemente amplio, sin otra calificación posterior referida a *«intereses económicos y sociales»* (como hace el art. 7º de la Constitución respecto de los sindicatos de trabajadores y asociaciones empresariales).

b) En segundo lugar, una interpretación sistemática del art. 28.2. De un lado, su ubicación en la sección I del Capítulo II del Título II de la Constitución, esto es, entre las *«libertades públicas»* protegidas por el art. 53.2 como derechos públicos subjetivos de eficacia *«erga omnes»*, ejercitable no sólo frente al empresario, sino frente a otras instancias distintas (las políticas, obviamente). La lejanía —y, por ello, desvinculación—, entre el derecho de huelga (art. 28.2) y el derecho de negociación colectiva (art. 37.1), avalan esta misma idea de rechazo constitucional del *«modelo contractual»*.

c) En tercer lugar, una interpretación teleológica del art. 28.2 a la luz de las cláusulas generales de la Constitución: la cláusula de *«Estado social y democrático»* del art. 1º y, sobre todo, la cláusula de *«efectividad de los valores de libertad e igualdad»* del art. 9.2 (MARTÍN VALVERDE).

d) Finalmente, el art. 10.2 de la Constitución ofrece un último apoyo interpretativo, al señalar que las normas relativas a los derechos fundamentales y a las libertades que la Constitución reconoce se interpretarán de conformidad con los acuerdos internacionales ratificados por España.

Y acudiendo a éstos, nos encontramos con que el Comité de Libertad Sindical de la OIT distingue entre la huelga política pura (*«la que va dirigida contra la política del Gobierno sin que su objeto sea un conflicto de trabajo»*), cuya prohibición no considera atentatoria de la libertad sindical y la huelga de imposición económico—política o huelga política con trascendencia laboral (*«la dirigida contra la política de Gobierno… que había tomado una medida que tenía que ver con las relaciones de trabajo»*), cuya licitud admite por encontrarse garantizada por los Convenios de la OIT.

Todas estas argumentaciones conducen al mismo lugar, esto es, a que la posibilidad de hacer huelgas políticas se encuentra dentro del contenido esencial del derecho de huelga reconocido en el art. 28.2 de la Constitución, no existiendo límites internos al derecho de huelga, sino únicamente límites externos al mismo concretables en otros derechos constitucionales igualmente protegibles.

Partiendo de estos presupuestos, se trataría de restringir al máximo el área de ilicitud de la huelga política relegándola a supuestos excepcionales de ataque a las instituciones democráticas coincidentes con la huelga revolucionaria o insurreccional (DURÁN).

467. La posición de la STC de 8 de abril de 1981, sobre las huelgas políticas. ¿En qué medida incidió la STC de 8 de abril de 1981, sobre la regulación del RDLRT en tema de huelgas políticas?:

1º) Nada dice el fallo expresamente acerca de las huelgas políticas. Tan solo la cláusula genérica tercera, al «*desestimar las restantes pretensiones de los recurrentes*» —y, entre ellas, la pretensión de inconstitucionalidad del art. 11.a) del RDLRT «*cuya ambigüedad (se dice en el recurso) es radicalmente incompatible incluso con el propio tenor literal del art. 28.2 de la Constitución*»—, está implícitamente declarando constitucional el art. 11.a) relativo a la ilegalidad de las huelgas políticas.

2º) Nada dice la sentencia expresamente en sus fundamentos jurídicos acerca de las huelgas políticas, lo que resulta altamente criticable por cuanto tanto en el recurso como en el escrito de alegaciones del Abogado del Estado existen expresas referencias y argumentaciones sobre las mismas y no cabe ampararse en «*la falta de diligencia del recurrente*», ya que el propio Tribunal señala que «*no debe olvidarse que es función de Tribunal la depuración del ordenamiento jurídico y que, por esto, ante él no rige de manera completa el principio dispositivo*», sino el principio «*iura novit curia*». Por ello, si bien procesalmente cabe admitir que nada se diga expresamente, no parece correcto que no haya en la sentencia una «*ratio decidendi*» expresa.

3º) En el texto de la sentencia sólo hay referencias ambiguas. Así:

a) En primer lugar, al hablar del contenido esencial del derecho de huelga, entiende que las huelgas políticas no entran dentro de su contenido esencial, por lo que, a su juicio, será constitucional su prohibición por ley, lo que no impide, en sentido contrario, que una ley posterior igualmente constitucional las declare legales.

b) En segundo lugar, si bien al hablar de las huelgas de los trabajadores autónomos, la sentencia hace una referencia expresa a las que se conocen como «*huelgas de imposición económico-política*» o huelgas políticas de trascendencia laboral, aceptándolas.

468. La situación normativa actual acerca de las huelgas políticas. A la vista de todo lo anterior, cabe señalar que la situación normativa actual es la siguiente:

1º) La huelga política puede configurar un delito cuando pretenda «*subvertir la seguridad del Estado*», pero no cuando se trate simplemente de presionar a los poderes públicos.

2º) A salvo una interpretación restrictiva jurisprudencial del art. 11.a) del RDLRT con base en la doctrina del Comité de Libertad Sindical de la OIT, la situación jurídica general de las restantes huelgas políticas es la de huelga-libertad, esto es, ilegal desde la perspectiva contractual y legal desde la perspectiva penal.

La jurisprudencia viene haciendo esta interpretación restrictiva, considerando legales desde la perspectiva contractual a las huelgas políticas de trascendencia laboral (STC de 8 de febrero de 1993 y SSTS, CA, de 19 de diciembre de 1989 y de 1 de febrero de 1991, Ar/9871 y 1094, acerca de la huelga general del 14 de diciembre de 1988 contra la política económica del Gobierno; SSTS de 19 de diciembre de 1989 y de 1 de febrero de 1991, Ar/1094 y STC de 8 de febrero de 1993 acerca de la huelga general del 14 de diciembre de 1988; STC 37/1988, acerca de la huelga del 27 de enero de 1994) y de corta duración (STS de 1 de febrero de 1991, Ar/1094).

3. La huelga de solidaridad

469. La regulación legal. En cuanto a las huelgas de solidaridad, el art. 11.b) del RDLRT establecía en su versión inicial la ilegalidad de la huelga «*de solidaridad o apoyo, salvo que afecte directamente al interés profesional de quienes la promuevan o sostengan*».

470. La posición doctrinal acerca de las huelgas de solidaridad y el recurso de inconstitucionalidad frente al RDLRT. Un sector de la doctrina laboralista había criticado abiertamente la restrictividad del RDLRT en su art. 11.b en base a la afirmación empíricamente comprobable de que la idea de solidaridad es absolutamente medular al sindicato, constituyendo su propia razón de ser, aún reducida a niveles de conciencia sindical economicista y no necesariamente de clase (DURÁN, MARTÍN VALVERDE y RODRÍGUEZ PIÑERO).

Esta misma doctrina había señalado igualmente la sinrazón de la matización introducida en el RDLRT, al excluir a la huelga de solidaridad o apoyo «*que afecte directamente al interés profesional de quienes la promovieran o sostengan*», lo que literalmente era tanto como excluir las huelgas directas y no admitir la legalidad de ninguna clase de huelgas de solidaridad o apoyo (ALBIOL, DURÁN).

Sobre estas bases se planteó el recurso de inconstitucionalidad, calificando la prohibición legal de las huelgas de solidaridad de «*delimitación profundamente restrictiva y frontalmente contraria a la amplia definición constitucional*».

471. La posición de la STC de 8 de abril de 1981. La STC de 8 de abril de 1981 fue en punto a las huelgas de solidaridad mucho más explícita que en lo relativo a las huelgas políticas. No solo razona en los fundamentos jurídicos —hay «*ratio decidendi*» expresa— sino que también el fallo se refiere expresamente a las huelgas de solidaridad.

En efecto, el Tribunal Constitucional consideró que «*la exigencia de que la incidencia del interés profesional sea directa, restringe el contenido esencial del derecho e impone que esta expresión adverbial sea considerada como inconstitu-cional»* (fundamento jurídico n° 21). Afirmación que vuelve a repetir en el fallo al declarar que *«es inconstitucional la expresión «directamente» del apartado b) del artículo 11».* Precisando, además, que *«el adjetivo «profesional» que el texto utiliza ha de entenderse referido a los intereses que afectan a los trabajadores en cuanto tales, no naturalmente en cuanto miembros de una categoría laboral espe-cífica»* (fundamento jurídico n° 21).

Así pues, pese a mantener formalmente la constitucionalidad de la prohibición de las huelgas de solidaridad o apoyo del RDLRT, la vació materialmente de con-tenido al extender el ámbito de la excepción a prácticamente todas las huelgas de solidaridad (aquellas en las que está afectado el *«interés profesional»* de los huelguistas solidarios).

Sobre esta línea abierta por la Sentencia del Tribunal Constitucional ha discu-rrido posteriormente la jurisprudencia ordinaria (por todas, STS de 24 de octubre de 1989, Ar/7422), considerando que es legal la huelga convocada para que se procediera a la readmisión de los trabajadores despedidos improcedentemente, argumentando que con la huelga se defendía *«no sólo el interés particular de los despedidos sino el general de toda la plantilla».*

4. *La huelga motivada por conflictos jurídicos*

472. Su admisión en nuestro ordenamiento. El art. 11 del RDLRT y la STC de 8 de abril de 1981. La huelga motivada por conflictos jurídicos o de interpreta-ción y aplicación de una norma laboral vigente, ya sea estatal o convencional, no viene prohibida expresamente por el art. 11 del RDLRT.

La STC 11/1981, de 8 de abril, ha reconocido expresamente su legalidad, si bien referida exclusivamente a la *«interpretación de un convenio»* (*«… nada im-pide la huelga durante el período de vigencia del convenio colectivo cuando la finalidad de la huelga… (sea)… reclamar una interpretación del mismo…»*). En este mismo sentido se han expresado los Tribunales ordinarios (por todas, STS de 24 de octubre de 1989, Ar/7422).

La admisión de este tipo de huelgas en nuestro ordenamiento supone alinearse entre los que piensan que huelga y exclusividad jurisdiccional del Estado no son incompatibles en tema de conflictos colectivos jurídicos (en contra, aparentemen-te se manifiesta el Comité de Libertad Sindical de la OIT: *«solo los conflictos de intereses pueden dar pie a huelgas… los conflictos de derecho han de ser so-metidos a la decisión obligatoria… de un Tribunal de trabajo o de otro órgano análogo»*), sino que el recurso a la tutela jurisdiccional entra dentro de la plena disponibilidad de las partes, que pueden acudir a otros medios que consideren más aptos para la solución del conflicto.

En definitiva, hay que pensar que la asociación sindical no debe estar legitima-da solamente para elaborar el marco de las relaciones individuales, sino también para controlar su puesta en práctica (VIDA SORIA).

473. El procedimiento de conflicto colectivo como límite del derecho a la huel-ga. El alcance de la legalidad de estas huelgas viene, no obstante, limitado por la prohibición de concurrencia de las huelgas y el procedimiento de conflicto co-lectivo de trabajo previsto en el RDLRT o en acuerdos interprofesionales sobre solución de conflictos colectivos (ver infra).

Así, el RDLRT señala que «*cuando los trabajadores utilicen el procedimiento de conflicto colectivo de trabajo no podrán ejercer el derecho de huelga*» (art. 17), y que, «*declarada la huelga, podrán, no obstante, los trabajadores desistir de la misma y someterse al procedimiento de conflicto colectivo de trabajo*» (art. 17.3). Y, más adelante, que «*cuando el procedimiento de conflicto colectivo se inicie a instancia de los empresarios y los trabajadores ejerzan el derecho de huelga, se suspenderá dicho procedimiento archivándose las actuaciones*» (art. 18.2).

Así pues, no cabrán las huelgas una vez iniciado el procedimiento de conflicto colectivo, lo que significa la ilegalidad de las huelgas de presión cerca de todos aquellos sujetos que intervienen en el mismo: autoridad administrativa laboral en vía de conciliación, los árbitros voluntarios y el Juzgado de lo Social. Se ha veni-do a establecer así, el «*principio de concentración de la acción*» mediante el cual «*electa una vía, non datur recursus ad alteram*».

5. La huelga novatoria

474. El art. 11.c) del RDLRT y el deber de paz relativo. El art. 11.c) del RDL-RT, en su versión inicial, declaraba ilegal la huelga «*cuando tenga por objeto alte-rar, dentro de su período de vigencia, lo pactado en un convenio colectivo*» (SSTS de 28 de julio de 1988, Ar/6167 o de 23 de octubre de 1989, Ar/7533).

Con ello se establecía un deber legal de paz relativo, vinculante no solo para las partes contratantes del convenio y otros sujetos colectivos no firmantes del convenio sino también para los sujetos obligados por él, consistente en la prohibi-ción de realizar huelgas novatorias, sin necesidad de pacto expreso en el convenio colectivo de que se trate.

475. Problemas de constitucionalidad. A partir de lo dispuesto en el art. 28.2 de la CE, la doctrina planteó dos tipos de problemas de constitucionalidad acerca del deber legal de paz relativo, que fueron elevados en el recurso de inconstitucio-nalidad contra el RDLRT:

a) En primer lugar, el de su dudosa constitucionalidad a la vista del amplio reconocimiento del derecho de huelga reconocido en el art. 28.2 de la CE, entendiendo que tampoco encontraba cobertura constitucional en el art. 37.1, relativo al derecho de negociación colectiva.

b) En segundo lugar, el de su dudosa constitucionalidad a la vista de la aparente titularidad individual del derecho de huelga, el consiguiente carácter irrenunciable de tal derecho por vía de convenio colectivo y el dato legal de un deber de paz relativo vinculante no sólo para las partes contratantes sino también para los trabajadores obligados por el convenio colectivo.

476. La posición del Tribunal Constitucional. La STC de 8 de abril de 1981, sin embargo, no aceptó esta doble argumentación y mantuvo la constitucionalidad del art. 11.c) del RDLRT en sus propios términos, si bien interpretó la existencia de un deber de paz relativo en términos claramente restrictivos. Así, vino a señalar:

1º) En primer lugar, la legalidad de las huelgas cuyo objetivo fuese «*la interpretación de un convenio*»: «*nada impide la huelga durante el período de vigencia del convenio colectivo cuando la finalidad de la huelga… (sea)… reclamar una interpretación del mismo*» (fundamento jurídico nº 14) (STS de 6 de julio de 1990, Ar/6072) (ver supra).

2º) En segundo lugar, la legalidad de las huelgas para reivindicar un punto no regulado en el convenio colectivo: «*nada impide la huelga durante el período de vigencia del convenio colectivo cuando la finalidad de la huelga no sea estrictamente la de alterar el convenio, como puede ser… exigir reivindicaciones que no impliquen modificaciones del convenio*» (fundamento jurídico nº 14).

La Sentencia no considera el convenio colectivo como un todo interrelacionado y omnicomprensivo que agota la totalidad de los intereses en juego —en cuyo caso una nueva reivindicación no pactada expresamente con anterioridad supondría una alteración de lo pactado en el convenio—, sino como una mera sucesión de condiciones individuales que permite nuevas reivindicaciones que no alteran lo pactado.

La STC de 1 de marzo de 1990, en esta precisa línea, aceptó el amparo contra una sentencia declarando la improcedencia de las sanciones impuestas a unos huelguistas que pretendían reivindicaciones no incluidas en el convenio colectivo vigente (en el mismo sentido, la STS de 6 de julio de 1990. Ar/6072).

3º) En tercer lugar, la legalidad de las huelgas por incumplimiento contractual del empresario y novatorias por aplicación de la cláusula «*rebus sic stantbus*»: «*Es posible reclamar una alteración del convenio en aquellos casos en que éste haya sido incumplido por la parte empresarial o se haya producido un cambio absoluto y radical de las circunstancias que permitan la llamada cláusula rebus sic stantibus»* (SSTS de 14 de febrero de 1990, Ar/1088, de 30 de junio de 1990, Ar/5551 o de 3 de abril de 1991, Ar/3248).

Con ello, el Tribunal Constitucional no hace sino aplicar la doctrina civilista acerca de la resolución contractual en los casos de incumplimiento previo de la contraparte (art. 1124 del Código Civil) o de cambio en las circunstancias que dieron lugar al pacto inicial.

Conviene en este punto aclarar algunos extremos que la dicción de la Sentencia plantea:

a) En relación con el incumplimiento empresarial de lo pactado en el convenio inicial y en puridad aplicativa del art. 1124 del Código Civil, éste no origina realmente la posibilidad de «*reclamar una alteración del convenio*» sino más bien la facultad alternativa de exigir al empresario el cumplimiento del convenio o la resolución del convenio, «*con el resarcimiento de daños y abono de intereses en ambos casos*»; y sólo en el caso de haber optado por la resolución, podrá intentarse la «*alteración*» del convenio colectivo inicial.

Como consecuencia de ello, se entienden legales no sólo la huelga de apoyo a una nueva negociación que pretendiese modificar el convenio anterior (huelga novatoria), sino también la huelga realizada para exigir al empresario el cumplimiento de lo acordado, lo que enlaza con las huelgas motivadas por conflictos jurídicos.

b) En cuanto a la regla «*rebus sic stantibus*», su aplicación posibilitará también la legalidad de las huelgas novatorias, si bien la filosofía contractualista que subyace a la sentencia exigirá una interpretación restrictiva del cambio de circunstancias que rodearon la estipulación del convenio, que habrá de ser, según la propia sentencia, «*absoluto y radical*».

4°) En cuarto lugar, el art. 11.c) del RDLRT no podrá jugar en los casos de previa denuncia del convenio colectivo, habiendo perdido vigencia en consecuencia respecto a sus cláusulas obligacionales, de acuerdo con el art. 86.3 del ET (SS. TS de 18 de julio de 1988. Ar/6167 y de 23 y 24 de octubre de 1989, Ar/7422 y 7533).

5°) Finalmente, los Tribunales ordinarios han dejado muy claro que la ilegalidad se limita a aquellas huelgas que pretendan la alteración de los convenios estatutarios y no de los extraestatutarios (SSTCT de 15 de marzo de 1987, Ar/113 o de 22 de junio de 1988, Ar/300, salvo que el propio convenio extraestatutario hubiere previsto el deber de paz relativo: STS de 1 de marzo de 2001, Ar/2829).

477. La posible renuncia al ejercicio del derecho de huelga. Los arts. 82.2 del ET y 8.1 del RDLRT posibilitan la renuncia al ejercicio del derecho de huelga en términos absolutos durante la vigencia del convenio si así se pactaba expresamente en él (deber convencional de paz absoluto).

Cuestionada igualmente ante el Tribunal Constitucional la constitucionalidad de este precepto por cuanto suponía que los representantes de los trabajadores en la negociación colectiva podían renunciar a un derecho de titularidad individual, la STC de 8 de abril de 1981 afirmó la plena constitucionalidad del art. 8.1 en base a los razonamientos siguientes:

1º) No hay propiamente una «*genuina renuncia*» por cuanto es temporal y transitoria y se produce a cambio de obtener determinadas compensaciones, siendo, por ello una transacción.

2º) Las partes contratantes en una negociación colectiva, en ejercicio de las reglas civiles de la representación, pueden renunciar al derecho de huelga.

En consecuencia, de existir una cláusula en el convenio colectivo donde se hubiese establecido un «*deber de paz absoluto*», la huelga devendría ilegal, no pudiendo convocarla los sujetos colectivos firmantes del convenio ni seguirla los trabajadores afectados por ese convenio, planteándose dudas razonables acerca de si otros sujetos colectivos no firmantes del convenio podrían lícitamente convocar una huelga en ese ámbito.

La STC de 14 de junio de 1993 ha corregido esta doctrina al señalar que «*las cláusulas de paz que pueden insertarse en un convenio colectivo conforme a lo previsto en el art. 82.2 ET implican un compromiso temporal de no recurrir al ejercicio del derecho de huelga durante la vigencia del convenio; compromiso que es contraído por el sujeto colectivo (comité de empresa, sección sindical, sindicato…) que suscribe y firma el convenio, independientemente de la proyección que, en su caso, el pacto pueda tener sobre los trabajadores individuales, ya que, en términos generales, los sujetos colectivos pueden disponer a modo de acto negocial de las facultades que le son propias. Tales cláusulas, al establecer derechos y obligaciones únicamente entre las partes firmantes, se integran en el contenido obligacional del convenio colectivo, sin incidencia en el plano de las relaciones individuales encuadradas en el ámbito de aplicación del convenio*».

Ello motivará que las acciones por ilegalidad de la huelga se centren fundamentalmente en la reclamación a los sindicatos incumplidores del pacto de paz laboral de los daños y perjuicios derivados de dicho incumplimiento.

V. EL PROCEDIMIENTO DE ACTUACIÓN HUELGUÍSTICA

478. Los límites funcionales al derecho de huelga. La realización de la huelga está sujeta en el RDLRT a la exigencia del cumplimiento de determinados requisitos de forma o procedimentales, estableciendo el art. 11.d) del RDLRT que «*la* *huelga será ilegal cuando se produzca contraviniendo lo dispuesto en el presente Real Decreto-Ley o lo expresamente pactado en convenio colectivo para la solución de conflictos».*

1. La declaración de huelga: las huelgas salvajes y las huelgas sorpresa

479. Las exigencias legales en tema de declaración de huelga: Los arts. 3 y 4 del RDLRT. El art. 3.1 del RDLRT exigía que la declaración de huelga, cualquiera que fuese su ámbito, fuese adoptada por acuerdo expreso en tal sentido *«en cada centro de trabajo».*

El art. 3.2, por su parte, establecía los sujetos facultados para acordar la declaración de huelga:

a) De un lado, los *«representantes»* de los trabajadores por decisión mayoritaria de los mismos, debiendo asistir a la reunión al menos el 75% de los representantes, levantando acta que debían firmar todos los asistentes.

b) De otro lado, los propios trabajadores del centro de trabajo afectados por el conflicto, cuando el 25% de la plantilla decidiese someter a votación dicho acuerdo. La votación habría de ser secreta, decidiéndose por mayoría simple y haciendo constar el resultado en acta.

El art. 3.3 exigía la necesaria comunicación por escrito del acuerdo de declaración de huelga al/los empresario/s afectado/s por el conflicto y a la autoridad laboral por parte de los representantes de los trabajadores, con un preaviso mínimo de 5 días a la fecha de iniciación de la huelga.

El art. 4, finalmente, referido a las empresas encargadas de cualquier clase de servicios públicos, exigía un preaviso mayor de 10 días naturales, y a los representantes de los trabajadores, antes de la iniciación, *«la publicidad necesaria (de la huelga) para que sea conocida por los usuarios del servicio».*

Todo ello suponía básicamente, lo siguiente:

1º) Que los sindicatos no podían declarar la huelga. No obstante, los Tribunales, a partir de la legalización de los sindicatos por ley de Asociación Sindical de 1 de abril de 1977, flexibilizaron esta prohibición, reconociendo la posibilidad de los sindicatos de declarar huelgas, pero siempre que fueran los sindicatos más representativos, limitando así la libertad sindical de los sindicatos minoritarios que no podían declarar huelgas legales (SSTCT de 23 de noviembre de 1979, de 8 de enero o de 6 de marzo de 1980).

2º) Que, pese a admitir las huelgas de ámbito superior a la empresa, se establecía la necesidad de que la declaración de huelga fuese precedida de un acuerdo expreso en tal sentido en cada centro de trabajo, lo que suponía una limitación importante del derecho de huelga. No obstante ello, también aquí los Tribunales admitieron su incumplimiento (SSTCT de 23 de noviembre de 1979 o de 8 de enero de 1980).

3º) Que se admitían las *«huelgas salvajes»* o *«no sindicales»*, pero limitando doblemente las declaraciones de huelgas de los trabajadores, al exigir la mayoría simple en votación secreta, previa decisión del 25% de la plantilla de trabajadores del centro de trabajo.

4º) Que no se admitían las huelgas sorpresa, al exigirse un preaviso mínimo de 5 días o de 10 días en el caso de que la huelga afectase a empresas encargadas de cualquier clase de servicios públicos.

480. La posición de la STC de 8 de abril de 1981. La STC de 8 de abril de 1981 incidió sobre lo dispuesto en el RDLRT viniendo a señalar:

a) En el fallo se declara, en primer lugar, la inconstitucionalidad de la exigencia del art. 3.1 del RDLRT de que el acuerdo de huelga se adopte en todo caso en el centro de trabajo.

Dirá la Sentencia que *«el apartado 1 del artículo 3 no es inconstitucional referido a huelgas cuyo ámbito no exceda de un solo centro de trabajo, pero lo es en cambio cuando las huelgas comprendan varios centros de trabajo»*. En el fundamento jurídico nº 15 de la STC se justifica su supresión por el carácter obstaculizador centro por centro: *«La exigencia de declaración de huelga centro por centro no tiene verdadera justificación y no tiene más sentido que el de buscar medios de limitación, en lo posible, de los conflictos, especialmente en aquellos casos en que se presume —y estos casos no serán infrecuentes— que la decisión de huelga puede ser más fácil en unos centros que en otros»*.

b) En segundo lugar, que por representantes de los trabajadores hay que entender tanto a los representantes unitarios como a los representantes sindicales *«con implantación en el ámbito laboral al que la huelga se extienda»* (art. 3.2.a) del RDLRT).

El fundamento jurídico nº 11 de la Sentencia abunda en esta afirmación del fallo (en el mismo sentido, la STC de 29 de noviembre de 1992).

En este sentido, el art. 2.2.b) de la LOLIS parece haber extendido la legitimación para convocar una huelga a todo tipo de sindicatos que ya señala que *«las organizaciones sindicales, en el ejercicio de la liber*tad sindical, *tienen derecho a… el ejercicio del derecho de huelga… en los términos previstos en las normas correspondientes»*. Sólo si se entendiera que la norma correspondiente es el RDLRT interpretado por el TCO había que concluir en que el art. 2.2.b) de la LOLIS nada ha alterado sino que tan sólo ha legalizado la interpretación del TCO.

A favor de la primera interpretación juega el que *«un sindicato sin derecho al ejercicio de la huelga quedaría, en una sociedad democrática, vaciado práctica-*

mente de contenido» (STS de 2 de febrero de 1997, Ar/744), atentándose contra la libertad sindical reconocida en la Constitución y en las normas internacionales ratificadas por España (art. 10.2 CE).

En caso de no aceptarse esta interpretación, por sindicatos *«con implantación en el ámbito laboral al que la huelga se extienda»* habría que entender, bien a los sindicatos que tuvieran afiliados, bien que sus candidaturas hubieran obtenido puestos en las elecciones de representantes unitarios del personal, lo que resulta congruente con el derecho de huelga como contenido esencial de la libertad sindical.

c) En tercer lugar, que son inconstitucionales las exigencias establecidas en el art. 3 del RDLRT *«de que a la reunión de los representantes haya de asistir un determinado porcentaje (apartado 2.a) y la de que la iniciativa para la declaración de huelga haya de estar apoyada por un 25% de los trabajadores (apartado 2.b)»*.

En el primer caso —señala el fundamento jurídico nº 15 de la Sentencia—, *«el ejercicio del derecho se dificulta extraordinariamente y, además, se privilegia a la minoría contraria (a la huelga) o simplemente abstencionista»*. En el segundo caso, porque *«un derecho de naturaleza individual no puede quedar coartado o impedido por minorías contrarias o simplemente abstencionistas»*.

d) En relación con el preaviso de huelga y las huelgas sorpresa, la Sentencia del Tribunal Constitucional sienta doctrina interpretativa en su fundamento jurídico nº 15, sin correspondencia en el fallo, al señalar:

1º) Que la exigencia de preaviso no priva al ejercicio del derecho de huelga de su contenido esencial, siempre que los plazos que el legislador imponga sean plazos razonables y no excesivos: *«Que el preaviso por sí solo no sobrepasa el contenido esencial del derecho lo pone de manifiesto el hecho de que algunas formas de ejercicio del derecho de reunión en lugares públicos requieran un preaviso a la autoridad gubernativa sin que por ello se pueda decir que el derecho quede vacío de contenido o que se sobrepase su contenido esencial»* (en el mismo sentido, SSTC de 30 de enero de 1986 y de 8 de febrero de 1993).

2º) Que se admite se incumpla el preaviso en los casos *«en que así lo impongan una notoria fuerza mayor o un estado de necesidad, que tendrán que probar quienes por tal razón no cumplieran su obligación previa»* (en este sentido, STS de 22 de junio de 1989. Ar/4833).

3º) El Tribunal Constitucional, finalmente, no habla de ilegalidad de las huelgas sorpresa sino de que *«las huelgas por sorpresa y sin aviso pueden en ocasiones ser abusivas»*, frente el art. 11.d del RDLRT que declara ilegales las huelgas que se produzcan *«contraviniendo lo dispuesto en el presente RDL»*. No parece que se trate de una cuestión terminológica sin importancia y sin efecto alguno —*«abusivas»* por *«ilegales»*— sino que puede dar pie a una interpretación amplia de la *«fuerza mayor»* o del *«estado de necesidad»* como eximente de la obligación de preavisar.

Los Tribunales ordinarios, con posterioridad, han desarrollado una política de interpretación flexible de las exigencias de preaviso del RDLRT.

Así, se ha venido a señalar (STS de 8 de mayo de 1986. Ar/2505) que *«dadas las circunstancias del caso y la poca duración de la huelga —un día— no era esencial el aviso formal»*; que, en una huelga donde se preavisó con 4 días de antela ción, en vez de 5, entendió legal la huelga; llegando a afirmar que *«la notificación constituye responsabilidad exclusiva de los declarantes y no puede hacerse recaer sobre los trabajadores de una empresa cualquiera, irregularidad meramente formal en la comunicación de la huelga, para calificar la suya como ilícita, si en su desarrollo se acomodaron en todo a las previsiones legales»* (la STC de 30 de enero de 1986 ha sentado que *«la notificación es responsabilidad de los convocantes»*); que es válido el preaviso sin fijación del día concreto del inicio de la huelga (SS. TS de 23 de octubre y de 24 de octubre de 1989. Ar/7533 y 7422); o que no es esencial que en el preaviso figuren las gestiones previas realizadas (SSTS de 23 de octubre y de 24 de octubre de 1989. Ar/7533 y 7422).

e) Por lo demás, que la huelga sea comunicada al *«empresario o empresarios afectados»* no ha de suponer necesariamente la obligación de comunicar a todos y cada uno de los empresarios afectados, lo que impediría de hecho las huelgas sectoriales o generales, bastando con que se realice a los representantes de los empresarios (STC de 30 de enero de 1986).

La STC de 30 de enero de 1986 ha sentado, en este sentido, la doctrina siguiente: «(La comunicación) *habrá de realizarse a quienes en el ámbito de la huelga se declare sean representantes de los empresarios»* ya que «(la exigencia de comunicación a cada empresario supondría) *que una huelga sectorial o general pueda ser al tiempo legal o ilegal dependiendo de las empresas a las que se le ha notificado o a las que no se ha hecho (y) como un acto puede ser al mismo tiempo lícito e ilícito, es claro que la ilegalidad ya no va a predicarse de la declaración misma de huelga, sino de su seguimiento en cada empresa en función del cumplimiento en ella de los requisito legales»*.

Y la STC de 8 de febrero de 1993, respecto de las huelgas generales, ha entendido que cabe la notificación a los órganos centrales del Mº de Trabajo y a las Consejerías de los Gobiernos Autonómicos que tengan las competencias transferidas y a las asociaciones empresariales de ámbito estatal y, en su caso, de Comunidad Autónoma.

En relación con el comportamiento empresarial subsiguiente a la recepción de la comunicación de la huelga, la jurisprudencia ha señalado lo siguiente:

a) Las observaciones que pudiera hacer el empresario sobre la insuficiencia del preaviso no impiden llevar a cabo la huelga (STS de 22 de octubre de 2002, Ar/1374).

b) La emisión por el empresario de un comunicado calificando la huelga convocada de ilegal o abusiva, advirtiendo a los trabajadores de las sanciones disciplinarias que pudiera acarrear su seguimiento puede considerarse una conducta empresarial lesiva para el derecho de huelga (STS de 23 de diciembre de 2003, Ar/2004).

481. Escrito de comunicación de huelga. El escrito de comunicación de la huelga debe tener el siguiente contenido (art. 3.3. RDLRT):

a) Indicación de la finalidad pretendida con la huelga que, de no coincidir con la confesada, deberá ser identificada por los Tribunales (STC 332/1994, de 19 de diciembre).

b) Expresión de las gestiones realizadas hasta el momento para solventar el conflicto colectivo de base (STS de 24 de octubre de 1989, Ar/7422).

c) La fecha de inicio de la huelga.

d) La composición del comité de huelga.

2. La constitución del Comité de huelga

482. La exigencia legal de constituir un comité de huelga. El RDLRT establecía la necesidad de constituir un comité de huelga como condición de legalidad de la misma con el siguiente régimen jurídico (art. 5 RDLRT):

1º) Necesidad de constituirlo con la antelación suficiente para que su composición pudiera hacerse constar en la comunicación escrita de declaración de huelga (art. 3.3 in fine del RDLRT).

2º) Sólo podían ser elegidos trabajadores del propio centro de trabajo, afectados por el conflicto, no pudiendo exceder de 12 personas (art. 5º del RDLRT; STC de 8 de abril de 1981).

3º) Las funciones del comité de huelga habrían de ser las de *«participar en cuantas actuaciones sindicales, administrativas o judiciales se realicen para la solución del conflicto»* (art. 5 in fine del RDLRT) y las de *«garantizar durante la huelga la prestación de los servicios necesarios para la seguridad de las personas y de las cosas, mantenimiento de los locales, maquinarias, instalaciones, materias primas y cualquier otra atención que fuese precisa para la ulterior reanudación de las tareas de la empresa»* (art. 6.7 del RDLRT).

483. La interpretación de la STC de 8 de abril de 1981. La STC de 8 de abril de 1981 desgrana las distintas acusaciones de inconstitucionalidad vertidas en el recurso y señala su plena justificación y adecuación constitucional. Así:

a) *«La existencia del comité de huelga posee plena justificación y no desnaturaliza el fenómeno de la huelga… (La huelga) tiene por objeto abrir una negociación, forzarla si se quiere y llegar a un compromiso o pacto. Es clara, por ello, la necesidad de decidir quienes son las personas que tienen que llevar a cabo la negociación. Además, el pacto de finalización de la huelga alcanza el mismo valor que el convenio colectivo. Tiene por ello que existir un instrumento de la negociación y la exigencia de la formación del comité responde claramente a esta necesidad».*

b) *«No se puede tildar de inconstitucionalidad el deber de comunicar al empresario la formación del comité».*

c) *«Ni la competencia que a éste se atribuye para participar en las actuaciones».*

d) *«La limitación numérica es un criterio sensato en la medida en que los comités demasiado amplios dificultan los acuerdos».* Ello no obstante se ha interpretado flexiblemente este requisito numérico, entendiendo que su incumplimiento no genera la ilegalidad de la huelga si no ha existido perjuicio para la empresa.

e) *«La necesaria designación de los componentes del comité de huelga entre los trabajadores del centro afectado por el conflicto se corresponde con la naturaleza y las funciones del comité y no desconoce, en la interpretación que damos, el protagonismo que corresponde a los sindicatos en el proceso de huelga».*

Tan sólo señala en el fallo que *«el apartado 1 del art. 5 no es inconstitucional referido a huelgas cuyo ámbito no exceda de un solo centro de trabajo, pero que lo es en cambio cuando las huelgas comprenden varios centros de trabajo».* Y ello por razones de coherencia con la admisión de la legalidad de huelgas de ámbito superior al centro de trabajo (MATIA).

Nada se dice en el RDLRT ni en la STC acerca de los sujetos concretos que deban componer el comité de huelga, pero parece lógico que sean los sujetos que la declararon, dado el valor de convenio colectivo de lo acordado por él con el empresario (ver infra).

La jurisprudencia ordinaria (STS de 26 de noviembre de 1990. Ar/8991) viene entendiendo que a los componentes del comité de huelga no les es exigible un plus especial de responsabilidad, esto es, una conducta más esmerada y correcta que la del resto de sus compañeros.

3. Los piquetes

484. Normativa aplicable. La regulación de los piquetes se encuentra en el art. 6.6 del RDLRT («*los trabajadores en huelga podrán efectuar publicidad de la misma, en forma pacífica, y llevar a efecto recogida de fondos sin coacción alguna*»), limitado por lo dispuesto en el art. 6.4 del RDLRT («*se respetará la libertad de trabajo de aquellos trabajadores que no quisieran sumarse a la huelga*»), previéndose en el art. 315.2 y 3 del Código Penal un tipo específico de delito de coacciones en caso de piquetes de huelga.

La STC 37/1998, de 17 de febrero, ha señalado como «*el derecho a requerir a otros la adhesión a la huelga y a participar dentro del marco legal en acciones conjuntas dirigidas a tal fin*», esto es, «*el derecho de difusión e información sobre la misma*» forma parte del contenido esencial del derecho de huelga del art. 28.2 de la CE (SSTC de 29 de enero de 1982, de 15 de diciembre de 1983, de 9 de mayo de 1994, de 19 de diciembre de 1994 o de 17 de febrero de 1998).

El criterio general aplicable en esta materia es, pues, el de que la participación de los trabajadores en la huelga debe obtenerse por la persuasión y no por la violencia o coacción física o verbal (STC de 21 de julio de 1997). No cabe identificar, a la vista del favor constitucional del derecho de huelga de cuyo contenido esencial forman parte los piquetes, «*publicidad*» con simple «*información*», debiendo admitirse también la «*persuasión*» (STS de 20 de marzo de 1991, Ar/1884).

Será labor jurisprudencial el concretar cuanto hay «*persuasión*» y cuando «*violencia*» (STS de 24 de noviembre de 1987. Ar/8053: «*...es preciso establecer un equilibrio entre el derecho de huelga y el derecho al honor de las personas, reconocidos ambos como fundamentales en los arts. 28.1 y 18.1 de la CE, equilibrio difícil de matizar en ocasiones*»; sobre la valoración jurisprudencial de los insultos y coacciones efectuados por los trabajadores huelguistas a los compañeros no huelguistas, ver SSTS de 2 de febrero, 24 de marzo, 24 y 28 de septiembre y 23 de diciembre de 1989, Ar/744, 1663, 6388, 6407 y 9262 y de 20 de marzo de 1991, Ar/1884).

Así, se ha mantenido que el «*animus iniuriandi*» queda mitigado por el clima de tensión existente en una huelga, por lo que un intercambio de insultos entre trabajadores huelguistas y no huelguistas no resulta sancionable (STS de 24 de noviembre de 1987, Ar/8053) o que la utilización de un megáfono para intentar convencer a los trabajadores de no entrar al trabajo no constituye una publicidad no pacífica ni atenta contra la libertad de trabajo de los no huelguistas (STS de 6 de julio de 1982, Ar/4556).

Y, en sentido contrario, se han entendido sancionables las amenazas de agresión personal y de quema de camiones a unos transportistas (STS de 17 de octubre de 1990, Ar/7929), los malos tratos de palabra y obra a los trabajadores no huelguistas (STS de 17 de marzo de 1981, Ar/1378) o la ocupación de centro de trabajo impidiendo que volvieran al trabajo los trabajadores que deseaban hacerlo (STS de 6 de julio de 1982, Ar/4555).

La STC de 29 de enero de 1982 vino a señalar que «*ni la libertad de expresión (art. 20.1.a) CE ni el derecho de reunión y manifestación (art. 21 CE) comprenden la posibilidad de ejercer sobre terceros una violencia moral de alcance intimidatorio, porque ello es contrario a bienes constitucionalmente protegidos, como la dignidad de la persona y su derecho a la integridad moral (arts. 10 y 15 CE)*» (en el mismo sentido, las SSTC de 15 de diciembre de 1983, de 19 de diciembre de 1994, de 18 de marzo de 1995, de 21 de julio de 1997 o de 17 de febrero de 1998).

El empresario no puede pretender que el comité de empresa o un trabajador transmitan la opinión empresarial contraria a la huelga convocada (STS de 9 de mayo de 1994,) ni tampoco los trabajadores obligar al empresario a dar publicidad de la huelga (STC de 19 de junio de 2006 o STS de 15 de abril de 2005, Ar/4513).

Y la STC de 17 de febrero de 1998 considera inconstitucional la filmación de piquetes informativos por parte de las fuerzas de seguridad por entender que no cumple con los tres requisitos que deben respetar las medidas restrictivas de derechos fundamentales:

1) Idoneidad: que tal medida sea susceptible de conseguir el objetivo propuesto.

2) Necesidad: que no exista otra medida más moderada para la consecución de tal propósito con igual eficacia.

3) Proporcionalidad: que la medida sea ponderada o equilibrada, en el sentido de derivarse de ella más beneficios o ventajas para el interés general que perjuicios sobre otros bienes o valores en conflicto.

Ello no obstante, alguna sentencia ha admitido la licitud de la grabación por detective de la actuación de los piquetes, si bien en un supuesto en el que había habido incidentes con anterioridad, se había grabado en un espacio abierto y con conocimiento de los trabajadores, considerándose que se cumplían los requisitos de idoneidad, necesidad y proporcionalidad (STSJ de Cataluña, de 21 de abril de 2010)

485. Consecuencias de la ilicitud de los piquetes sobre la legalidad de la huelga. Un concreto problema que plantea la actual regulación de los piquetes es el de las consecuencias de la ilicitud de la actividad de los piquetes. A primera vista podría suponerse la ilegalidad de la huelga «*ex 11.d) del RDLRT*».

El Tribunal Constitucional (SSTC 254/1988, de 21 de diciembre y 332/1994, de 19 de diciembre o de 23 de febrero de 1995) ha señalado que el delito de coacciones es personal y no puede responsabilizarse a otros —los huelguistas— por el comportamiento ilícito de los miembros del piquete.

Por lo demás, los trabajadores componentes de un piquete ilegal podrán ser objeto de sanción disciplinaria o de despido procedente (SSTS de 23 de diciembre de 1989, Ar/9262 o de 10 de mayo de 1990, Ar/3992).

4. La política de información de la empresa

486. La publicidad del empleador frente a una huelga. El Tribunal Constitucional ha considerado lesivo del derecho de huelga que el empleador se dirija a todos los trabajadores señalando que la huelga es ilegal y amenazando con sanciones (STC 80/2005, de 4 de abril). Esta misma ha sido la doctrina tradicional mantenida por el Tribunal Supremo: la empresa puede pronunciarse sobre la licitud o ilicitud de la huelga, siempre que no desarrolle conductas amenazadoras o coactivas que interfieran el derecho de huelga (SSTS de 22 de octubre de 2002, Ar/1374, de 23 de diciembre de 2003, Ar/2004/2004, de 12 de diciembre de 2012, Rec. 254/2011 o de 14 de abril de 2014, Rec. 830/2013).

La doctrina judicial, por su parte, ha seguido la misma línea con amparo en la libertad de expresión o información del empresario, sobre todo en aquellos supuestos en los que la huelga afectaba a los servicios esenciales para la comunidad (SAN de 4 de diciembre de 2007, Ar/3589; STSJ de Cataluña, de 18 de enero de 2002, STSJ del País Vasco, de 8 de noviembre de 2005, Ar/2006631, STSJ de la Comunidad Valenciana, de 14 de noviembre de 2008, Ar/3255; o STSJ de Galicia, de 21 de enero de 2010, Ar/220).

La STS de 14 de abril de 2014 (Rec. 2013/830) ha dado sin embargo un paso más al mantener que el simple hecho de que el empleador declare públicamente que la huelga es ilegal constituye una presión indirecta sobre los trabajadores constitutiva de un acto lesivo del derecho de huelga.

5. El esquirolaje

487. El esquirolaje y la huelga: el art. 6.5 del RDLRT. Generalmente unido a la huelga suele presentarse la práctica del esquirolaje. Por tal hay que entender la contratación temporal de trabajadores no vinculados a la empresa al tiempo de declararse la huelga para sustituir a los trabajadores huelguistas.

En efecto, el art. 6.5 del RDLRT establece que «*en tanto dure la huelga, el empresario no podrá sustituir a los huelguistas por trabajadores que no estuviesen vinculados a la empresa al tiempo de ser comunicada la misma, salvo caso de incumplimiento de las obligaciones contenidas en el apartado nº 7 de este artículo*», (STC de 28 de septiembre de 1986), referido al incumplimiento de la obligación de garantizar los servicios de mantenimiento y seguridad. Así pues, se tratará de una práctica en general prohibida.

Es así abusiva la utilización por el empresario de sus poderes organizativos para desactivar una huelga (STC de 28 de septiembre de 1992; STS de 4 de julio de 2000, Ar/6289).

488. El alcance de la fórmula legal prohibitiva del esquirolaje externo. La fórmula utilizada por el art. 6.5 del RDLRT para prohibir la sustitución de los trabajadores huelguistas y con ello proteger la eficacia del ejercicio legítimo del derecho de huelga no ha sido ciertamente afortunada por los muchos problemas interpretativos que plantea.

En cuanto al alcance de la prohibición legal, ha sido la jurisprudencia la que trabajosamente ha ido desbrozando distintas soluciones interpretativas. Así:

1º) Se excepcionan expresamente de la prohibición legal en las huelgas legales los supuestos de incumplimiento de la prestación de servicios de mantenimiento y de los servicios mínimos en las huelgas en servicios esenciales para la comunidad (arts. 6.5 y 10.2 del RDLRT; STSJ de Galicia, de 23 de julio de 2001, Ar/1933) y, en general, las huelgas ilegales (STS de 23 de octubre de 1987, Ar/6908), si bien el problema será el de saber, en este último caso, sin riesgo para la empresa, cuando una huelga es legal o ilegal hasta que lo diga «*a posteriori*» un Tribunal.

2º) La prohibición alcanza obviamente a la sustitución de trabajadores huelguistas por trabajadores directamente contratados por la empresa, como indefinidos o interinos, ya que ello equivaldría a un despido nulo de los trabajadores huelguistas sustituidos (art. 55.5 del ET).

3º) La prohibición alcanza igualmente a los trabajadores contratados indirectamente a través de empresas de trabajo temporal (art. 8 a) de la Ley 14/1994, de 1 de junio, por la que se regulan las empresas de trabajo temporal).

4º) La prohibición legal alcanza también a los contratos de arrendamiento de servicios o de ejecución de obra con trabajadores autónomos, a las contratas de obras o servicios con empresas contratistas y a la utilización durante la huelga de trabajadores excluidos de la legislación laboral como pudieran ser los trabajadores benévolos o los familiares del empresario. Y ello con base en una interpretación finalista del precepto legal: garantizar la eficacia de la huelga, impidiendo que se vacíe su contenido esencial.

Los Tribunales se decantan por esta interpretación (por todas, SAN de 21 de noviembre de 2011, Rec. 2191/2011; SSTSJ de Baleares, de 12 de diciembre de 1996, Ar/4602, de Navarra, de 28 de marzo de 1995, Ar/1351 o de Galicia, de 27 de septiembre de 2003, Ar/4156), existiendo no obstante sentencias en sentido contrario (por todas, SSTS de 18 de septiembre de 1997, Rec. 12087/1991, de

4 de julio de 2000, Ar/6189 o de 15 de marzo de 2005, Rec. 133/2004; STSJ de Andalucía, de 29 de septiembre de 1993, Ar/784).

4°) La doctrina judicial (por todas, STSJ de Andalucía, de 29 de febrero de 2000, Rec. 915/1999) ha señalado que es lícita la contratación eventual durante la huelga para cubrir la mayor ocupación cíclica, en la medida en que aquella responde a una necesidad real, objetiva e irrefutable conocida con anterioridad a la huelga y prevista con antelación, siendo jurídicamente viable porque no tiene relación o vínculo alguno con la huelga y no persigue paliar sus efectos.

5°) En cuanto al denominado *«esquirolaje tecnológico»*, consistente en minorar los efectos de una huelga con medios técnicos sin sustituir propiamente a los trabajadores en huelga, éste fue admitido por el Tribunal Supremo en repetidas ocasiones (SSTS de 27 de septiembre de 1999, Ar/7304, de 4 de julio de 2000, Ar/6289, de 15 de marzo de 2005, Ar/4513 o de 11 de junio de 2012, Ar/6841), argumentándose que *«sobre la empresa no recae la obligación de colaboración con los huelguistas en el logro de sus propósitos»* y que *«no hay precepto alguno que prohíba al empresario usar los medios técnicos de los que habitualmente dispone en la empresa, para atenuar las consecuencias de la huelga»* y, en definitiva, que lo que no está prohibido está permitido.

El Tribunal Supremo (STS de 5 de diciembre de 2012, Rec. 265/2011), sin embargo, ha cambiado de criterio, con base en la doctrina del Tribunal Constitucional sobre el esquirolaje interno (STC de 28 de marzo de 2011), entendiendo que lo que no está expresamente permitido está prohibido (en este mismo sentido, STSJ del Pais Vasco, de 14 de septiembre de 2004, Rec. 1171/2004; STSJ de Madrid, de 2 de marzo de 2011, Ar/1050).

6°) La prohibición legal del esquirolaje no impide, según la jurisprudencia, que las empresas que tengan suscrita una contrata o subcontrata con una empresa contratista o subcontratista en huelga puedan utilizar los servicios de otra (STS de 11 de mayo de 2001, Ar/5205; STSJ del Pais Vasco, de 4 de julio de 2000, Ar/2989).

No obstante, existe doctrina judicial que, en sentido contrario, rechaza que el servicio que prestaba la empresa contratista o subcontratista pueda ser asumido durante la huelga por la empresa principal o que ésta pueda contratar a otra empresa. La naturaleza de derecho fundamental del derecho de huelga y la exigencia al empresario principal de una conducta consecuente con su decisión de externalizar, son los argumentos básicos utilizados para defender esta postura (STSJ del País Vasco, de 26 de octubre de 2010, Ar/2520).

Por otra parte, en el mismo sentido, de tratarse de una contrata de servicios que cubriera los servicios mínimos exigibles a una empresa principal que realiza servicios esenciales para la comunidad, en el caso de huelga del personal de las empresas contratista o subcontratista, la responsabilidad de garantizar los servicios mínimos durante la huelga corresponde a la empresa principal y no a aquellas.

489. El régimen sancionatorio por incumplimiento empresarial de la prohibición del esquirolaje. El art. 6.5 del RDLRT prohíbe como regla general el esquirolaje externo pero no sanciona expresamente el incumplimiento empresarial de esta prohibición legal. ¿Qué sucede si no obstante ello la empresa sustituye a los huelguistas con nuevos trabajadores atacando así el contenido esencial del derecho de huelga? ¿Qué mecanismos de defensa poseerán los trabajadores en huelga?

En primer lugar, no hay duda de que estos podrán acudir a la autoridad laboral denunciando el incumplimiento legal por parte de la empresa, hecho que, de comprobarse originaría una sanción administrativa por infracción administrativa muy grave consistente en multa previo el oportuno expediente administrativo (arts. 8.10 y 19.3 de la LOLS).

Pero, ciertamente, esto no soluciona el problema ya que la conducta empresarial podría permanecer inalterada, reduciendo así los efectos de la huelga al pago de una multa a la Administración ¿Cabría en este sentido obligar a la empresa a cesar en su conducta y a prescindir de los trabajadores esquiroles contratados?

La LOLS, en sus arts. 12 a 15, prevé un mecanismo específico de tutela de la libertad sindical y represión de las conductas antisindicales, a través del proceso de protección jurisdiccional de los derechos fundamentales de la persona (desarrollado procesalmente en los arts. 177 a 188 de la LJS), pudiendo fácilmente calificarse el esquirolaje externo las más de las veces, como una conducta antisindical del empresario o como un atentado al derecho fundamental de huelga.

Así, cualquier trabajador o sindicato que considere lesionados sus derechos de libertad sindical podrá acudir a la jurisdicción competente laboral que, de entender violados tales derechos, «*declarará el cese inmediato del comportamiento antisindical, así como la reparación consiguiente de sus consecuencias ilícitas, remitiendo las actuaciones al Ministerio Fiscal, a los efectos de depuración de eventuales conductas delictivas*» (arts. 15 de la LOLS y 182 de la LJS) (SSTS de 23 y 24 de octubre de 1989. Ar/7533 y 7422 y de 8 de mayo de 1995, Ar/3752; STSJ de Navarra, de 8 de junio de 2005, Rec. 159/2005).

En todo caso, estará también abierta la vía penal en la medida que el art. 315.1 y 2 del Código Penal, ha tipificado como delito la conducta consistente en impedir o limitar el ejercicio de la libertad sindical o del derecho de huelga, «*mediante engaño o abuso de situación de necesidad*», castigando a los infractores con las penas de 6 meses a 3 años y multa de 6 a 12 meses, imponiéndose las penas superiores en grado sí las conductas se llevaran a cabo con fuerza, violencia o intimidación.

6. La huelga con ocupación de locales

490. El art. 7.1 del RDLRT. El art. 7.1 del RDLRT mantiene un concepto clásico y restrictivo de huelga al señalar que *«el ejercicio del derecho de huelga habrá de realizarse, precisamente, mediante la cesación de la prestación de servicios por los trabajadores afectados y sin ocupación de los mismos (trabajadores afectados) del centro de trabajo o de cualquiera de sus dependencias».*

491. La jurisprudencia de los Tribunales ordinarios anterior a la STC de 8 de abril de 1981. La jurisprudencia ordinaria anterior a la STC de 8 de abril de 1981 no consideró necesariamente ilegales todas las huelgas con ocupación de locales.

Los elementos tenidos en cuenta por esta jurisprudencia para calificar de ilegales estas huelgas fueron dos fundamentalmente:

a) La existencia de una advertencia o invitación a abandonar los locales de la empresa por parte de esta y el no abandono de los trabajadores.

b) La obstaculización del trabajo de los demás trabajadores *«haciendo imposible el trabajo de quienes no se habían sumado a la huelga».*

492. La STC de 8 de abril de 1981. Doctrina interpretativa. Acerca de la prohibición de las huelgas con ocupación de locales, la STC de 8 de abril de 1981 vino a sentar la siguiente doctrina:

a) La prohibición de ocupación *«no puede entenderse como regla impeditiva del derecho de reunión de los trabajadores, necesario para el desenvolvimiento del derecho de huelga y para la solución de la misma».* El TCO señala, que el ejercicio del derecho de reunión debe hacerse en los términos previstos en el ET (arts. 77 y ss.).

b) La existencia de *«ocupación»* debe apreciarse restrictivamente, interpretando que aquella existe cuando se produce *«un ilegal ingreso en los locales o una ilegal negativa de desalojo frente a una legítima orden de abandono, pero no, en cambio, la simple permanencia en los puestos de trabajo»,* puesto que la prohibición no se fundamenta *«en el derecho de propiedad, pues es claro que este derecho no resulta en ningún modo desconocido»,* ni se *«modifica la anterior situación posesoria, pues la posesión ejercida por medio del poseedor inmediato no resulta modificada».* Se refiere la STC a la llamada *«huelga de brazos caídos»,* admitiendo su exclusión del concepto legal prohibitivo.

c) La ocupación es ilícita, también, cuando con ella se vulnera el derecho de libertad de otras personas, como los trabajadores no huelguistas, —o el derecho sobre las instalaciones y los bienes—, de modo que *«en todos los casos en que exista motivo de peligro de violación de otros derechos o de producción de desórdenes, la interdicción de permanencia en los locales puede decretarse como medida de policía».*

d) Aunque el Tribunal Constitucional considera que *«fuera de los casos en que es una decisión aconsejada por la preservación del orden, la interdicción de la ocupación de locales no encuentra una clara justificación»*, acepta que *«sin embargo, queda dentro del marco de libre acción del legislador y no puede decirse que, en la medida en que no impida la modalidad de huelga lícitamente elegida o el ejercicio de otro derecho como el de reunión, sea inconstitucional».*

493. Jurisprudencia ordinaria posterior a la STC de 8 de abril de 1981. La jurisprudencia ordinaria posterior a la STC de 8 de abril de 1981 ha seguido esta interpretación restrictiva del art. 7.1 del RDLRT.

Así, ha señalado que *«la permanencia de los trabajadores en la empresa, para incidir en la calificación de huelga, ha de adoptar características que den a la ocupación una especial relevancia, que permitan valorarla… como un acto manifiestamente antijurídico»* (STS de 10 de marzo de 1982, Ar/1473).

En el mismo sentido (SSTS de 8 de mayo de 1986, Ar/2505 y de 24 de noviembre de 1997, Ar/8053), calificando la ocupación de *«publicidad pacífica»* de la huelga (STS de 20 de marzo de 1991, Ar/1884), declarando legal una huelga en la que los trabajadores permanecieron en los vestuarios celebrando reuniones *«sin producir alteraciones ni desórdenes, ni obstaculizar el trabajo de quienes no secundaron la huelga»* o declarando ilegal la huelga con ocupación de centro de trabajo cuando *«un número indeterminado de trabajadores que habían entrado en la fábrica… formaron una barricada en la puerta de entrada, impidiendo la salida, a la llegada de tal hora, a las personas que trabajaron y a los directivos de la empresa o sociedad, desatendiendo el requerimiento policial para desalojar las dependencias»* (STS de 24 de mayo de 1983, Ar/2411).

La jurisprudencia ha entendido que no es ocupación de locales el no abandono del buque de los marineros en huelga (SSTS de 23 y de 24 de octubre de 1989. Ar/7533 y 7422).

7. Las modalidades abusivas del ejercicio del derecho de huelga

494. El art. 7.2 del RDLRT. El art. 7.2 del RDLRT establece que *«las huelgas rotatorias, las efectuadas por los trabajadores que presten servicios en sectores estratégicos con la finalidad de interrumpir el proceso productivo… se considerarán actos ilícitos o abusivos».*

495. La posición interpretativa de la STC de 8 de abril de 1981. Respecto de las modalidades de huelga que considera ilícitas o abusivas —las huelgas rotatorias y las huelgas estratégicas o huelgas tapón—, y de las alteraciones colectivas en el régimen de trabajo distintas de la huelga (y, entre ellas, las huelgas de celo o reglamento), la STC de 8 de abril de 1981 ha venido a señalar:

1ª) Que *«el contenido esencial del derecho de huelga consiste en una cesación del trabajo, en cualquiera de las manifestaciones o modalidades que puede revestir»*, no comprendiendo, *«a sensu contrario»*, dentro de él a otras alteraciones colectivas del régimen del trabajo distintas de la cesación del trabajo (tales como la huelga de celo o reglamento).

2ª) Que el legislador puede limitar la facultad de los huelguistas de elegir la modalidad de huelga *«siempre que lo haga justificadamente, que la decisión legislativa no desborde el contenido esencial del derecho y que los tipos y modalidades que el legislador admita son bastantes por si solos para reconocer que el derecho existe como tal y eficaces para obtener las finalidades del derecho de huelga»* (en el mismo sentido, STC de 21 de marzo de 1984).

3ª) Que las modalidades de huelgas comprendidas en el art. 7.2 del RDLRT *«no se encuentran comprendidas en la enumeración que el artículo 11 hace de las huelgas ilegales»*. El artículo 7.2 se limita a decir que *«se considerarán actos ilícitos o abusivos»*. La expresión textual del legislador deja en claro que lo que en el precepto hay es una presunción *«iuris tantum»* de abuso del derecho de huelga. Esto significa que quien pretenda extraer las consecuencias de la ilicitud o del carácter abusivo podrá ampararse en la presunción, pero significa también que la presunción admite la prueba en contrario. Por consiguiente, los huelguistas que utilizaron tal modalidad o tipo podrán probar que en su caso la utilización no fue abusiva. Es esta una cuestión que, obviamente, habrá de quedar a la decisión de los Tribunales de Justicia y, en su caso, a la del Tribunal Constitucional a través de la vía del recurso de amparo.

Hay que reconocer, sin embargo, que la asimilación que la STC hace del término legal *«se considerarán»* del art. 7.2 del RDLRT y la expresión *«se presumirán»*, aún plausible, no deja de ser una modificación del precepto más que una interpretación del mismo.

4ª) Que los criterios para decidir acerca del carácter abusivo o no de estas modalidades de huelga serán los de la *«proporcionalidad en el daño»*: *«Es exigible una proporcionalidad y unos sacrificios mutuos, que hacen que cuando tales exigencias no se observen, las huelgas puedan considerarse abusivas»* (en este mismo sentido, SSTS de 30 de junio de 1990, Ar/5551 o de 3 de abril de 1991, Ar/3248).

496. Las huelgas intermitentes. La jurisprudencia del Tribunal Constitucional ha aceptado la aplicación de la doctrina general del *«abuso de derecho»* a supuestos de huelgas no previstas como ilegales o abusivas en el RDLRT Tal ha sucedido con las «*huelgas intermitentes*».

La STC de 2 de diciembre de 1982, ha venido a señalar que no está entre los supuestos del art. 7.2 del RDLRT que sufren una presunción «*iuris tantum*» de abusividad. En consecuencia, la carga de la prueba del carácter abusivo de una huelga intermitente corresponde al empresario, ya que se presupone su validez.

En este mismo sentido se manifiesta la posterior STC de 21 de marzo de 1984: «*Es preciso que el daño sea grave y haya sido buscado por los huelguistas más allá de lo que es razonablemente requerido por la propia actividad conflictiva y por las exigencias inherentes a la presión que la huelga necesariamente implica*» y no debe partirse «*de una presunción de ilicitud de la huelga intermitente*» sino que ha de llegarse a la calificación de abusiva de la misma «*tras una ponderada valoración de las circunstancias (ajustada)... a los hechos declarados probados*».

Fuera de estos supuestos de «*huelgas intermitentes*», ni la duración o el ámbito de las huelgas han dado lugar a la calificación jurisprudencial —constitucional u ordinaria— de abusivas de las mismas.

497. Jurisprudencia ordinaria posterior a las SSTC. La jurisprudencia ordinaria posterior a las Sentencias del Tribunal Constitucional ha seguido fielmente la doctrina marcada por éste a propósito de las huelgas tapón (SSTS de 30 de junio de 1990. Ar/5551 o de 3 de abril de 1991. Ar/3248) y de las huelgas intermitentes, reconociendo que las huelgas intermitentes gozan de la presunción «*iuris tantum*» de licitud, correspondiendo al empresario la prueba de su abusividad (por todas, SSTS de 2 de marzo de 1983, de 30 de junio de 1990, Ar/5551, de 6 de julio de 1990. Ar/6072, de 17 de diciembre de 1999, Ar/522/2000, de 9 de junio de 2003, Rec. 126/2004, de 9 de junio de 2005, Ar/5851 o de 10 de noviembre de 2006, Ar/2007/464).

8. El respeto de los servicios de seguridad y mantenimiento

498. El art. 6.7 del RDLRT. El art. 6.7 del RDLRT señala que «*el comité de huelga habrá de garantizar durante la misma la prestación de los servicios necesarios para la seguridad de las personas y de las cosas, mantenimiento de los locales, maquinaria, instalaciones, materias primas y cualquier otra atención que fuese precisa para la ulterior reanudación de las tareas de la empresa. Corresponde al empresario la designación de los trabajadores que deben efectuar dichos servicios*».

499. La constitucionalidad del art. 6.7 RDLRT según la STC de 8 de abril de 1981. La STC de 8 de abril de 1981 vino a señalar expresamente la constitucio-

nalidad de la exigencia legal de la prestación de servicios de seguridad y mantenimiento, como límite funcional del derecho de huelga, basándose en la existencia
de un interés social en que las personas no sufran daños y que los bienes del capital no se deterioren con la huelga.

Así, dirá la STC «*que, no obstante la huelga, deben adoptarse medidas de
seguridad de las personas, en las cosas en que tales medidas sean necesarias, y
medidas de mantenimiento y preservación de los locales, de la maquinaria, de las
instalaciones o materias primas, con el fin de que el trabajo pueda reanudarse sin
dificultad tan pronto como se ponga fin a la huelga, es algo que no ofrece seria
duda. La huelga es un derecho de hacer presión sobre el empresario, colocándose
los trabajadores fuera del contrato de trabajo, pero no es, no debe ser en momento
alguno, una vía para producir daños o deterioros en los bienes de capital*».

La Resolución nº 329 del Comité de Libertad Sindical de la OIT en esta misma
línea, señalaba respecto de estos servicios que «*el derecho de huelga no implica el
derecho de dejar de cumplir los deberes de seguridad*».

**500. La designación de los servicios y de los trabajadores que deben desempe-
ñarlos.** El principal problema que plantea este precepto es el de a quien corresponde la designación de estos servicios y de los trabajadores que deban desempeñarlos.

En el art. 6.7 del RDLRT, la obligación de garantizar estos servicios recaía
—además de en el trabajador o trabajadores individualmente afectados por la designación— en el comité de huelga. Ello, no obstante, correspondía al empresario
la designación de los servicios y de los concretos trabajadores para la realización
de los mismos.

Así las cosas, la obligación legal era de muy difícil cumplimiento por cuanto
el comité de huelga no intervenía en la designación de los servicios y en el nombramiento de los trabajadores. El art. 6.7 del RDLRT permitía, de esta manera,
al límite, el boicot empresarial de las huelgas por una vía fáctica, pudiendo el
empresario designar trabajadores para realizar estos servicios de entre los que
componían el comité de huelga, descabezando la misma.

La STC de 8 de abril de 1981, declaró la inconstitucionalidad del RDLRT señalando que «*las medidas de seguridad corresponden a la potestad del empresario,
no tanto en atención a su condición de propietario de bienes, cuanto en atención
a su propia condición de empresario y, en virtud de ello, como consecuencia de las
facultades de policía de que en el seno de la empresa está investido. La ejecución
de las medidas de seguridad compete a los propios trabajadores y es este uno de
los sacrificios que el ejercicio responsable del derecho de huelga les impone, pues
es claro que no es el de huelga un derecho que pueda ejercitarse sin contrapartida.
Si la vigilancia de instalaciones y material compete a los trabajadores, resta por
decidir si la facultad de designación de los trabajadores concretos que deban efec-*

tuar tales servicios pertenece o no al empresario». El art. 6.7 del RDLRT incide en la antinomia de exigir que el comité de huelga garantice los servicios y de imputar después al empresario la facultad de hacer la concreta designación de los trabajadores. Una posible contradicción no es, sin embargo, por sí sola inconstitucional. Lo es en la medida en que la designación hecha unilateralmente por el empresario priva a los designados de un derecho de carácter fundamental. Por ello, no es inconstitucional la totalidad del apartado 7 del art. 6 pero sí el último inciso del mismo. La adopción de las medidas de seguridad no compete de manera exclusiva al empresario, sino que en ellas participa el comité de huelga que es quien las garantiza con la inevitable secuela de que la huelga en que el comité no preste esta participación podrá ser considerada como ilícita por abusiva».

El fallo de la sentencia, en su apartado 2º c) declara expresamente *«que es inconstitucional el apartado 7 del art. 6 cuando atribuye de manera exclusiva al empresario la facultad de designar los trabajadores que durante la huelga deban velar por el mantenimiento de los locales, maquinaria e instalaciones»*; exigiendo que la designación se haga de mutuo acuerdo entre el empresario y el comité de huelga.

Así pues, la Sentencia considera constitucional la exigencia legal del mantenimiento de unos *«servicios»* e inconstitucional la designación unilateral empresarial de los trabajadores necesarios para cubrirlos.

501. Concepto de *«servicios de mantenimiento y seguridad»*. La STC de 8 de abril de 1981, no obstante, deja en el aire algunos importantes problemas interpretativos que plantea el precepto.

En primer lugar, acerca de lo que deba entenderse por *«servicios de seguridad y mantenimiento»*, el RDLRT nada dice, por lo que parece dejarse en manos de los responsables de su designación una gran libertad de apreciación.

En todo caso, cabría hacer algunas matizaciones al tema, a la vista del texto legal y de la jurisprudencia interpretativa:

a) De una parte, el RDLRT habla de *«seguridad de personas»* y de *«cosas»*, lo que resulta ciertamente trascendente a efectos de designación de los servicios, ya que no cabe hacer un reduccionismo excesivo que refiera al tema de los mismos tan solo al *«mantenimiento de los locales, maquinaria e instalaciones»*, sino que habrá que tener en cuenta la seguridad de las personas de dentro y fuera de la empresa en huelga.

b) Por otro lado, habrá que tener en cuenta la *«ratio»* perseguida por la ley que no es otra que permitir *«la ulterior reanudación de las tareas de la empresa»* (art. 6.7 RDLRT). En este sentido, los servicios de mantenimiento y seguridad han de ser suficientes para permitir que el trabajo *«pueda reanudarse sin dificultad tan pronto como se ponga fin a la huelga»* (SSTC 11/1981, y 80/2005; STS de 28 de mayo de 2003, Rec. 5/2002). Por su parte, la empresa puede articular, de entre los posibles, los procesos de trabajo más favorables para minimizar los efectos fuera del periodo de huelga, eligiendo aquellos que permitan una más tardía parada de actividad o un más inmediato reinicio de la producción tras la huelga (STSJ de Galicia, de 9 de junio de 2011, JUR/2011/256579).

c) Existe doctrina judicial que ha entendido por *«servicios de seguridad y mantenimiento»* también los que se prestan a terceros, especialmente si éstos a su vez se consideran esenciales para la comunidad.

Así, *«los suministros prestados, necesarios en las empresas destinatarias, tanto para su proceso productivo, como para la conservación sin daños de sus instalaciones y la reanudación temporal de los procesos, en caso de eventual interrupción de los mismos, deben seguir el régimen del art. 6.7 del Real Decreto-Ley 17/77 citado por cuanto que, sentado que cualquier huelga, dada la interacción de los circuitos económicos, repercute en empresas distintas a la afectada y que por ello también padecen sus consecuencias, es preciso evitar respecto a ellos los mismos daños personales y materiales en la forma que dicho art. 6.7 establece para la empresa en que el paro laboral tiene lugar y dado que allí donde existe la misma razón, debe adoptarse igual solución, según establece el art. 4.1 del Código Civil, pero sin que ello suponga la prestación total del suministro»* (STCT de 10 de julio de 1984, Ar/6728).

d) Se consideran servicios de mantenimiento y seguridad aquellos trabajos que son necesarios para que se trabaje en una empresa. Así, el funcionamiento del ordenador central en el sector bancario (STS de 29 de noviembre de 1991, Rec. 856/1992) o el establecido en una huelga de ferroviarios para la reparación de averías y la seguridad del tráfico ferroviario (STS de 28 de mayo de 2003, Rec. 5/2002).

e) Para el caso de que la huelga sea parcial, es claro que la designación de los servicios queda afectada por este dato, en el sentido de exigirse que sean los trabajadores no huelguistas los que desempeñen en la medida de lo posible los servicios, esto es, salvo que sean insuficientes en cantidad o en calidad (STCT de 9 de julio de 1985, Ar/5089), aunque en relación con los servicios esenciales para la comunidad, lo que, en ocasiones, puede generar problemas de articulación por cuanto la presencia de los trabajadores no huelguistas puede no conocerse anticipadamente o, incluso, producirse de modo sobrevenido.

En todo caso, la asistencia de los trabajadores designados para prestar servicios de mantenimiento en ningún caso constituye causa que impida el acceso al trabajo de otros trabajadores no huelguistas, sino que lo que sucederá es que, en el caso de que los trabajadores no huelguistas acudan al trabajo, ellos serán los que deberán desarrollar los servicios de mantenimiento y seguridad, siempre que se trate de trabajadores cuyas funciones habituales comprendan la realización de esas funciones; los trabajadores designados inicialmente para cubrir tales servicios podrán, en tales casos, abstenerse de ejecutarlos (como sucede con los servicios mínimos: STC 123/1990).

f) En definitiva, habrá que concluir en que la concreta realización de los servicios de seguridad y mantenimiento dependerá en cada empresa de las circunstancias que rodean la huelga, esto es, de su extensión personal, territorial, funcional, temporal y del tipo de actividad de la empresa. Desde luego, no cabe situar en el mismo plano de protección constitucional al derecho de huelga y al derecho al trabajo, condicionando el lícito ejercicio del primero a que el segundo no resulte perjudicado (STC de 4 de abril de 2005; STS de 11 de octubre de 2005, Ar/8245; STSJ del País Vasco, de 11 de julio de 2006, Ar/2007/1093).

502. La distinción entre la «*designación de servicios*» y la «*designación de los concretos trabajadores para cubrirlos*». La dicción literal de la sentencia —referida en todo momento (Fundamento jurídico nº 20 y fallo) a la designación de los concretos trabajadores que durante la huelga deban velar por el mantenimiento de los locales, maquinarias e instalaciones y no a la designación de los servicios a cubrir—, permite distinguir entre la designación de los servicios y la designación de los trabajadores que deban efectuar dichos servicios. Un sector de la doctrina (ALONSO OLEA) y de los tribunales (SSTS de 27 de octubre de 1982 o de 8 de abril de 1983) así lo ha hecho, deduciendo que los servicios los designa el empresario unilateralmente y los concretos trabajadores de acuerdo con el comité de huelga.

Sin embargo, la declaración de inconstitucionalidad del poder de designación unilateral del empresario afecta tanto a los definición de los servicios necesarios como a la designación de los concretos trabajadores, ya que lo que la STC de 8 de abril de 1981 protege no es el principio de no discriminación o la libertad sindical en la designación de los trabajadores cuanto la eficacia del derecho de huelga como derecho fundamental en todos los trabajadores (MATIA).

Si bien la Sentencia dice expresamente que «*las medidas de seguridad corresponden a la potestad del empresario... en atención a su propia condición de empresario y... como consecuencia de las facultades de policía de que en el seno de la empresa está investido*», más adelante matiza que «*la adopción de medidas de seguridad no compete de manera exclusiva al empresario, sino que en ellos participa el comité de huelga que es quien las garantiza*», existiendo así, fundamento, para una interpretación amplia de la propia Sentencia.

Piénsese, además, que la Sentencia en su fallo no hace sino declarar inconstitucional la literalidad del texto legal existente referida al tema, como no podía menos, ya que el art. 6.7 del RDLRT en ningún momento dice expresamente que la designación de los servicios mínimos corresponde al empresario sino que habla tan solo de «*la designación de los trabajadores que deban efectuar dichos servicios*», incluyendo en esta dicción, por presuponerla, la previa designación de los servicios.

Un sector de la doctrina judicial se ha manifestado muy claramente en este último sentido al señalar que, «*siendo evidente que, tras la declaración de inconstitucionalidad por STC de 8 de abril de 1981, del último inciso del apartado 7 del art. 6 del RDLRT de 4 de marzo de 1977, que atribuía en exclusiva al empresario la designación de los trabajadores que debían efectuar tales servicios, la adopción de aquella medidas, tanto respecto de los trabajadores que deben realizarlos, como de los servicios o puestos a cubrir, es actualmente una actividad compartida entre el comité de huelga y la empresa, correspondiendo en todo caso a aquél garantizarlas, —Fundamento jurídico nº 20 de la referida Sentencia—, lo que obviamente exige un acuerdo sobre el particular*" (STCT de 5 mayo de 1986).

En todo caso, parece inclinarse la Sentencia por la necesidad de un acuerdo entre el empresario y el comité de huelga. Este acuerdo habrá de individualizarse en cada caso concreto entre empresario y comité de huelga, si bien nada obsta para que un convenio colectivo previo fije determinadas bases para la realización de estos acuerdos (MATIA y GARCÍA PERROTE se expresan en este mismo sentido); desde luego, siempre que el convenio colectivo pueda resultar vinculante para un comité de huelga concreto (por ejemplo, en caso de que los sujetos negociadores y los convocantes de la huelga no sean los mismos).

503. Caso de desacuerdo entre el empresario y el comité de huelga. Intervención judicial. Problemas procesales. El mayor problema que plantea este tipo de acuerdo es el de qué ocurre si tal acuerdo no se produce. Parece lógico pensar en una resolución judicial.

Los Tribunales han señalado repetidamente que la falta de acuerdo entre empresario y comité de huelga «*no permite aceptar la tesis de que una de las partes imponga unilateralmente a otra su criterio, sino que legitima a ambas a pedir la tutela jurisdiccional y obliga a la Magistratura a tramitar el proceso laboral con las soluciones de celeridad y urgencia adecuadas a un planteamiento urgente e inaplazable que se deduce ante el órgano judicial*» (por todas, STS de 1 de septiembre de 1982, Ar/4638).

Ahora bien, el carácter preferente y sumario del procedimiento judicial que las circunstancias requieren y la ausencia de su reconocimiento en la ley procesal laboral impiden en ocasiones su operatividad práctica.

Normalmente se utiliza el procedimiento de conflicto colectivo, pero a la vista de los plazos de preaviso para la huelga fijados en el art. 3.3 y 4 del RDLRT (5 o 10 días naturales), puestos en relación con los plazos del procedimiento de conflicto colectivo (arts. 151 y ss. de la LPL) —máxime cuando se hace necesaria la previa conciliación (art. 154 de la LPL) o la vía administrativa previa (art. 64 de la LPL)—, surgen dificultades para su utilización. La instancia judicial resolutoria del desacuerdo en materia de servicios de mantenimiento y seguridad chocaría con el inconveniente funcional de que, por razón de trámites procesales, la sentencia se pronuncie una vez comenzada o, incluso, finalizada la huelga en cuestión.

Los términos del conflicto serían estos: En el «*interim*» ¿quién debe designar los servicios: el empresario o el comité de huelga? y, sobre todo, ¿a quién deberán obedecer los trabajadores, al empresario o al comité de huelga? Las consecuencias son importantes en cuanto a la calificación del posible despido o sanción disciplinaria del trabajador que desobedeciera las órdenes empresariales.

504. La posición jurisprudencial acerca de la designación unilateral de los servicios. La jurisprudencia mayoritariamente ha defendido la licitud de la designación unilateral empresarial en caso de desacuerdo entre la empresa y el comité de huelga (SSTS de 29 de noviembre de 1993, Ar/9084 o de 1 de julio de 2003, Ar/3003; STSJ de Cataluña, de 1 de julio de 2003, Ar/3003; STSJ de Asturias, de 11 de febrero de 2005, Rec. 4415/2003)., si bien con posterioridad podrá revisarse judicialmente [STS de 28 de mayo de 2003 *(Tol 276345)*].

Ello no obstante, hay alguna sentencia que ha llegado a afirmar en este sentido «*que en modo alguno puede ser sustituida (la vía jurisdiccional) por el criterio empresarial, por muy serias que sean las dificultades de obtener resolución judicial en razón oportuna*» (STSJ de Madrid, de 31 de octubre de 1989, Ar/118).

505. La posición doctrinal acerca de la designación unilateral de los servicios de seguridad y mantenimiento y la existencia de soluciones extrajudiciales al conflicto. La doctrina, por su parte, ha ofrecido todo un abanico de soluciones para estos casos de desacuerdo. Así, existen soluciones respetuosas con la necesidad de intervención compartida del empresario con los representantes de los trabajadores en aquellas opiniones que defienden la conveniencia de que sea en el convenio colectivo donde se establezcan los mecanismos de fijación de servicios (GARCÍA BLASCO), o que propugnan soluciones referidas al fomento del arbitraje voluntario en esta materia (CRUZ VILLALÓN y GARCÍA PERROTE).

Sólo que estas soluciones no resuelven qué es lo que ocurre cuando el compromiso arbitral no se logre; o cuando ante una eventual declaración de huelga, sea necesario concretar las previsiones, —necesariamente generales—, de que en materia de servicios de seguridad pueda contener el correspondiente convenio colectivo.

La designación unilateral en los supuestos de desacuerdo, se ha atribuido por un sector doctrinal (MARTÍNEZ EMPERADOR, GARCÍA PERROTE, MATIA y DE LA VILLA) al comité de huelga, en base a ser éste quien legalmente garantiza la prestación de tales servicios. Esta solución, sin embargo, se ha tildado de contener elementos de incoherencia en cuanto que, dado que la finalidad de los servicios está en la protección de los intereses empresariales, «*supone un salto en el vacío asignar a un tercero, —comité de huelga—, la tutela de determinados intereses empresariales precisamente en aquellos casos en que se produce una desavenencia sobre el particular con el empleador*» (CRUZ VILLALÓN).

Otro sector doctrinal (DIÉGUEZ) atribuye al empresario la fijación unilateral de los servicios de mantenimiento. Tesis frente a la que se argumenta la incoherencia que supone la atribución de responsabilidad al comité de huelga por el funcionamiento de unos servicios en cuya designación no ha participado (CRUZ VILLALÓN).

Este variado panorama doctrinal deriva en buena medida de la incidencia que sobre el RDLRT ha tenido la STC de 8 de abril de 1981. En efecto, la declaración de inconstitucionalidad de solo determinados preceptos o de partes de preceptos que aparecían coherentes dentro de la totalidad del texto cuestionado, está produciendo disfuncionalidad en los artículos que permanecen vigentes.

En materia de servicios de seguridad y mantenimiento la situación es clara. El art. 6.7 del RDLRT responsabiliza al comité de huelga de la prestación de los servicios de seguridad y mantenimiento, presuponiendo que la determinación de los mismos correspondía al empresario. Y para clarificar las cosas, atribuía expresamente al empresario la facultad de designar los trabajadores que debían efectuarlos. Con este planteamiento, la existencia de un plazo de preaviso de cinco días en caso de huelga, resultaba más que suficiente para que el empresario pudiese tomar las previsiones oportunas al respecto.

La declaración de inconstitucionalidad del último inciso del art. 6.7 del RDLRT lleva al callejón sin salida que ha quedado descrito en aquellos casos en que no exista acuerdo entre el empresario y el comité de huelga. Decantar la interpretación en el sentido de hacer prevalecer la postura del comité o del empresario en caso de desacuerdo, no es, esencialmente, respetuoso con la exigencia de que la designación debe ser compartida.

En todo caso, algunos acuerdos interprofesionales de solución extrajudicial de conflictos colectivos prevén expresamente este tipo de conflictos entre los que deben solucionarse a través de la mediación y el arbitraje (ASEC o Baleares, por ejemplo).

En este sentido, es habitual utilizar el criterio de que los servicios de mantenimiento y seguridad coinciden con los fijados cuando se interrumpe el trabajo los
domingos, festivos o vacaciones.

Por el contrario, el hecho de que unos determinados servicios de mantenimiento y seguridad fijados unilateralmente por la empresa sean coincidentes con los
establecidos de mutuo acuerdo para huelgas anteriores, no permite afirmar sin
más que sean ajustados a derecho y fijados con buena fe por la empresa, al ser las
circunstancias de cada huelga distintas, siendo por ello necesario negociar en cada
una de ellas los servicios a mantener (STSJ de La Rioja, de 14 de julio de 2011).

**506. La designación de servicios en las huelgas de ámbito superior a la em-
presa.** Todo lo anterior tiene a la base la exigencia de huelgas que no rebasen el
ámbito de una empresa. Pero ¿quién designa los servicios en las huelgas supraempresariales? Las disfuncionalidades de la vigencia parcial del RDLRT tras la STC
de 8 de abril de 1981 vuelven a aparecer aquí.

La primitiva redacción del RDLRT exigía que la huelga se votase en cada
centro de trabajo y que se comunicase a cada uno de los empresarios afectados.
La huelga supraempresarial resultaba así una suma de huelgas de centros de trabajo. De este modo, el art. 6.7 del RDLRT resultaba coherente, en cuanto que al
comité de huelga le asignaba la responsabilidad del funcionamiento de los servicios, pero quien quedaba encargado de su terminación y de la legislación de los
concretos trabajadores era el empresario. La STC de 8 de abril de 1981 declaró
inconstitucional la adopción del acuerdo de huelga en cada centro de trabajo pero
no resolvió la cuestión de a quien corresponde la designación de los servicios de
mantenimiento en este tipo de huelgas.

Sucede que en las huelgas de sector, la designación, incluso con acuerdo, de los
servicios, no podría pasar en la mayoría de los casos de la fijación de directrices
generales, a concretar posteriormente en el ámbito de cada empresa. Y, en cualquier caso, lo que habría de concretar a nivel de empresa serían los trabajadores
concretos para cubrir los servicios de mantenimiento. Pero dado que, en estos
supuestos, no existirá a nivel de empresa un comité de huelga que pueda negociar
con el empresario los servicios de mantenimiento, se hace preciso hipotetizar una
serie de situaciones.

En primer término, es posible que entre el comité de huelga y las asociaciones
empresariales se haya previsto el sistema de determinación de servicios de mantenimiento en cada una de las empresas. En este caso no parece haber inconveniente
alguno en la observancia de este acuerdo; incluso en el supuesto en que el acuerdo
consistiese en remitir al empresario en exclusiva la determinación de esos servicios. Y ello porque, aún en este caso, vendrían respetadas las exigencias de la STC

de 8 de abril de 1981 sobre participación del comité de huelga en la designación de los concretos trabajadores.

En segundo lugar, para el caso de que no hubiese nada previsto entre comité de huelga y organizaciones empresariales, las vías de salida podrían ser las siguientes:

1ª) Dado que las huelgas de sector serán habitualmente convocadas por sindicatos, parece lógico que, a nivel de empresa, el tema de los servicios sea negociado por el empresario con las secciones sindicales de los sindicatos convocantes de la huelga. Se trataría así de reproducir a nivel de empresa la correlación de fuerzas existente en el comité de huelga, utilizando argumentaciones análogas a las que utiliza la STC de 29 de julio de 1985 para justificar el criterio de la representatividad por irradiación.

2ª) Cuando no existan secciones sindicales, de los sindicatos convocantes de huelga, se podría remitir la labor negociadora en materia de servicios a la representación unitaria de los trabajadores. Lo que no sería forzado, dado que en el ET se configura como órgano encargado de la defensa de los intereses del conjunto de los trabajadores, asignándoseles una labor de colaborar con la dirección de la empresa para conseguir el establecimiento de cuantas medidas procuren el mantenimiento y el incremento de la productividad.

Pueden surgir aquí problemas derivados de hecho de que el órgano de representación unitaria, no integrado por miembros del sindicato convocante de la huelga, sea contrario a la celebración de ésta. En tal caso cabe plantearse si eventuales servicios pactados entre los representantes unitarios y la empresa pueden ser impugnados por el sindicato convocante, en defensa del derecho de huelga y de libertad sindical, pues se admite que no solamente el empresario puede ser sujeto activo de conductas antisindicales (STS de 20 de mayo de 2010, Ar/2611; STSJ de Castilla/León, de 20 de julio de 2006, Ar/2665).

3ª) Y para los casos en que tampoco existiese representación unitaria de los trabajadores, entender que deben ser los propios trabajadores directamente los que han de negociar con el empresario sobre dichos servicios.

507. La naturaleza de la obligación de garantizar los servicios de mantenimiento y seguridad del comité de huelga: Una obligación de medio. Efectos del incumplimiento. Cabe plantear finalmente la naturaleza de la obligación del comité de huelga de garantizar la prestación de los servicios de seguridad y mantenimiento. A nuestro juicio, se trata de una obligación de medio y no de resultado, por lo que no existirá responsabilidad si la prestación no se hubiera efectuado pero, ello no obstante, el comité de huelga hubiera realizado de buena fe una diligente actividad de vigilancia de los servicios y de advertencia a los trabajadores incumplidores de las consecuencias de sus actos (SEQUEIRA DE FUENTES).

Una cuestión, de indudable importancia, es la relativa a los efectos del incumplimiento de las obligaciones exigidas en tema de mantenimiento de servicios durante la huelga, debiendo distinguirse entre las obligaciones del comité de huelga y las de los trabajadores designados para realizar los servicios. Así:

a) Los efectos del incumplimiento de la obligación del comité de huelga de garantizar la prestación de los servicios de seguridad y mantenimiento serán, como indica la propia STC de 8 de abril de 1981, los de convertir la huelga en ilícita, por abusiva, con la consecuencia de que el empresario podrá sancionar a todos los trabajadores en huelga y no sólo a los que hubiesen incumplido su obligación de prestar los servicios (art. 16 RDLRT). De otro lado, surgirá una responsabilidad para el comité de huelga, o mejor, para los sujetos convocantes de la huelga, concretable seguramente en una indemnización de daños y perjuicios, con las consiguientes dificultades para hacerlas efectivas que se señalaron más arriba (art. 5 de la LOLS).

b) Los efectos del incumplimiento de la obligación de prestar los servicios por parte de los trabajadores afectados o designados, cuando el comité de huelga hubiese no obstante cumplido su obligación, serán estrictamente los del posible despido de los concretos trabajadores incumplidores (STCT de 1 de septiembre de 1982, Ar/4640). Ahora bien, la huelga no se convertirá por ello en ilícita por abusiva y no podrá sancionarse a los restantes trabajadores en huelga.

Además, se podrán dirigir contra esos trabajadores las reclamaciones de resarcimiento de los daños y perjuicios causados con su incumplimiento, como permite el último inciso del art. 16 del RDLRT.

De cualquier modo, en caso de incumplimiento por parte de estos últimos de su obligación de prestar los servicios, el empresario podrá sustituir a los huelguistas por trabajadores que no estuviesen vinculados a la empresa al tiempo de ser comunicada la misma, según admite expresamente el art. 6.5 in fine del RDLRT (ver supra).

508. La incompetencia jurisdiccional para resolver los desacuerdos en la designación de los servicios para huelgas futuras. Una cuestión interesante es la de si la jurisdicción laboral es competente para resolver estos desacuerdos entre el empresario y el comité de huelga en la designación de estos servicios de mantenimiento y seguridad respecto de una huelga futura, esto es, cuando no exista todavía una huelga real en el momento de plantearse la demanda.

En este sentido, la jurisdicción laboral se ha manifestado incompetente por no existir una controversia real y efectiva que pudiera ser resuelta por la sentencia que se dictara, argumentando que *«la función que a los jueces y tribunales confiere el art. 117.3 CE de juzgar y ejecutar lo juzgado requiere la existencia de una controversia real y efectiva entre las partes que corresponde a un interés concreto y determinado, —ya individual ya colectivo—, que haya sido desconocido por alguna de ellas mediante acciones u omisiones perfectamente identificables»*, añadiendo a renglón seguido que *«la facultad de evacuar consultas o emitir dictámenes no corresponde a los Tribunales, máximo cuando ello supondría prejuzgar futuras actuaciones judiciales en caso de producirse una huelga determinada»* (STSJ de Navarra, de 24 de enero de 2000, Ar/795)

Así pues, en mi opinión, es en los procedimientos extrajudiciales utilizables para huelgas futuras donde podría encontrarse un *«principio de solución»* a este espinoso problema.

VI. EL MANTENIMIENTO DE LOS SERVICIOS ESENCIALES PARA LA COMUNIDAD

1. Diferencias con los servicios de seguridad y mantenimiento

509. El art. 10.2 del RDLRT. Las diferencias entre el mantenimiento de los servicios de seguridad y el mantenimiento de los servicios esenciales. El art. 10.2 del RDLRT establece que *«cuando la huelga se declare en empresas encargadas de la prestación de cualquier género de servicios públicos o de reconocida o inaplazable necesidad y concurran circunstancias de especial gravedad, la autoridad gubernativa podrá acordar las medidas necesarias para asegurar el funcionamiento de los servicios. El Gobierno, asimismo, podrá adoptar a tales fines las medidas de intervención adecuada»*.

Se trata de un supuesto distinto del regulado en el art. 6.7 del RDLRT relativo a los servicios de seguridad y mantenimiento, ya que no se trata de que posibilite (además de la seguridad de las personas) que la actividad productiva pueda reanudarse al acabar la huelga, sino de que la actividad productiva continúe limitadamente durante la huelga. El respeto de los servicios de seguridad y mantenimiento procede en todas las empresas, aunque no se trate de empresas encargadas de la prestación de servicios esenciales para la comunidad (por todas, STSJ Madrid, de 31 de octubre de 1989, Ar/118).

2. Fundamento constitucional

510. Fundamento constitucional: arts. 28.2 y 51.1 de la CE. Este precepto encuentra su justificación constitucional en lo dispuesto en el art. 28.2 de la CE cuando señala que *«la ley que regule el ejercicio de este derecho establecerá las garantías precisas para asegurar el mantenimiento de los servicios esenciales de la*

Comunidad», dado que el derecho de huelga, como ya dijimos, no es un derecho ilimitado o absoluto.

Así, la propia STC de 8 de abril de 1981, en su Fundamento jurídico n° 18, ha señalado que *«el derecho de los trabajadores a defender sus intereses mediante la utilización de un instrumento de presión en el proceso de producción de bienes o servicios cede cuando con ello se ocasiona o se puede ocasionar un mal más grave que el que los huelguistas experimentarían si su reivindicación o pretensión no tuviera éxito... En la medida en que la destinataria y acreedora de tales servicios es la comunidad entera y los servicios son, al mismo tiempo, esenciales para ella, la huelga no puede imponer el sacrificio de los intereses de los destinatarios de los servicios esenciales. El derecho de la comunidad a estas prestaciones vitales es prioritario respecto del derecho de huelga»* (en el mismo sentido, SSTC de 24 de abril de 1986, de 5 de mayo de 1986 y de 15 de marzo de 1990).

Cabría pensar también en una fundamentación constitucional adicional en el art. 51.1 de la CE, según el cual, *«los poderes públicos garantizarán la defensa de los consumidores y usuarios protegiendo, mediante procedimientos eficaces, la seguridad, la salud y los legítimos intereses económicos de los mismos».*

El precepto legal y su homónimo constitucional plantean, no obstante, un importante complejo de cuestiones interpretativas que conviene ordenar a la luz de la doctrina y de la jurisprudencia que las ha considerado. Y ello porque, como declara la STC de 5 de mayo de 1986, *«en tanto no se regule el ejercicio del derecho fundamental de huelga por ley orgánica, rige en materia de «servicios esenciales de la comunidad» el ya citado art. 10 del RDLRT, interpretado con arreglo a la jurisprudencia de este Tribunal en diversas sentencias».*

3. Significado de los «servicios esenciales para la comunidad»

511. Significado de *«servicios esenciales para la comunidad»*. Adecuación constitucional del art. 19.2 del RDLRT. En primer lugar, ¿qué hay que entender por *«servicios esenciales de la comunidad»*? ¿Es correcta constitucionalmente hablando la interpretación realizada por el art. 10 del RDLRT?

El art. 10.2 del RDLRT al hablar de *«empresas encargadas de la prestación de cualquier género de servicios públicos o de reconocida e inaplazable necesidad»*, ciertamente parece más extenso que el tenor literal del art. 28.2 de la CE (*«los servicios esenciales de la Comunidad»*).

No obstante, la STC de 8 de abril de 1981, en el fallo señala expresamente *«que no es inconstitucional el párrafo segundo del art. 10 que atribuye a la autoridad la potestad de dictar las medidas necesarias para determinar el mantenimiento de los servicios esenciales a la comunidad, en cuanto que el ejercicio de esta potestad está sometido a la jurisdicción de los Tribunales de Justicia y al recurso de amparo ante este Tribunal»*. La STC repite la fórmula constitucional y omite la diferente del RDLRT, dando a entender que se hacía aquí equivalente a aquella (MATIA).

Apreciación que se confirma en el propio Fundamento jurídico n° 18 cuando se señala que *«en ningún sentido, el art. 10 del RDLRT es más estricto que el art. 28 de la CE, pues no se refiere sólo a servicios esenciales, sino a servicios de reconocida e inaplazable gravedad, fórmula esta que no es difícil englobar en la primera. La última parte del precepto (asegurar el funcionamiento de los servicios y adoptar las medidas de intervención adecuadas), aunque a primera vista pueda parecer algo más amplia que la del art. 28, se reconduce sin demasiada dificultad al texto constitucional, en el sentido de que los servicios a entender son los esenciales»*.

La argumentación se repite en la STC de 17 de julio de 1981. Añadiéndose en la misma que *«la CE permite que por medio de una norma de rango legal se establezcan en caso de huelga, garantías que aseguren los servicios esenciales de la comunidad; la norma directamente aplicable al caso es el art. 10 del RDLRT. disposición que debe ser entendida en el sentido de que la autoridad gubernativa puede adoptar medidas de garantía cuando la huelga afecta a servicios de reconocida e inaplazable necesidad o a servicios esenciales para la comunidad...»*.

Todo ello en el entendimiento de que lo que la ley contempla es una limitación del derecho de huelga, de modo que aunque los huelguistas pudieran con base en su poder de convocatoria obtener una afectación superior a la actividad empresarial, se garantiza una prestación mínima. Pero los servicios mínimos no suponen una limitación a la actividad de la empresa, de modo que no pueden concebirse como un límite máximo a dicha actividad durante la huelga. Así, *«si la empresa emplea para desarrollar esas actividades trabajadores no huelguistas o sus propios medios técnicos sin aplicación de trabajo humano no lesiona el derecho de huelga»*, aunque con ello supere los servicios mínimos (STS de 11 de junio de 2012, Ar/6841).

512. La posición del Tribunal Constitucional. El tema se centra en la determinación de lo que deba reconocerse por servicios esenciales. La postura del Tribunal Constitucional es la siguiente:

a) La STC de 8 de abril de 1981 entiende que no deben definirse *«a priori»* los servicios esenciales, remitiéndose a futuros pronunciamientos en los correspondientes recursos de amparo: *«No parece necesario definir ahora de forma detallada qué haya de entenderse por servicios esenciales. En una primera aproximación, como la que en esta sentencia se hace, el artículo 28 de la Constitución, la interpretación de esta fórmula tendría que ser necesariamente inconcreta. Es, por ello, más adecuado que el Tribunal vaya haciendo los correspondientes pronunciamientos respecto de cada uno de los supuestos especiales que se pueden plantear en el futuro a través de los correspondientes recursos de amparo».*

Las SSTC de 24 de abril de 1986, de 5 de mayo de 1986 y de 15 de marzo de 1990 se cuidan de concretar restrictivamente el concepto de *«servicios esenciales»* al interpretar el art. 28.1 de la CE no *«en atención a la titularidad pública o privada del servicio, sino a través del carácter del bien satisfecho»*; y no en atención a la actividad desempeñada sino en atención a los resultados producidos, con la importante consecuencia de que *«a priori»* no existirá ningún tipo de actividad productiva que, por sí misma, pueda ser considera como esencial, siéndolo únicamente si satisfacen derechos o bienes constitucionalmente protegidos, y en la medida y con la intensidad con que los satisfagan.

b) Según la STC de 17 de julio de 1981 existen dos posibles conceptos de servicios esenciales:

- Un primer concepto, según el que *«servicios esenciales»* serían aquellas actividades industriales o mercantiles de las que derivan prestaciones vitales o necesarias para la vida de la comunidad. Y así, en la definición de servicios esenciales entrarían el carácter necesario de las prestaciones y su conexión con atenciones vitales.

- Una segunda concepción haría recaer la esencialidad del servicio no tanto en la naturaleza de la actividad que se despliega como en el resultado que con dicha actividad se pretende: *«para que el servicio sea esencial deben ser esenciales los bienes o intereses satisfechos. Como bienes e intereses esenciales hay que considerar los derechos fundamentales, las libertades públicas y los bienes constitucionalmente protegidos».* Así pues, no solo resultan tutelables los derechos fundamentales sino también otros derechos o bienes constitucionalmente protegidos no fundamental.

Concluyendo el Tribunal que *«esta última línea interpretativa, que pone el acento en los bienes y en los intereses de la persona, —y no la primera que se mantiene en la superficie de la necesidad de las organizaciones dedicadas a llevar a cabo las actividades—, es la que debe ser tenida en cuenta, por ser la que mejor concuerda con los principios que inspira la Constitución Española».*

c) Consecuencia de lo anterior será que la delimitación del servicio esencial habrá de hacerse en términos relativos y concretos dependiendo de las circunstancias que rodean a una huelga.

En cualquier caso, habrá que tener presente también que *«los servicios esenciales no quedan lesionados o puestos en peligro por cualquier situación de huelga... sino que será preciso examinar en cada caso la extensión territo-*

rial que la huelga alcanza, la extensión personal y la duración» (SSTC de 17 de julio de 1981, de 9 de diciembre de 2003 o de 4 de octubre de 2004).

Otros parámetros han sido utilizados por la jurisprudencia constitucional en la delimitación de los servicios esenciales. Así, a la alternatividad del servicio afectado por la huelga y la época de la misma se refiere la STC de 15 de marzo de 1990, señalando que una huelga en el transporte aéreo en período de vacaciones debe ser objeto de más límites que la convocada en el mismo servicio en otras épocas.

d) De otro lado, no cabe confundir servicio público y servicio esencial, a efectos de establecimientos de posibles limitaciones al ejercicio del derecho de huelga. Dichas limitaciones no cabrá establecerlas cuando se trate de servicios públicos que no reúnan las circunstancias anteriormente señaladas (STC de 17 de julio de 1981).

4. Las garantías del mantenimiento de los servicios esenciales

513. Las garantías a establecer. Diferencias entre la Constitución («*manteni-miento*») y el RDLRT («*funcionamiento*»). El art. 28.2 de la CE habla de *«garantías precisas para asegurar el mantenimiento de los servicios esenciales de la comunidad»* y el art. 10 del RDLRT de *«medidas necesarias para asegurar el funcionamiento de los servicios»*.

La primera cuestión que se plantea es la de las diferencias terminológicas entre la Constitución y el RDLRT. Así, mientras el RDLRT habla de *«funcionamiento»*, la CE habla de *«mantenimiento»*, término, el primero, aparentemente más amplio que el constitucional.

La STC de 8 de abril de 1981, en el fallo, cuando declara *«que no es inconstitucional el párrafo segundo del artículo 1º que atribuye a la autoridad gubernativa la potestad de dictar las medidas necesarias para determinar el funcionamiento de los servicios esenciales a la comunidad»*, —al igual que ocurría con el precepto de *«servicios públicos o de reconocida e inaplazable necesidad»*—, habla de *«mantenimiento»* y no de *«funcionamiento»*, de acuerdo con el tenor constitucional, dando a entender de igual manera que ambos términos resultan equivalentes.

En el Fundamento jurídico nº 18 de la sentencia se señala esto mismo de manera expresa al decir que *«la última parte del precepto (asegurar el funcionamiento de los servicios y adoptar medidas de intervención adecuadas), aunque a primera vista pueda parecer algo más amplia que la del art. 28, se reconduce sin demasiada dificultad al texto constitucional, en el sentido de que los servicios a mantener son los esenciales»*.

El tema de las posibles diferencias entre Las expresiones «*mantenimiento*» y «*funcionamiento*» ha sido abordado en reiteradas ocasiones por el Tribunal Supremo. Así, se señala que ambas expresiones son equivalentes «*como lo prueba de una manera auténtica la indiferencia con que el legislador utiliza ambos vocablos en el propio texto constitucional*» (STS de 11 de julio de 1980, Ar/2950). Afirmándose en este mismo sentido que «*incluso el concepto de mantenimiento del servicio, que equivale a su puesta a punto, implica o comprende el funcionamiento de ciertos elementos materiales o técnicos del mismo para que se pueda prestar el servicio tan pronto termine la situación de huelga*» (STS de 24 de septiembre de 1980, Ar/3249).

514. Las garantías a establecer. Las limitaciones impuestas por el Tribunal Constitucional. Cuestiones interpretativas importantes en relación con las garantías del mantenimiento de los servicios esenciales, son las de qué tipo de garantías cabe establecer, quién debe establecerlas y de acuerdo con qué procedimiento.

En cuanto a la primera de ellas, la STC de 8 de abril de 1981 no concreta, tan sólo limita.

Así, en su Fundamento jurídico nº 18, señala que «*la autoridad gubernativa se encuentra —ello es obvio— limitada en el ejercicio de esa potestad. Son varios los límites con los que se topa. Ante todo, la imposibilidad de que las garantías en cuestión vacíen de contenido el derecho de huelga o rebasen la idea de contenido esencial; y, después, en el orden formal, la posibilidad de entablar contra las decisiones la acción de tutela jurisdiccional de derechos y libertades públicas y el recurso de amparo ante este Tribunal*». A esto último se refiere expresamente el fallo de la Sentencia al señalar que no es inconstitucional el art. 10.2 del RDLRT «*en cuanto que el ejercicio de esa potestad está sometido a la jurisdicción de los Tribunales de Justicia y al recurso de amparo ante este Tribunal*».

En cuanto a los límites, las SSTC de 24 de abril de 1986 y de 5 de mayo de 1986 serán más precisas al señalar que «*la consideración de un servicio como esencial no significa la supresión del derecho de huelga de los trabajadores ocupados en tal servicio*» y que «*la adecuación del programa de servicios mínimos que ha de ser adoptada está en relación directa con el interés de la comunidad, que debe ser perturbado por la huelga sólo hasta extremos razonables*».

Indicándose, además «*que el tipo de garantías ordenadas al mantenimiento de los servicios esenciales a adoptar sin menoscabo del derecho consagrado en el artículo 28.2 CE es cuestión que no puede ser resuelta aprioristicamente, remitiendo a la ponderación, de un lado, de las circunstancias concurrentes en la huelga y en la comunidad sobre la que incide (extensión territorial, duración, etc.) y, de otro, a la naturaleza de los derechos o bienes constitucionalmente protegidos sobre los que repercute. La valoración de estos factores ha de servir precisamente para enjuiciar la acomodación constitucional y de las «garantías» adoptadas, esto es, elucidar la adecuación y proporcionalidad entre la protección del interés de la comunidad y la restricción impuesta al ejercicio del derecho de huelga»* (en el mismo sentido, las SSTC de 17 de julio de 1981, de 17 de julio de 1986 y de 3 de febrero de 1989).

En cualquier caso, *«la continuidad del servicio debe quedar asegurada en estos sectores, de modo que la huelga no pueda ser total y un servicio mínimo debe quedar asegurado»* (STC de 5 de noviembre de 1981).

Y es que *«se trata de fijar el programa de servicios mínimos con un criterio restrictivo, pues en el propio art. 28.2 CE se utiliza la expresión mantenimiento, que dista de equivaler lingüísticamente a desarrollo regular del servicio. El criterio restrictivo, favorable al ejercicio el derecho de huelga, ha de tener en cuenta que esta ha de mantener una capacidad de presión suficiente como para lograr sus objetivos frente a la empresa, en principio destinataria de la medida de conflicto, pero no deber serle añadida la presión adicional del daño innecesario que sufre la propia comunidad»* (STC de 24 de abril de 1986). En definitiva, *«mantener un servicio implica la prestación de los trabajos necesarios para la cobertura mínima de los derechos, libertades o bienes que el propio servicio satisface, pero sin alcanzar el nivel de rendimiento habitual»* (STC de 5 de mayo de 1986).

El principio de proporcionalidad en la fijación de los servicios mínimos implica una ponderación entre el sacrificio que para el derecho de huelga implican esos servicios mínimos y los bienes que estos últimos intentan proteger, de modo que el sacrificio ha de ser el necesario o inexcusable para la protección de estos bienes o derechos (SSTS de 8 de octubre de 2004, Rec. 5980/2000 o de 15 de junio de 2005, Rec. 907/2002).

Normalmente, las garantías se concretarán en medidas garantizadoras de servicios mínimos. Así se denominan, además, los Decretos reguladores. De ahí la confusión con las medidas a adoptar en todas las empresas *«ex art. 6.7 del RDL-RT»*, en orden al mantenimiento de los servicios *«necesarios para la seguridad de las personas y de las cosas, mantenimiento de los locales, maquinarias, instalaciones, materias primas y cualquier otra atención que fuese precisa para la ulterior reanudación de las tareas de la empresa»*. Aunque, obviamente, dada la distinta finalidad del art. 10.2 del RDLRT, como ya vimos, —*«asegurar el funcionamiento de los servicios»*— estos *«servicios mínimos»* serán lógicamente mucho más amplios que los anteriores (STS de 25 de abril de 2002, Ar/5008).

515. Tipología de decretos en la delimitación de los servicios esenciales. Los diversos decretos no son especialmente ilustrativos en orden al tipo de garantías establecidas para garantizar su funcionamiento en caso de huelga.

La razón está en que, en la mayoría de los casos, los decretos se limitan a calificar como esencial el servicio prestado por una determinada empresa o el resultado de la actividad de un determinado sector; y, en consecuencia, a declarar que las situaciones de huelga que afecten al personal quedarán condicionadas *«al mantenimiento del servicio»* que la empresa presta.

En estos casos parece que la incidencia sobre el derecho de huelga de los trabajadores del carácter esencial del servicio que presta la empresa en que desarrollan actividades, se va a encontrar exclusivamente en la limitación numérica de trabajadores que durante la situación de huelga deben continuar trabajando. Determinación que se encomienda en cada decreto al organismo oportuno; y que deberá hacerlo *«con un criterio estricto»*, designando solamente *«el personal necesario»*.

En algunos casos, los Decretos sobre servicios esenciales, si bien no contienen una enumeración de cuales son los mismos sí que dejan entrever que no todos los que se realizan en la empresa son esenciales, sino solamente alguno de ellos. Al respecto se utiliza una fórmula genérica: la situación de huelga se entenderá condicionada *«a que se continúen prestando los servicios esenciales de la comunidad»*.

En estos supuestos, lo habitual en los Decretos correspondientes es que se encomiende a determinadas personas u organismos, tanto la determinación de los servicios cuyo mantenimiento debe quedar en todo caso asegurado, como el establecimiento *«con un criterio estricto»*, del personal necesario para asegurar la prestación de los mismos.

Un tercer grupo de Decretos, finalmente, sí que contiene una apriorística determinación de cuales son los servicios esenciales que deben continuar funcionando en los casos de huelga del personal. Lo que se hace de dos modos:

a) Mediante el establecimiento de un listado de estos servicios esenciales.

b) Mediante la referencia de una serie de actividades a cuyo mantenimiento se condiciona la situación de huelga.

También en estos casos los Decretos emplean la fórmula de encomendar al organismo correspondiente la tarea de determinar *«el personal que se considere estrictamente necesario para la prestación de los referidos servicios esenciales»*.

516. Los sujetos que deben establecer las medidas de garantía: la *«autoridad gubernativa»*. En cuanto a los sujetos que deban establecer estas medidas de garantía, el art. 10 del RDLRT habla claramente de *«la autoridad gubernativa»* y del *«Gobierno»*.

El TC recuerda que *«el decidir si la empresa atiende a un servicio esencial para la comunidad… es una decisión eminentemente política que afecta a derechos y libertades públicas de los ciudadanos, y que por ello sólo la autoridad gubernati-*

va puede tomar» (por todas, SSTC de 3 de febrero de 1989, de 18 de octubre de 2002 o de 11 de octubre de 2006).

En este sentido, establece la STC de 8 de abril de 1981 que «la decisión sobre la adopción de las garantías de funcionamiento de los servicios no puede ponerse en manos de *ninguna de las partes implicadas, sino que debe ser sometida a un tercero imparcial. De este modo, atribuir a la autoridad gubernativa la potestad para establecer las medidas necesarias para asegurar el funcionamiento de los servicios mínimos no es inconstitucional en la medida en que ello entra de lleno dentro de las precisiones del art. 28.2 CE y además, es la manera más lógica de cumplir con el precepto constitucional».*

¿Qué debe entenderse por *«autoridad gubernativa»*? A juicio del TC (por todas, STC de 18 de diciembre de 1997) aquellos *«órganos del Estado que ejercen directamente o por delegación potestades de gobierno»,* dado que se trata de una actividad, la de determinar cuales son los servicios esenciales así como la intensidad con que han de ser mantenidos, *«a la vez jurídica y política»,* reserva que se convierte *«en una garantía para los ciudadanos».*

Y ello porque *«privar a un conjunto de ciudadanos en un caso concreto de un derecho constitucional, como es el reconocido en el art. 28.2 de la CE, es algo que sólo puede ser llevado a cabo por quien tiene responsabilidades y potestad de gobierno».*

517. La competencia de las Comunidades Autónomas y de los alcaldes. El Tribunal Constitucional (SSTC de 5 de noviembre de 1981 y de 2 de julio de 1990), por su parte, reconoce la competencia dentro de su ámbito a las Comunidades Autónomas para establecer las medidas de garantía de los servicios esenciales, por entender que los decretos sobre servicios esenciales no son actos de carácter normativo. Al no haber ejercicio de la potestad reglamentaria sino aplicación de una norma, resulta un problema de ejecución de la competencia de las Comunidades Autónomas, según el art. 149.1.7 de la CE.

De modo que *«cuando se trata de servicios que, considerados conjuntamente se comprenden en el área de competencias autonómicas… sin perjuicio, claro es, de las competencias municipales y metropolitanas, el velar por su regular funcionamiento, corresponde a la titularidad o a la responsabilidad de las autoridades autonómicas»* (SSTC de 26 de abril y 8 de mayo de 1985, de 3 de febrero de 1989 y de 2 de julio de 1990).

En parecido sentido se manifiesta la jurisprudencia ordinaria (por todas, SSTS de 10 de mayo de 1986, Ar/2363, 18 de octubre de 2002, Ar/10152 o de 1 de octubre de 2003, Rec. 517/2000) acerca de la competencia de los Alcaldes para establecer los servicios mínimos municipales en caso de huelga.

Las acusaciones de parcialidad que cabe sin duda hacer en los casos en que la pretensión de la huelga vaya dirigida contra la propia autoridad que debe fijar los servicios mínimos no es problema de fácil solución, debiendo acaso reconducirse en último término a la autoridad política superior y al Parlamento (RAMÍREZ MARTÍNEZ).

518. La competencia de la dirección de la empresa y el juego de la autonomía colectiva. La posición jurisprudencial. Mayores problemas plantean aquellos decretos que delegan en los directivos del establecimiento o en el Delegado del Gobierno en la empresa bien la concreción de los puestos de trabajo necesarios para cubrir el mantenimiento de los servicios mínimos, bien la designación de los trabajadores que hayan de cubrir estos servicios.

Las SSTC de 5 de mayo de 1986 y de 3 de febrero de 1989 han establecido algunas pautas de solución del problema al señalar que cabrá una delegación de la ejecución de los servicios mínimos en la dirección de la empresa, entendida ésta como concreta designación de los trabajadores y no como designación de los puestos de trabajo.

Más lejos parece llegar la STC de 24 de abril de 1986 al señalar que «*a ella sola (a la autoridad gubernativa correspondiente) toca decidir, sin perjuicio de que pueda remitir la concreta fijación de los servicios a instituciones derivadas de la autonomía colectiva, si se ofrecen garantías suficientes en torno a la efectiva prestación de los servicios*». Pareciendo con ello delegar, no ya la ejecución entendida como simple designación de los trabajadores sino también la «*concreta fijación de los servicios*».

Por lo demás, la autoridad gubernativa puede, —aunque no tiene obligación alguna de hacerlo—, oír a los representantes de los trabajadores o hacer suyas las propuestas u ofertas de las propias partes en conflicto (por todas, STC de 16 de enero 1992 o STS de 27 de diciembre de 1990, Ar/6967). Si bien la STC de 17 de julio de 1981, al señalar en su Fundamento jurídico n° 15 que «*la decisión debe tomarse… sin olvidar ni desoír la oferta de mantenimiento o de preservación de servicios que los convocantes de la huelga y las organizaciones sindicales hayan hecho*», pudiera parecer que exige como requisito indispensable de la decisión administrativa el trámite de audiencia o de negociación (en este mismo sentido, STC de 3 de febrero de 1989 y de 16 de enero de 1992).

En este sentido se han manifestado los Tribunales ordinarios (STS (3ª) de 27 de diciembre de 1990, Ar/6967), subrayando que «*se reputa totalmente necesario en la elaboración de un acto que va a presentar, al fijar los servicios mínimos, una negociación para ciertos trabajadores de su derecho de huelga, es lógico oír sobre el problema de tales servicios mínimos, a cuyo favor va a ser sacrificado su derecho fundamental de huelga*»). La posterior STC de 24 de abril de 1986 deja bien claro que «*la previa negociación no está excluida, e incluso puede ser deseable, pero no es un requisito indispensable para la validez de la decisión administrativa desde el plano constitucional*».

En todo caso, para la fijación de los concretos servicios mínimos habrá de guardarse una proporcionalidad entre éstos y los servicios en situación de normalidad, siendo éste un aspecto casuístico en el que habrán de tenerse en cuenta las circunstancias de cada concreta huelga (SSTS (3ª) de 21 de marzo de 1994, Ar/2188, de 16 de enero, de 16 de abril de 1996, Ar/401 y 3720, de 8 de octubre de 2004, Rec. 5908/2000, de 13 de junio de 2005, Rec. 907/2002, de 26 de marzo y de 11 de mayo de 2007, Rec. 1619/2003 y 2430/2003, de 4 de junio de 2008, Rec. 1470/2004 o de 10 de marzo de 2009, Rec. 5579/2006).

519. Tipología de decretos de servicios esenciales en cuanto a la autoridad gubernativa actuante. El examen de los diversos Decretos sobre servicios esenciales arroja el siguiente cuadro en orden a la determinación del organismo o sujeto encargado de la determinación de los servicios y/o de los trabajadores que deban prestar servicios en los mismos durante las situaciones de huelga:

a) Decretos que atribuyen al órgano empresarial la determinación de los concretos trabajadores que van a quedar afectos a la prestación de los servicios calificados como esenciales.

b) Decretos en los que la determinación de los servicios esenciales se encomienda a un órgano de la Administración; y a la dirección de la empresa se le encomienda la determinación del personal necesario para asegurar la prestación de los mismos.

c) Decretos en los que se encomienda a la Delegación del Gobierno en la empresa correspondiente fijar el personal necesario para asegurar el funcionamiento de los servicios calificados como esenciales.

d) Decretos en los que la Delegación del Gobierno en la empresa se limita a proponer el número de trabajadores preciso, debiendo esta propuesta debe ser aprobada por una instancia administrativa superior.

e) Decretos en los que la Delegación del Gobierno fija el número preciso de trabajadores, pero previa propuesta de los titulares de las empresas correspondientes.

f) Decretos en los que el órgano de la Administración del que depende el servicio fija el número de trabajadores necesario para asegurar el funcionamiento de los servicios esenciales previamente fijados.

g) Decretos en los que el correspondiente órgano de la Administración designa tanto los servicios esenciales como el personal necesario para asegurar su prestación.

h) Decretos en los que tanto la determinación de los servicios esenciales como de los trabajadores necesarios para asegurar su prestación corresponde al Delegado del Gobierno o al Gobernador Civil de la provincia correspondiente.

i) Decretos en los que se exige a los sujetos que hayan de determinar el personal necesario para asegurar el funcionamiento de los servicios esenciales, lo hagan «*oído*» o «*previa audiencia*», del comité de huelga.

520. El procedimiento para establecer las medidas de garantía: motivación y comunicación de la decisión administrativa. Por lo que se refiere al procedimiento para establecer las medidas de garantía de los servicios esenciales, habrá que tener en cuenta dos requisitos necesarios:

a) En primer lugar, la exigencia de motivación de la decisión administrativa (SSTC de 17 de julio de 1981, de 3 de febrero de 1989, de 15 de marzo de 1990, de 6 de mayo de 2005, Rec. 6940/2001, de 11 de mayo de 2007, Rec. 3155/2003 o de 7 de octubre de 2008, Rec. 3356/2004).

b) En segundo lugar, la exigencia de comunicación de la misma a los representantes de los trabajadores, previa a su aplicación (STC de 24 de abril de 1986).

Ambos requisitos vienen configurados por el Tribunal Constitucional como requisitos de validez y ambos pretenden posibilitar la defensa procesal de los trabajadores frente a eventuales excesos o abusos de la autoridad administrativa y el control de los Tribunales (art. 28.2 de la CE). La competencia para su control será del orden jurisdiccional contencioso-administrativo (SSTS, u.d., de 15 de enero de 1996, Ar/349 o de 12 de marzo de 1997, Ar/2892).

La STC de 24 de abril de 1986 señala en este sentido que «*en la medida en que el acto del poder público tiende, a la vez a proteger intereses de la comunidad, a restringir el derecho de huelga de los trabajadores afectados, debe estar rodeado de garantías también en el plano formal, puesto que así se contribuye a asegurar el recto uso de la facultad reconocida de los trabajadores —que desean ejercitar un legítimo derecho—, que deben saber en qué medida se encuentra recortado su derecho, para actuar en consecuencia*» (en el mismo sentido, la STC de 2 de julio de 1990).

Respecto del requisito de la motivación, vienen a señalar las SSTC de 24 de abril, de 5 de mayo de 1986 y de 2 de julio de 1990 lo siguiente:

1°) «*Cuando se coarte el libre ejercicio de los derechos reconocidos en la Constitución, el acto es tan grave que necesita encontrar una causa especial, y el hecho o el conjunto de hechos que lo justifican debe explicarse con el fin de que los desti-*

natarios conozcan las razones por las cuales su derecho se sacrificó, y los intereses a los que se sacrificó».

2°) En consecuencia, *«la doctrina de este Tribunal ha exigido que el acto por el cual se determinen los servicios mínimos sea adecuadamente motivado; asimismo, ha reiterado que cuando se produce una restricción de derechos fundamentales constitucionalmente garantizados, «la autoridad que realiza el acto debe estar en todo momento en condiciones de ofrecer la justificación».* Es decir, debe distinguir entre la motivación expresa del acto, que puede responder a criterios de concisión y claridad propios de la actuación administrativa, y las razones que en un proceso se puedan alegar para justificar la decisión tomada, que deben tener la entidad suficiente como para legitimar la restricción del derecho. Ambos planos están diferenciados, por lo que no puede decirse que el deber de motivación expresa del acto restrictivo del derecho, en aras a la brevedad y la concisión, pueda entenderse cumplido con el simple uso de fórmulas genéricas, que nada aclaran, y que el defecto queda subsanado si en un proceso anterior la autoridad gubernativa aporta todos los datos técnicos o jurídicos posibles para apoyar su decisión. La eventual justificación «ex post» no libera a la autoridad competente de su obligación de motivar adecuadamente el acto desde el momento en que éste se realiza, lo que requiere que en esa motivación figuren los factores o criterios cuya ponderación ha conducido a determinar cuáles son los servicios mínimos, y en qué nivel se fijan, de forma tal que se cumpla el fin esencial de facilitar a los interesados el conocimiento de las razones por las que se limita su derecho, y permitir, asimismo, la posterior fiscalización, en su caso, de la legitimidad del acto mismo por los Tribunales de Justicia. Sin que sean suficientes, por tanto, indicaciones genéricas, aplicables a cualquier conflicto, y de las cuales no puedan derivarse criterios para enjuiciar la ordenación y proporcionalidad de la restricción que al ejercicio del derecho de huelga se impone».*

3°) Así pues, no será suficiente *«la genérica referencia a la reconocida e inaplazable necesidad de los servicios, y a las garantías técnicas para su normal funcionamiento como elementos determinantes del programa que se adopta. Con fórmulas como éstas, —que pueden predicarse de cualquier conflicto, en cualquier actividad—, en principio no puede cumplirse la finalidad que se persigue al exigirse la debida fundamentación de la medida».*

4°) No obstante, excepcionalmente, no será necesario adjuntar mayores justificaciones *«en aquellos casos en que la justificación necesaria es de tal naturaleza que… pertenece al general conocimiento, reduciéndose la necesidad de aportar datos o cifras adicionales que, aunque siempre convenientes, abundaría en algo ya de todos conocido».*

Por lo que respecta al requisito de la comunicación previa a su aplicación de la decisión administrativa a los representantes de los trabajadores, la STC de 24 de abril de 1986 establece muy claramente que *«en cuanto a la falta de comu-nicación de la orden a los representantes de los trabajadores, si concurriera, es evidente que acarrearía la nulidad de la propia orden»* (SSTS de 30 de abril y 30 de mayo de 2007, Rec. 1563/2003 y 305/2003).

5º) Esta motivación es exigible incluso en las huelgas generales (STS de 14 de julio de 1995, Rec. 354/1993).

521. La eficacia de los decretos de servicios esenciales. Un problema adicional se plantea acerca de la eficacia de los decretos sobre servicios esenciales: ¿Se trata de preceptos de duración indefinida o se agotan en una sola huelga?

A los decretos de servicios esenciales se les ha negado la naturaleza de disposi-ción de carácter general, aunque formalmente revistan la de Real Decreto por las razones siguientes:

a) Su ámbito de aplicación no abarca todo el territorio nacional sino a una parte muy limitada del mismo.

b) Dentro de él se refieren a un número concreto de administrados.

c) No tienen vocación de permanencia, sino solamente mientras dura una si-tuación concreta que es la huelga. En palabras del tribunal Supremo, *«si atendemos a su permanencia en el tiempo, no ha sido la intención del legis-lador o del Gobierno insertar permanentemente en el ordenamiento el Real Decreto con tal carácter, sino que solamente vivirá en tanto en cuanto dure la huelga convocada, agotándose una vez trascurrida esta situación».*

Estas afirmaciones se cohonestan, además, con la relatividad con que la juris-prudencia constitucional delimita cuales sean los servicios esenciales, atendiendo a las circunstancias concretas de la huelga.

La naturaleza de los decretos de servicios esenciales ha sido fijada por el TCO al señalar que *«el RD… es un acto que aplica a una situación que puede poner en grave crisis servicios esenciales para la Comunidad una medida excepcional que tiene en la norma (el art. 10.2 del RDL 16/1977) su cobertura inmediata»* y que *«…la finalidad de este RD no fue, —ni pudo serlo—, integrar el ordenamiento jurídico definiendo por vía reglamentaria servicios esenciales y garantías precisas para el mantenimiento de estos servicios»… Se trata de un acto aplicativo del art. 10.2 del RDL 17/1977, y no de ejercicio de potestades reglamentarias»* (STC de 5 de noviembre de 1981).

Por todo ello resulta cuestionable la legalidad de la fijación reglamentaria y abstracta de servicios mínimos en previsión de huelgas futuras (SSTS de 15 de diciembre de 1995, Ar/6654 y de 21 de marzo de 1996, Ar/2978).

522. Otras posibles medidas de garantía. Si se incumplen las medidas anteriores sobre servicios mínimos adoptadas *«ex art. 10.2 del RDLRT»*, el Gobierno podrá acudir, con fundamento en el mismo precepto, a otras medidas consistentes en la sustitución de los huelguistas por otros trabajadores o por efectivos militares con base en el art. 6.5 del RDLRT (por ejemplo, en caso de huelga de transportes ferroviarios), pudiendo llegar, incluso, en el caso del estado de alarma (caso de los controladores aéreos), a la movilización del personal laboral (arts. 4.c y 12.2 de la ley 4/1981, de 1 de junio, sobre estados de alarma, excepción y sitio).

En los casos extremos de declaración de los estados de excepción o de sitio cuando la alteración grave de los servicios esenciales de la comunidad pudiera justificarlos—, cabría llegar a la suspensión de los derechos de huelga y de planteamiento de conflicto colectivo (art. 23 de la ley 4/1981).

Cabrá, en todo caso, el recurso al arbitraje obligatorio del art. 10.1 del RDLRT. Así, el Gobierno, a propuesta del Ministro de Empleo y Seguridad Social, teniendo en cuenta la duración o las consecuencias de la huelga, las posiciones de las partes y el perjuicio grave para la economía nacional, podrá acordar un arbitraje obligatorio

5. *Efectos del incumplimiento de los servicios mínimos*

523. Efectos del incumplimiento de los servicios mínimos sobre la legalidad de la huelga y sobre los trabajadores incumplidores. Un último problema que se plantea es el de la posible calificación de la huelga y la suerte de los trabajadores que, habiendo sido designados, no acuden a cubrir los servicios mínimos.

En esta circunstancia, la eventual calificación como ilegal de la huelga tendría que basarse en el art. 11.d) RDLRT: *«la huelga es ilegal... cuando se produzca contraviniendo lo dispuesto en el presente Real Decreto-Ley»*. Sólo que en este supuesto, las previsiones del RDLRT se han cumplido en cuanto que ha habido fijación de cuales sean los servicios mínimos y la concreta determinación de los trabajadores necesarios para cubrirlos. Si a ello se añade el hecho, ya señalado, de que el comité de huelga no tiene intervención alguna en la designación de los trabajadores adscritos a los servicios mínimos, —sólo, en contados decretos, un mero trámite de audiencia—, tampoco cabrá exigir responsabilidad ninguna al mencionado comité por la actitud renuente los trabajadores designados.

Deriva, entonces, de lo anterior la dificultad de calificar como ilegal una huelga en estas circunstancias. Lo único que ocurrirá es que los trabajadores designados que no presten estos servicios, quedarán incursos en causa justificada de despido, de modo análogo a lo que sucede en los supuestos de servicios de seguridad y mantenimiento, *«ex art. 16.2 RDLRT»*, pudiendo igualmente la empresa recurrir lícitamente a la contratación de trabajadores ajenos a la empresa en su sustitución (art. 6.5 RDLRT; STC de 2 de julio de 1990).

Por otro lado, esta es la conclusión que cabe extraer también del examen de los correspondientes decretos en los que se viene repitiendo como cláusula de estilo la fórmula siguiente: «*Los paros y alteraciones del personal que se designe... serán considerados ilegales en los términos del art. 16 del RDLRT, pudiendo ser objeto de las correspondientes sanciones*».

La ilegalidad, por tanto, no se extiende a toda la huelga, sino exclusivamente a la de los trabajadores designados para la prestación de servicios esenciales. Únicos sujetos que, por esta circunstancia, podrán ser sancionados.

524. El tratamiento de los daños derivados de la imposición de servicios mínimos con base en una resolución administrativa posteriormente anulada. En aras de las necesarias garantías de seguridad para la efectiva prestación de los servicios esenciales para la comunidad, debe rechazarse la posibilidad de que el trabajador designado para realizarlos esté facultado para negarse a ello con base en la pretendida nulidad de la resolución administrativa que ampare la designación. Y ello aunque llegara a asumir el riesgo de que la sentencia que resolviera la impugnación de la resolución administrativa desestimara la pretensión anulatoria. En todo caso, se ha concluido que en el enjuiciamiento de las eventuales consecuencias disciplinarias derivadas de tal conducta del trabajador, deberá tenerse en cuenta la eventual anulación de la fijación de los servicios mínimos y la posible notoriedad de la ilícita afectación al derecho de huelga (STC 123/1990).

Así las cosas, el problema que se plantea es el qué mecanismos resarcitorios están a disposición del trabajador para obtener la reparación del daño causado con su designación para cubrir los servicios mínimos cuando posteriormente la resolución es anulada.

El Tribunal Supremo ha señalado en este sentido lo siguiente (STS de 18 de abril de 2012, Ar/5724):

1°) Que no es atribuible a la empresa responsabilidad por dolo, culpa o riesgos, siempre que haya designado los servicios mínimos de conformidad con la orden gubernativa.

2°) Que las obligaciones resarcitorias corresponden a la Administración Pública que fijó irregularmente los servicios mínimos.

3ª) Que la acción para exigir esa responsabilidad corresponderá a cada trabajador afectado, sin que la sentencia del orden contencioso-administrativo que anule la resolución administrativa pueda fijar ese resarcimiento, al no estar legitimado el sindicato convocante que impugna la decisión gubernativa para reclamar la indemnización de los daños causados a los trabajadores designados (STS de 29 de enero de 1996, Ar/1309).

VII. LA FINALIZACIÓN DE LA HUELGA

525. Tres modos de terminación de la huelga: el desistimiento, el acuerdo y el arbitraje obligatorio. El RDLRT establece tres modos de terminar una huelga:

a) Por desistimiento de los trabajadores, por cualquier causa: Bien por haber conseguido lo que reivindicaban con la huelga, bien por haber agotado su capacidad de resistencia, bien por haberse sometido a un procedimiento de conflicto colectivo (art. 17.2 del RDLRT y acuerdos interprofesionales sobre solución de conflictos). El art. 8.2 del RDLRT prevé que *«en cualquier momento los trabajadores puedan dar por terminada (la huelga)»*. La orden de cese de huelga habrá de darla la representación de los trabajadores que la convocó o el comité de huelga, esto es, tanto la representación unitaria, la sindical como la asamblearia (STS de 21 de diciembre de 1982, Ar/7885).

b) Por pacto o acuerdo entre las partes en conflicto. Así, el art. 8.2 del RDLRT señala que *«desde el momento del preaviso y durante la huelga, el comité de huelga y los empresarios afectados, deberán negociar para llegar a un acuerdo... El pacto que ponga fin a la huelga tendrá la misma eficacia que lo acordado en convenio colectivo»*. De otra parte, el art. 9 del RDLRT establece que *«la Inspección de Trabajo podrá ejercer su función de mediación desde que se comunique la huelga hasta la solución del conflicto»*, pudiendo a su través llegar igualmente a un acuerdo de idéntica naturaleza jurídica que el derivado de negociaciones directas entre las partes en conflicto.

No están claras las consecuencias jurídicas derivadas de un incumplimiento de la prevista obligación legal de negociación de las partes. Si es el empresario el que incumple es difícil imaginar el tipo de sanción imponible y si son los trabajadores, parecería excesivo calificar de ilegal a la huelga por esa sola razón y, sobre todo, en el caso de hacerlo, a partir de qué preciso momento; habrá, en todo caso, que valorar la abusividad de la huelga en función de las circunstancias y, entre ellas, la conducta seguida por la empresa.

Por lo que se refiere a los acuerdos que ponen fin a la huelga, éstos se encuentran sometidos a los mínimos legales de derecho necesario (STS de 25 de marzo de 1998, Ar/3013) y tendrán los efectos de los convenios colectivos estatutarios o de los extraestatutarios en función de que quepa o no identificar a los negociadores (comités de huelga o representantes designados por los mismos) con los legitimados según el ET para negociar un convenio colectivo (SSTS de 28 de junio de 1994. Ar/5496, de 28 de enero de 1998, Ar/1113, de 9 de marzo de 1998, Ar/2372, de 24 de septiembre de 2001, Ar/2002/2019 o de 14 de marzo de 2005, Ar/3193).

En todo caso, el acuerdo que ponga fin a una huelga dependerá de la motivación de la misma. Si ésta es política o de solidaridad, nada se negocia. Si fuera de apoyo a la negociación colectiva, el acuerdo tendrá la eficacia del convenio cuya negociación se apoya. Y si fuera una huelga reivindicativa de materias no negociadas en el convenio, dependerá del ámbito subjetivo del conflicto, pudiendo dar lugar a un convenio de eficacia general atípico (por ejemplo, en el caso de una huelga convocada por un sindicato con escasa implantación, pero que ha tenido un amplio seguimiento y que acaba en acuerdo).

c) El art. 10.1 del RDLRT establece un procedimiento excepcional para poner fin a la huelga cuando se den determinadas circunstancias. Señala este precepto: *«El Gobierno, a propuesta del Ministerio de Trabajo, teniendo en cuenta la duración o las consecuencias de la huelga, las posiciones de las partes y el perjuicio grave de la economía nacional, podrá acordar la reanudación de la actividad laboral en el plazo que determine, por un período máximo de dos meses, o de modo definitivo, mediante el establecimiento de un arbitraje obligatorio. El incumplimiento de este acuerdo podrá dar lugar a la aplicación de lo dispuesto en los arts. 15 y 16»*, esto es, será considerada la huelga como ilegal a partir de este momento (STS de 29 de enero de 2001, Ar/2453).

La STC de 8 de abril de 1981 ha considerado inconstitucional en su fallo el párrafo 1º del art. 10 *«en cuanto al Gobierno para imponer la reanudación del trabajo, pero no en cuanto le faculta para instituir un arbitraje obligatorio, siempre que en él se respete el requisito de imparcialidad de los árbitros»* (en estas mismas ideas incide la STC en su Fundamento jurídico nº 19).

Así pues, cuando se dan las circunstancias previstas en el RDLRT —una duración muy prolongada de la huelga, unas posiciones de las partes excesivamente distintas o inconciliables y un perjuicio grave para la economía nacional (STS de 11 de mayo de 2004, Ar/3502)—, cabrá poner término a la huelga a través del arbitraje obligatorio acordado por el Gobierno, a propuesta del Ministro de Trabajo (STS de 29 de enero de 1991, Ar/2453).

Se ha mantenido que el laudo arbitral así dictado poseerá naturaleza jurídica reglamentaria y no convencional en la medida en que ha sido la propia Administración la que ha decidido que exista arbitraje y ha designado el árbitro (MONTOYA y MERINO MERCHAN), aunque no sea la propia Administración necesariamente la que dicte el laudo.

A mi juicio, sin embargo, resulta más correcto plantear la naturaleza del laudo arbitral desde la perspectiva de la naturaleza del conflicto colectivo que viene a solucionar: integrándolo en la norma discutida, si el conflicto es de interpretación, o asignándole el valor de convenio colectivo, si el conflicto es de intereses (ver infra).

El laudo podrá ser objeto de impugnación en tres casos concretos:

a) Ilegalidad de su contenido por atentar contra normas imperativas.

b) Existencia de vicios esenciales: falta de audiencia de las partes a contenido *«ultra vives»* del laudo, esto es, extralimitación del contenido obligado (STS de 4 de abril de 2014, Rec. 132/2003).

c) Que no se haya garantizado la imparcialidad del árbitro (SSTS de 24 de diciembre de 1996, Ar/9583, o de 10 de noviembre de 2003, Ar/8288).

A partir de la existencia del laudo arbitral los trabajadores afectados no podrán mantener la huelga legalmente, incurriendo en caso contrario en las sanciones previstas en los arts. 15 y 16 del RDLRT (art. 10.1 in fine del RDLRT: *«El incumplimiento de este acuerdo podrá dar lugar a la aplicación de lo dispuesto en los arts. 15 y 16»*).

En cuanto a la duración de la prohibición, en caso de conflicto de interpretación, hasta que finalice la vigencia de la norma interpretada; en caso de conflicto de intereses, hasta que finalice la vigencia del laudo, en el caso de que tuviera duración fijada y para el supuesto de duración indefinida habría libertad de denunciar para las partes, con recuperación del derecho de huelga, como sucede con carácter general con la negociación colectiva. De ahí la importancia de fijar expresamente en el laudo la duración de su eficacia (PÉREZ DE LOS COBOS).

En el RDLRT no se establece el procedimiento de este arbitraje obligatorio. Tan sólo que será acordado por el Gobierno a propuesta del Ministerio de Trabajo —no existiendo contrato de compromiso arbitral de las partes—, siendo la Administración la que designa el árbitro o árbitros con el único límite del carácter imparcial de los mismos.

La jurisprudencia ha hecho del requisito de la imparcialidad el elemento central a la hora de aceptar o no esta medida (SSTS de 2 de julio de 1985, Ar/3944 o de 24 de diciembre de 1996, Ar/9853). Imparcialidad que exige consulta a las partes con carácter previo a la designación del árbitro (GARCÍA BLASCO y BAYLOS) y que debe prolongarse y mantenerse por éste durante todo el procedimiento arbitral.

526. Actos de comunicación del fin de la huelga. Como ha puesto de relieve la jurisprudencia, cuando finaliza una situación de huelga *«ha de exteriorizarse de uno u otro modo, su conclusión»*.

Normalmente, bastará con la nueva comparecencia de los trabajadores en el centro de trabajo para incorporarse a sus puestos, sin necesidad de notificación alguna al empresario. Pero si el acceso al centro de trabajo estuviese impedido, habrá que comunicar a la dirección de la empresa la finalización de la huelga para que ésta proceda a la reapertura del centro, sin que se exija para ello ningún requisito formal sino «*la razonable exigencia de que se transparenten las verdaderas actitudes. Porque solo ello permitirá saber si el cierre de los locales responde a la continuidad de la huelga o a un auténtico cierre empresarial*» (STS de 11 de octubre de 1990, Ar/7544).

VIII. LOS EFECTOS DE LA HUELGA

1. *Sobre los trabajadores no huelguistas*

527. La tipología de situaciones fácticas en que pueden encontrarse los trabajadores no huelguistas durante la huelga. La variedad de situaciones fácticas en las que se pueden encontrar los trabajadores no huelguistas durante el transcurso de una huelga permite hacer la siguiente tipología, planteándose en cada una de ellas distintos problemas acerca de la posición jurídica de estos trabajadores:

1) Que continúen trabajando, manteniendo las mismas condiciones laborales anteriores de lugar, tiempo y modo de trabajo.

2) Que continúen trabajando con cambio en las condiciones de lugar, tiempo y/o modo de trabajo.

3) Que no continúen trabajando efectivamente pero que acudan al centro de trabajo y permanezcan a disposición del empresario a la espera de poder reanudar su trabajo o que permanezcan en sus casas por orden expresa del empresario liberatoria de su obligación de presencia en el centro de trabajo.

4) Finalmente, que no continúen trabajando por ser imposible el acceso al centro de trabajo o al puesto de trabajo, bien porque lo impidan los trabajadores huelguistas mediante piquetes coactivos u ocupación del centro, bien porque el empresario haya decretado el cierre patronal.

Todas estas situaciones parten del supuesto base de una huelga interna producida en una empresa y seguida parcialmente por los trabajadores de la misma, con lo que el personal se divide en huelguistas y no huelguistas.

Cualquiera de las situaciones enumeradas puede venir matizada por dos hechos relevantes:

a) que la huelga sea legal o ilegal y

b) que la huelga haya sido provocada o no por el empresario.

528. Continuación del trabajo en las mismas condiciones. En el caso de continuación del trabajo en las mismas condiciones anteriores, al no afectar la huelga en nada a la prestación de servicios de los trabajadores huelguistas, la posición jurídica de estos últimos seguirá siendo la de la continuidad del contrato con derecho al salario en los mismos términos que antes de declararse la huelga.

529. Continuación del trabajo con cambio de condiciones. Pudiera suceder que el empresario, ante la imposibilidad legal de sustituir a los trabajadores huelguistas por nuevos trabajadores recurriera a los trabajadores no huelguistas para cubrir las necesidades generadas por la ausencia de los huelguistas.

El principal problema que plantea esta situación es la de hasta que punto es lícita la utilización de los trabajadores no huelguistas de la empresa, adscribiéndose a distintas funciones, exigiéndoles un mayor rendimiento, aumentándoles la jornada, modificándoles el horario, cambiándoles de centro o incluso desplazándoles de localidad. Un comportamiento empresarial del género ¿vaciaría de contenido el derecho de huelga conculcando su contenido esencial? ¿Cuál es el contenido esencial del derecho de huelga? ¿La simple abstención del trabajador con la consiguiente desorganización productiva de la empresa o también la imposibilidad de producir, esto es, la imposibilidad para el empresario de reorganizar la producción de otra manera? O planteado de otra manera: ¿Durante una huelga el empresario mantiene su poder de dirección y organización en relación con los trabajadores huelguistas?

El conflicto se presenta, así, entre el interés de los trabajadores huelguistas a que la huelga sea mínimamente eficaz, —no hay duda de que una tal actuación empresarial atenta a la propia lógica de la huelga consistente en la producción de un daño con la finalidad de presionar para la satisfacción de los propios intereses—, el interés del empresario a defenderse de la huelga con los medios no prohibidos por la ley en orden a una reorganización productiva y, finalmente, el interés de los trabajadores no huelguistas a que se respete su libertad de trabajo ya que en nuestro ordenamiento, según el Tribunal Constitucional, la huelga no es un deber sino un derecho (*«existe abuso en aquellas huelgas que consiguen la ineludible participación en el plan huelguista de los trabajadores no huelguistas»*: STC de 8 de abril de 1981) y esta libertad de trabajo resultaría atacada si, por la imposibilidad empresarial de modificación de las condiciones de trabajo como solución menor, hubiera que llegar al cierre patronal de la empresa o centro afectado, con la consiguiente suspensión de los contratos de trabajo *«ex art. 12.2»* del RDLRT.

Lo cierto es que lo único que expresamente prohíbe el RDLRT es la sustitución de los huelguistas por *«trabajadores que no estuviesen vinculados a la empresa al tiempo de ser comunicada la huelga»*, literalidad que permite, *«a sensu contrario»*, —ante la ausencia de una declaración expresa de inconstitucionalidad del precepto por su corto alcance por parte del Tribunal Constitucional—, mantener la posibilidad de sustitución de los huelguistas por trabajadores no huelguistas de la empresa a través de cualquiera de las modalidades señaladas: cambio y/o aumento de centro de trabajo, con desplazamiento o no de localidad.

Ahora bien, en todo caso, cualquiera de estas situaciones habría de hacerse previa utilización de las vías establecidas en la normativa vigente. Así, los cambios de funciones, según el art. 39 del ET; los superiores rendimientos o cambios de horarios, según el art. 41 del ET; los aumentos de jornada, según el art. 35.3 del ET; o la movilidad geográfica, según el art. 40 del ET. En este último sentido se han manifestado los Tribunales (STCT de 13 de diciembre de 1988, Ar/613 o STSJ de Madrid, de 20 de julio de 1991, RL/1991/19), admitiendo la sustitución de los huelguistas por trabajadores no huelguistas para *«desempeñar trabajos de inferior categoría que la suya propia»*. A esta conclusión llegan OJEDA, RODRÍGUEZ SAÑUDO y ALONSO OLEA, si bien este último con mayores dudas.

Otro sector doctrinal y jurisprudencial (SSTS de 23 y 24 de octubre de 1989, Ar/7533 y 7422; STSJ de Madrid, de 5 de junio de 1990, Ar/1944 y STSJ de Galicia, de 14 de julio de 1992, Ar/3863) se ha manifestado a favor de una interpretación extensiva de la prohibición de sustitución establecida en el art. 6.5 del RDLRT a los trabajadores no huelguistas (DE LA VILLA, GARCÍA BECEDAS, GARCÍA PERROTE, CRUZ VILLALÓN, SANTANA y GOERLICH).

Conviene no olvidar, sin embargo, que el argumento utilizado —de que lo no prohibido está permitido o de que si la ley hubiera querido prohibirlo lo habría hecho como con el esquirolaje externo—, podría volverse en contra si se tiene en cuenta que la garantía de los servicios mínimos como mecanismo en defensa del empresario contra una huelga viene expresamente reconocida en el art. 6.7 del RDLRT. Podría argumentarse, en sentido contrario, que cuando la ley ha querido permitir mecanismos defensivos empresariales contra las huelgas los ha reconocido expresamente, debiendo entenderse entonces que lo no reconocido atenta contra el contenido esencial del derecho de huelga. Todo ello, naturalmente, tan solo en el supuesto de que la huelga sea legal. En caso contrario, al no tener que respetar el legítimo ejercicio de derecho alguno, se mantendría por el empresario sin ningún lugar a dudas la totalidad de su poder de dirección y organización empresarial.

La STC de 28 de septiembre de 1992 ha interpretado que *«la preeminencia de este derecho (de huelga) produce, durante su ejercicio, el efecto de reducir y en cierto modo anestesiar, paralizar o mantener en vida vegetativa, latente, otros derechos que en situación de normalidad pueden y deben desplegar toda su capacidad potencial»* y que esto sucede *«con la potestad directiva del empresario, regulada en el art. 20 ET, de la cual son emanación las facultades que le permiten la movilidad del personal»*.

Ahora bien, esto no quiere decir que el empresario no pueda hacer uso de su poder directivo respecto de los trabajadores no huelguistas; lo único que se prohíbe es su ejercicio «*como instrumento para privar de efectividad la huelga*». Así, podrán ejercitarse los poderes directivos (por ejemplo, de movilidad funcional o geográfica) en los casos de huelga ilegal o de incumplimiento de los servicios de mantenimiento y seguridad o de los servicios mínimos (SANTANA, GOERLICH) y, más dudosamente en otros casos (GOERLICH apunta, en este sentido, la posibilidad de ejercicio de estos poderes en aquellos casos en los que sea la única alternativa al ejercicio del cierre patronal procedente). Naturalmente, las medidas de «*sustitución interna*» de los trabajadores son contrarios al derecho de huelga con independencia de su voluntaria aceptación por los trabajadores huelguistas (GOERLICH).

La jurisprudencia ordinaria posterior a esta STC ha discurrido por este mismo camino (SSTS de 23 y 24 de octubre de 1989, Ar/7533 y 7422 o de 8 de mayo de 1995, Ar/3752).

El incumplimiento empresarial de esta prohibición podrá ser perseguido judicialmente a través del procedimiento especial de tutela de derechos fundamentales, con derecho a indemnización de daños y perjuicios para los trabajadores huelguistas (STSJ de Madrid, de 16 de noviembre de 1992, Ar/5709; en contra, STSJ Andalucía/Sevilla, de 16 de diciembre de 1992, Ar/6605) y, más dudosamente sancionado administrativamente dada la redacción del art. 8.10 de la LISOS (GOERLICH).

530. La interrupción del trabajo con puesta a disposición del empresario, acudiendo o no al centro de trabajo. Cuando la interrupción del trabajo de los no huelguistas se produce por causa de una huelga y no obstante continúan estando a disposición del empresario, se plantea el problema de saber si estos trabajadores han cumplido o no con su prestación laboral pese a no haber realizado un trabajo efectivo y si tienen, en consecuencia, derecho al salario.

En este terreno, el primer problema que surge es el de aclarar si las interrupciones laborales causadas por una huelga en los trabajadores no huelguistas poseen una regulación especial o si, por el contrario, deberán reconducirse a la normativa genérica acerca de las interrupciones laborales ubicada en los arts. 30, 45 y 47 del ET.

En la normativa específica acerca de la huelga nos encontramos con dos preceptos que, si bien no regulan directamente el tema planteado inciden sobre él de una manera indirecta, permitiendo una construcción interpretativa de consecuencias propias y distintas de las derivadas de la normativa genérica.

En efecto, el art. 6.4 del RDLRT establece que «*se respetará la libertad de trabajo de aquellos trabajadores que no quisieran sumarse a la huelga*», lo que podría ciertamente entenderse como un derecho absoluto no sólo frente a los compañeros huelguistas sino también, y principalmente, frente al empresario en orden a asegurarse la continuidad del contrato, y en todo caso, la continuidad de la obligación salarial.

El art. 6.4 del RDLRT sería en este sentido la norma especial que concretaría para el caso de las huelgas lo dispuesto con carácter general en el art. 30 del ET. Así, la *«imputabilidad»* al empresario del impedimento del trabajo, concepto jurídico indeterminado en el art. 30 del ET, resultaría concretada por el art. 6.4 del RDLRT para los casos en que el impedimento consistiese en una huelga. Las interrupciones laborales causadas por una huelga serían de esta manera imputables al empresario como riesgo de empresa.

Ahora bien, el art. 12.1.c) del RDLRT admite la posibilidad del cierre patronal en casos de huelga previa cuando *«el volumen de la inasistencia o irregularidad en el trabajo impidan gravemente el proceso normal de producción»*, produciendo efectos suspensivos en los contratos del personal afectado (arts. 12.2 y 6.2 del RDLRT). Esto quiere decir que en el caso de que por causa de una huelga se impidiese gravemente el proceso normal de producción, sin necesidad de que resulte absolutamente imposible trabajar, podrá el empresario cerrar el centro de trabajo (o sección dentro de él) liberándose de la responsabilidad de pagar los salarios a los trabajadores no huelguistas.

De esta construcción interpretativa conjunta de los arts. 6.4 y 12.1.c del RDLRT resultaría que en las interrupciones laborales producidas por la huelga, los trabajadores no huelguistas tendrían derecho en todo caso al salario salvo que el empresario pudiera lícitamente cerrar el centro de trabajo, en cuyo caso los contratos y con ello los salarios quedarían suspendidos.

No ha sido ésta, sin embargo, la construcción interpretativa dominante en nuestra doctrina, que ha optado normalmente por acudir a la normativa laboral individual y a las reglas civiles de la fuerza mayor contractual para fundamentar el mantenimiento o la decadencia del riesgo empresarial en estos supuestos de interrupción del trabajo por causa de huelga (RODRÍGUEZ SAÑUDO, GARCÍA BLASCO, ALONSO OLEA y OJEDA).

La jurisprudencia (SSTS, u.d., de 20 y de 22 de junio de 1995, Ar/5360 y 5363), ha venido a señalar que *«fuera de las causas indicadas en el art. 45.1 del ET no se produce la exoneración de la obligación empresarial de remunerar el trabajo»*.

Así pues, de no darse el supuesto de cierre patronal legal o, más dudosamente, de fuerza mayor (SSTS de 20 de junio de 1995, Ar/5360 o de 22 junio de 1995, Ar/5363) el empresario estará obligado a abonar los salarios de los trabajadores no huelguistas, aunque no trabajen.

531. La interrupción del trabajo por imposibilidad de acceso al centro de trabajo o al puesto de trabajo. Pudiera ocurrir, finalmente, que la interrupción del trabajo de los trabajadores no huelguistas se produjera por la imposibilidad de estos de acceder al centro o al puesto de trabajo, bien porque lo impidan los trabajadores a través de piquetes coactivos o mediante la ocupación activa del centro de trabajo, bien porque el empresario hubiera decretado el cierre patronal.

En el primer caso, prescindiendo ahora de si la ocupación o los piquetes son o no legales, hay que señalar que esta situación en nada modifica lo dicho para la situación anterior. Así pues, en estos casos los trabajadores no huelguistas disfrutarán del derecho al salario en tanto el empresario no proceda al cierre patronal lícito. Sólo que la presencia de piquetes coactivos y/o la ocupación del centro hará más fácil el juego del art. 12 del RDLRT y la configuración del cierre patronal como lícito. Así lo han reconocido los Tribunales (SSTCT de 11 de marzo de 1987, Ar/5520 o de 2 de noviembre de 1987, Ar/23711).

En el caso de producirse un cierre legal, el personal no huelguista, mientras aquel dure, gozará de idéntica situación jurídica que el trabajador incurso en huelga legal, esto es, tendrá suspendido su contrato de trabajo no teniendo derecho al salario.

Si el cierre fuese ilícito, el empresario deberá abonar «*a los trabajadores que hayan dejado de prestar sus servicios como consecuencia del cierre del centro de trabajo los salarios devengados durante el período de cierre legal*», sin perjuicio de la obligación empresarial de reabrir el centro de trabajo ilícitamente (arts. 15 RDLRT y 45.1.m del ET «*a sensu contrario*»).

2. *Sobre los trabajadores huelguistas*

2.1. Los efectos de la huelga legal

532. Los efectos de la huelga legal sobre el contrato de trabajo. La suspensión contractual y sus consecuencias salariales. La huelga legal es una causa de suspensión del contrato de trabajo del trabajador huelguista (arts. 6.1 del RDLRT y 45.1.1) del ET), continuando vigente el contrato con suspensión del salario y derecho a reserva del puesto de trabajo para cuando la huelga finalice (arts. 45.2 y 48.1 del ET y 6.2 del RDLRT), sin que se suspenda el deber de buena fe de los trabajadores huelguistas, por lo que los trabajadores podrán ser sancionados en caso de incumplimiento (SSTS de 18 de julio de 1990, Ar/6422 y de 1 de octubre de 1991, Ar/7190, de 11 de octubre de 1994, Ar/7765 y de 29 de septiembre y de 4 de octubre de 1995, Ar/6293 y 7192), si bien las faltas habrán de ser valoradas en el marco de la «*presión y actividad conflictiva*» que una huelga siempre comporta (SSTS de 2 de febrero y de 24 de septiembre de 1987). El empresario podrá preguntar a los trabajadores si han participado o no en la huelga a efectos de realizar el descuento salarial correspondiente sin que ello implique intromisión en la libertad ideológica de éstos (STS (3ª) de 1 de octubre de 1992, Ar/7771).

En punto al salario, existe un principio de proporcionalidad aplicable a los posibles descuentos por huelga (STC, de 14 de junio de 1993 y SSTS de 1 de octubre de 1991. Ar/7190 o de 29 de septiembre de 1995, Ar/692), siendo atentatorio del derecho de huelga efectuar retenciones salariales superiores a la duración de la huelga (STC de 14 de junio de 1993).

El descuento proporcional afectará tanto al salario base —en metálico o en especie— como a todos los complementos salariales, con independencia de su origen (legal, convencional o contractual), incluidas las pagas extraordinarias y el salario de domingos y días festivos, excluyéndose únicamente las percepciones extrasalariales (STS de 29 de septiembre de 1995, Ar/6923).

De las distintas partidas salariales las hay que no plantean problema especial a efectos de descuento proporcional por huelga. Tal sucede con el salario base, dada su natural referencia a la unidad de tiempo, o con los complementos personales (STSJ de Andalucía/Sevilla, de 3 de abril de 1990, Ar/3832), de puesto de trabajo (STSJ de la Rioja, de 11 de noviembre de 1989, Ar/1378) o de residencia, de periodicidad mensual, cuya cuantía podrá reducirse en función de los días u horas dejadas de trabajar ese mes.

Mayores problemas plantean los complementos salariales en especie, determinados complementos salariales por cantidad o calidad de trabajo, las pagas extraordinarias y el salario correspondiente a los períodos de descanso computables como de trabajo (salarios de los descansos semanal y festivo y salario de vacaciones).

En cuanto al salario en especie, los Tribunales han considerado en ocasiones suspendido su disfrute (STCT de 23 de diciembre de 1987, AL/1988/6287, considerando que los derechos de los trabajadores de Renfe y sus familiares de viajar gratuitamente quedan en suspenso durante los días de huelga), planteando sin embargo mayores dudas la cesión de vivienda como parte del salario. En este caso, resultaría aplicable la doctrina jurisprudencial según la cual la suspensión del contrato de trabajo no permite el desalojo de la vivienda, a la vista de lo dispuesto en el art. 283 de la LPL, que únicamente permite el desalojo en el plazo de uno o dos meses a partir de la extinción del contrato de trabajo (SAN de 2 de noviembre de 1989, AL/1277).

Por lo que respecta a los complementos salariales por cantidad y calidad de trabajo, la dificultad en la aplicación del principio de proporcionalidad en los descuentos dependerá de la mayor o menor complejidad de los mismos. En los casos de percepción del incentivo en función del rendimiento (STCT de 20 de enero de 1986, Ar/543) o en el caso de comisiones por venta (STCT de 21 de febrero de 1984, Ar/1568) la aplicación es sencilla.

Los principales problemas se refieren a la posibilidad legal del establecimiento de descuentos salariales superiores a los proporcionales a la duración de la huelga con la intención de penalizar la huelga. Tal sucede con las «*primas antihuelgas*» y con determinadas «*primas de asistencia, puntualidad, permanencia o análogas*» o «*complementos antiabsentismo*» (SSTS de 26 de mayo de 1992, Ar/3605, de 22 de enero de 1993, Ar/257, de 27 de diciembre de 1993, Ar/3225 o de 5 de mayo de 1997, Ar/4615).

En cuanto a la licitud de las denominadas «*primas antihuelga*», esto es, de aquellos complementos salariales que premian a aquellos trabajadores que no han participado en las huelgas, la doctrina (CRUZ VILLALÓN y GOERLICH) y un sector jurisprudencial (SSTCT de 6 de mayo de 1986, Ar/3082 o de 17 de mayo de 1989, Ar/3327; STSJ de Madrid, de 18 de octubre de 1989, Ar/94, STSJ de navarra, de 5 de junio de 1990, Ar/2086 o STSJ de Cataluña, de 20 de enero de 1993, Ar/423. Ver, SSTS de 27 de diciembre de 1993, Ar/3225 y de 8 de marzo de 1996, Ar/1977) han negado su licitud en función de su carácter antisindical. Otro sector jurisprudencial, en cambio ha admitido su legalidad si introducidas por convenio colectivo, entendiendo que se trata de «*modalidades perfectamente lícitas del deber convencional de paz*» (STCT de 18 de octubre de 1988, Ar/472 o de 22 de noviembre de 1984, Ar/9182).

Por lo que se refiere a las primas de asistencia, puntualidad, permanencia o análogas, utilizadas como primas antihuelga —incluyendo las huelgas legales entre las ausencias no justificadas y perdiendo por ello el trabajador la totalidad de la prima o una parte de ella superior a la que corresponda proporcionalmente a la ausencia por huelga—, la jurisprudencia ha venido manteniendo la aplicación estricta del principio de proporcionalidad en los descuentos salariales. Y ello en base a tres argumentos:

1º) La naturaleza de derecho fundamental del derecho de huelga impide que su ejercicio pueda ser objeto de sanción disciplinaria, entendiéndose por tal los descuentos salariales (SSTCT de 5 de febrero de 1988, AL/390 o de 2 de noviembre de 1988, Ar/526).

2º) El carácter discriminatorio de tales medidas respecto de los trabajadores no huelguistas (STCT de 23 de mayo de 1986, AL/675).

3º) La analogía con la extinción del contrato de trabajo por absentismo del art. 52.d) del ET, donde no se computan como faltas de asistencia las ausencias debidas a huelga legal (SSTCT de 18 de abril de 1985, Ar/2866 o de 23 de mayo de 1986, AL/675).

Idéntica doctrina jurisprudencial viene aplicada a los complementos salariales vinculados al rendimiento cuando la reducción proporcional prevista sea superior a la duración de la huelga (STSJ de Castilla y León/Burgos, de 13 de noviembre de 1990, Ar/2383).

La STC de 14 de junio de 1993 ha incidido sobre esta materia afirmando, de un lado, la inadmisibilidad de las primas antihuelga por contrarias al derecho de huelga («*un incentivo que trate de recompensar la autolimitación a participar en la huelga, otorgando a ésta un efecto negativo mayor que el que cabe atribuir en razón a la proporcionalidad de sacrificios*» es contrario al art. 28.2 de la CE) y, de otro, que no son constitucionalmente ilegítimos los «*complementos antiabsentismo*», siempre que «*no graven especialmente la pérdida del tiempo empleado por el trabajador en la huelga*», lo que seguramente significa «*la necesidad de aplicar de forma inflexible el principio de no discriminación por el ejercicio del derecho fundamental*», esto es, que «*será admisible aplicar los complementos de asiduidad a los huelguistas sólo a condición de que otras ausencias justificadas al trabajo tengan el mismo tratamiento*» (GOERLICH).

En cuanto a las pagas extraordinarias, los Tribunales han aceptado unánimemente la aplicación de los descuentos proporcionales (por todas, SSTS, u.d., de 18 de abril de 1994. Ar/3256 o de 24 de enero de 1994. Ar/370), si bien el descuento no podrá hacerse antes de su devengo en el mes en que la huelga tuvo lugar (STS de 26 de mayo de 1992, Ar/3605), salvo en los casos en que el convenio colectivo hubiera establecido un prorrateo en las doce mensualidades (STSJ de Cantabria, de 23 de julio de 1991, Ar/4481). En todo caso, habrá que estar a lo que establezca el convenio colectivo aplicable en cuanto al sistema de devengo, pudiendo establecer éste la renuncia implícita del empresario a la repercusión de la huelga en los mismos, dada la redacción del precepto (SSTCT de 21 de noviembre de 1984, Ar/9180 o de 8 de febrero de 1985, Ar/1419).

Por lo que se refiere a la participación en beneficios, el Tribunal Supremo (STS, u.d., de 18 de abril de 1994, Ar/3256) ha entendido que los días de huelga deben repercutir sobre la participación en beneficios.

En cuanto a la retribución de los descansos, habrá que distinguir entre el descanso semanal y el festivo.

Por lo que respecta al descanso semanal, la doctrina y la jurisprudencia han interpretado mayoritariamente que tales descansos son retribuidos, que tal retribución se devenga durante el tiempo y los días en que efectivamente se presta trabajo (típicamente, de lunes a viernes) y que si en uno de los días laborables no se presta el trabajo por huelga, ello repercute en la retribución asignada a los días de descanso inmediatamente siguientes en la correspondiente proporción (por todas, SSTCT de 1 de marzo y 11 de abril de 1984, Ar/3012 y 3858 o de 15 de septiembre de 1986, Ar/7779).

Excepcionalmente, un sector de la doctrina (DEL VALLE) y alguna sentencia aislada (STCT de 29 de septiembre de 1986, Ar/8740) han defendido la inaplicabilidad del principio del descuento proporcional a la retribución por descanso semanal en caso de huelga, con base, fundamentalmente en dos argumentos:

1°) En primer lugar, el art. 44 del RD 2001/1983, de 28 de julio, donde se establece, al regular la retribución del descanso semanal, que *«la ausencia no justificada de horas de trabajo implica la pérdida proporcional del salario»*. Si ello es así, la ausencia por huelga legal no es una ausencia *«no justificada»* sino el ejercicio de un derecho fundamental.

2°) En segundo lugar, la analogía con la retribución de las vacaciones que, según jurisprudencia dominante, resulta *«impermeable»* a las huelgas.

La jurisprudencia posterior a esta sentencia ha vuelto, sin embargo, a la interpretación tradicional, entendiendo que *«durante los días de trabajo de la semana se va generando el derecho a la retribución del descanso semanal, por lo que la huelga provoca la pérdida proporcional del salario que corresponde a ese descanso»* (SSTS, u.d., de 18 de abril de 1994. Ar/3256 o de 13 de marzo de 2001, Ar/3178).

Obviamente, los días de descanso semanal coincidentes con los días de huelga serán irrelevantes a los efectos del descanso profesional, no perdiéndose toda retribución del descanso semanal si éste queda entre los días de huelga, con base en el principio de proporcionalidad en el descuento ya que *«bastará que exista algo de trabajo durante la semana para que no quepa la deducción íntegra»* del salario por descanso semanal (GOERLICH; STCT de 22 de junio de 1988, Ar/310).

La doctrina judicial aplicativa quiebra el principio de proporcionalidad al entender que el descuento de la retribución por descanso semanal ha de hacerse en proporción al día de huelga aunque se perdiera sólo unas horas (por todas, STCT de 27 de abril de 1988, Ar/185 o de 20 de junio de 1988, Ar/320. En contra, excepcionalmente, STCT de 23 de diciembre de 1987, Ar/29656).

Por lo que se refiere a la retribución de las fiestas laborales anuales del art. 37.2 del ET, la jurisprudencia considera que no son aplicables los descuentos proporcionales por huelga a los días festivos que caen fuera de los días en que se ha hecho huelga (por todas, STS, u.d., de 18 de abril de 1994. Ar/3256). Esta jurisprudencia argumenta, con dudoso fundamento dado su carácter salarial, que con la retribución de estas fiestas no se precisa un previo y determinado período de trabajo y que tales fiestas no obedecen a necesidades de descanso sino a conmemorar determinados días.

Ello no obstante, cuando el festivo es próximo a la huelga, ésta repercute sobre los salarios de aquél. Según los Tribunales (por todas, STSJ de Murcia, de 16 de mayo de 1990, Ar/2641, STSJ de Navarra, de 24 de mayo de 1991, Ar/3211 o SAN de 9 de octubre de 1991, AL/1992/257), *«la retribución de los festivos subsiguientes a los días en que aquella (la huelga) se realiza»* puede ser descontada por el empresario.

533. Los principios del cálculo del descuento salarial. El cálculo del descuento está sometido a una serie de principios elementales:

1°) El sistema de cálculo utilizado por el empresario no podrá repetir contablemente los conceptos computables. En este sentido, los Tribunales (STCT de 1 de marzo de 1984 o de 28 de septiembre de 1988) señalan que si los descuentos se calculan sobre el salario-hora anual no se podrá descontar además de los salarios por días festivos o de las pagas extraordinarias.

2°) El sistema de cálculo utilizado no podrá servir de excusa para incluir en los descuentos partidas excluibles o viceversa. En este sentido, los Tribunales (STSJ de la Comunidad Valenciana, de 28 de febrero de 1991, Ar/1578) señala que en el cálculo del valor hora trabajada no se incluirá la paga de vacaciones, concepto excluible según doctrina jurisprudencial.

3°) Naturalmente, el empresario puede renunciar a su facultad de descontar proporcionalmente los salarios por huelga en convenio colectivo, en contrato individual o por decisión unilateral, al no tratarse de materia de orden público y por tanto de derecho necesario absoluto (SSTCT de 2 de noviembre de 1982 o de 28 de mayo de 1985).

4°) El descuento erróneo practicado por la empresa, en caso de ser menos del posible legalmente, no genera una condición más beneficiosa para los trabajadores afectados (STCT de 11 de mayo de 1988, RL/1989/2).

5°) Finalmente, habrá que señalar que los Tribunales (SSTCT de 28 de febrero de 1980 o de 30 de noviembre de 1981) no ha aceptado el juego de la *«exceptio inadimpleti contractus»*, según la cual en caso de previo incumplimiento empresarial estaría justificada contractualmente la abstención del trabajador, pudiendo entonces el trabajador exigir el salario de este tiempo muerto laboral. Tan sólo en los casos expresamente previstos por la ley (art. 19 del ET) podría jugar la excepción.

534. La suspensión contractual y las vacaciones retribuidas. El tiempo de suspensión del contrato por causa de huelga legal se computará a efectos de calcular la duración de vacaciones y su retribución, configurándose así un *«principio de impermeabilidad»* de las vacaciones respecto de las huelgas legales (GOERLICH).

Se trata de un principio interpretativo jurisprudencial unánimemente aceptado (por todas, STS de 11 de octubre de 1994; STSJ de Castilla-La Mancha, de 6 y 8 de febrero de 1991, Ar/1583 y 1585), que ha sido declarado de derecho necesario, sin que pueda desvirtuarse por pacto colectivo en contrario (SSTCT de 18 de marzo de 1985, Ar/2263 o de 11 de noviembre de 1980, Ar/6270), en base a diversos argumentos:

1º) La imposibilidad de equiparación teleológica del descanso derivado de la huelga y del derivado de las vacaciones (por todas, STCT de 15 de octubre de 1980, Ar/5506).

2º) Los descuentos de los días de vacaciones o del salario correspondiente a las mismas supondrían una sanción y no es posible sancionar el ejercicio de un derecho constitucional (por todas, STSJ de Castilla-La Mancha, de 6 de febrero de 1991, Ar/1583).

3º) El carácter atípico de la huelga como supuesto suspensivo (por todas, STCT de 4 de febrero de 1980, Ar/1233).

4º) El Convenio nº 132 de la OIT que obliga a computar como trabajo efectivo *«las ausencias del trabajo por motivos independientes de la voluntad de la persona interesada»* (art. 5.4), entendiéndose que el carácter colectivo de una huelga no resulta reconducible a las ausencias voluntarias individuales (por todas, STCT de 8 de julio de 1980, Ar/1952).

Ninguno de estos argumentos resulta suficientemente convincente, pudiendo afirmarse que tal doctrina de la *«impermeabilidad»* de las vacaciones responde más al *«voluntarismo judicial»*, si bien se trate de un principio comúnmente admitido en nuestro ordenamiento (SEMPERE).

Ello no obstante, la doctrina jurisprudencial de la impermeabilidad de la retribución de las vacaciones por causa de huelga legal viene matizada en el sentido de condicionarla a que la huelga no tenga una duración excesiva que la convierta en irrazonable o absurda (SSTCT de 10 de marzo de 1980, Ar/1946, de 26 de enero de 1992 o de 26 de abril de 1993).

535. La suspensión contractual y el absentismo, la antigüedad y el poder disciplinario empresarial. El período de huelga legal tampoco se computará a efectos del absentismo previsto en el art. 52.d) del ET, como causa objetiva de extinción del contrato, *«ya que en una correcta interpretación del derecho de huelga, las ausencias por tal motivo (no deben computarse) ya que (de hacerlo) se configuraría como una falta sancionable en lugar de como un derecho fundamental recogido en el art. 28.2 de la Constitución»* (SSTCT de 20 de septiembre de 1983, de 18 de abril de 1985 o de 24 de octubre de 1985).

En cuanto al cómputo de la antigüedad, el período de huelga legal resulta incluible, a juicio de la doctrina (GARCÍA BLASCO, OJEDA y GOERLICH) y de los tribunales (STCT de 24 de enero de 1985, Ar/441), basándose en su carácter suspensivo y en su naturaleza de derecho fundamental constitucionalmente reconocido.

Naturalmente, el carácter legal de la huelga no excluye la posibilidad de imponer sanciones, incluido el despido, si el trabajador huelguista durante la huelga incurriera en incumplimiento contractual grave (art. 6.1 del RDLRT) (por todas, SSTS de 29 de septiembre y de 4 de octubre de 1995, Ar/6293 y 7192), si bien las faltas habrán de ser valoradas en el marco de *«la presión y actividad conflictiva»* que una huelga siempre comporta (STS de 24 de septiembre de 1987, Ar/6388).

536. Los efectos de la huelga legal sobre la Seguridad Social. En punto a la Seguridad Social, el art. 6.3 del RDLRT señala que el trabajador en huelga permanece en situación de alta especial, con suspensión de la obligación de cotizar por parte del empresario y del propio trabajador, sin derecho a la prestación por desempleo ni a la económica por incapacidad temporal. Sí, *«a sensu contrario»*, tendrá derecho a las prestaciones de asistencia sanitaria en situación de incapacidad temporal.

En los casos de huelgas que no alcancen una jornada completa, la Resolución de la Secretaría General de la Seguridad Social de 5 de marzo de 1985 ha señalado que *«los trabajadores permanecerán en situación de alta ordinaria en la Seguridad Social durante toda la jornada, con independencia del número de horas trabajadas»*, pero la cotización habrá de hacerse tan solo por los salarios realmente percibidos.

Cuando el empresario no cumpliera los trámites establecidos para la situación de alta especial, —presentación ante la Entidad Gestora de una relación nominal de los trabajadores en huelga, con indicación del número de afiliación, la fecha del cese en el trabajo y las razones que lo motivaron en el plazo de 5 días naturales contados a partir del siguiente al del cese en el trabajo (art. 1.2 del OM de 30 de abril de 1977)—, continuaría lógicamente la situación de alta ordinaria manteniéndose las obligaciones de cotización empresarial y laboral por los días no trabajados por causa de la huelga.

Por lo que se refiere a la pérdida del derecho a la prestación económica por incapacidad temporal, habrá que matizar:

1º) Que el trabajador tendrá derecho a tal prestación cuando tal contingencia se hubiera producido antes de la huelga (art. 2 de la OM de 30 de abril de 1977).

2º) Que esta pérdida no se produce cuando la duración de la huelga no alcance una jornada completa por cuanto la situación de alta ordinaria continua, si bien el importe del subsidio en estos casos «se reducirá *en la misma proporción en que se haya reducido la jornada ordinaria de trabajo*» (Resolución de la Secretaría General de la Seguridad Social de 5 de marzo de 1985).

3º) Que en el caso de existencia de pluriempleo no se perderá el derecho al subsidio por incapacidad temporal cuando la huelga solo se refiera a una de las empresas en las que trabaja (GARCÍA BLASCO y GOERLICH).

4°) Que en los supuestos en que exista la necesidad de internamiento hospitalario y/o intervención quirúrgica, tampoco se perderá el derecho al subsidio por incapacidad temporal (DE LA VILLA, GARCÍA BLASCO y GOERLICH).

GOERLICH apunta la posibilidad de considerar inconstitucional el art. 6.3 del RDLRT *«por desconocer el carácter individual del derecho de huelga, presumiendo injustificadamente la voluntad de continuar en la misma a todos y cada uno de los trabajadores que inicialmente se adhirieron»*, denunciando que el objetivo perseguido por esta norma —*«evitar que, a través de la simulación o el fraude, pueda obtenerse el apoyo financiero de la seguridad social con claro menoscabo de las finalidades de esta última»*—, no justifica la ilegitimidad del medio utilizado.

En cuanto a la inexistencia del derecho a la prestación por desempleo, habrá que señalar, con la OM de 30 de abril de 1977, que *«el trabajador no tendrá derecho a prestaciones por desempleo por el hecho mismo de la suspensión de su contrato de trabajo, originada por el ejercicio del derecho de huelga»* (art. 4), lo que no impide, *«a sensu contrario»*, que puedan producirse en paralelo situaciones suspensivas o extintivas con derecho al desempleo.

Por lo demás, la falta de cotización durante la situación de alta especial derivada de la huelga legal repercutirá tanto sobre los periodos previos de cotización exigidos para causar derecho a determinadas prestaciones cuanto sobre la cuantía de las prestaciones mismas calculadas normalmente en atención a la cotización. En este sentido se manifiesta la STC de 3 de febrero de 1984 considerando que el no cómputo del período de huelga legal en el período previo de cotización exigido para devengar la prestación por desempleo no contradice el contenido esencial del derecho de huelga (en contra, GARCÍA BLASCO y GOERLICH).

Con posterioridad, sin embargo, se han publicado ciertas disposiciones normativas que han dulcificado esta doctrina del Tribunal Constitucional. Así, el art. 3.3 del RD 625/1985, de 2 de abril ha señalado que *«para determinar el período mínimo de cotización de 180 días, se asimilarán a cotizaciones efectivamente realizadas el tiempo de cierre patronal o huelga legales»*. Y la Resolución de la Secretaría General de la Seguridad Social de 5 de marzo de 1985 que *«cuando la situación de ILT se inicie dentro del mes siguiente a aquel en que se produjo esta situación de huelga (que no alcanza la totalidad de cada jornada), para la determinación de las bases reguladoras de la prestación… se tendrá en cuenta el promedio de cotización de aquellos días en que no hubiere existido cotización para el por esta causa. Si la situación abarca todo el mes o meses completos, se tomará el último en que hubiese existido obligación de cotizar plenamente»* (regla cuarta).

La STC de 28 de febrero de 1981 ha señalado que, en una interpretación favorable al derecho fundamental de huelga, debe aplicarse a la huelga la retroacción prevista en el art. 3 del RD 625/1985, a efectos de las prestaciones de desempleo (en el mismo sentido, las dos SSTC de 8 de julio de 1991).

2.2. Los efectos de la huelga ilegal

537. Los efectos de la huelga ilegal: la suspensión o la extinción contractual. Las ausencias por huelga ilegal, al no derivar del ejercicio de un derecho fundamental, se consideran injustificadas. Por ello, la huelga ilegal, al contrario que la legal, será causa de sanción disciplinaria que puede llegar al despido si la participación del trabajador en la misma ha sido activa (art. 16 del RDLRT y 54 del ET), siendo simple causa de suspensión del contrato en caso de que el empresario no procediese al despido, al igual que en el supuesto de huelga legal (STCT de 8 de julio de 1981) pese a no figurar en la relación de los supuestos de suspensiones del art. 45.1 del ET.

538. La extinción contractual. La «*participación activa*» y el despido disciplinario. A los efectos de la admisión de la procedencia de un despido disciplinario por huelga ilegal, la jurisprudencia ha seguido una «*doctrina gradualista*» de considerar restrictivamente causa de despido tan solo la «*participación activa*» del trabajador en la huelga. La jurisprudencia ha venido entendiendo por tal:

a) La instigación o inducción a la huelga: «*Solo cabe despedir al trabajador que hubiere participado activamente, instigando o induciendo a los demás a iniciar la huelga u obrando caracterizadamente en la prolongación o endurecimiento de la misma… pues no es dable exigir a algunos conductas distintas a las de los demás, incluso por el riesgo personal que pudiera comportar el adoptar y mantener una actividad diferente, de forma que los que interviniesen en el conflicto como instigadores, su participación debe ser calificada de «activa», mientras que aquellos otros que no hubieran incitado el paro, sino que una vez iniciado este se limitan a adherirse al mismo, sin tener conducta destacada en el mismo, es claro que su participación no pasa de ser meramente pasiva*» (por todas, SSTS de 17 de abril de 1986, Ar/2196, de 28 de noviembre de 1988, Ar/8898 o de 17 de octubre de 1990, Ar/7929).

b) El formar parte de piquetes violentos, aun cuando no se demuestre la actuación violenta individualizada (STSJ de Galicia, de 18 de marzo de 1991, Ar/1771, STSJ de Madrid, de 7 de octubre de 1991, Ar/5900 o STSJ de Cantabria, de 11 de noviembre de 1991, AL/1992/245).

c) Cualquier tipo de singularización o individualización en una huelga: Haber secundado la huelga de solidaridad tan solo dos de 9 trabajadores (STCT de 12 de enero de 1982, Ar/20) o haber acudido al centro de trabajo en huelga el día libre para animar a sus compañeros de huelga (STCT de 2 de febrero de 1982, Ar/543).

Por lo demás, «*si bien es cierto que el ET no ha recogido específicamente en su art. 54 la participación activa en huelga ilegal como justa causa, no lo es menos*

que tal conducta ha de estimarse incluida en alguna de las reguladas en dicho pre-
cepto, según sea la conducta observada por los trabajadores en la huelga, o en la
indisciplina o desobediencia o en la transgresión de la buena fe contractual» (STS
de 10 de mayo de 1984. Ar/3009).

539. La suspensión contractual y el juego del poder disciplinario. Para el caso
de que el empresario no hubiera podido o querido proceder al despido disciplinario y el contrato se encontrara simplemente suspendido, este podrá imponer
otras sanciones disciplinarias distintas del despido, aunque la ley nada diga, en la
medida en que existe un incumplimiento previo del trabajador huelguista consistente en ausencias injustificadas por razón de la huelga. Las normas aplicables en
tal caso serán el art. 58 del ET y las disposiciones convencionales sobre faltas y
sanciones (STS de 17 de abril de 1986, Ar/2196).

Ello no obstante, podrían plantearse problemas en orden a la imposición de
sanciones disciplinarias en los casos en que no se demostrase la existencia de
«participación activa» en la huelga del lado de la imputabilidad de la conducta,
dado que deberá existir dolo o negligencia en la conducta del trabajador. GOER-
LICH apunta, en este sentido, la imposibilidad de sanciones, por no encontrar los
elementos subjetivos de la imputación en la mera adhesión a una huelga ilegal,
cuando el trabajador no está en posición de controlar las fuentes de las que puede
nacer su ilegalidad (caso de huelgas declaradas ilegales por incumplimiento de
formalidades imputables a los sujetos colectivos o en razón de las conductas ob-
servadas por otros trabajadores).

**540. Los acuerdos de finalización de la huelga, el principio de no discrimina-
ción y el poder disciplinario.** Siendo frecuentes los acuerdos de finalización de la
huelga entre el comité de huelga y el empresario, cabría plantear el problema de
su licitud.

En este sentido, nada que objetarles (STCT de 12 de noviembre de 1981), admitiéndose la renuncia empresarial por esta vía a su facultad disciplinaria. Consiguientemente, en caso de incumplimiento unilateral del mismo por parte del
empresario, habrá que entender ilegítimas las sanciones impuestas (GOERLICH;
STCT de 19 de noviembre de 1982).

Cuestión distinta será la del juego del principio de no discriminación en el
ejercicio del poder disciplinario empresarial derivado de huelga ilegal de sus trabajadores. La doctrina (GARCÍA BLASCO) y la jurisprudencia (SSTS de 12 de
julio de 1986, Ar/4032 o de 18 de septiembre de 1989, Ar/6450) aplican el principio de igualdad de trato al exigir al empresario la prueba de la justificación de
la desigualdad.

541. Los efectos sobre los salarios y la Seguridad Social. En cualquier caso —extinción o suspensión contractual, con o sin sanciones disciplinarias— los efectos de la huelga ilegal sobre los salarios serán los mismos que en el supuesto de huelga legal —pérdida proporcional de los salarios— si bien aplicados con un mayor rigor, esto es, permitiendo el juego de las *«primas antihuelga»* y de las *«primas de asistencia»* (GOERLICH y GARCÍA BLASCO) (SSTCT de 5 de febrero de 1987, Ar/4534 o de 25 de mayo de 1987, Ar/11674 y SAN de 23 de abril de 1991) y afectando la huelga a la duración y retribución de las vacaciones permitiendo su descuento (SSTCT de 29 de febrero de 1981, Ar/1259, de 1 de abril de 1984, Ar/2963 o de 18 de mayo de 1988, Ar/783).

En este último sentido, sería también posible jurisprudencialmente (STCT de 5 de noviembre de 1984, Ar/9121) descontar únicamente la retribución y no el período de las vacaciones en el caso de cierre del centro de trabajo por vacaciones del personal. En todo caso, el descuento de las vacaciones no debe ser considerado como una sanción disciplinaria, sino como el juego normal de los principios sinalagmáticos contractuales (GOERLICH) ya que, en caso contrario, vendría prohibido por la ley (art. 58.3 del ET).

Por lo demás, los efectos de la huelga ilegal sobre la seguridad social en caso de simple suspensión contractual serán los mismos que los descritos para la huelga legal, esto es, situación de alta especial e inexistencia de derecho a las prestaciones por desempleo y por incapacidad temporal, salvo las sanitarias (GOERLICH; en contra, defendiendo la posibilidad de dar de baja al trabajador con base en la OM de 30 de junio de 1977, ALONSO OLEA, GARCÍA BLASCO y OJEDA).

3. Sobre otras empresas

542. La huelga como causa de fuerza mayor temporal en otras empresas. Una huelga en una empresa o sector puede afectar a la actividad de otras empresas, bien impidiendo el acceso al trabajo de los trabajadores (caso de las huelgas en transportes públicos), bien afectando a los suministros de materias primas, de electricidad, agua, gas, etc.

El Tribunal Supremo ha considerado en este sentido que una huelga anunciada con el preaviso correspondiente no puede ser considerada una fuerza mayor (STS de 27 de diciembre de 2001, Ar/7463).

EL CIERRE PATRONAL

SUMARIO: I. CONSIDERACIONES GENERALES. II. FUNDAMENTO CONSTITUCIONAL. III. REGULACIÓN LEGAL. 1. Las causas del cierre patronal. 2. El procedimiento del cierre patronal. 3. La finalización del cierre patronal. 4. Los efectos del cierre patronal.

I. CONSIDERACIONES GENERALES

543. Significado del cierre patronal y sus clases. El cierre patronal es un medio de presión laboral utilizado por un empresario, consistente en el cierre temporal de sus centros de trabajo, con la consiguiente imposibilidad para los trabajadores de realizar su trabajo y de cobrar su salario, con la finalidad de imponer a éstos determinadas condiciones laborales, impedir una huelga, presionar para que se ponga fin a la misma o sancionar a los huelguistas (STS de 31 de marzo de 2000, Ar/7403) (cierre patronal ofensivo), de responder a una huelga o a cualquier otro medio de presión de los trabajadores (cierre patronal defensivo), por solidaridad (cierre patronal de solidaridad), o por móviles políticos (cierre patronal político). Lo importante es que concurra una finalidad de lucha sindical (GONZÁLEZ ORTEGA).

No constituye cierre patronal la clausura temporal de un centro de trabajo por motivos ajenos a los enumerados. Así, por ejemplo, por decisión de la Administración Pública cuando concurran infracciones de excepcional gravedad en materia de seguridad y salud laboral o por decisión autorizada de la propia empresa basada en causas económicas, técnicas, organizativas o de producción o en fuerza mayor. En estos últimos casos habrá que estar a la legislación laboral correspondiente acerca de los derechos y obligaciones de empresarios y trabajadores mientras dura tal situación, pudiendo configurar, según los casos, un supuesto de «*mora accipiendi*» empresarial (arts. 30 ET y 21.4 LPRL) o de suspensión contractual (art. 45.1.i) y j) ET).

El cierre patronal puede ser total o parcial, según afecte a toda la empresa o a parte de ella (un centro de trabajo, por ejemplo).

544. La huelga y cierre patronal no son equiparables. No es posible equiparar el cierre patronal a la huelga por cuanto no son idénticas las posiciones contractuales en que se encuentran los empresarios y los trabajadores. La huelga es el contrapeso destinado a compensar colectivamente la situación económica de inferioridad individual de los trabajadores en las relaciones laborales. El cierre patronal, por el contrario, es un *«plus»* de poder para quien se encuentra en una situación de superioridad individual en la relación contractual.

La doctrina de la *«igualdad de armas»* entre empresarios y trabajadores a los efectos de una regulación paritaria de los derechos de cierre patronal y huelga sólo se corresponde con una filosofía liberal radical de las relaciones laborales (GIUGNI).

II. FUNDAMENTO CONSTITUCIONAL

545. El art. 37.2 de la CE y el derecho de cierre patronal. No existe, ciertamente, un explícito derecho de cierre patronal en nuestra Constitución. Tan sólo, en el art. 37.2 se reconoce *«el derecho de los empresarios a adoptar medidas de conflicto colectivo»* y, más tarde, se señala que *«la ley que regule el ejercicio de este derecho, sin perjuicio de las limitaciones que pueda establecer, incluirá las garantías precisas para asegurar el funcionamiento de los servicios esenciales de la comunidad»*.

Implícitamente, sin embargo, con este precepto, la Constitución está reconociendo el derecho del empresario al cierre patronal, porque ¿qué otra medida de conflicto colectivo adoptada por el empresario puede necesitar de una ley que asegure el funcionamiento de los servicios esenciales de la comunidad? (DIÉGUEZ). Todas las medidas imaginables de autotutela empresarial colectiva (acuerdos restrictivos de la competencia entre empresarios durante la huelga, pactos para constituir fondos comunes de compensación del riesgo de huelga, bloqueo de las colocaciones, amenaza de aumentar los precios, etc.) son absolutamente inocuas en relación con el mantenimiento de los servicios esenciales para la comunidad.

Ello no obstante, de mantenerse únicamente la constitucionalidad del cierre patronal defensivo por razones de policía empresarial (defensa de personas y de cosas), no queda clara tampoco la referencia al mantenimiento de los servicios esenciales para la comunidad, a no ser que ello signifique la imposibilidad pura y simple del cierre patronal, aún defensivo, en los servicios esenciales o la necesidad de buscar una protección alternativa de las personas y de las cosas (intervención policial, sustitución de trabajadores o militarización).

546. Las características generales del derecho al cierre patronal. Ahora bien, por su ubicación en la Sección 2 del Capítulo 2º del Título I y no ser un derecho fundamental, el derecho de cierre patronal posee un reconocimiento constitucional inferior al derecho de huelga, derecho fundamental ubicado en la Sección I del Capítulo 2º del Título I.

En consecuencia, el derecho constitucional al cierre patronal podrá ser regulado por ley ordinaria y no estará constitucionalmente garantizado por una tutela procesal especial (art. 53.2 CE), esto es, por un procedimiento preferente y sumario y por el recurso de amparo (STC 191/1987, de 1 de diciembre).

Además, la ley que regule el cierre patronal podrá —a diferencia de lo que sucede con la huelga—, establecer las *«limitaciones»* que estime oportunas, según el art. 37.2 de la CE (RAMÍREZ).

547. La posición del TCO: La STC de 8 de abril de 1981. La STC de 8 de abril de 1981, señala en su fundamento jurídico nº 22 que la Constitución española *«ha incluido el lock-out entre las medidas generales de conflicto en el art. 37»*, despejando las incógnitas acerca del reconocimiento constitucional del derecho.

Si bien la propia STC se encarga de matizar suficientemente la naturaleza de esta inclusión al señalar con carácter general que ello no significa el establecimiento del *«principio de paridad de trato»* entre derecho de huelga y derecho al cierre patronal. Así:

«El hecho de situar en planos distintos las medidas de conflicto colectivo (art. 37) y el derecho de huelga (artículo 28), destacando éste y haciéndolo autónomo respecto de aquéllas, permite concluir que la Constitución española, y por consiguiente, el ordenamiento jurídico de nuestro país no se funda en el principio que con expresión alemana se conoce como de la Waffengleichheit, también llamado de la Kampfparitat, esto es, de la igualdad de armas, de la paridad en la lucha, de la igualdad de trato o del paralelo entre las medidas de conflicto nacidas en campo obrero y las que tienen su origen en el sector empresarial. Frente a esta pretendida equiparación, se ha señalado, con acierto, que hay muy sensibles diferencias entre los tipos de cesación o de perturbación del trabajo que pueden tener su origen en uno y otro sector. En particular, esta cuestión se plantea —y en el recurso se suscita de manera directa—, respecto del lock-out, que entre nosotros se suele conocer en la actualidad con el nombre de cierre patronal. El paralelo entre ambas prácticas ha tratado de establecerse viendo en el cierre o lock-out una huelga de patronos. Sin embargo, como decíamos, las diferencias entre una y otra figura son importantes y de ella se deduce que el régimen jurídico de una y otra figura debe ser distinto. Esta ha sido sin duda la idea básica del constituyente español, que ha reconocido la huelga como un derecho fundamental autónomo en el art. 28, mientras que ha incluido el lock-out entre las medidas generales de conflicto en el artículo 37».

Tras marcar las diferencias entre el cierre patronal y las huelgas, establece la STC la prohibición de los cierres patronales ofensivos (*«en el cierre no hay reivindicación sino defensa»*), admite los cierres patronales defensivos justificándolos en el poder de policía del empresario (*«el cierre no es contrario a nuestra Cons-*

titución como poder de policía para asegurar la integridad de personas y bienes, siempre que exista una decidida voluntad de apertura del establecimiento una vez desaparecido el riesgo;...limitado al tiempo necesario para remover tales causas y para asegurar la reanudación de la actividad») y limita la admisión de los cierres patronales defensivos en base al derecho de huelga *(«es contrario a la Constitución todo tipo de cierre que vacíe de contenido o impida el derecho de huelga»).* Así pues, no parece reconocer licitud a aquellos cierres defensivos frente a huelgas lícitas cuando éstas no pongan en peligro la integridad física de las personas y de los bienes de la empresa (VALDÉS).

Consiguientemente, si solamente se admite el cierre patronal defensivo, no será posible un cierre patronal de ámbito superior a la empresa, estando legitimado únicamente para hacerlo el empresario y no una asociación empresarial, lo que le distinguiría adicionalmente de la huelga.

De tal doctrina, deduce el Tribunal Constitucional la constitucionalidad de la potestad de cierre de los empresarios tal y como se reconoce en el art. 12 del RDLRT, si bien los criterios interpretativos establecidos en la Sentencia serán de *«manejo obligado cuando se trate de calificar este tipo de medidas adoptadas por el empleador».*

III. REGULACIÓN LEGAL

548. Normativa aplicable. La normativa actualmente aplicable al cierre patronal se encuentra en los arts. 12 a 15 del RDLRT, reinterpretados a la luz de lo señalado por la STC de 8 de abril de 1981.

1. *Las causas del cierre patronal*

549. El art. 12 del RDLRT Las causas del cierre patronal y su interpretación. El art. 12 del RDLRT admite únicamente el cierre patronal defensivo frente a huelgas o irregularidades colectivas en el trabajo (impedir el acceso al trabajo de los no huelguistas: STCT de 1 de octubre de 1987, Ar/23643; impedir la salida de la empresa de cualquier material: STSJ País Vasco, de 13 de junio de 1992, Ar/1297) que impliquen:

a) Notorio peligro de violencia para las personas o daño grave para las cosas.

b) Ocupación ilegal del centro o de sus dependencias.

c) Irregularidades en el trabajo que impidan gravemente el proceso normal de producción.

Quedan, pues, prohibidos los cierres ofensivos (por todas, STCT de 1 de octubre de 1987, Ar/23643), los cierres de solidaridad (STC de 22 de septiembre de 1987) y los cierres motivados por fines políticos.

Se trata, por lo demás, de causas independientes entre sí, legitimando el cierre patronal cualquiera de ellas, sin que sea necesario que concurran todas a la vez (SSTS de 14 y 17 de enero de 2000, Ar/977 y 1429 o de 30 de marzo de 2000, Ar/7403).

Así pues, la doctrina consolidada jurisprudencialmente podría resumirse así: la licitud del cierre patronal no depende de la legalidad o ilegalidad de la huelga que lo haya podido provocar sino de que esa medida esté incursa en alguno de los tres supuestos contemplados en el art. 12 del RDLRT, si bien la legalidad o ilegalidad de la huelga constituyen uno de los indicios más importantes para la calificación jurídica del cierre (SSTSJ del País Vasco, de 13 de febrero de 1990, Ar/342 o de Canarias, de 8 de febrero de 1991, Ar/1544).

Los cierres patronales ofensivos están pues prohibidos, considerándose como tales los mantenidos después de finalizada una huelga a modo de sanción contra la misma, para privar del salario a los trabajadores (STS de 31 de marzo de 2000, Rec. 1999/2075) o el producido como represalia por la previa huelga celebrada en la empresa (STSJ de Castilla/León, de 14 de septiembre de 1993, Ar/4906).

También están prohibidos los cierres de solidaridad (STC de 22 de septiembre de 1987) y los cierres motivados por razones políticas.

550. El cierre patronal por razones de seguridad. La primera de estas causas (el cierre por razones de seguridad) configura un supuesto que corresponderá probar al empresario, sin que valgan las meras sospechas (GARCÍA NINET), exigiéndose la presencia de una amenaza real, grave e inminente de daños en las personas o en las cosas (VALDÉS) (SSTS de 14 y 17 de enero de 2000, Rec. 2478/1999 y 2597/1999).

En ella aparece claramente justificada la actuación empresarial como *«poder de policía»*. Obsérvese que el RDLRT habla de gravedad en el daño a las cosas y de notorio peligro de violencia para las personas (IGLESIAS CABERO, RUIZ CASTILLO).

Se ha señalado, discutiblemente, que sólo debe calificarse lícito un cierre patronal por esta causa cuando el empresario no pueda conjurar el peligro por otras vías legales (denuncias, recurso a la fuerza pública) (GARCÍA NINET).

La jurisprudencia ha considerado legales los cierres producidos con motivo de una huelga con ocupación de centros de trabajo acompañada de insultos graves al director (con piquetes violentos) (STCT de 20 de enero de 1986, Ar/544); en una huelga minera de picadores, tractoristas, maquinistas y frenistas pues sin ello *«no hay producción... y no se puede retirar ni transportar el mineral de carbón y su acumulación en el interior puede ser peligroso para la vida de los trabajadores»* (STCT de 24 de abril de 1984, Ar/38859). Será normalmente la presencia de piquetes violentos la que justifique el cierre patronal.

Cuando el peligro de violencia o daños graves no provengan de los trabajadores sino de elementos extraños a la empresa, si bien la suspensión de actividades puede estar justificada, *«no puede hacerse recaer sobre los trabajadores ajenos a los acontecimientos los efectos negativos de la situación concretados en el no devengo de salarios… (ya que) constituye un principio elemental de justicia que el que quiso trabajar y no pudo por causas ajenas a su voluntad no deje de percibir la compensación salarial»* (STSJ Madrid, de 12 de enero de 1990), lo que es tanto como afirmar que en tal caso el cierre del centro no puede ser calificado de cierre patronal.

La doctrina judicial (STCT de 8 de julio de 1988, Ar/4882) ha admitido la licitud del cierre patronal posterior a una huelga cuando esta ocasionó tales daños que impedían la reanudación del trabajo en la empresa. Pero no admitió la legalidad del cierre patronal por la existencia de actos violentos y daños producidos en huelgas anteriores, cuando en la actual huelga no existe un notorio peligro de violencia para las personas o daños graves para las cosas (STS de 5 de octubre de 1998, Ar/7314).

551. El cierre patronal por ocupación de locales. La segunda causa (la ocupación ilegal de locales) está íntimamente relacionada con la regulación de la huelga con ocupación de locales del art. 7.1 del RDLRT.

Todo lo señalado respecto de esta modalidad de huelga por la STC de 8 de abril de 1981, matizando la prohibición legal deberá ser tenido en cuenta respecto de esta causa de cierre patronal (solo serán ilícitas las ocupaciones con violencia o que atenten contra los derechos de los no huelguistas, siendo lícitas las ocupaciones en ejecución del derecho de reunión) (ver supra).

Ello habrá de conducir, necesariamente, a una interpretación restrictiva de la causa legal, siendo realmente la seguridad de las personas y cosas más que la ocupación en sí, el presupuesto habilitante del cierre patronal, esto es, la existencia de un deber empresarial de policía, confundiéndose así esta causa con la anterior (VALDÉS, CRUZ VILLALÓN, RUIZ CASTILLO).

En este sentido se ha expresado la doctrina judicial (STCT de 3 de mayo de 1982, Ar/3829) al declarar ilegal el cierre cuando la ocupación se limitó a los pasillos y escalera de la oficina, sin ejercer violencia sobre las personas ni producir daños en las cosas (STCT de 8 de julio de 1983, Ar/7277).

552. El cierre patronal por alteraciones graves del proceso productivo. Por lo que se refiere a la tercera causa (las alteraciones del proceso productivo), la STC de 8 de abril de 1981 resulta a mi juicio incongruente entre la doctrina que vierte en el fundamento jurídico nº 22 y el fallo declarándola constitucional, ya que la causa c) del artículo 12 del RDLRT no constituye un ejercicio efectivo y real del poder de policía, pudiendo el empresario impedir el derecho de huelga o vaciarlo de contenido, por cuanto no se exige que la huelga que dé lugar a tales inasistencias o irregularidades en el trabajo sea ilegal, cabiendo en consecuencia, un cierre patronal lícito frente a una huelga lícita (STCT de 22 de julio de 1987, Ar/17729) y también un cierre patronal ilícito frente a una huelga ilícita (STCT de 22 de noviembre de 1984, Ar/9183).

Así, en este último sentido, el hecho de que la huelga sea ilegal por falta de preaviso o por incumplimiento de los servicios de mantenimiento y seguridad (STS de 31 de marzo de 2000, Ar/7403) no justifica por sí solo el cierre patronal.

En esta tercera causa, el RDLRT exige que las irregularidades *«impidan gravemente el proceso normal de producción»*.

Esta gravedad viene valorada por los Tribunales en cada caso concreto, habiéndose sentado la doctrina judicial de que existe tal cuando se producen perjuicios reales adicionales a los derivados de una huelga, *«no bastando a tal efecto con que el proceso productivo resulte impedido simplemente, pues es ésa una consecuencia obligada de la huelga,… ya que todo paro laboral, en mayor o menor medida, imposibilita o dificulta la producción, al tiempo que origina perjuicios económicos al empresario y a los trabajadores»* (STCT de 29 de marzo de 1989, Ar/144 o SSTSJ de Canarias/Tenerife, de 20 de diciembre de 1999, Ar/4470 o de Extremadura, de 17 de septiembre de 2002, Ar/1079). Así, *«la licitud del cierre depende de que el número de ausencias al trabajo sea de tal magnitud que, bien por razones cualitativas, cuando los huelguistas ocupen puestos neurálgicos en la cadena de producción, bien por puras razones cuantitativas, impidan el proceso productivo hasta el punto de que no sea posible dar ocupación efectiva a quienes ejercen su derecho al trabajo»* (SSTS de 14 y 17 de enero de 2000, Ar/977 y 1429).

Las irregularidades en el trabajo debidas a huelgas intermitentes son para muchas sentencias causas de cierre patronal lícito *«ex art. 12 c) del RDLRT»* no tanto por ser huelgas intermitentes sino por *«paralizar la actividad laboral no sólo en las fechas de las mismas sino también en las «intermedias» o «por el desproporcionado efecto multiplicador de la suspensión de la huelga en días aislados»*, que atacan la idea de la proporcionalidad en el daño, *«impidiendo gravemente el proceso normal de producción»* (STC 240/1992, de 21 de marzo o STSJ del País Vasco, de 13 de febrero de 1990, Ar/342). Lo mismo sucede con las huelgas rotatorias (STCT de 27 de abril de 1981, Ar/2793).

553. La exigencia constitucional de garantizar los servicios esenciales para la comunidad. Por lo demás, la exigencia constitucional de garantizar los servicios esenciales para la comunidad (art. 37.2 CE) (ver supra), que habrá de ser respetada en todo caso, impedirá en ocasiones el ejercicio del derecho de cierre patronal defensivo, debiendo acudirse a otros procedimientos alternativos, tales como la contratación de trabajadores, la utilización de mano de obra pública, la militarización, etc. (MARTÍN VALVERDE Y GARCIA MURCIA).

2. El procedimiento del cierre patronal

554. Comunicación a la autoridad laboral. El art. 13.1 del RDLRT establece solamente como condición para la licitud del cierre patronal la obligación del empresario de ponerlo en conocimiento de la autoridad laboral en el término de 12 horas. El RDLRT no exige formalidad alguna, iniciándose el cómputo de las doce horas desde el momento del cierre del centro. No se exige, pues, la autorización administrativa previa (STCT de 12 de julio de 1979, Ar/4920).

La simple comunicación del cierre por sí sola no legitima el cierre patronal sino que *«lo que lo hace válido y susceptible de practicar los efectos previstos es la concurrencia de causas que lo justifique en la apreciación de los Tribunales»* (STCT de 28 de abril de 1981, Ar/2835).

En cuanto a los efectos del incumplimiento de la obligación empresarial de comunicación del cierre a la autoridad laboral, los Tribunales se muestran contradictorios a la hora de calificar de legal o ilegal un cierre por el simple incumplimiento de la obligación de comunicación. Así, declarando su ilegalidad se manifiesta un sector (SSTCT de 1 y 24 de octubre de 1984, Ar/8240 y 8308) y negando al incumplimiento de la obligación trascendencia a efectos de la calificación legal del cierre se manifiesta otro (STCT de 27 de enero de 1982, Ar/381).

De otra parte, la LISOS sanciona administrativamente como infracción leve el incumplimiento de la obligación empresarial de comunicación dentro del art. 6.5, referido a las infracciones *«de obligaciones meramente formales o documentales»* (RUIZ CASTILLO).

Por lo demás, el RDLRT no exige comunicar el cierre patronal a los trabajadores o a sus representantes ni a los usuarios en su caso. La exigencia de publicidad que la norma establece para los servicios públicos en caso de huelga (art. 4 RDLRT) no existe en este caso, debido al carácter necesariamente inmediato del cierre patronal defensivo.

3. La finalización del cierre patronal

555. La duración del cierre. Obediencia a la orden administrativa de reapertura. La duración del cierre se limitará al *«tiempo indispensable para asegurar la reanudación de la actividad de la empresa o para la remoción de las causas que* *lo motivaron»*, esto es, hasta que desaparezca la causa que lo provoca (art. 13.2 RDLRT).

La duración del cierre no dependerá de la voluntad del empresario sino del cese de las causas que lo motivaron (IGLESIAS CABERO), pudiendo reabrir el centro a iniciativa propia, a iniciativa de los trabajadores o a iniciativa de la autoridad laboral.

El empresario está obligado a obedecer la orden administrativa de reapertura del centro de trabajo en el plazo que establezca el requerimiento (art. 14 del RDLRT).

Por otra parte, la prolongación del cierre más allá de la huelga causante del mismo lo convertiría en ilegal (STCT de 28 de abril de 1981, Ar/2835) o tras la petición de los trabajadores de la normalización del trabajo (STCT de 22 de julio de 1981, Ar/5036).

Si bien lo normal, en este último caso, será que cuando el cierre dure más tiempo del *«indispensable»* sea el empresario requerido por la autoridad laboral para reabrir la empresa o centro, entrando en juego así la tercera de las obligaciones empresariales comentadas, esto es, la obediencia al requerimiento administrativo.

556. El incumplimiento empresarial de la orden administrativa de reapertura. En caso de incumplimiento de la orden administrativa de reapertura, el cierre patronal, inicialmente legal por existir una causa, devendrá ilegal a partir de la desobediencia (art. 14 in fine, RDLRT).

El empresario podrá impugnar judicialmente la orden de reapertura en el caso de que resultase *«improcedente»* y, por ello, justificado el cierre, la Administración deberá indemnizar los daños y perjuicios que pudieran derivarse para la empresa (SSTS de 10 de marzo o 7 de julio de 1982, Ar/1472 y 4652). La competencia corresponde al orden jurisdiccional social (arts. 2 n) y 3 d) LJS).

En todo caso, la ausencia de orden administrativa de apertura *«no convierte en legal un cierre que no reúne los requisitos necesarios para ello»* (STCT de 28 de abril de 1981, Ar/2835).

El empresario que incumpla el requerimiento de reapertura será sancionado administrativamente (art. 15 RDLRT), considerándose infracción administrativa muy grave, sancionable con multa que oscila entre 6.251 y 187.515 euros, sin que la sanción pueda reiterarse por cada día de cierre (art. 8 LISOS; SSTS de 25 y 26 de enero de 1984, Ar/202 y 209).

4. *Los efectos del cierre patronal*

557. Los efectos del cierre patronal legal. Los efectos del cierre patronal serán los mismos que los producidos por la huelga legal (art. 12.2 RDLRT). Así, no se extinguirá el contrato de trabajo, no habrá lugar a sanción alguna salvo que el trabajador durante el cierre incurriera en falta laboral y se entenderá suspendido el contrato de trabajo sin derecho a salario, todo ello en idénticos términos que en los supuestos de huelga legal (arts. 6.1 y 2 RDLRT, STCT de 20 de enero de 1986, Ar/544). Ello no obstante, el cierre patronal, a diferencia de la huelga legal, origina la pérdida del plus de asistencia (STS, u.d., de 19 de marzo de 2001, Ar/3386).

Lo mismo cabe decir respecto de la seguridad social: los trabajadores permanecerán en situación de alta especial, con suspensión de la obligación de cotizar por parte del empresario y del trabajador, sin derecho a las prestaciones por desempleo y a la prestación económica por incapacidad temporal, aunque si tendrán derecho a las prestaciones sanitarias (art. 6.3 del RDLRT; STC 10/1984, de 2 de febrero) (ver supra). Los trabajadores tendrán la posibilidad de suscribir un convenio especial para completar las bases de cotización para las contingencias de incapacidad permanente y muerte y supervivencia derivadas de enfermedad común y accidente no laboral, jubilación y servicios sociales (art. 17 de la OTAS 2865/2003).

Ello no obstante, los Tribunales han admitido la licitud de discriminaciones en el pago de los salarios a los trabajadores durante un cierre patronal lícito, basadas *«en la intervención o no intervención material en los desórdenes y violencias determinantes del cierre patronal»* (STCT de 23 de junio de 1986, Ar/5339).

En general, podríamos decir que los efectos señalados se refieren a los trabajadores que anteriormente al cierre patronal legal no hubieran secundado la huelga, pues los huelguistas estaban ya sometidos —y continúan sometidos durante el período de cierre legal— al régimen jurídico que corresponda a la naturaleza legal o ilegal de la huelga de base.

558. Los efectos del cierre patronal ilegal. El cierre patronal ilegal puede generar tres tipos de responsabilidad en el empresario:

a) Una responsabilidad administrativa, concretable en multas a imponer por la autoridad laboral, según la LISOS (art. 15 RDLRT). El art. 8.9 de la LISOS considera infracción muy grave, sancionable con multa que oscila entre 6.251 y 187.515 euros, *«la negativa del empresario a la reapertura del centro de trabajo en el plazo establecido, cuando fuera requerido por la Autoridad Laboral competente en los casos de cierre patronal»*.

En relación con las sanciones a imponer en caso de cierre, existe la doctrina jurisprudencial de que éstas no podrán reiterarse por cada día de cierre (SSTS de 25 y 26 de enero, de 30 de marzo, de 16 de mayo o de 13 de diciembre de 1984). En todo caso, en la graduación de las sanciones habrán de jugar los criterios establecidos en el art. 39 de la LISOS y, conforme a éstos, la sanción se impondrá en su grado máximo por darse el factor de la *«persistencia continua de su comisión»* (art. 39.7 LISOS).

b) Una responsabilidad contractual, concretable en la obligación empresarial de abonar a los trabajadores los salarios devengados por el tiempo no trabajado por causa del cierre ilegal, como si el cierre no se hubiera producido (art. 15 RDLRT) (STS de 14 de diciembre de 2001, Ar/10165), cantidades que tendrán naturaleza de salarios y no de indemnizaciones a efectos del FOGASA (STCT de 14 de diciembre de 1979, Ar/7322 o STSJ de Cantabria, de 11 de septiembre de 1995, Ar/3227).

En relación con la situación de la Seguridad Social, también tendrán derecho al alta real con las debidas cotizaciones y a las prestaciones por incapacidad temporal, como si efectivamente se hubiere trabajado (GARCÍA NINET).

c) Cabrá, finalmente, la exigencia de una responsabilidad penal a los empresarios que incurran en delito de sedición *«ex art. 544 y ss. del Código Penal»*. A este tipo penal serían reconducibles tan sólo determinados cierres patronales políticos en atención al grado de presión empleado contra los poderes públicos. En todo caso, habrá que recordar lo señalado por la STC de 8 de abril de 1981, acerca del anterior tipo penal, al indicar que su *«producción requiere un dolo específico que es la voluntad de subvertir la seguridad del Estado»*.

Por otra parte, los cierres patronales ilegales podrían configurar el delito de coacciones del art. 172 del Código Penal por *«sin estar legítimamente autorizado, impedir a otro (los trabajadores) con violencia hacer lo que la ley no prohíbe (la huelga) o compeler a efectuar lo que no quiere (abandonar el centro de trabajo)»*.

Cuando el cierre constituya una *«conducta antisindical»* habrá que aplicar el tipo específico de delito contra la libertad sindical y el derecho de huelga del art. 315 del Código Penal, según el cual *«serán castigados con las penas de prisión de seis meses a tres años y multa de seis a doce meses los que mediante engaño o abuso de situación de necesidad, impidieren o limitaren al ejercicio de la libertad sindical o el derecho de huelga»*.

559. La calificación jurídica del cierre patronal. La competencia para calificar jurídicamente un cierre patronal de legal o ilegal corresponde al orden jurisdiccional social (art. LPL) (STCT de 15 de septiembre de 1981, Ar/5172), bien a través de procedimientos de reclamación de los derechos económicos de los trabajadores negados por el empresario con base en el cierre patronal o a través de acciones declarativas (STS de 5 de octubre de 1998, Ar/7314), bien a través del procedimiento de conflicto colectivo (STCT de 5 de noviembre de 1984, Ar/9123). En la medida en que fueran conculcados los derechos fundamentales de libertad sindical o de huelga, podría utilizarse el procedimiento especial de tutela de la libertad sindical y demás derechos fundamentales (arts. 174 y ss. LPL).

Al empresario le corresponderá la carga de la prueba de las circunstancias previstas en el art. 12 del RDLRT, de acuerdo con lo dispuesto en el art. 1214 del Código Civil (IGLESIAS CABERO).

Las actuaciones administrativas no son vinculantes para los Tribunales que las podrán valorar como una prueba más para llegar a su propia convicción (SSTCT de 13 de febrero, Ar/1263 o 24 de abril de 1984, Ar/3885).

Tema 9
LOS PROCEDIMIENTOS PARA LA SOLUCIÓN DE LOS CONFLICTOS COLECTIVOS

SUMARIO: I. CONSIDERACIONES GENERALES. II. LA NORMATIVA VIGENTE. III. CONCEP-TO Y CLASES DE CONFLICTO COLECTIVO. 1. Concepto de conflicto colectivo. 2. Conflictos colectivos jurídicos y de intereses. IV. LOS PROCEDIMIENTOS EXTRAJUDICIALES. 1. El procedimiento administrativo de conflicto colectivo del RDLRT. 1.1. Las reglas básicas. 1.2. La legitimación para su iniciación. 1.3. Formalización y procedimiento. 2. Otros procedimientos de conciliación, mediación y arbitraje establecidos legal o reglamentariamente. 3. Los procedimientos establecidos por acuerdo interprofesional y por convenio colectivo. 4. Naturaleza y régimen jurídico de los actos de solución pacífica de los conflictos colectivos. V. EL PROCE-DIMIENTO JUDICIAL. 1. Normativa aplicable. 2. Legitimación. 2.1. Legitimación activa. 2.2. Legitimación pasiva. 3. El principio de incompatibilidad entre la huelga y el procedimiento de conflicto colectivo. 4. El intento de conciliación previa. 5. La iniciación del proceso. 6. Carácter urgente del proceso. 7. La sentencia. VI. LOS PROCEDIMIENTOS EXTRAJUDICIALES DE SOLU-CIÓN DE CONFLICTOS DEL PERSONAL LABORAL DE LAS ADMINISTRACIONES PÚBLICAS.

I. CONSIDERACIONES GENERALES

560. Los conflictos laborales: individuales, plurales y colectivos. Los conflictos laborales pueden ser colectivos o individuales. La diferencia fundamental entre ellos reside, no tanto cuantitativamente en el número de trabajadores afectados —normalmente una pluralidad en los colectivos, aunque pueda quedar también afectado un sólo trabajador— cuanto cualitativamente, en el objeto controvertido. Los conflictos colectivos afectan a los *«intereses colectivos»*, esto es, a los intereses generales de los trabajadores, a diferencia de los conflictos individuales o plurales, donde quedan afectados simples intereses singulares o individuales yuxtapuestos.

Así pues, el interés en conflicto ha de ser general o colectivo y no individual o singular. Aquí reside la mayor dificultad pues, aunque teóricamente es posible distinguir el interés general o colectivo del interés individual o singular, en la práctica siempre existirá una zona intermedia en la que se podrá afirmar tanto la existencia de un interés colectivo como plural, dado que, en ocasiones, un conflicto individual puede tener una dimensión colectiva.

La importancia de esta distinción es manifiesta por cuanto, según se trate de uno u otro tipo de conflicto, se solucionará en derecho de uno u otro modo, con uno u otro procedimiento.

561. Dos clases de conflictos colectivos: jurídicos y económicos o de intereses. Otra distinción importante es la existente entre conflictos colectivos jurídicos y conflictos colectivos económicos o de intereses.

Los conflictos colectivos jurídicos presuponen la existencia de una norma (legal, reglamentaria o convencional) y en ellos se discute su aplicación o interpretación.

Los conflictos colectivos económicos o de intereses se plantean cuando una de las partes —normalmente los trabajadores— quiere introducir una nueva norma convencional o pretende que se modifique o derogue la norma existente. El conflicto colectivo de intereses típico es el que se produce con la ruptura de las negociaciones de un convenio colectivo.

La importancia de esta distinción radica, igualmente, en que uno y otro tipo de conflicto colectivo laboral poseen distintos procedimientos de solución.

562. Los procedimientos de solución de los conflictos colectivos. Teóricamente caben dos procedimientos de solución de los conflictos colectivos: A través de la presión: huelgas, boicots, manifestaciones, encierros, etc. o a través de lo que se ha dado en denominar *«medios pacíficos»*. Estos últimos pueden ser, a su vez, de dos clases: judiciales, esto es, mediante el juicio y la sentencia judicial; y extrajudiciales, sin intervención de tercero (negociación) o con intervención de tercero (conciliación, mediación y arbitraje).

En la conciliación interviene un tercero (el conciliador) con la única función de propiciar el diálogo entre las partes para que lleguen a un acuerdo.

En la mediación interviene un tercero (el mediador) con la misma función anterior a la que se añade la de proponer una base de acuerdo. En la práctica se confunden muchas veces la conciliación y la mediación.

En el arbitraje interviene un tercero (el árbitro) con la función de solucionar el conflicto sometido. No son aquí las partes quienes resuelven llegando a un acuerdo, como ocurre en la conciliación o en la mediación, sino un tercero quien resuelve mediante laudo o decisión arbitral. El laudo o decisión arbitral será siempre obligatorio para las partes en conflicto. Cabe, no obstante, el laudo no vinculante; pero en tal caso, estaremos en presencia de una mediación y no de un arbitraje en sentido estricto.

563. La obligatoriedad o voluntariedad de los procedimientos extrajudiciales con intervención de tercero. Problema distinto es la obligatoriedad o voluntariedad de acudir a la conciliación, mediación o arbitraje. Así, cabe que éstos sean voluntarios u obligatorios.

La tónica general apreciable en el ordenamiento comparado es la de que sean voluntarios, salvo excepciones en que se establece su obligatoriedad por ley o, más frecuentemente, por convenio colectivo, como trámite previo a la declaración de una huelga legal en los casos en que se configure la huelga como *«ultima ratio»*. Esto sucede con la conciliación y la mediación, no así con el arbitraje, ya que el arbitraje obligatorio por ley se considera en líneas generales en los ordenamientos europeos una práctica atentatoria del derecho de libertad sindical.

Se trata, por tanto, de unos procedimientos basados normalmente en el acuerdo entre las partes: a) De una parte, su establecimiento o se acuerda con carácter general en el convenio colectivo o se acuerda libremente ante cada conflicto; b) de otra parte, la conciliación y la mediación (no así el arbitraje) son en el fondo acuerdos directos asistidos por un tercero (BORRAJO).

564. La Recomendación nº 92 de 1951 de la OIT. Las líneas generales de la Recomendación nº 92 de 1951 de la OIT, sobre conciliación y arbitraje, son las siguientes:

1) La utilización de la conciliación, mediación y arbitraje en modo alguno puede menoscabar el derecho de huelga. En este sentido, el Comité de Libertad Sindical de la OIT ha señalado que no atenta a la libertad sindical la exigencia previa de acudir al procedimiento de solución pacífica de conflictos colectivos (conciliación, mediación o arbitraje) antes de declarar una huelga lícita, siempre que estos procedimientos sean *«adecuados, imparciales y rápidos, en que los interesados puedan participar en todas las etapas»*.

2) Se recomienda *«estimular»* a las partes para que se abstengan de recurrir a la huelga o al cierre patronal mientras dura el procedimiento de conciliación o mediación.

3) Se recomienda igualmente la constitución de organismos de conciliación con representatividad paritaria de trabajadores y empresarios; gratuitos y rápidos en el procedimiento; y que el resultado se plasme en un documento con valor de contrato.

4) Finalmente, se recomienda que los arbitrajes sean voluntarios, esto es, iniciados a solicitud de ambas partes en conflicto.

II. LA NORMATIVA VIGENTE

565. La normativa vigente. La normativa vigente en tema de procedimientos para la solución de los conflictos colectivos es la siguiente:

a) El art. 37.2 de la Constitución, según el cual *«se reconoce el derecho de los trabajadores y empresarios a adoptar medidas de conflicto colectivo. La ley que regule el ejercicio de este derecho, sin perjuicio de las limitaciones que pueda establecer, incluirá las garantías precisas para asegurar el funcionamiento de los servicios esenciales de la comunidad»*.

En la medida en que este precepto constitucional se refiere a la «*adopción de medidas de conflicto colectivo*», no parece referirse propiamente a mecanismos o procedimientos de solución de los mismos. ¿Hasta qué punto, entonces, el sometimiento de un conflicto colectivo a una conciliación, una mediación o un arbitraje (o a una sentencia judicial) es propiamente la «*adopción de una medida de conflicto colectivo*» y, consiguientemente, hasta qué punto resulta de aplicación este precepto constitucional a los procedimientos de solución de conflictos colectivos?

La STC de 8 de abril de 1981, por su parte, no soluciona este problema interpretativo y únicamente señala que «*el art. 37... faculta (a los trabajadores) para otras medidas de conflicto distintas de la huelga, de manera que la huelga no es la única medida de conflicto y... (que) las limitaciones que el art. 37 permite son mayores que las que permite el artículo 28, ya que literalmente menciona las limitaciones que la ley pueda establecer*» y, muy singularmente, «*el funcionamiento (que no simple «mantenimiento» a que alude el art. 28) de los servicios esenciales de la Comunidad*». En todo caso, la STC 74/1982, de 30 de junio, señala que «*el derecho de los trabajadores y empresarios a adoptar medidas de conflicto colectivo, entre las que se encuentra sin duda el propio planteamiento formal del conflicto, aparece reconocido en el art. 37.2 de la CE*».

Este precepto constitucional aún no ha sido desarrollado legalmente, bastando para ello con una simple ley ordinaria.

b) Los arts. 17 y ss. del RDLRT 17/1977, de 4 de marzo, si bien la STC 11/1984, de 8 de abril, haya modificado sustancialmente determinados aspectos de los citados artículos.

c) La Ley 36/2011, de 10 de octubre, de Jurisdicción Social (LJS), cuyos arts. 153 a 162 regulan el proceso judicial de conflicto colectivo.

d) Una serie de normas dispersas reguladoras de los mecanismos de conciliación, mediación o arbitraje, tales como los arts. 82.3 del ET (actuación de la comisión paritaria y de la Comisión Consultiva Nacional de Convenios Colectivos en los supuestos de inaplicación de determinadas materias de los convenios colectivos estatutarios), 85.1 del ET (procedimientos para resolver discrepancias surgidas en los períodos de consulta previstos en los artículos 40, 41, 47 y 51 del ET), 85.3 (procedimientos para resolver las discrepancias en los supuestos de inaplicación de determinadas materias de los convenios colectivos estatutarios), 89.4 del ET (mediación en convenio colectivo), 91 del ET (procedimientos de solución de conflictos colectivos de interpretación y aplicación de los convenios colectivos), 9 del RDLRT (mediación de oficio de la Inspección de Trabajo durante la huelga) o 10.1 del RDLRT (arbitraje obligatorio).

e) Los acuerdos interprofesionales (estatales o de Comunidad Autónoma) y los convenios colectivos (marco u ordinarios), estableciendo procedimientos de conciliación, mediación o arbitraje y atribuyendo tales funciones a las comisiones paritarias (arts. 85.2.d) y 91 del ET) o encomendándolas a otros sujetos (conciliadores, mediadores o árbitros).

g) Cabe, en fin, que por acuerdo *«ad hoc»* en el caso de un concreto conflicto colectivo, se establezca un procedimiento específico de solución del mismo.

III. CONCEPTO Y CLASES DE CONFLICTO COLECTIVO

1. *Concepto de conflicto colectivo*

566. El concepto de conflicto colectivo. Su delimitación jurisprudencial. En el conflicto individual o plural, la pretensión del mismo es el reconocimiento singular o plural de un derecho para los trabajadores (por todas, SSTS de 26 de febrero de 2001, Rec. 3560/2000 o de 10 de mayo de 2004, Rec. 170/2003). El concepto de conflicto colectivo, por oposición al de conflicto plural, viene definido en los arts. 17.1 del RDLRT (*«situaciones conflictivas que afecten a intereses generales de los trabajadores»*) y 153.1 de la LJS (*«demandas que afecten a intereses generales de un grupo genérico de trabajadores»*) y concretado por la jurisprudencia en cada caso.

Así pues, el conflicto colectivo se caracteriza por la concurrencia de dos elementos —una pluralidad de trabajadores y un interés colectivo afectados por el conflicto— de los que, sin duda, el más importante es el segundo de ellos (ALFONSO MELLADO; por todas, SSTS, u.d., de 18 de junio de 1992, Ar/4595, de 12 de julio de 2000, Ar/6629, de 11 de julio de 2001, Ar/2002/308, de 24 de abril de 2002, Ar/7857, de 4 de julio de 2002, Ar/9204 o de 17 de noviembre de 2003, Ar/8820).

567. Las dificultades prácticas para distinguir el conflicto colectivo del conflicto plural. En la práctica, sin embargo, no es fácil distinguir entre un conflicto plural y un conflicto colectivo, dándose casos de reclamaciones individuales de trascendencia colectiva de muy difícil clasificación (así, por ejemplo, en los conflictos individuales motivados por la disconformidad con un sistema de valoración de puestos de trabajo). Seguramente, *«el interés colectivo no es una realidad ontológica, sino un modo de mirarla; es, por tanto, el producto de un juicio de valor, de una calificación»* (GIUGNI) y *«la misma cuestión puede ser tratada como individual (plural) o como colectiva según el valor que le sea atribuido por las organizaciones sindicales»* (BORGHESI).

De esta manera, al no existir un concepto ontológico de interés colectivo, no es posible saber en términos objetivos lo que sea un conflicto colectivo; las reclamaciones colectivas poseen siempre una «*latente eficacia individual*» y las reclamaciones individuales «*una evidente trascendencia colectiva*».

La STC de 28 de junio de 1988, ha puesto de relieve esto último al señalar que «*el procedimiento de conflicto colectivo sólo puede utilizarse para dilucidar aquellas cuestiones que afectan a un grupo de trabajadores considerado en su conjunto o en abstracto, pues el interés que en el mismo se hace valer no es el individual y concreto de cada trabajador, ni tampoco la suma de intereses de estos, sino el interés colectivo o general de dicho grupo, pero ello no ha sido obstáculo para que en ocasiones se satisfagan por esta vía pretensiones en las que el aspecto objetivo del conflicto (el interés general) ceda en importancia ante el elemento subjetivo, y en las que, en consecuencia, no se reclama tanto la interpretación de una norma general, como el cumplimiento de una obligación que afecta a un grupo de trabajadores*».

Acaso, la doctrina jurisprudencial que aparece en algunas sentencias del Tribunal Supremo (por todas, SSTS, u.d., de 21 de enero de 1995, Ar/395, de 10 de mayo de 2004, Rec. 170/2003 o de 7 de diciembre de 2005, Ar/10181) pueda ser la que siente las bases para definir el conflicto colectivo: «*Lo esencial en definitiva para diferenciar el proceso especial de conflicto colectivo y el ordinario que, aun siendo individual en su ejercicio, tiene naturaleza plural, está en la forma de hacer valer el derecho, de tal modo que, afectando la cuestión a un conjunto de trabajadores, si se hace una petición genérica para todo el grupo, será el proceso de conflicto colectivo el procedimiento adecuado, mientras que si se hacen peticiones individualizadas y concretas para cada uno de los trabajadores, resultará adecuado el procedimiento ordinario*». En definitiva, todo dependerá de lo que se pida en la acción, según sea abstracto o concreto.

568. Los conflictos colectivos «*por asimilación*». En todo caso, los Tribunales (por todas, SAN de 19 de abril de 1990, Ar/74) consideran que es conflicto colectivo el planteado por un sujeto colectivo (un sindicato o un comité de empresa, por ejemplo) cuando reclama un derecho propio (el crédito de horas laborales retribuidas o las competencias del comité de empresa, por ejemplo). A estos conflictos colectivos se les denomina «*conflictos colectivos impropios o por asimilación*».

569. Los conflictos colectivos potenciales. Por lo demás, existe abundante jurisprudencia en la que se señala la imposibilidad de someter a dictamen de un Tribunal, a través del procedimiento de conflicto colectivo, la interpretación de un precepto antes de que éste hubiese sido aplicado, esto es, cuando el conflicto es potencial o futuro y aún no se ha producido (SSTS de 24 de febrero de 1992,

Ar/1145, de 14 de diciembre de 1998, Ar/1999/1010, de 14 de octubre de 1999, Ar/8144 o de 7 de abril de 2000, Ar/3289).

Ahora bien, la imposibilidad de someter al procedimiento judicial un conflicto colectivo potencial —y, por ende, a los mecanismos conciliadores procesales obligatorios (art. 153.1 de la LJS)— no se extenderá, sin embargo, a los procedimientos extrajudiciales (arbitraje, dictamen de la comisión paritaria de un convenio colectivo, etc.). En este sentido, habrá dos conceptos jurídicos de conflicto colectivo: uno, restringido, necesariamente actual y concreto, a los efectos de un procedimiento judicial; y otro, ampliado, actual o potencial, incluyendo las consultas interpretativas, a los efectos de un procedimiento extrajudicial.

570. Los arts. 40.2 y 41.4 del ET. Por último, los arts. 40.2 y 41.4 del ET prevén que contra las decisiones empresariales de traslados colectivos y de modificaciones sustanciales de carácter colectivo, respectivamente, se podrá reclamar en conflicto colectivo.

La novedad que aquí resulta constatable es la clarificación legal en estos casos del concepto de «*conflicto colectivo*», en la medida en que un «*criterio cuantitativo*» y no «*cualitativo*» —que se trate de un traslado colectivo o de una modificación sustancial de condiciones colectiva y no individual— es el que delimita el concepto.

2. *Conflictos colectivos jurídicos y de intereses*

571. Distinción entre conflictos colectivos jurídicos y de intereses. En cuanto a la distinción entre conflictos colectivos jurídicos y conflictos colectivos económicos o de intereses, la jurisprudencia distingue entre ambos tipos de conflicto colectivo al señalar que jurídicos son «*aquellos que se basan en la realidad de un pretendido derecho que trate de ampararse en una norma preexistente, que se quiere sirva de fundamento a su pretensión, y donde la discrepancia entre las partes respecto de la aplicación o interpretación de dicha norma constituya precisamente la razón de ser del conflicto*» y económicos o de intereses «*aquellos que no descansa(n) sobre la existencia de una norma previa, cuyo significado, alcance o cumplimiento se reclama, sino que surge(n) del propósito de modificar el ordenamiento existente a través del cambio de condiciones que integran ese ordenamiento o de crear condiciones nuevas ab origine*» (SSTS de 6 de febrero de 1984, de 24 de febrero o de 30 de octubre de 1992, Ar/1145 y 7858, de 5 de julio de 2002, Rec. 1277/2001 o de 26 de mayo de 2009).

Esta distinción viene recogida básicamente en la normativa vigente, como evidencian los arts. 25.a) del RDLRT («*discrepancias relativas a la interpretación de una norma preexistente, estatal o convenida colectivamente*») y 153.1 de la LJS («*aplicación e interpretación de una norma estatal, convenio colectivo, cualquiera que sea su eficacia, y decisión o práctica de empresa*»).

Así, mientras los conflictos colectivos jurídicos admiten la solución judicial y la extrajudicial, los conflictos colectivos de intereses solamente la solución extrajudicial a través de la negociación colectiva, la conciliación, la mediación o el arbitraje [por todas, STS de 26 de mayo de 2009 *(Tol 15600342)*].

Pese a la sustancial identidad conceptual de ambos preceptos, no hay duda de que el art. 153.1 de la LJS ha ampliado el concepto de conflicto colectivo jurídico en el siguiente sentido:

1°) En primer lugar, se habla de «*aplicación*» y de «*interpretación*» y no solamente de «*interpretación*». Ello no obstante, la trascendencia de este cambio es mínima, ya que los conflictos de aplicación son en el fondo conflictos de interpretación, bien de la cláusula que regula el ámbito de aplicación material o temporal de una norma, bien de la legalidad de la misma (SALA y PÉREZ DE LOS COBOS).

2°) En segundo lugar, la LJS alude a los convenios colectivos «*cualquiera que sea su eficacia*», comprendiendo así tanto los convenios colectivos estatutarios como los extraestatutarios. Por lo demás, se admite la posibilidad de que el conflicto colectivo afecte a los pactos de reestructuración empresarial (los de modificación sustancial, suspensión o extinción por causas tecnológicas o económicas de los arts. 41 y 51 del ET), a los acuerdos de fin de huelga y a los acuerdos en conciliación o laudos arbitrales que poseen eficacia de convenio colectivo.

3°) En tercer lugar, la LJS continua incluyendo a los conflictos interpretativos sobre normas estatales (legales y reglamentarias), perpetuando así el viejo problema de hasta qué punto esto no supone atribuir a los jueces y tribunales una suerte de «*facultad reglamentaria*» que va más allá de la función de interpretar y aplicar la norma en el caso concreto; y, más aún, atribuir a los actos de conciliación preprocesal que solucionen este tipo de conflictos colectivos, en su caso, la eficacia de un convenio colectivo (art. 156.2 de la LJS) cuando su contenido es la interpretación de una ley o de un reglamento.

4°) En cuarto lugar, la LJS habla de «*decisión o práctica de empresas*», de carácter colectivo, desde luego. Su naturaleza jurídica es difícil de precisar en abstracto. Podría tratarse de un uso de empresa (de naturaleza contractual) o de la aplicación de la norma estatal o convencional de ámbito superior en la empresa (de naturaleza normativa) (SSTS de 30 de octubre de 1992, Ar/7858, de 1 de octubre de 1997, Ar/6987 y de 22 de enero de 1998, Ar/1006).

5°) Finalmente, la impugnación judicial de los convenios colectivos se tramitará a través del proceso de conflicto colectivo (art. 153.2 de la LJS).

IV. LOS PROCEDIMIENTOS EXTRAJUDICIALES

1. *El procedimiento administrativo de conflicto colectivo del RDLRT*

1.1. Las reglas básicas

572. Las reglas básicas del procedimiento de conflicto colectivo del RDLRT. El RDLRT señala en su art. 17.1 que la solución de los conflictos colectivos *«podrá tener lugar por el procedimiento de conflicto colectivo de trabajo que se regula en este título»*, cuya utilización práctica, si bien siempre ha sido escasa, actualmente es casi inexistente, dado que, o se acude directamente al procedimiento judicial de solución de conflictos colectivos jurídicos, o se utilizan los procedimientos extrajudiciales establecidos en los acuerdos interprofesionales o en los convenios colectivos.

Las dos reglas maestras sobre las que gira el procedimiento previsto en el RDLRT son las siguientes:

1ª) *«Cuando los trabajadores utilicen el procedimiento de conflicto colectivo no podrán ejercer el derecho de huelga»* (art. 17.2 del RDLRT). Aunque sí a la viceversa: *«Declarada la huelga, podrán, no obstante, los trabajadores desistir de la misma y someterse al procedimiento de conflicto colectivo de trabajo»* (art. 17.3 del RDLRT). Hay, pues, en principio, libertad de opción entre declarar una huelga y seguir el procedimiento de conflicto colectivo del RDLRT, sin que se exija para la licitud de la huelga el haber sometido previamente el conflicto a una conciliación, mediación o arbitraje.

En todo caso, según el art. 18.2 del RDLRT, cuando el procedimiento de conflicto colectivo sea iniciado por los empresarios y los trabajadores ejerzan el derecho de huelga, se suspenderá el procedimiento archivándose las actuaciones.

2ª) *«No podrá plantearse conflicto colectivo de trabajo para modificar lo pactado en convenio colectivo o lo establecido por laudo»* (art. 20 del RDLRT) (o en acta de conciliación con eficacia de convenio colectivo, según veremos), naturalmente durante su vigencia, prohibiéndose así los conflictos colectivos novatorios, del mismo modo que se prohíben paralelamente las huelgas novatorias en el art. 11.c) del RDLRT.

1.2. La legitimación para su iniciación

573. Los representantes de los trabajadores. Problemas interpretativos. El procedimiento de conflicto colectivo podrá ser iniciado, con carácter exclusivo, por los *«representantes de los trabajadores en el ámbito correspondiente al conflicto»*, bien por iniciativa propia, bien a instancia de sus representados (art. 18.1 del RDLRT).

Dos problemas plantea el precepto en este punto: El de quienes deban entenderse por «*representantes de los trabajadores*» y el de la relación entre el «*ámbito correspondiente al conflicto*» y la representación ostentada.

En cuanto a la primera cuestión, por «*representantes de los trabajadores*» hay que entender, desde luego, incluidos a los representantes unitarios del personal en la empresa (comités de empresa y delegados de personal) y a los representantes sindicales (sindicatos y secciones sindicales de empresa).

La jurisprudencia del Tribunal Central de Trabajo había interpretado originariamente de modo restrictivo el precepto legal, circunscribiéndolo a la representación unitaria de los trabajadores en la empresa, esto es, a los comités de empresa y delegados de personal (por todas, SSTCT de 5 de noviembre de 1981, Ar/7016 o de 3 de mayo de 1982, Ar/3231).

Ello no obstante, el Tribunal Constitucional, a partir de las sentencias 70/1982, de 29 de noviembre y 37/1983, de 11 de mayo, con base en la libertad sindical reconocida en los arts. 7 y 28.1 de la Constitución, interpretó que legitimadas para incoar el procedimiento de conflicto colectivo estarían también las organizaciones sindicales, siempre que se tratase de un «*sindicato con implantación*» en el ámbito del conflicto.

Esta implantación exigida no equivalía, desde luego, a la «*mayor representatividad*» de los arts. 6 y 7.1 de la LOLS; ni siquiera a la «*suficiente implantación*» del art. 7.2 de la LOLS por cuanto esta ley fue posterior a la sentencia del Tribunal Constitucional.

En todo caso, a mi juicio, a partir de la LOLS, el derecho a plantear conflictos colectivos corresponde a todos los sindicatos registrados según la ley. En efecto, el art. 2.2.d) de la LOLS estableció que «*el ejercicio de la actividad sindical en la empresa o fuera de ella, comprenderá en todo caso… el del derecho al planteamiento de conflictos colectivos*». Lo que puede interpretarse fácilmente como el derecho de todos los sindicatos, sea cual sea su implantación en el ámbito del conflicto, a incoar un procedimiento de conflicto colectivo, ya que de haber querido la LOLS exigir a los sindicatos determinados requisitos de representatividad habría incluido tal función como una de las prerrogativas de los sindicatos más representativos (arts. 6 y 7.1 de la LOLS) o de los sindicatos de suficiente implantación (art. 7.2 de la LOLS), cosa que efectivamente no hizo. Tan solo habrá un límite natural a este derecho: el que el sindicato de que se trate posea algún afiliado en el ámbito del conflicto y que su ámbito funcional y territorial esté en conexión con el mismo.

La jurisprudencia ordinaria ha seguido, sin embargo, negando legitimación a los sindicatos que no tengan una «*implantación suficiente*» en el ámbito del conflicto, referida ésta a «*un nivel adecuado de afiliación*» (STS de 11 de diciembre de 1991, Ar/9053). Sin embargo, el art. 154 de la LJS alude a los «*sindicatos*» sin otra matización ulterior, confirmando la tesis interpretativa de que cualquiera de ellos estará legitimado para plantear conflictos colectivos sin exigencia alguna de representatividad mínima (GARCÍA PERROTE; en contra, ALONSO OLEA y MIÑAMBRES).

Por lo demás, la jurisprudencia reconoce legitimación al sindicato o a la sección sindical de empresa, según el ámbito del conflicto (SSTS de 11 de diciembre de 1991, Ar/9053 y de 21 de marzo de 1995, Ar/2175).

En cuanto a la representación asamblearia (asambleas y delegados elegidos «ad hoc» al margen del ET), ésta viene excluida judicialmente de la legitimación (STS de 17 de febrero de 2005).

A mi juicio, sin embargo, partiendo del tenor literal del art. 37.2 de la Constitución que reconoce el derecho a adoptar medidas de conflicto colectivo a los «trabajadores» en términos amplios, por coherencia con lo establecido e interpretado en el art. 28.2 del propio texto constitucional en relación a la huelga, no parece que pueda negarse legitimación para incoar un procedimiento de conflicto colectivo a la asamblea de los trabajadores. En este sentido, entiendo que el art. 18.1.a) del RDLRT, cuando atribuye legitimación para incoar la iniciación del conflicto colectivo de trabajo a «los representantes de los trabajadores… a instancia de sus representados» se refiere también a los representantes «ad hoc» elegidos en la asamblea para incoar ese procedimiento de conflicto colectivo, distintos de los representantes unitarios y sindicales. En caso contrario, ¿qué sucedería cuando no hubiera ni representación sindical ni unitaria en la empresa, cosa relativamente frecuente en las pequeñas empresas? ¿Acaso la solución legal es la de que no sea posible plantear conflictos colectivos en estas empresas?

Finalmente, los Tribunales vienen negando legitimación a la comisión negociadora de un convenio colectivo (STCT 12 de diciembre de 1986, Ar/14635), así como a la comisión paritaria (STCT de 23 de marzo de 1983, Ar/2734).

574. La relación entre el «*ámbito correspondiente al conflicto*» y la representación ostentada. En cuanto a la cuestión relativa a la necesaria representatividad «*en el ámbito correspondiente al conflicto*», la jurisprudencia ha exigido siempre la correspondencia entre el ámbito de actuación del sujeto colectivo promotor del conflicto y el ámbito del propio conflicto, no cabiendo la artificiosa reducción del conflicto para adecuarlo al ámbito de la representación del promotor (STS de 30 de septiembre de 2008).

Así, un comité de centro no podrá promover un conflicto colectivo que afecte a toda la empresa (solo el comité intercentros o el litisconsorcio activo de todos los comités de centro podrán plantearlo) (por todas, STS de 19 de diciembre de 1994, Ar/2556/1995) o una sección sindical de centro no podrá promover un conflicto colectivo de empresa (exigiéndose igualmente la fórmula consorcial) (por todas, STS de 21 de marzo de 1995, Ar/2175) o un sindicato local o provincial no podrá plantear un conflicto colectivo de ámbito superior (por todas, STS de 11 de diciembre de 1991, Ar/9053).

575. Los empresarios y sus representantes. Problemas interpretativos. En segundo lugar, el procedimiento de conflicto colectivo podrá ser iniciado *«por los empresarios o sus representantes legales, según el ámbito del conflicto».*

Los tribunales han excluido de la legitimación para iniciar el procedimiento a los colegios profesionales, ya que *«no tienen ninguna facultad para representar a sus colegiados frente a los trabajadores que empleen, en los conflictos que puedan surgir en sus relaciones laborales»* (STCT de 15 de septiembre de 1979, Ar/5285).

Al igual que sucede con los representantes de los trabajadores, los tribunales han matizado que una organización empresarial provincial no está legitimada en un conflicto que afecte a trabajadores de más provincias, pues *«no representa a los empresarios de otras provincias que no sea la suya»* (STCT de 8 de septiembre de 1978, Ar/4890), estableciendo así un principio de correspondencia entre ámbito de actuación de la representación empresarial y ámbito del conflicto.

1.3. Formalización y procedimiento

576. El escrito de planteamiento de conflicto colectivo. Requisitos de validez. El planteamiento del conflicto colectivo habrá de formalizarse por escrito, firmado y fechado, en el que consten nombre, apellidos y domicilio y carácter de las personas que lo plantean y determinación de los trabajadores y empresarios afectados, hechos sobre los que verse el conflicto, peticiones concretas que se formulen, *«así como los demás datos que procedan»* (art. 21 del RDLRT).

La falta de petición concreta produce la nulidad de actuaciones (STCT de 11 de mayo de 1982, Ar/3243), así como la no determinación de las empresas afectadas (STCT de 5 de mayo de 1980, Ar/3192). No así la falta de firma del escrito de iniciación por el que lo plantee (STCT de 27 de marzo de 1980, Ar/1976) o la falta de concreción de las circunstancias personales de los trabajadores (STCT de 23 de mayo de 1980, Ar/3211)

577. Autoridad laboral competente para su tramitación. El escrito deberá dirigirse a la autoridad laboral: Dirección Provincial de Trabajo, Consejería de Trabajo, en su caso, o Dirección General de Trabajo, según el ámbito territorial de afectación del conflicto colectivo (arts. 19.a y 22) y según se hayan o no transferido las correspondientes competencias.

578. Comparecencia e intentos de conciliación y arbitraje voluntarios. En las 24 horas siguientes a la presentación del escrito se remitirá copia por la autoridad laboral a la parte contraria y convocará a las partes dentro de los 3 días siguientes a la presentación del escrito (art. 23 del RDLRT). Se trata, pues, de una conciliación obligatoria dentro de un procedimiento que se ha iniciado, desde luego, voluntariamente.

En la comparecencia, como requisito esencial del procedimiento, cuya ausencia invalida las actuaciones, la autoridad laboral intentará la avenencia entre las partes (por todas, STCT de 5 de mayo de 1980, Ar/3192).

Si hay acuerdo en conciliación adoptado por mayoría simple de las representaciones de cada una de las partes (art. 24.1) el procedimiento finaliza aquí, produciendo efectos lo convenido desde la propia fecha del acuerdo, a no ser que se hubiera pactado expresamente otra cosa (STCT de 13 de febrero de 1979, Ar/3192).

Las partes pueden también acordar someterse a un arbitraje voluntario, pudiendo designar a uno o varios árbitros, que deberán dictar su laudo en el término de 5 días. El laudo arbitral pone igualmente fin al procedimiento (art. 24.2).

En caso de no comparecer la parte que inició el conflicto, deberá entenderse que desiste de él. Si la no compareciente fuera la otra parte, deberá darse por intentada la conciliación sin avenencia.

579. Los procedimientos de solución en caso de falta de acuerdo en conciliación o de sometimiento a arbitraje, según se trate de conflictos jurídicos o de intereses. Si no hay acuerdo en conciliación ni tampoco acuerdo de someterse a un arbitraje voluntario, la autoridad laboral procederá del siguiente modo:

a) Si el conflicto colectivo es jurídico, remitirá las actuaciones practicadas, con su informe al Juzgado de lo Social o Audiencia Nacional competente para que se sustancie el procedimiento especial de conflicto colectivo regulado en los arts. 151 y ss. de la LPL (arts. 25 a) del RDLRT y 155 LPL) (ver infra).

b) Si, por el contrario, el conflicto colectivo fuese económico o de intereses, los arts. 25 b) y 26 del RDLRT preveían un arbitraje obligatorio («*laudo de obligado cumplimiento*» de la autoridad laboral). Sin embargo, la STC de 8 de abril de 1981 declaró expresamente inconstitucionales «*el apartado b del artículo 25 y el artículo 26*» del RDLRT La autoridad laboral tendrá que dar por finalizado el procedimiento y archivar las actuaciones.

El conflicto en este caso permanece abierto, con las únicas salidas posibles de un nuevo intento de mediación voluntaria por parte del IMAC (o sus sucesores) (arts. 6.2 del Real Decreto-Ley 5/1979 y 2 del RD 2756/1979) o del sometimiento por las partes a un arbitraje voluntario (STCT de 19 de abril de 1982, Ar/2548), siendo incompetente la jurisdicción laboral para conocer de este tipo de conflictos colectivos. La posibilidad de declarar una huelga legal queda igualmente abierta a partir de la finalización del procedimiento de conflicto colectivo.

2. *Otros procedimientos de conciliación, mediación y arbitraje establecidos legal o reglamentariamente*

580. Otros procedimientos de mediación y conciliación previstos en el ordenamiento. En nuestro ordenamiento se prevén otros procedimientos de conciliación y mediación, fuera del procedimiento administrativo de conflicto colectivo del RDLRT, prácticamente obsoleto.

1º) El art. 89.4 del ET referido a la negociación colectiva, prevé una mediación voluntaria al señalar que *«en cualquier momento de las deliberaciones, las partes podrán acordar la intervención de un mediador, designado por ellas»*.

Se trata de una mediación excepcional más allá de la que realiza normalmente el presidente de la comisión negociadora designado de común acuerdo por las partes negociadoras (art. 88.2 del ET). Su utilización práctica es realmente escasa.

2º) Los arts. 6 del Real Decreto-Ley 5/1979 y 2 del RD 2756/1979 establecen que *«los trabajadores y empresarios podrán solicitar del IMAC la designación de un mediador imparcial en cualquier momento de una negociación o de una controversia colectiva»*.

Así pues, se prevé un supuesto de mediación voluntaria durante la negociación colectiva —se trata del mismo supuesto anterior canalizado a través del IMAC— o durante una huelga o la tramitación del procedimiento de conflicto colectivo.

Hay que tener en cuenta que a partir del RD 530/1985, de 8 de abril, por el que se determina la estructura orgánica básica del Ministerio de Trabajo se suprimió el IMAC, atribuyendo las funciones de sus Servicios Centrales al Ministerio y la de sus servicios periféricos no transferidos a las distintas Comunidades Autónomas a las Direcciones Provinciales del Ministerio.

El art. 6º del Real Decreto-Ley 5/1979 prevé también un aparente supuesto de mediación obligatoria: *«La Administración laboral podrá exigir al IMAC la designación de un mediador, cuando las circunstancias lo demanden y previa audiencia de los interesados»*. Sin embargo, lo más probable es que las partes puedan oponerse a esta mediación (CONDE MARTÍN DE HIJAS). Su utilización en la práctica es casi nula.

3º) Los arts. 9 del RDLRT y 6 del Real Decreto-Ley 5/1979 prevén la mediación de oficio de la Inspección de Trabajo potestativa durante la huelga. Se trata de una mediación cuyo procedimiento no se encuentra formalizado en norma alguna. Tan solo el art. 9 del RDLRT señala que *«la Inspección de Trabajo podrá ejercer su función de mediación desde que se comunique la huelga hasta la solución del conflicto»*.

581. Otros supuestos de arbitraje previstos en el ordenamiento. En nuestro ordenamiento se prevén también otros supuestos de arbitraje fuera del procedimiento administrativo de conflicto colectivo del RDLRT.

Así, en el art. 4º del Real Decreto-Ley 5/1979 se prevé la creación de los llamados *«Tribunales de Arbitraje Laboral»*. Este Decreto-Ley no ha sido, sin embargo, desarrollado en este punto reglamentariamente, no existiendo tales tribunales arbitrales.

Por su parte, el art. 10.1 del RDLRT prevé un arbitraje obligatorio impuesto por el Gobierno como modo de terminación de una huelga, *«teniendo en cuenta la duración o las consecuencias de la misma, las posiciones de las partes y el perjuicio grave de la economía nacional»*, habiendo admitido la STC de 8 de abril de 1981 su constitucionalidad como *«medio idóneo de solución posible de la huelga… siempre que se garanticen las condiciones de imparcialidad del árbitro»* (ver supra).

El art. 3.2 y 3 de la Ley 42/1997, de 14 de noviembre, ordenadora de la Inspección de Trabajo y Seguridad Social, prevé la posibilidad de un arbitraje facultativo en conflictos laborales y huelgas, si bien no establece la regulación del mismo, salvo el establecimiento de la incompatibilidad con el ejercicio de la facultad inspectora sobre las mismas empresas afectadas por el conflicto sometido a arbitraje.

3. *Los procedimientos establecidos por acuerdo interprofesional y por convenio colectivo*

582. Los procedimientos de conciliación, mediación y arbitraje convencionales. Cabrá, desde luego, que los convenios colectivos prevean instrumentos de conciliación, mediación o arbitraje, encomendando tales funciones a la comisión paritaria del convenio (art. 85.3.e) del ET) (ver supra) o a otros sujetos (art. 82.2 del ET; SSTS de 12 de noviembre de 2002, Ar/2326 o de 10 de diciembre de 2003, Ar/9189).

Ello no obstante, el art. 91 del ET prevé expresamente la posibilidad de que sean los convenios marco o los acuerdos interprofesionales sobre materias concretas, a los que se refiere el art. 83.2 y 3 del ET, los que establezcan procedimientos de solución extrajudicial de los conflictos colectivos jurídicos de aplicación o interpretación de los convenios colectivos, tales como mediaciones o arbitrajes, proporcionando la infraestructura jurídica necesaria acerca de su naturaleza y régimen jurídico.

Actualmente, existe un Acuerdo Interprofesional Estatal de Solución Autónoma de Conflictos Laborales (ASAC), de 7 de febrero de 2012 y Acuerdos Interprofesionales de ámbito autonómico en todas las Comunidades Autónomas. Y, desde luego, existen convenios colectivos ordinarios (normalmente de empresa) que establecen procedimientos extrajudiciales de solución de los conflictos colectivos (STS de 12 de noviembre de 2002, Rec. 24/2002).

Finalmente, al margen de la vía convencional colectiva, siempre cabrán las negociaciones directas de las partes en conflicto con asistencia de un conciliador o mediador y los acuerdos arbitrales individuales que no se regirán por la ley de arbitraje (STS de 12 de noviembre de 2002, Rec. 24/2002).

Los convenios colectivos pueden adoptar las reglas establecidas en los Acuerdos Interprofesionales en cuanto a la solución de las discrepancias sobre modificaciones sustanciales de condiciones de trabajo establecidas en los convenios colectivos estatutarios (art. 85.3 c) ET).

583. Las características generales de los acuerdos interprofesionales. Las características generales de los acuerdos interprofesionales sobre procedimientos extrajudiciales de solución de conflictos colectivos serían las siguientes (SALA Y ALFONSO MELLADO):

a) Todos ellos son acuerdos interprofesionales sobre materias concretas de carácter estatutario (art. 83.3 del ET), si bien algunos de ellos no poseen eficacia aplicativa inmediata, necesitándose su adhesión en el convenio colectivo aplicable.

b) En cuanto al ámbito objetivo de aplicación, todos los acuerdos se refieren a conflictos colectivos jurídicos y de intereses, refiriéndose algunos, además, a los conflictos derivados de la designación de servicios de mantenimiento y seguridad en caso de huelga y a las discrepancias derivadas de los periodos de consulta en los procedimientos de traslado, modificación sustancial de condiciones de trabajo, suspensión o extinción (arts. 40, 41, 47 y 51 del ET). Algunos acuerdos incluyen a determinados conflictos individuales dentro de su ámbito de aplicación (Baleares, Cantabria, Cataluña, La Rioja y Navarra).

c) Desde la perspectiva de las empresas afectadas, con la salvedad de Baleares, Cantabria y Andalucía, los restantes acuerdos excluyen de su ámbito de aplicación los conflictos en que sea parte el Estado, las Comunidades Autónomas, las Entidades Locales y los organismos autónomos dependientes de todos ellos.

d) Los procedimientos establecidos son siempre la conciliación-mediación y el arbitraje, no exigiéndose normalmente (con la excepción de la Comunidad Valenciana) un necesario escalonamiento, esto es, primero la conciliación-mediación y, fracasada ésta, el arbitraje. En todo caso, la previa intervención de la comisión paritaria está prevista en todos los Acuerdos respecto de los conflictos jurídicos relacionados con el convenio colectivo con carácter obligatoria.

e) En cuanto a la voluntariedad de los procedimientos establecidos, el arbitraje siempre es voluntario y la mediación en ocasiones es obligatoria.

f) En materia de legitimación para iniciar estos procedimientos, la variedad de previsiones es absoluta en los distintos acuerdos, dependiendo en general del tipo de conflicto.

g) Otra característica común a todos ellos es el establecimiento de la incompatibilidad de los procedimientos del arbitraje con la huelga y el cierre patronal y con otros procedimientos iniciales o administrativos de solución de los conflictos colectivos laborales; al contrario, esta misma incompatibilidad solo se establece a partir del momento de solicitud de la conciliación-mediación en algunos acuerdos.

h) En todos los acuerdos se prevén listas de árbitros y de mediadores designados de común acuerdos, entre los firmantes del acuerdo interprofesional.

j) Finalmente, la financiación de estos procedimientos es siempre pública y se gestionan bien a través de fundaciones o en el marco de los Consejos de Relaciones Laborales autonómicos.

4. *Naturaleza y régimen jurídico de los actos de solución pacífica de los conflictos colectivos*

584. Naturaleza jurídica convencional de los acuerdos conciliatorios y laudos arbitrales. Eficacia jurídica y personal. Todos los actos de solución pacífica de los conflictos colectivos —actos de conciliación o laudos arbitrales— acaso con la excepción de los laudos arbitrales *«ex art. 10.1 RDLRT»*, poseen idéntica naturaleza jurídica. Se trata de formas de expresión de la autonomía colectiva distintas formalmente de los convenios colectivos pero cuyo fundamento último es idéntico al de éstos —el acuerdo directo de las partes, solucionando el conflicto en el caso del acuerdo conciliatorio o delegando su solución a terceros en el caso de acuerdo arbitral— por lo que se equiparan a los convenios colectivos en eficacia jurídica y personal (STS de 13 de octubre de 1995, Ar/8668).

Así lo reconocen expresamente una serie de disposiciones:

a) El art. 8.2 del RDLRT, referido a los acuerdos del comité de huelga y el empresario o de los representantes de ambos o pactos que ponen fin a la huelga señala que *«tendrán la misma eficacia que lo acordado en convenio colectivo»*.

b) El art. 24 del RDLRT, referido a los actos de conciliación y laudos arbitrales conseguidos en el procedimiento de conflicto colectivo establece que *«dicho acuerdo (conciliatorio) tendrá la misma eficacia que lo pactado en convenio* colectivo», y que «*la decisión que adopten (los árbitros) tendrá la misma eficacia que si hubiera habido acuerdo entre las partes*».

c) El art. 2 del RD 2756/1979, respecto de los acuerdos en mediación del IMAC (rectius, Administración laboral sucesora), establece que «*la aceptación por las partes de las propuestas del mediador tendrá la misma eficacia de un convenio colectivo, si legalmente pudiera concertarse*».

d) El art. 156.2 de la LJS, respecto de la conciliación preprocesal obligatoria prevista en su párrafo primero: «*Lo acordado en conciliación tendrá, según su naturaleza, la misma eficacia atribuida a los convenios colectivos por el art. 82 del ET, siempre que las partes que concilien ostenten la legitimación y adopten el acuerdo conforme a los requisitos exigidos por las citadas normas*».

e) El art. 91 del ET: «*El acuerdo logrado a través de la mediación y el laudo arbitral tendrán la eficacia jurídica y tramitación de los convenios colectivos regulados en la presente ley, siempre que quienes hubiesen adoptado el acuerdo o suscrito el compromiso arbitral tuviesen la legitimación que le permita acordar, en el ámbito del conflicto, un convenio colectivo a lo previsto en los artículos 87, 88 y 89 de esta ley*».

Para el resto de supuestos, aunque no exista norma expresa que reconozca su naturaleza convencional, deberá ésta admitirse por analogía con los supuestos anteriores, en la medida en que se trata de supuestos amparados en el art. 37.1 de la CE, que reconoce el derecho a la negociación colectiva laboral entre los representantes de los trabajadores y empresarios (GOERLICH).

Así pues, la eficacia jurídica —normativa o contractual— y personal de aplicación —general o limitada a los representados por los representantes que plantearon el conflicto colectivo— dependerá de la representatividad ostentada por éstos últimos y de la toma de decisiones.

De ostentarse la representatividad exigida por el ET (arts. 87 y 88) y de haberse tomado el acuerdo (conciliatorio o arbitral) con el voto favorable de la mayoría de cada una de las representaciones de las partes (art. 89.3 del ET), éste será equiparable a los convenios colectivos estatutarios, de eficacia jurídica normativa y personal general o «*erga omnes*».

En caso contrario, la equiparación habrá de hacerse a los convenios colectivos extraestatutarios, de eficacia jurídica discutible y discutida (contractual para unos y normativa para otros) (ver supra) y de eficacia personal limitada a los representados por los negociadores de la solución del conflicto (art. 155.2 LJS). Lo que no deja, desde luego, de plantear dudas razonables si se piensa que el conflicto colectivo afecta a un grupo genérico de trabajadores que sin embargo vendría determinado por la afiliación al sindicato que planteó el mismo.

585. Régimen jurídico de los actos conciliatorios y laudos arbitrales. El régimen jurídico de los actos conciliatorios y laudos arbitrales será, naturalmente, el derivado de su naturaleza convencional, esto es, el mismo que el de los convenios colectivos estatutarios o extraestatutarios a los que se equiparan (art. 91 del ET):

a) El contenido posible de los acuerdos conciliatorios o laudos arbitrales que pongan fin a un conflicto colectivo económico o de interés, cualquiera que sea su naturaleza convencional (estatutario o extraestatutario), vendrá limitado por la normativa legal y reglamentaria imperativa (arts. 3.3 y 85.1 del ET).

b) El art. 84 del ET, que prohíbe la concurrencia entre convenios colectivos estatutarios, jugará como límite igualmente de los acuerdos conciliatorios y laudos arbitrales de conflictos colectivos económicos de naturaleza convencional estatutaria en los términos ya estudiados (ver supra).

c) Tanto los acuerdos conciliatorios como los laudos arbitrales, deberán establecer su período de duración o vigencia, del mismo modo que el ET exige como contenido mínimo obligatorio de los convenios colectivos el ámbito temporal, a efectos del juego de las denuncias. De no establecerse, habrá que entender que se trata de acuerdos conciliatorios o de laudos de duración indefinida con posibilidad de denuncia en cualquier momento con el único límite de la buena fe. Naturalmente, de tratarse de conflictos de interpretación de normas, la duración de estos actos será la misma que la de la norma interpretada.

d) Los acuerdos y laudos arbitrales serán susceptibles de impugnación «*por los motivos y conforme a los procedimientos previstos para los convenios colectivos*» (art. 91 ET), esto es, a través del procedimiento previsto en los arts. 163 y ss. de la LJS (STS de 30 de enero de 1997, Ar/645). Específicamente, los laudos arbitrales podrán ser objeto de recurso en el caso de que el árbitro no hubiera cumplido el procedimiento señalado en la norma o compromiso arbitral que lo previera o se hubiera extralimitado de las funciones encomendadas («*cuando el laudo hubiese resuelto sobre puntos no sometidos a su decisión*»: art. 91 ET). Y, naturalmente, en los casos en que el laudo contradiga normas vigentes de derecho necesario o resulte «*lesivo*» gravemente para los intereses de terceros.

e) Los acuerdos conciliatorios y laudos arbitrales vincularán a los tribunales, en la medida en que se ajusten a derecho. Esto significa que aquellos acuerdos o laudos en solución de conflictos colectivos económicos o jurídicos referidos a convenios colectivos que no contraríen la normativa estatal vincularán plenamente a los tribunales. No así los acuerdos o laudos que interpreten o apliquen normas estatales (legales o reglamentarias) en cuyo caso parece que la competencia de la jurisdicción es plena para resolver libremente los conflictos que se planteen.

f) Para los acuerdos logrados en conciliación-mediación, el art. 68.1 de la LPL establece que «*lo acordado en conciliación constituirá título para iniciar acciones ejecutivas sin necesidad de ratificación ante el juez o tribunal, y podrá llevarse a efecto por los trámites previstos en el Libro Cuarto de esta Ley* (de ejecución de sentencias)». El art. 68.2 de la LJS establece por su parte que «*se entenderán equiparados a las sentencias firmes a efectos de ejecución definitiva los laudos arbitrales igualmente firmes, individuales o colectivos, dictados por el órgano que pueda constituirse mediante los acuerdos interprofesionales y los convenios colectivos a que se refiere el art. 83 del ET*».

Problema común a la ejecutividad judicial de los acuerdos y laudos es el de determinar el concreto momento en que adquieren firmeza, dado que la LJS no fija plazo. Una solución podría ser la de entender firmes los acuerdos y laudos una vez dictados con independencia de su posible impugnación judicial posterior, si bien en tal caso no podría volverse sobre los efectos ya producidos por el acuerdo o laudo ejecutados por aplicación de los efectos de cosa juzgada del art. 160.5 de la LJS (SALA y ALFONSO MELLADO).

g) Según el art. 65.3 de la LJS, la suscripción de un compromiso arbitral, «*celebrado en virtud de los acuerdos interprofesionales y los convenios colectivos a que se refiere el art. 83 del ET*», suspenderá los plazos de caducidad e interrumpirá los de prescripción. En estos casos, el cómputo de la caducidad se reanudará al día siguiente de que adquiera firmeza el laudo arbitral. De interponerse un recurso judicial de anulación del laudo, la reanudación tendrá lugar desde el día siguiente a la firmeza de la sentencia que se dicte. Las acciones de impugnación y los recursos judiciales de anulación de los laudos arbitrales caducarán en el plazo de 30 días hábiles, excluidos los sábados, domingos y festivos desde la notificación del laudo (art. 65.4 LJS)

Se trata de un precepto que expresamente se refiere a los arbitrajes previstos en los convenios o acuerdos del art. 83 del ET, lo que, «*a sensu contrario*», significa que no es de aplicación a otros arbitrajes (previstos en la ley o en convenio colectivo ordinario).

V. EL PROCEDIMIENTO JUDICIAL

1. *Normativa aplicable*

586. Normativa aplicable. El proceso de conflicto colectivo viene configurado en la LJS como una «*modalidad procesal*» y regulado en los arts. 153 a 162 en cuanto a sus especialidades procesales, siendo aplicables supletoriamente *«las disposiciones establecidas para el proceso ordinario»* en todo lo que no esté previsto expresamente en estos artículos (art. 102.1 LJS).

587. Carácter limitadamente dispositivo de las normas procesales: posibilidad de un arbitraje obligatorio. Una primera cuestión de carácter general que la LPL plantea en este punto es el de carácter imperativo o dispositivo de sus normas en relación con la negociación colectiva: ¿Podría un convenio colectivo —ordinario, marco o acuerdo interprofesional— establecer un procedimiento arbitral de solución de los conflictos colectivos jurídicos que obligase a los sujetos legitimados para promover un proceso de conflicto colectivo según la LJS (art. 154) a acudir a él, impidiendo la utilización del procedimiento judicial establecido por la LPL?

La respuesta podría ser positiva con base en lo dispuesto en los arts. 82.2 del ET (*«los convenios colectivos… podrán regular la paz laboral a través de las obligaciones que se pacten»*), 85.1 del ET (*«dentro del respeto a las leyes, los convenios colectivos podrán regular materias de índole… sindical… y, en general, cuantas otras afecten… al ámbito de relaciones de los trabajadores y sus organizaciones empresariales»*) y 8.1 del RDLRT (*«los convenios colectivos podrán establecer normas complementarias relacionadas con los procedimientos de solución de los conflictos que den origen a la huelga, así como la renuncia durante su vigencia, al ejercicio de tal derecho»*), precepto expresamente declarado constitucional por STC de 8 de abril de 1981, lo que significaría tanto como afirmar el carácter limitadamente dispositivo de la LJS respecto de la negociación colectiva.

Por lo demás, no parece que un arbitraje obligatorio pactado en convenio colectivo para quienes lo suscribieron y para sus representados atente contra el derecho constitucional a la tutela judicial efectiva (en cuanto derecho de acceso al proceso), por tratarse en el fondo de un arbitraje voluntario (ALFONSO MELLADO, RAMÍREZ).

588. La vinculabilidad de un arbitraje obligatorio a los sujetos no firmantes del convenio colectivo. Problema distinto —de enorme interés y trascendencia— es el de si esas cláusulas de los convenios colectivos vinculan, no solo a los sujetos colectivos firmantes del convenio, sino también a otros sujetos colectivos no firmantes, obviamente tratándose en todo caso de un convenio colectivo estatutario y, por tanto, de eficacia general.

El tema no es ni mucho menos claro, desde la perspectiva de los derechos a la tutela judicial efectiva, de libertad sindical y de huelga de los sujetos colectivos no firmantes. Ciertamente, el art. 82.3 del ET, cuando establece la eficacia personal general de los convenios colectivos estatutarios, parece referirse únicamente a los sujetos individuales (empresarios y trabajadores) y no a los sujetos colectivos (sindicatos y representantes unitarios, empresarios y asociaciones empresariales), al señalar que *«los convenios colectivos regulados por esta ley obligan a todos los empresarios y trabajadores incluidos dentro de su ámbito de aplicación y durante todo el tiempo de su vigencia»*.

Sin embargo, el art. 8.1 del RDLRT —que admite la renuncia al derecho de huelga en un convenio— según la interpretación inicial de la STC 11/1981, de 8 de abril (ya que, con posterioridad, el TCO ha mantenido que las cláusulas de paz, como parte del contenido obligacional de un convenio colectivo no se aplican a los trabajadores individuales sino solo a los sujetos colectivos firmantes: STC 189/1993, de 14 de junio), supone que la renuncia al derecho de huelga vincula no solo a los sujetos colectivos firmantes del convenio sino también a los trabajadores individuales afectados por el convenio, al afirmar que en tales casos resultarán ilegales las huelgas que se produzcan contraviniendo lo expresamente pactado en el convenio colectivo. Si esto es así, ¿qué sentido tendría admitir la legalidad de las huelgas convocadas por sujetos colectivos no firmantes del convenio donde se hubiese renunciado al derecho de huelga si los trabajadores que deben seguirlas incurren en ilegalidad a juicio del TCO? De alguna manera cabría afirmar que la renuncia al derecho de huelga de los trabajadores individuales afectados por un convenio arrastra la renuncia al derecho al ejercicio del derecho de huelga de los sujetos colectivos no firmantes (PÉREZ DE LOS COBOS).

Por otra parte, el derecho constitucional a la tutela judicial efectiva tampoco sería conculcado por cuanto siempre cabría impugnar judicialmente el laudo arbitral por cuestiones de procedimientos o de contenido y, además, el derecho a la tutela judicial efectiva no es absoluto pudiéndose restringir en beneficio de otros derechos constitucionales, tales como el derecho a la negociación colectiva (DURÁN, ALFONSO MELLADO).

2. *Legitimación*

2.1. Legitimación activa

589. Sujetos legitimados para iniciar el procedimiento judicial de conflicto colectivo. La legitimación activa para promover este tipo de procesos viene atribuida por la LJS:

a) A los sindicatos con algún nivel de implantación (STS de 20 de junio de 2008, Ar/4231) aunque se trate de un sindicato minoritario (STS de 31 de enero de 2003, Ar/3058), asociaciones empresariales, empresarios y órganos de representación legal o sindical de los trabajadores en la empresa (art. 154 LJS). Las secciones sindicales están legitimadas cuando no haya delegados sindicales (STS de 21 de marzo de 1995, Ar/2175). Las asociaciones de pensionistas no están legitimadas para plantear conflicto colectivo dado que carecen de naturaleza sindical (STS de 3 de junio de 1996, Ar/4870).

A sensu contrario, no están legitimadas las comisiones paritarias de un convenio colectivo (STCT de 23 de marzo de 1983, Ar/2734), los propios trabajadores de la empresa actuando conjuntamente (STCT de 7 de abril de 1987, Ar/20180) o las asociaciones no sindicales (STS de 3 de junio de 1996, Rec. 1814/1995, referida a una asociación de pensionistas). En definitiva, no están legitimados unos representantes distintos de los previstos legalmente (STS de 17 de febrero de 2005, Rec. 76/2004).

b) A la autoridad laboral, *«a instancia de las representaciones referidas en el art. 154»* (art. 158 LJS).

Hay, pues, dos vías de iniciación del procedimiento: a) La demanda de los representantes de los afectados. b) La comunicación de la autoridad laboral, a instancia de los representantes de los afectados.

El art. 154 de la LJS exige, para su legitimación, a los representantes de los afectados que invoquen un interés legítimo, delimitado este último en la LJS por referencia a los ámbitos territorial y funcional del conflicto.

Así, están legitimados los sindicatos *«cuyo ámbito de actuación se corresponde o sea más amplio que el del conflicto»*; las asociaciones empresariales *«cuyo ámbito de actuación se corresponda o sea más amplio que el del conflicto, siempre que se trate de conflictos de ámbito superior a la empresa»*; y los empresarios y órganos de representación legal o sindical de los trabajadores *«cuando se trata de conflictos de empresa o de ámbito inferior»*. Se establece, así, un principio de correspondencia entre el ámbito de actuación del sujeto colectivo promotor del conflicto y el ámbito del conflicto, lo que se justifica en la necesaria eficacia general de la sentencia y esta última en la evitabilidad de sentencias contradictorias (GARCÍA PERROTE). Así, el empresario nunca podrá plantear un conflicto colectivo sectorial (SSTS de 11 de diciembre de 1991, Ar/9053, de 15 de noviembre de 2001, Ar/2002/2971 o de 30 de septiembre de 2008, Ar/7360).

Llama la atención, en este último sentido, que la LJS atribuya legitimación limitada a las asociaciones empresariales para *«los conflictos de ámbito superior a la empresa»*, cosa que no hace con los sindicatos. ¿Significa esto que los sindicatos (locales, provinciales, de Comunidad Autónoma o nacionales pueden promover conflictos colectivos en el ámbito de la empresa o en ámbito inferior a ella? La cuestión se complica ya que la LJS alude en estos niveles a *«los órganos de representación sindical de los trabajadores»* en la empresa como legitimados. A nuestro juicio, serán éstos últimos —entendiendo por tales las secciones sindicales de empresa— los únicos legitimados y no los sindicatos, debiendo cohonestarse así ambos preceptos, pese a su ambigüedad (PÉREZ DE LOS COBOS).

La jurisprudencia, no obstante, ha reconocido legitimación activa a los sindicatos para intervenir en conflictos sectoriales y de ámbito menor (empresarial) (SSTS de 11 de diciembre de 1991, Ar/9053 o de 29 de enero de 2002, Ar/2646).

590. El principio de correspondencia entre ámbito del conflicto colectivo y ámbito de actuación de los sujetos legitimados. Dudas interpretativas. La cuestión que queda en el aire es si este principio de correspondencia entre ámbito del conflicto y ámbito de actuación del sujeto colectivo promotor impide que un sujeto de ámbito de actuación inferior al ámbito de aplicación de la norma interpretada objeto del conflicto pueda plantear conflicto colectivo, si bien con eficacia limitada a su ámbito de actuación.

Así, por ejemplo, plantear un conflicto colectivo de interpretación de una norma estatal o de un convenio colectivo estatal por un sindicato provincial o de un convenio nacional o provincial en una empresa por un comité de empresa, si bien pretendiendo que la solución que se dé sólo rija en ese ámbito.

Las únicas salidas posibles a la aparente prohibición legal serían, seguramente, dos (PÉREZ DE LOS COBOS):

1ª) Interpretar que cuando se habla de correspondencia entre ámbito de actuación del sujeto promotor y ámbito del conflicto, el criterio efectivamente relevante es el del ámbito del conflicto y no el de la aplicación de la norma interpretada, entendiendo que aquel no está necesariamente condicionado por éste (SSTS de 15 de febrero de 1999, Ar/800, de 17 de julio de 2000, Ar/6633, de 7 de febrero de 2001, Ar/2147, de 13 de marzo de 2002, Ar/5144 o de 30 de septiembre de 2008 *(Tol 140826)*].

2ª) Entender que *«decisiones o prácticas de empresa»* son también las aplicaciones o interpretaciones que de una norma de ámbito de aplicación superior hace un empresario. En caso contrario, se cerrarían muchísimo las posibilidades de plantear conflicto colectivo en la realidad, ya que éstos surgen normalmente en las empresas, con independencia del ámbito de la norma aplicable a interpretar.

Su aceptación, sin embargo, supondrá, ciertamente, una quiebra del principio de la *«evitabilidad de sentencias contradictorias»*. Aunque siempre existirá la posibilidad de acudir al recurso de casación por unificación de doctrina.

591. El art. 155 de la LJS y la legitimación ampliada de las partes en el proceso. El art. 155 de la LJS permite que se personen, *«como partes en el proceso, aun cuando no lo hayan promovido»*, los sindicatos más representativos a nivel estatal o de Comunidad Autónoma y los sindicatos suficientemente representativos según el art. 7.2 de la LOLS, las asociaciones empresariales representativas del art. 87 del ET y los órganos de representación legal o sindical de los trabajadores, *«siempre que su ámbito de actuación se corresponda o sea más amplio que el del conflicto».*

De esta manera, se vienen a limitar los efectos de la amplia legitimación atribuida por la ley a los sindicatos y asociaciones empresariales minoritarias, estableciéndose un litis consorcio voluntario, no necesario (STS de 8 de noviembre de 1994, Ar/8600).

Los mayores problemas surgirán del lado de las medidas a adoptar por los órganos jurisdiccionales para que los citados en el art. 155 de la LJS puedan conocer el proceso y personarse en su caso, ante la ausencia de previsiones legales específicas (GARCÍA PERROTE).

592. La comunicación de la autoridad laboral. El art. 158 de la LJS permite iniciar el procedimiento judicial de solución de conflictos colectivos mediante la *«comunicación de la autoridad laboral, a instancia de las representaciones referidas en el artículo 154»*, dejando así el impulso inicial a las partes en la relación laboral.

En todo caso, con tal dicción literal, la LJS deja en el aire la cuestión de si se está refiriendo al procedimiento de conflicto colectivo del RDLRT, a otros procedimientos distintos sin otra exigencia que la instancia de las representaciones del art. 154 de la LJS o a ambos a la vez.

Acaso la tercera de las posibilidades apuntadas sea la más correcta por cuanto la LJS ha querido, a la vez, ser respetuosa con el RDLRT y con otros procedimientos que eventualmente pudieran derogarlo o modificarlo con posterioridad (ALFONSO MELLADO).

2.2. Legitimación pasiva

593. Sujetos legitimados. La LJS no alude a los legitimados pasivamente en este tipo de procesos, que habrán de ser lógicamente todos los afectados por el conflicto. Ello estará, desde luego, en función de la respuesta que se dé al significado del principio de correspondencia entre el ámbito del conflicto y el ámbito de actuación del sujeto promotor. De no admitirse el planteamiento de conflictos colectivos sobre normas de ámbito aplicativo más amplio en ámbitos más reducidos, todo dependerá del objeto del conflicto colectivo, según se trate de la aplicación o interpretación de una norma estatal (legal o reglamentaria), convencional o de una decisión o práctica empresarial. En caso contrario, todo dependerá del ámbito del conflicto.

En todo caso, los Tribunales tienen declarado que *«el demandante no es árbitro en la elección de los demandados, sino que debe… demandar… a todos los afectados por el pronunciamiento que recaiga»* (STCT de 14 de enero de 1986, Ar/534).

Por lo demás, al igual que sucedía con la legitimación activa, jugará el art. 155 de la LJS que permite *«personarse como partes en el proceso»* a una serie de sujetos colectivos que no lo promovieron, ya que el precepto legal no solo se refiere al *litis consorcio* activo voluntario sino también al *litis consorcio* pasivo voluntario pero no a los trabajadores individuales (SSTS de 26 de diciembre de 1997, Ar/9635 o de 15 de diciembre de 2000, Ar/818).

3. El principio de incompatibilidad entre la huelga y el procedimiento de conflicto colectivo

594. La dudosa vigencia de los arts. 17.2 y 18.2 del RDLRT. Una importante cuestión ha quedado en pie en la LJS en relación con los arts. 17.2 y 18.2 del RDLRT, donde se establecía el principio de incompatibilidad entre la huelga y el procedimiento de conflicto colectivo (ver supra): ¿Continúan vigentes estos preceptos tras la LJS? ¿Han sido derogados implícitamente —que no formalmente— por la LJS? ¿Es posible mantener su vigencia parcialmente para el procedimiento administrativo del RDLRT y, consiguientemente, para el procedimiento judicial que se inicie mediante la comunicación de la autoridad laboral (arts. 25.a) del RDLRT y 158 de la LJS)? Es obvio que, de mantenerse su vigencia, se limitaría notablemente la posibilidad de acudir a juicio en caso de huelgas motivadas por conflictos jurídicos de los trabajadores y que en caso contrario, cualquier sindicato minoritario estaría limitando el derecho al ejercicio del derecho de huelga de los restantes sujetos legitimados para declararla.

Desde luego, el problema no es nuevo. Los preceptos del RDLRT tenían sentido a la altura de 1977 cuando no había más *«representantes de los trabajadores»* que los representantes unitarios en la empresa. A partir del momento en que el TCO admite que los *«sindicatos con implantación»* en el ámbito del conflicto colectivo están legitimados surge el problema. Acaso este se agrava con el art. 154.1 de la LJS en la medida en que, como vimos, se interpreta que la exigencia de implantación no es necesaria.

Acaso, el único modo de solucionar este problema sea el siguiente (GARCIA PERROTE):

1°) Es lógico y razonable que dos sistemas de solución de conflictos colectivos no puedan simultáneamente coexistir: la huelga y el procedimiento judicial, en este caso.

2°) Sin embargo, el pluralismo representativo de los trabajadores en la empresa (representación unitaria y sindical) y el pluralismo sindical reconocido y existente tiene también sus exigencias.

3°) El único modo de cohonestar ambas exigencias sería interpretar que únicamente pierden el derecho a convocar la huelga los sujetos colectivos promotores de un procedimiento de conflicto colectivo, ya sea por la vía de la comunicación de la autoridad laboral, ya sea por la de la demanda directa y no los demás sujetos que no hayan promovido.

4°) Lo que no parece razonable es que estos preceptos del RDLRT continúen vigentes solo para el procedimiento del RDLRT y no para el de demanda directa de la LJS, como ha defendido un sector doctrinal (BAYLOS, CRUZ VILLALÓN y FERNÁNDEZ LÓPEZ), pues la instancia del procedimiento del RDLRT parte de los legitimados por el art. 154.1 de la LJS, esto es, de los mismos que puedan demandar directamente, planteándose idéntico problema. Acaso la única razón de esta tesis sea la ubicación geográfica de los preceptos, en el RDLRT y no en la LJS. y la ausencia de contradicción a nivel constitucional entre derecho de huelga y procedimiento judicial de conflicto colectivo, según sentó la STC de 8 de abril de 1981.

4. El intento de conciliación previa

595. Distinción entre las dos formas de iniciar el procedimiento judicial de conflicto colectivo. Requisito preprocesal necesario para la tramitación del proceso será el intento de conciliación previa: «*será requisito necesario para la tramitación del proceso el intento de conciliación o mediación en los términos previstos en el art. 63 de la LJS*» (art. 156.1 LJS).

De seguirse el procedimiento de la comunicación de la autoridad laboral, la conciliación administrativa previa prevista en el procedimiento administrativo del RDLRT amortiza el trámite de conciliación administrativa previa o ante el órgano previsto convencionalmente (GARCÍA PERROTE, BAYLOS, CRUZ VILLALÓN y FERNÁNDEZ LÓPEZ).

596. La eficacia de lo acordado en conciliación. El art. 156.2 de la LJS atribuye a lo acordado en conciliación «*la misma eficacia atribuida a los convenios colectivos por el art. 82 del ET*», esto es, la naturaleza y el régimen jurídico de un convenio colectivo estatutario (eficacia normativa y general o «*erga omnes*») y por ello se señala que «*se enviará copia de la misma a la autoridad laboral*» (para su depósito, registro y publicación, habrá que entender correctamente), pudiendo ser impugnado judicialmente por el procedimiento la impugnación de convenios colectivos y no por el ejercicio de la acción de nulidad del art. 67 de la LJS (como sucede en las restantes conciliaciones administrativas previas).

El art. 156.2 de la LJS establece una salvedad lógica: «*siempre que las partes que concilien ostenten la legitimación y adopten el acuerdo conforme a los requisitos exigidos por las citadas normas*» (legitimación inicial, deliberadora y decisora de los arts. 87, 88 y 89.3 del ET). En caso de no alcanzar tal legitimación legal, habrá que entender, «*a sensu contrario*», que el acuerdo conciliatorio tendrá únicamente la naturaleza y régimen jurídico de un convenio extraestatutario (SS. TS de 13 de octubre de 1995, Ar/8668, de 30 de enero de 1997, Ar/645 o de 15 de julio de 1997, Ar/6569).

En este punto, cabría plantear dos cuestiones de interés:

1ª) Si el objeto de interpretación es un convenio extraestatutario, nunca el acuerdo conciliatorio, pese a realizarse por sujetos legitimados según los arts. 87, 88 y 89 del ET, tendría eficacia de convenio estatutario. Aunque no deja de ser absurdo que una representación de los trabajadores no firmante del convenio extraestatutario pueda —la ley no lo prohíbe— plantear conflicto colectivo sobre el mismo. No sería, desde luego frecuente, pero en la medida en que caben las adhesiones colectivas e individuales a un convenio extraestatutario, podría eventualmente plantearse esta situación.

2ª) No deja de ser absurdo admitir la interpretación de una norma estatal por vía de conflicto colectivo, exigiendo para la eficacia general del acuerdo conciliatorio la legitimación estatutaria exigida para un acuerdo interprofesional y, mucho más, admitiendo «*a sensu contrario*» la eficacia limitada de un acuerdo conciliatorio sobre la interpretación de una norma estatal, pudiendo así, teórica y potencialmente existir varias actas de conciliación con eficacia de «*convenios extraestatutarios*» cuyo contenido consiste en la interpretación de una norma estatal (legal o reglamentaria).

5. *La iniciación del proceso*

597. Los requisitos de la demanda. La iniciación del proceso puede hacerse mediante demanda dirigida al Juzgado o Tribunal competente (art. 157.1 LJS) o mediante comunicación de la autoridad laboral (art. 158 LJS).

El art. 157 de la LJS exige, además de los requisitos generales de toda demanda (art. 80 LJS) (SSTS de 24 de febrero y 22 de octubre de 1992. Ar/1144 y 7668) los siguientes:

1º) «*La designación general de los trabajadores y empresas afectadas por el conflicto y, cuando se formulen pretensiones de condena que aunque referidas a un colectivo genérico, sean susceptibles de determinación individual ulterior sin necesidad de nuevo litigio, habrán de consignarse los datos, características y requisitos precisos para una posterior individualización de los afectados por el objeto del conflicto y el cumplimiento de la sentencia respecto de ellos*», en orden a poder valorar la legitimación de los promotores y de las partes en el proceso (la jurisprudencia no es clara en cuanto al alcance de esta exigencia, siendo restrictiva en algunas ocasiones —STS de 9 de mayo de 1991. Ar/3796— y en otras no —SSTS, u.d., de 1 de junio de 1992, Ar/4505 o de 16 de septiembre de 1994. Ar/7159—).

2º) *«La designación concreta del demandado o demandados, con expresión del empresario, asociación empresarial, sindicato o representación unitaria a quienes afecten las pretensiones ejercitadas».*

3º) *«Una referencia sucinta a los fundamentos jurídicos de la pretensión formulada».* En todo caso, en este punto rige el principio *«iura novit curia».* La finalidad de esta exigencia acaso resida en *«evitar situaciones de indefensión de la parte demandada»* (ESCUDERO, BAYLOS, CRUZ VILLALÓN y FERNÁNDEZ LÓPEZ).

4º) *«Las pretensiones interpretativas, declarativas, de condena o de otra naturaleza concretamente ejercitadas según el objeto del conflicto».*

5º) Además, como natural consecuencia de la exigencia de conciliación previa, el art. 157.2 de la LJS establece la obligación de acompañamiento a la demanda de la certificación de haberse intentado la conciliación o mediación prevista previa o la alegación de no ser necesaria ésta, refiriéndose al supuesto en que sea demandado el Estado u otro ente público (arts. 64.1 y 70 LJS, en la medida en que no se exige reclamación administrativa previa en los procesos de conflicto colectivo).

La demanda no podrá contener ninguna otra acción acumulada (STS de 31 de octubre de 2000, Ar/9628).

598. Los requisitos de la comunicación de la autoridad laboral. El art. 158 de la LPL exige de la comunicación oficial de la autoridad laboral los mismos requisitos que en la demanda (STS de 22 de octubre de 1992, Ar/7668). Ahora bien, en la medida en que no es necesaria la conciliación administrativa previa ante el SMAC, continuará vigente el art. 25.a) del RDLRT, según el cual *«la autoridad laboral… remitirá las actuaciones practicadas, con su informe»* a la jurisdicción laboral.

Como es usual en los conflictos de oficio (art. 150.1 LJS) y, a diferencia del procedimiento ordinario (art. 81.1 LJS), el juez o tribunal advertirá a la autoridad laboral de los defectos, omisiones e imprecisiones que pudiera contener la comunicación, que deberá subsanar en el plazo de 10 días (y no de 4 días) (STS de 22 de octubre de 1992. Ar/7668).

La autoridad laboral no es propiamente parte procesal, siendo éstas los sujetos previstos en los arts. 154 y 155 de la LJS a partir del momento de la presentación de la comunicación.

6. Carácter urgente del proceso

599. La «*urgencia procesal*» y sus consecuencias. La LJS establece el lógico «*carácter urgente*» de este proceso (art. 159).

Como consecuencia de lo anterior, la LJS establece una serie de reglas:

1ª) La preferencia absoluta en el despacho de estos asuntos, «*salvo los de tutela de la libertad sindical y demás derechos fundamentales*» (art. 159 LJS).

2ª) El juicio tendrá lugar «*en única convocatoria dentro de los 5 días siguientes al de la admisión a trámite de la demanda*» (art. 160.1 LJS) o de haberse recibido la comunicación de la autoridad laboral, en su caso, habría que añadir.

3ª) «*Contra las resoluciones que se dicten en su tramitación no cabrá recurso, salvo el de declaración inicial de incompetencia*» (art. 161 LJS), en cuyo caso cabe el de suplicación (art. 191.4 LJS) o el de casación (art. 206.3 LJS). En fase de ejecución, no obstante, cabrá el recurso de queja contra el auto denegatorio del recurso de suplicación que se trata de interponer contra el que resuelve la ejecución de sentencia en materia de conflictos (ALONSO OLEA y MIÑAMBRES).

7. La sentencia

600. Plazo para dictar sentencia y notificación. La sentencia habrá de dictarse «*dentro de los tres días siguientes al de la celebración del juicio, debiendo notificarse a la autoridad laboral cuando el procedimiento se hubiere iniciado por comunicación, además de a las partes implicadas*» (art. 162.2 LJS).

La reducción del plazo para dictar sentencia es lógica consecuencia del carácter urgente de este tipo de procesos, si bien la sentencia no podrá dictarse de viva voz en un proceso de conflicto colectivo (art. 50.2 LJS).

601. Ejecutividad de la sentencia. Su significado. La sentencia será ejecutiva «*desde el momento en que se dicte, no obstante el recurso que contra la misma pueda interponerse*» (art. 160.4 LJS). En este último sentido, conforme al art. 97.4 de la LJS, el fallo deberá advertir de los recursos procedentes.

Tradicionalmente, sin embargo, la jurisprudencia (por todas, SSTS de 24 de febrero, 25 de junio o 16 de noviembre de 1992, Ar/1144, 4672 y 8818 o de 18 de noviembre de 2001, Ar/2002/2974) viene atribuyendo carácter declarativo a las sentencias dictadas en procesos de conflicto colectivo y, por ello, no constitutivas de título suficiente para iniciar la ejecución forzosa, siendo necesaria otras sentencias declarativas o condenatorias individualizadas con posterioridad, teniendo, eso sí, presente la «*eficacia de cosa juzgada*» de la sentencia dictada sobre el conflicto colectivo. La «*ejecutividad*» de la sentencia a que se refiere la LPL acaso haya que entenderla como que, a partir del momento en que se dicte, los procesos individuales quedarán vinculados por ella (BAYLOS, CRUZ VILLALÓN y FERNÁNDEZ LÓPEZ), aunque la LJS habla de *«sentencia firme»*, lo que contradice esta tesis.

La STC de 23 de mayo de 1988 abrió, desde luego, una vía para la ejecución directa de las sentencias declarativas que acaso se pueda utilizar en estos supuestos, cuando la sentencia al poner fin al conflicto *«tiene una repercusión directa en el plano individual»* y, por tanto, no existe imposibilidad para su *«ejecución directa»* (principio de economía procesal).

Posiblemente haya que distinguir en este sentido entre dos tipos de conflicto colectivo: El de trascendencia individual (no ejecutable en sentido propio más allá de la eficacia de *«cosa juzgada»* a partir de la firmeza de la sentencia) y el de trascendencia colectiva (que afecta a los sujetos colectivos y que resulta perfectamente ejecutable).

Acaso habría que distinguir también, a estos efectos, entre conflictos colectivos referidos a derechos de disfrute individual —en cuyo caso la sentencia sería declarativa y no ejecutiva— y convenios colectivos referidos a derechos de disfrute colectivo (economatos, comedores o servicios médicos de empresa) o que afectan a sujetos colectivos (representantes sindicales o unitarios) —en cuyo caso la sentencia sería ejecutiva— (STS de 28 de mayo de 2002, Ar/6816). El art. 157.1 a) de la LJS parece ir en esta dirección al referirse, cuando exige los requisitos generales de la demanda, a las *«pretensiones de condena que aunque referidas a un colectivo genérico sean susceptibles de determinación individual ulterior sin necesidad de nuevo litigio»* (ver supra).

En este último sentido, la STC de 12 de noviembre de 1996 ha señalado que en estos casos, *«la patente desproporción de esfuerzo exigido a los justiciables, de instar un segundo proceso en el que, por lo demás, poco o nada quedaría por resolver en derecho, llevaría… a la vulneración del derecho fundamental de todos a una tutela judicial de sus derechos e intereses legítimos de caracteres mínimamente razonables»* (art. 24.1 de la CE). En este mismo sentido se expresa la STS de 21 de noviembre de 2001, Ar/2002/2074.

602. Los efectos de cosa juzgada de la sentencia. Por lo demás, *«la sentencia firme producirá efectos de cosa juzgada sobre los procesos individuales pendientes de resolución o que puedan plantearse, que versen sobre idéntico objeto»* (art. 160.5 LJS; SSTC de 23 de mayo de 1988 y de 17 de enero de 1994; SSTS, u.d., de 6 de julio de 1999, Ar/5276 o de 20 de diciembre de 2001, Ar/2002/2077).

Esto significa que sobre el objeto resuelto con anterioridad por la sentencia dictada en un proceso de conflicto colectivo, no podrá recaer otra sentencia distinta sobre el fondo cuando se planteen con posterioridad demandas en procesos individuales por las partes afectadas por la sentencia: «*Las sentencias resolutorias de los procesos individuales tienen que aplicar obligatoriamente los mandatos y criterios decisorios establecidos por la sentencia de conflicto colectivo*» (por todas, SSTS de 30 de junio, 18 y 20 de julio, 23 de septiembre y 25 de noviembre de 1994, u.d., Ar/5508, 7052, 7058, 7177 y 9328).

La excepción legal de cosa juzgada jugará no solo sobre los conflictos individuales que puedan plantearse en el futuro sino también sobre los conflictos individuales presentes («*pendientes de resolución*»), lo que, sin embargo, planteará problemas procesales de instrumentación del momento de la oposición de la «*excepción de cosa juzgada*». El significado de la expresión legal «*cosa juzgada*» viene a ser el de que los procesos individuales habrán de resolverse de acuerdo con la sentencia dictada en el proceso de conflicto colectivo («*con éste actuando como norma o fundamento de derecho de la pretensión individual*», dirán ALONSO OLEA y MIÑAMBRES) pero no será impeditiva del planteamiento y resolución de otros conflictos individuales sobre el mismo objeto.

En cuanto a la posibilidad de oponer la «*excepción de litis pendentia*» en el caso de pleito individual durante la tramitación de un pleito colectivo o cuando la sentencia no sea todavía firme, existe una amplia jurisprudencia que señala que el art. 160.5 de la LJS no se refiere al aspecto negativo o preclusivo de la cosa juzgada en el que quepa apreciar la excepción de litispendencia, sino a su aspecto positivo o prejudicial que, sin impedir dictar sentencia en un segundo juicio, «*obliga a que la decisión que se adopte en esa sentencia siga y aplique los mandatos y criterios establecidos por la sentencia firme anterior*» (por todas, SSTS de 25 de noviembre de 1994, u.d., Ar/9318 o de 26 de noviembre de 1998, Ar/10039).

Consecuencia de lo anterior será la suspensión de los procedimientos individuales pendientes o que pudieran promoverse durante la tramitación del procedimiento de conflicto colectivo (por todas, SSTS de 13, 18 y 21 de julio de 1994, u.d., Ar/6659, 6677 y 6690) y la interrupción de la prescripción de las acciones individuales de idéntico objeto que el conflicto colectivo, hasta que adquiera firmeza la sentencia dictada en éste último (por todas, SSTS de 29 de septiembre de 1994, u.d., Ar/7261, de 6 de julio de 1999, Ar/5276, o de 12 de junio de 2000, Ar/5153).

El art. 138.4 de la LJS establece expresamente, para los procedimientos de movilidad geográfica y de modificaciones sustanciales de condiciones de trabajo, que «*si una vez iniciado el proceso* (individual) *se plantease demanda de conflicto colectivo contra la decisión empresarial, aquel proceso se suspenderá hasta la resolución de la demanda de conflicto colectivo que, una vez firme, tendrá eficacia de cosa juzgada sobre el proceso individual en los términos del apartado 3 del art. 160*».

Obviamente, aunque no lo diga expresamente la LJS, la excepción de *«cosa juzgada»* jugará, respecto de presentes o posteriores conflictos colectivos sobre *«idéntico objeto»* promovidos por distintos sujetos legitimados, en orden a evitar varios pleitos sobre el mismo tema. Lo que no conjura, sin embargo, la posibilidad de que puedan plantearse varios conflictos colectivos sobre idéntico asunto, por sujetos colectivos distintos, y que éstos se solucionen en fase de conciliación administrativa previa de distinta manera. SAGARDOY ha defendido, no obstante, el valor de *«cosa juzgada»* de los acuerdos conciliatorios.

Tampoco dice nada la LJS acerca de los efectos de una sentencia firme en conflicto colectivo posterior a otras sentencias firmes dictadas en conflictos individuales sobre idéntico asunto. Con seguridad, la doctrina aplicable será la judicial anterior a la LJS según la cual *«el empresario no tiene que satisfacer las reclamaciones de que quedó exento por la sentencia absolutoria en el pleito individual»* (por todas, STCT de 1 de diciembre de 1986, Ar/14612) en el caso de que en el proceso colectivo fuera condenado y ambas sentencias incidieran sobre los mismos trabajadores.

Ahora bien, la sentencia dictada en un conflicto colectivo posterior podría constituir una nueva causa de pedir que posibilitaría plantear un nuevo pleito con base en esa sentencia colectiva, sin que pudiese estimarse la excepción de cosa juzgada (ALARCÓN).

603. Solución extrajudicial del conflicto y archivo de las actuaciones procesales. Una última cuestión viene planteada por el art. 162 de la LJS cuando señala que si en cualquier momento del procedimiento (*«cualquiera que sea el estado de su tramitación anterior a la sentencia»*) se recibiese en el Juzgado o Tribunal *«comunicación de las partes de haber quedado solventado el conflicto»* (avenencia de las partes o sometimiento del conflicto o arbitraje) *«se procederá sin más al archivo de las actuaciones»*.

Así, la LJS configura la actuación judicial como claramente supletoria o subsidiaria de la voluntad libérrima de las partes para la solución de los conflictos colectivos jurídicos.

VI. LOS PROCEDIMIENTOS EXTRAJUDICIALES DE SOLUCIÓN DE CONFLICTOS DEL PERSONAL LABORAL DE LAS ADMINISTRACIONES PÚBLICAS

604. La situación del personal laboral de las Administraciones Públicas. En los Acuerdos Interprofesionales sobre solución extrajudicial de los conflictos laborales del sector privado no se prevé con carácter expreso y general que comprendan dentro de su ámbito de aplicación a los conflictos referidos al personal laboral de las Administraciones Públicas. Al contrario, existe la opinión generalizada que pone en duda jurídicamente esta posibilidad por entender que las asociaciones empresariales negociadoras de los mismos no representan a las Administraciones Públicas, según ha puesto de relieve la jurisprudencia del Tribunal Supremo (por todas, SSTS de 21 de diciembre de 1999, Ar/528 y voto particular en la STS de 7 de octubre de 2004, Ar/2005/2167).

Aunque predominan los Acuerdos interprofesionales que excluyen expresamente de su ámbito de aplicación los conflictos del personal laboral de las Administraciones Públicas, los hay que guardan silencio e, incluso, hay alguno que establece expresamente la posibilidad de que se apliquen a estos conflictos. Tal sucede con los Acuerdos de Baleares, Cantabria y Andalucía.

Así las cosas, el EBEP era el lugar idóneo para proceder a establecer un sistema extrajudicial de solución de los conflictos de este personal, pero el EBEP guarda silencio, refiriéndose tan solo a los funcionarios públicos en el art. 45 (ver infra), excluyendo por tanto de los procedimientos en él previstos al personal laboral. Así se deduce claramente de su literalidad, en la que se habla siempre de *«pactos y acuerdos colectivos»* de funcionarios y nunca de *«convenios colectivos»* del personal laboral.

En consecuencia, salvo que por convenio colectivo pudiera crearse algún sistema extrajudicial de solución de conflictos o extender los procedimientos del art. 45 del EBEP al personal laboral, hoy por hoy este personal se encuentra excluido del sistema existente en el sector privado y del que se cree —todavía no se ha creado— en el sector público para los funcionarios, siendo la única vía extrajudicial de solución de los conflictos colectivos de interpretación de los convenios colectivos la de las *«comisiones paritarias»* de estos últimos.

LOS DERECHOS COLECTIVOS DE LOS FUNCIONARIOS PÚBLICOS

SUMARIO: I. LOS DERECHOS COLECTIVOS DE LOS FUNCIONARIOS PÚBLICOS: NORMAS INTERNACIONALES. II. EL DERECHO DE LIBERTAD SINDICAL. 1. Normativa vigente. 2. La libertad sindical de los funcionarios públicos. 3. La libertad sindical de los miembros de las Fuerzas Armadas e Institutos Armados de carácter militar. 4. La libertad sindical de jueces, magistrados y fiscales. 5. La libertad sindical de la policía. 6. La libertad sindical y la situación de pasividad de los funcionarios públicos exceptuados. III. EL DERECHO DE REPRESENTACIÓN COLECTIVA. 1. Normativa vigente. 2. La representación sindical. 3. La representación unitaria. IV. EL DERECHO DE REUNIÓN. V. EL DERECHO DE PARTICIPACIÓN INSTITUCIONAL. VI. EL DERECHO DE NEGOCIACIÓN COLECTIVA. 1. Problemática general. 2. La situación española. 2.1. La evolución histórica. 2.2. La normativa aplicable. 2.3. El sistema de negociación. a) Las partes contratantes. b) Las unidades de negociación. c) Contenido negocial. d) El procedimiento de negociación. e) La naturaleza jurídica de los pactos y acuerdos colectivos. f) La vigencia temporal de los pactos y acuerdos colectivos. 3. La negociación colectiva conjunta del personal laboral y funcionarial. VII. EL DERECHO DE HUELGA. 1. Normativa aplicable. 2. Régimen jurídico. VIII. EL DERECHO A PLANTEAR CONFLICTOS COLECTIVOS.

I. LOS DERECHOS COLECTIVOS DE LOS FUNCIONARIOS PÚBLICOS: NORMAS INTERNACIONALES

605. El reconocimiento y la ascesis de los derechos colectivos de los funcionarios públicos. El Convenio nº 87 de la OIT. A partir de la Segunda Guerra Mundial, con carácter general a todos los países, si bien con distintos calendarios, se ha desarrollado un proceso imparable de reconocimiento de los derechos colectivos de los funcionarios públicos.

Con anterioridad, la presencia de los derechos colectivos en la Administración Pública era tradicionalmente denostada por contraria al régimen jurídico estatutario donde los principios de jerarquía administrativa y de continuidad en la prestación de los servicios públicos debían prevalecer sobre cualesquiera intereses particulares del personal al servicio de la misma.

Primero fue el reconocimiento generalizado de la libertad sindical por impulso del Convenio nº 87 de la OIT, donde únicamente se admiten limitaciones al derecho de sindicación a los miembros de la policía y de las fuerzas armadas. Más tarde, y en algunos países al mismo tiempo, fue reconocido el derecho de huelga de los funcionarios. Finalmente, en la década de los sesenta, la negociación colectiva, con notables matices, adquiere carta de naturaleza respecto de los funcionarios públicos en la mayoría de los países.

606. El Convenio nº 151 de la OIT y otras normas internacionales. En la actualidad, es el Convenio nº 151 de la OIT de 1978, sobre *«la protección del derecho de sindicación y los procedimientos para determinar las condiciones de empleo en la Administración Pública»*, la norma internacional de mayor espectro aplicativo acerca de los derechos colectivos de los funcionarios públicos, si bien existan otras que con carácter particular recojan en su articulado algunos de ellos. Tal sucede con la Carta Social Europea o con los Pactos Internacionales de la ONU sobre derechos económicos, sociales y culturales o sobre derechos civiles y políticos de 1966.

El Convenio nº 151 de la OIT posee un cuádruple contenido:

1) La protección del derecho de sindicación (arts. 4 y 5).

2) Las facilidades que deben concederse a las organizaciones de empleados públicos (art. 6).

3) Los procedimientos para la determinación de las condiciones de trabajo (art. 7).

4) La solución de los conflictos (art. 8).

Todos los preceptos del Convenio poseen un claro carácter programático, necesitando siempre un desarrollo normativo que se deja a la competencia de los respectivos Estados. Así:

a) Art. 5: *«Las organizaciones de empleados públicos gozarán de completa independencia»* o *«de adecuada protección»*. No se especifican los medios de tutela de una y otra.

b) Art. 6: *«Deberá concederse a los representantes de las organizaciones... facilidades apropiadas»*, señalando que *«la naturaleza y el alcance de estas facilidades se determinarán»*. No hay, pues, determinación en el Convenio.

c) Art. 7: *«Deberán adoptarse, de ser necesario, medidas adecuadas a las condiciones nacionales»*. Se deja libertad plena a la legislación nacional para fijar tales medidas.

d) Art. 9: *«Se deberá tratar de lograr, de manera apropiada a las condiciones nacionales»*. Existe, pues, plena libertad en cada Estado.

II. EL DERECHO DE LIBERTAD SINDICAL

1. *Normativa vigente*

607. Las normas internacionales. El régimen jurídico vigente de la libertad sindical de los funcionarios públicos parte de unas normas internacionales ratificadas por el Estado español que, o bien equiparan el reconocimiento del derecho de libertad sindical de los funcionarios públicos al de los trabajadores contratados laboralmente (arts. 2º del Convenio nº 98 de la OIT y 5º de la Carta Social Europea), o bien admiten restricciones al ejercicio del derecho de libertad sindical de los funcionarios (art. 8.2 del Pacto Internacional de derechos económicos, sociales y culturales de la ONU y 11.2 del Convenio Europeo para la protección de los derechos humanos y las libertades fundamentales).

En todas las normas internacionales citadas se admite la posibilidad de que se limite el derecho de sindicación a los miembros de la policía y de las Fuerzas Armadas (arts. 9.1 del Convenio nº 87 de la OIT, 5º de la Carta Social Europea, 8.2 del Pacto Internacional de derechos económicos, sociales y culturales de la ONU, 11.2 del Convenio Europeo para la protección de los derechos humanos y las libertades fundamentales y 1º.3 del Convenio nº 151 de la OIT.

608. La Constitución: arts. 7, 28.1 y 127.1. La Constitución española reconoce expresamente el derecho de libertad sindical de los funcionarios públicos en los arts. 7 y 28.1, aludiendo en este último a una posible peculiarización por la ley del ejercicio del mismo («*la ley… regulará las peculiaridades de su ejercicio para los funcionarios públicos*»), referencia que se repite en el art. 103.3 del propio texto constitucional («*la ley regulará… las peculiaridades de su derecho a sindicación*»).

Respecto de los miembros de las Fuerzas Armadas y de los Institutos Armados de carácter militar —esto es, el Ejército y la Guardia Civil—, el art. 28.1 señala que la ley de desarrollo constitucional «*podrá*» limitar o exceptuar el ejercicio de este derecho.

Acerca de los Jueces, Magistrados y Fiscales, —el art. 127.1 señala que «*la ley establecerá el sistema y modalidades de asociación profesional*» de los mismos, exceptuándoles el derecho de sindicación, si bien reconociéndoles un cierto «*derecho de asociación profesional*».

609. El art. 1 de la LOLS. La LOLS ha venido a desarrollar el derecho de libertad sindical de los funcionarios públicos (art. 1º, 1 y 2), exceptuando del mismo a los miembros de las Fuerzas Armadas y de los Institutos Armados de carácter militar (art. 1.3) y a los Jueces, Magistrados y Fiscales (art. 1.4); y remitiéndose a su normativa específica para la regulación del derecho de sindicación de los Cuerpos y Fuerzas de Seguridad que no tengan carácter militar, «*dado el carácter armado y la organización jerarquizada de estos Institutos*» (art. 1.5).

2. La libertad sindical de los funcionarios públicos

610. El derecho de libre sindicación de los funcionarios públicos. La regulación unitaria de la libertad sindical de funcionarios y trabajadores. La LOLS reconoce el derecho de libre sindicación de los funcionarios públicos sin limitación alguna (art. 1.1 y 2). Lo que no obsta para que matice en su articulado las peculiaridades propias de los funcionarios públicos que ya prevé el propio art. 28.1 de la CE.

Cuestionada la constitucionalidad de la regulación unitaria de la libertad sindical de funcionarios públicos y trabajadores por cuenta ajena por entenderse que la misma debía hacerse en el Estatuto de la Función Pública a que se refiere el art. 103.3 de la CE (ALONSO OLEA), el Tribunal Constitucional señaló que *es evidente que el término («ley» de los arts. 28.1 y 103.3 de la CE) se refiere al rango de la norma o más genéricamente al legislador, sin que se defina una norma específica; o sea, que no implica la necesidad de que la sindicación de los funcionarios públicos y sus peculiaridades se regulen en un único instrumento legislativo»* (STC de 29 de julio de 1985).

611. La aplicabilidad a los funcionarios públicos del contenido de la LOLS. El contenido de la LOLS resulta plenamente aplicable a la libertad sindical de los funcionarios públicos en lo que se refiere a las facultades en que se concreta la libertad sindical (art. 2), el régimen jurídico sindical (arts. 4 y 5), la definición de cuales sean sindicatos más representativos a los distintos niveles funcionales y territoriales y sus competencias (arts. 6 y 7), la acción sindical en el ámbito de la empresa, las secciones sindicales de empresa o de centro de trabajo y sus derechos (art. 8), los derechos de los cargos sindicales electivos (art. 9), los delegados sindicales y sus derechos (art. 10) o la tutela de la libertad sindical y la represión de las conductas antisindicales (arts. 12 a 15).

Ello no obstante, el art. 9.1.b) de la LOLS, estableciendo el derecho a la situación de servicios especiales de los funcionarios que ostenten cargos electivos a nivel provincial, autonómico o estatal en las organizaciones sindicales más representativas, habrá de entenderse inaplicable por inconstitucional, por aplicación de la doctrina sentada por la STC de 16 de junio de 1987, acerca del paralelo art. 26.2 de la ley 30/1984, de reforma de la función pública. En opinión del Tribunal Constitucional, *«es esta distinción entre los sindicatos más representativos y los que no lo son la que resulta contraria al art. 14 y 28. No se justifica en efecto esta distinción entre sindicatos a los efectos de exoneración del funcionario que en ellos ostente cargos, lo que supone tanto una discriminación a favor del funcionario, en su caso, como del sindicato más representativo».*

Cuestionada la constitucionalidad de la supuesta uniformidad del tratamiento de la libertad sindical de funcionarios y trabajadores en la LOLS, señaló el Tribunal Constitucional que *«la consideración de que el Proyecto* (hoy, ley) *implica la atribución de funciones excesivas e inadecuadas para los sindicatos de funcionarios no se ve confirmada, por cuanto que según su art. 2.2.d) tales funciones se reconocen «en los términos previstos en las normas correspondientes», quedando reservado a éstas establecer las diferencias de regulación pertinentes»,* concluyendo que *«no se advierte razón alguna para afirmar que la opción del legislador en este terreno no se ajusta a la Constitución»* (STC de 29 de julio de 1985).

612. Las peculiaridades de la sindicación funcionarial. El art. 3.2 de la LOLS. En el articulado de la ley y, sobre todo, a través de la interpretación jurisprudencial, se establecen determinadas peculiaridades propias de los funcionarios públicos. En todo caso, de acuerdo con la doctrina del Tribunal Constitucional, las peculiaridades del ejercicio del derecho de libertad sindical de los funcionarios públicos *«sólo al legislador estatal corresponde su determinación, pues, de una parte, implica la regulación o desarrollo de un derecho fundamental… y, de otra, forma parte del régimen estatutario de los funcionarios públicos»* (STC de 27 de julio de 1982):

a) En primer lugar, la ley establece una expresa limitación al ejercicio de los derechos sindicales, perfectamente justificada por lo demás en la naturaleza de las cosas, por lo que más que limitación es peculiaridad. Así, el art. 3.2 de la LOLS establece la incompatibilidad en el desempeño simultáneo de cargos directivos o de representación en el sindicato en que estén afiliados y cargos de libre designación de categoría de Director General o asimilado o de rango superior en las Administraciones Públicas (Estatal, Autonómica y Local).

El ámbito subjetivo del precepto hace referencia a quienes ostenten en el sindicato *«cargos directivos o de representación»*, sin concreta especificación del ámbito territorial al que el ejercicio de dichos cargos debe referirse.

b) En segundo lugar, en una serie de artículos se distinguen los comités de empresa y delegados de personal de *«los correspondientes órganos de las Administraciones Públicas»* (cfr. arts. 2.2.d; 6.2.a; 7.1 y 2; 8.2; 10.1 y 2.3.2° y disposición adicional segunda, 1) (los delegados de personal y las Juntas de Personal regulados en el EBEP) (ver infra) o se habla de *«los oportunos procedimientos de consulta o negociación»* para la determinación de las condiciones de trabajo en las Administraciones Públicas, distinguiéndolas de la negociación colectiva (cfr. art. 6.3.c) (los pactos y acuerdos colectivos regulados en el EBEP) (ver infra).

c) El Tribunal Constitucional ha sentado la siguiente doctrina acerca de la acción sindical en la función pública: *«El ejercicio de la actividad sindical en el seno de las Administraciones Públicas reconocido en la CE (art. 103.3) está sometido a ciertas peculiaridades derivadas lógicamente de los principios de eficacia y jerarquía que deben presidir, por mandato constitucional, la acción de la función pública (art. 103.1 CE) y que no pueden ser objeto de subversión ni menoscabo… Por eso, a la hora de ponderar constitucionalmente la emisión de informaciones sindicales que tengan por objeto suscitar reivindicaciones concretas o la crítica y denuncia de determinadas condiciones en la prestación del servicio público…, dicha información ha de ponerse en relación… con el interés público y el concreto interés administrativo»* (STC de 1 de julio de 1991).

3. La libertad sindical de los miembros de las Fuerzas Armadas e Institutos Armados de carácter militar

613. La normativa aplicable. Su justificación. Por lo que se refiere a los miembros de las Fuerzas Armadas y de los Institutos Armados de carácter militar (Guardia Civil), el art. 1.3 de la LOLS los exceptúa del derecho de libre sindicación.

La base de esta excepción legal se encuentra en el art. 28.1 de la CE que, al utilizar el término *«podrá»*, permite que la ley de desarrollo constitucional limite o exceptúe el ejercicio del derecho de libre sindicación a *«las Fuerzas Armadas o Institutos Armados o a los demás Cuerpos sometidos a disciplina militar»*. La ley ha optado, en atención a circunstancias de oportunidad política, por exceptuar y no por limitar, lo que hubiera sido igualmente constitucional dada la opción reconocida en la Constitución.

Por su parte, el Convenio nº 87 de la OIT, en su art. 9.1 señala que *«la legislación nacional deberá determinar hasta qué punto se aplicarán a las Fuerzas Armadas y a la Policía, las garantías previstas por el presente Convenio»*. Lo mismo hace el Convenio nº 151 en su art. 1.3. Por lo que la ley se adecúa también perfectamente a la normativa internacional ratificada por España.

La legislación específica en materia de libertad sindical de estos colectivos parte del *«principio de neutralidad de las Fuerzas Armadas»*. Neutralidad que trata de garantizarse calificando de falta grave la afiliación sindical, la asistencia de uniforme o haciendo uso de la condición militar a reuniones o manifestaciones de carácter sindical y el ejercicio de cargos de carácter sindical (Ley Orgánica de 8/1998, de 2 de diciembre, del Régimen Disciplinario de las Fuerzas Armadas).

Paralelamente, por la naturaleza militar del instituto armado de la Guardia Civil, se considera igualmente falta muy grave la pertenencia a sindicatos así como el desarrollo de actividades sindicales (Ley Orgánica 12/2007, de 22 de octubre, del Régimen Disciplinario de la Guardia Civil). Por su parte, la Ley Orgánica 11/2007, de 22 de octubre, reguladora de los derechos y deberes de los miembros de la Guardia Civil reconoce a los guardias civiles el derecho de asociación profesional *«para la defensa y promoción de sus derechos e intereses profesionales, económicos y sociales»*, pero sin poder llevar a cabo actividades sindicales.

4. La libertad sindical de jueces, magistrados y fiscales

614. La normativa aplicable. Su justificación. Respecto de jueces y magistrados, la Ley Orgánica del Poder Judicial (LOPJ) 6/1985, de 1 de julio, reconoce en su art. 401 el derecho de asociación profesional, más limitado que el derecho de libertad sindical de los restantes funcionarios, sancionándose como falta muy grave la participación en sindicatos (art. 417.2 de la LOPJ).

Parecidas limitaciones vienen establecidas para los fiscales por los arts. 54 y 59 del Estatuto Orgánico del Ministerio Fiscal (EOMF), aprobado por ley 50/1981, de 30 de diciembre.

La base de esta excepción legal se encuentra en el art. 127.1 de la Constitución, como indica el propio art. 1.4 de la LOLS que admite el derecho de asociación profesional exclusiva pero no el derecho de libre sindicación. Sin embargo, dado el silencio de los Convenios nº 87 y 151 de la OIT acerca de estos colectivos, a diferencia de los militares y policías, podría pensarse en la inadecuación de nuestra Constitución a las normas internacionales que sí parecen atribuir el derecho de libertad sindical sin limitación alguna a los jueces, magistrados y fiscales.

615. El régimen jurídico de las asociaciones profesionales de Magistrados y Jueces. La LOPJ regula en su art. 401 el régimen del derecho de asociación profesional de los Jueces y Magistrados, régimen que, desde la perspectiva de la libertad sindical, presenta las siguientes limitaciones:

a) Existe una expresa limitación en sus fines: «*podrán tener como fines lícitos la defensa de los intereses profesionales de sus miembros en todos los aspectos y la realización de actividades encaminadas al servicio de la Justicia en general. No podrán llevar a cabo actividades políticas ni tener vinculaciones con partidos políticos o sindicatos*».

b) Se establece una apriorística determinación de su ámbito territorial y personal: «*… deberán tener ámbito nacional, sin perjuicio de la existencia de secciones cuyo ámbito coincida con el de un Tribunal Superior de Justicia*». Y más adelante: «*sólo podrán formar parte de las mismas quienes ostenten la condición de Jueces y Magistrados en servicio activo*».

c) Se establecen una serie de requisitos rigurosos para su constitución: «*para su válida constitución, las asociaciones deberán contar con la adhesión de al menos el 15 por 100 de quienes… pudieran formar parte de las mismas. Quienes promuevan una asociación profesional en número no inferior a 15, y que cuenten con un proyecto de Estatuto, estarán legitimados durante el plazo de 6 meses para llevar a cabo cuantas actividades sean necesarias para su definitiva constitución*».

d) Existe, finalmente, la posibilidad de denegación del registro de la asociación por parte del Consejo General del Poder Judicial, cuando no se cumplan los requisitos anteriores, así como las menciones que se establecen respecto a los Estatutos. Esta eventual denegación del registro impide la válida constitución de la asociación.

e) Por lo demás, serán de aplicación supletoria las normas reguladoras del derecho de asociación en general (Ley Orgánica 1/2002, de 22 de marzo, reguladora del derecho de asociación). Así, por ejemplo, en temas de suspensión o disolución.

El Acuerdo del Pleno del Consejo general del Poder Judicial de 28 de febrero de 2011 (BOE de 18 de marzo aprobó el Reglamento de las Asociaciones Judiciales Profesionales.

Actualmente, son asociaciones profesionales judiciales las siguientes: Asociación Profesional de la Magistratura, Asociación Francisco de Vitoria, Jueces para la Democracia, Foro judicial Independiente y Asociación de Mujeres Juezas de España.

616. El régimen jurídico de las asociaciones profesionales de Fiscales. El art. 54 del EOMF regula el régimen del derecho de asociación profesional de los Fiscales:

a) Las asociaciones de Fiscales tendrán personalidad jurídica y plena capacidad para el cumplimiento de sus fines. Podrán tener como fines lícitos la defensa de los intereses profesionales de sus miembros en todos los aspectos y la realización de estudios y actividades encaminados al servicio de la justicia en general.

b) Solo podrán formar parte de las mismas quienes ostenten la condición de Fiscales, sin que puedan integrarse en ellas miembros de otros cuerpos o carreras.

c) Las asociaciones profesionales quedarán válidamente constituidas desde que se inscriban en el Registro, que será llevado al efecto por el Ministerio de Justicia. La inscripción se practicará a solicitud de cualquiera de los promotores, a la que se acompañará el texto de los Estatutos y una relación de afiliados.

d) Los Estatutos deberán expresar como mínimo las siguientes menciones: nombre de la asociación, que no podrá contener connotaciones políticas; fines específicos; organización y representación de la asociación; su estructura interna y funcionamiento deberán ser democráticos; régimen de afiliación; medios económicos y régimen de cuotas; y forma de elegirse los cargos directivos de la asociación.

e) Cuando las asociaciones profesionales incurrieren en actividades contrarias a la ley o excedieran el marco de los Estatutos, el Fiscal General del Estado podrá instar, por los trámites del juicio declarativo ordinario, la disolución de la asociación. La competencia para acordarla corresponderá a la Sala Primera del Tribunal Supremo que, con carácter cautelar, podrá acordar la suspensión de la misma.

Actualmente, son asociaciones profesionales de Fiscales las siguientes: Asociación de Fiscales, Unión Progresista de Fiscales y Asociación Profesional e Independiente de Fiscales.

5. *La libertad sindical de la policía*

617. La normativa aplicable. Su justificación. Por lo que se refiere a la policía, la Ley 2/1986, de 13 de marzo, sobre Fuerzas y Cuerpos de Seguridad (LO-

FCS) establece su régimen jurídico sindical. Así, respecto del Cuerpo Nacional de Policía, definido como «*instituto armado de naturaleza civil, dependiente del Ministerio del Interior*» (art. 9.a) LOFCS), se reconoce el «*derecho a constituir organizaciones profesionales así como el de afiliarse a los mismos y a participar activamente en ellas en los términos previstos en esta ley*» (art. 18.1), si bien estableciendo numerosas peculiaridades.

Desde la perspectiva constitucional, el fundamento jurídico del tratamiento legal de la libertad sindical de la policía se encuentra en el art. 28.1 de la CE, que prevé la posibilidad de que la ley regule «*las peculiaridades*» del ejercicio del derecho de libertad sindical de los funcionarios públicos. Si bien, desde luego, podrían plantearse dudas razonables acerca del carácter de «*peculiaridades*» o de «*limitaciones*» de la específica regulación legal de la libertad sindical de la policía, pese a la justificación alegada en la exposición de motivos de la LOFCS: «*las especiales características de la función policial y el carácter de instituto armado que la ley atribuye al Cuerpo*».

En todo caso, al igual que sucedía con las Fuerzas Armadas, las normas internacionales (arts. 9.1 del Convenio nº 87 y 1.3 del Convenio nº 151 de la OIT) permiten que la legislación nacional determine (limitando en su caso) el alcance aplicativo de la libertad sindical a la policía. Por lo que, desde la perspectiva internacional, nuestra legislación se adecúa a las normas ratificadas por España.

618. El régimen jurídico de la libertad sindical de la policía. Las líneas generales de la regulación de la libertad sindical de la policía vienen a ser las siguientes:

1º) Es posible la constitución de organizaciones sindicales, pero sujeta a las siguientes limitaciones:

a) Han de tener un ámbito territorial nacional.

b) Han de limitarse en sus objetivos a la defensa de intereses profesionales.

c) Han de estar formadas exclusivamente por miembros del cuerpo nacional de policía.

d) No pueden federarse o confederarse con otras organizaciones sindicales que, a su vez, no estén integradas exclusivamente por miembros del referido cuerpo. Aunque sí pueden formar parte de organizaciones internacionales de su mismo carácter.

2º) Los requisitos establecidos para la constitución de sindicatos son similares a los que, con carácter general, exige el art. 4 de la LOLS. La única diferencia es que la oficina pública donde deben depositarse los estatutos es el registro especial de la Dirección General de Policía (art. 20).

3º) A todas las organizaciones sindicales legalmente constituidas, se les reconoce una serie de derechos:

a) Formular propuestas, elevar informes y dirigir peticiones (art. 21.1).

b) Ostentar la representación de sus afiliados ante los órganos competentes de la Administración Pública. A estos efectos, tendrán la consideración de representantes de estas organizaciones sindicales aquellos funcionarios designados formalmente como tales por el órgano de gobierno de aquéllas (art. 21.1).

c) Derecho a un tablón en cada dependencia policial, en lugar donde se garantice un fácil acceso al mismo de los funcionarios (art. 23.1).

4º) La responsabilidad de las organizaciones sindicales por los acuerdos de sus órganos estatutarios y por los actos de sus afiliados se establece en términos similares a como se establece con carácter general en el art. 5 LOLS para todo sindicato (art. 24).

5º) Se privilegia a una serie de organizaciones, denominadas *«organizaciones sindicales representativas»*. Son consideradas organizaciones sindicales representativas las que hayan obtenido, al menos, un representante en las elecciones al Consejo de Policía o, en dos de las escalas, el 10 por 100 de los votos emitidos en cada una de ellas (art. 22.1). Las ventajas que se conceden a estas organizaciones sindicales son: a) participar como interlocutores en la determinación de las condiciones de prestación del servicio de los funcionarios e b) integrarse en el grupo de trabajo o comisiones de estudio que se establezcan.

6ª) Los representantes de estas organizaciones sindicales representativas tendrán derecho (art. 22):

a) Al acceso a los centros de trabajo para participar en actividades de su organización sindical; comunicándolo al jefe de la dependencia y no interfiriendo el desarrollo normal del servicio.

b) Al crédito de horas que se establezca reglamentariamente para el desarrollo normal del servicio.

c) Al disfrute de permisos no retribuidos en los términos que se establezca reglamentariamente.

d) Al pase a la situación de servicios especiales en los términos establecidos reglamentariamente, mientras dure el ejercicio de su cargo representativo. Ello no obstante, la doctrina sentada por la STC de 11 de junio de 1987 declarando inconstitucional el art. 26.2 apartado 1 de la ley 30/1984, de Reforma de la Función Pública, deberá entenderse aplicable a este precepto.

En general, el ejercicio del derecho de sindicación y la acción sindical de la policía están sometidos legalmente a los siguientes límites (art. 19 LOFCS): El respeto de los derechos fundamentales y libertades públicas reconocidos en la CE tales como el derecho al honor, a la intimidad y a la propia imagen, así como al crédito y prestigio de las Fuerzas y Cuerpos de Seguridad del Estado, a la seguridad ciudadana y de los propios funcionarios y al secreto profesional.

619. La libertad sindical de los policías autonómicos y locales. La libertad sindical de la policía de las Comunidades Autónomas y de las policías locales no viene expresamente regulada por la LOCFS, remitiéndose en este punto a la legislación autonómica específica, si bien ésta curiosamente se vuelve a remitir a la LOFCS.

No obstante, al definirse a estos Cuerpos de Policía Autonómicos y Locales igualmente como *«institutos armados, de naturaleza civil, con estructura y organización jerarquizada»* (arts. 41.2 y 52.1 respectivamente), previsiblemente sus derechos sindicales serán los mismos que los del Cuerpo Nacional de Policía.

6. *La libertad sindical y la situación de pasividad de los funcionarios públicos exceptuados*

620. **La situación de pasividad de los funcionarios públicos y la libertad sindical.** Llama la atención que tan sólo para los jueces, magistrados o fiscales la LOLS (art. 1.4) limite la excepción aplicativa de su contenido normativo a la situación administrativa de servicio activo, funcionalizando así la exclusión y admitiendo la libre sindicación de estos colectivos cuando se hallaren en otras situaciones administrativas distintas (excedencia voluntaria, expectativa de destino forzosa, servicios especiales o suspensión).

¿Qué ocurrirá en idénticas situaciones en las Fuerzas Armadas? A mi juicio, pese al silencio legal, debe entenderse que sólo las situaciones administrativas de servicio activo son constitutivas de exclusión del derecho de libre sindicación en los términos legales, debiendo admitirse la libertad de sindicación en otro caso. Y ello, porque la supresión o limitación de estos derechos tiene en la Constitución una justificación naturalmente funcional y no personal o hipostática.

III. EL DERECHO DE REPRESENTACIÓN COLECTIVA

621. La doble vía de representación de los funcionarios públicos. Los funcionarios públicos, al igual que los trabajadores, pueden ser representados ante la Administración por una doble vía:

a) A través de la representación sindical y

b) a través de la representación unitaria.

1. Normativa vigente

622. Normativa constitucional. En nuestra Constitución tan sólo es posible constatar la existencia de un derecho de representación sindical de los funcionarios públicos derivado del derecho de libertad sindical reconocida en los arts. 7 y 28.1. Por el contrario, el derecho de representación unitaria no ha sido reconocido en la Constitución —ya que el art. 129.2 de la CE no se refiere a la Administración Pública sino a la empresa—, por lo que queda en manos de la ley que regula el Estatuto de los Funcionarios Públicos a que se refiere el art. 103.3 de la CE el establecimiento o no de los mecanismos de representación directa de los funcionarios públicos.

Así, mientras la ley que regula la representación sindical habrá de ser necesariamente orgánica, no sucederá lo mismo con la ley que regule la representación unitaria que podrá ser ordinaria. En la actualidad, la LOLS regula la representación sindical y el EBEP la representación unitaria.

623. Normativa internacional. Tampoco existe una norma internacional suscrita por el Estado español que establezca el derecho de representación unitaria de los funcionarios públicos.

El Convenio nº 151 de la OIT tan sólo se refiere a la representación sindical, exigiendo «*facilidades apropiadas a conceder a los representantes de las organizaciones de empleados públicos para permitirles el desempeño rápido y eficaz de sus funciones durante sus horas de trabajo o fuera de ellas*» (art. 6); utilizando el término «*organizaciones de empleados públicos*» como sinónimo de «*sindicatos de funcionarios públicos*».

2. La representación sindical

624. Régimen jurídico de la representación sindical. La representación sindical de los funcionarios públicos se encuentra regulada en la actualidad en la LOLS de idéntica manera que la representación sindical de los trabajadores (arts. 8 y ss.). Así:

a) Los funcionarios afiliados a un sindicato podrán constituir secciones sindicales, celebrar reuniones, recaudar cuotas y distribuir información sindical (STC 143/1991, de 1 de julio), recibir la información que le remita su sindicato (art. 8.1) y elegir a los correspondientes delegados sindicales.

   En cuanto al ámbito espacial de las secciones sindicales, en la Administración Pública deberá entenderse coincidente con el ámbito de actuación de la representación unitaria (juntas de personal y delegados de personal) (GÓMEZ CABALLERO, SALA y ROQUETA).

   La jurisprudencia niega la posibilidad de constituir secciones sindicales conjuntas de funcionarios y personal laboral (STS de 13 de marzo de 1991, Ar/8638), habiendo desaprovechado el EBEP una buena oportunidad para manifestarse acerca de tal posibilidad.

b) Las secciones sindicales constituidas tendrán derecho a un tablón de anuncios y a la utilización de un local adecuado en los términos regulados por el art. 8.2 de la LOLS.

c) Los cargos electivos de los sindicatos más representativos tendrán derecho al disfrute de permisos no retribuidos para el desarrollo de las funciones sindicales y al acceso al centro de trabajo, en los términos desarrollados por el art. 9 de la LOLS.

d) Los delegados sindicales, en el supuesto de que no formen parte de la representación unitaria (delegados de personal y juntas de personal), tendrán las mismas garantías que las establecidas legalmente para los representantes unitarios (art. 10.3 LOLS).

e) En cuanto a las facultades atribuidas, tendrán acceso a la misma información que los representantes unitarios, y estarán sujetos al mismo sigilo profesional, derecho de asistencia a las reuniones de los representantes unitarios y derecho de audiencia previa a la adopción por la Administración de medidas de carácter colectivo que afecten a los funcionarios en general y a los afiliados a su sindicato en particular (art. 10.3 LOLS).

3. La representación unitaria

625. Normativa aplicable. Ámbito de aplicación. El EBEP regula en sus arts. 40 a 44 los órganos de representación unitaria de los funcionarios públicos.

La regulación de la representación unitaria de los funcionarios públicos constituye materia básica del régimen estatutario de la función pública (art. 149.1.18 de la CE), siendo, consiguientemente, de la competencia del Estado y no de las Comunidades Autónomas la titularidad de la competencia para regular estas bases estatutarias (SSTC de 18 de diciembre de 1986, de 8 de junio, 29 de julio y 15 de septiembre de 1988).

Los órganos de representación previstos son las juntas de personal y los delegados de personal (art. 39.1 EBEP).

626. Las juntas de personal: constitución. Se constituirá una junta de personal en todas y cada una de las unidades electorales que cuenten con un censo mínimo de 50 funcionarios (art. 39.3 EBEP), existiendo, en este sentido, una predeterminación legal de las unidades electorales.

Las unidades electorales serán establecidas por el Estado y por cada Comunidad Autónoma dentro del ámbito de sus competencias legislativas y, previo acuerdo con las organizaciones sindicales legitimadas en los arts. 6 y 7 de la LOLS, los órganos de gobierno de las Administraciones Públicas podrán modificar o establecer unidades electorales en razón del número y peculiaridades de sus colectivos, adecuando la configuración de las mismas a las estructuras administrativas o a los ámbitos de negociación constituidos o que se constituyan (art. 39.4 EBEP).

En el ámbito de la Administración General del Estado, a partir del 1 de marzo de 2015, se constituirán las siguientes Juntas de Personal, según las siguientes unidades electorales (art. 12 Real Decreto-Ley 20/2012, de 13 de julio):

a) Una por cada uno de los Departamentos ministeriales incluidos en ellos, sus Organismos Autónomos, Entidades gestoras y servicios comunes de la Administración de la Seguridad Social y todos los servicios provinciales de Madrid.

b) Una para cada Agencia, ente público u organismo no incluido en el apartado anterior, para todos los servicios que tenga en la provincia de Madrid.

c) Una en cada provincia y en las ciudades de Ceuta y de Melilla, en la Delegación o Subdelegación de Gobierno, en la que se incluirán los Organismos Autónomos, Agencias comprendidas en el ámbito de aplicación de la Ley 28/2006, de 18 de julio, las Entidades gestoras y servicios comunes de la Administración de la Seguridad Social y las unidades administrativas y servicios provinciales de todos los Departamentos Ministeriales en una misma provincia, incluidos los funcionarios civiles que presten servicios en la Administración militar.

d) Una para cada ente u organismo público, no incluido en el apartado anterior, para todos los servicios que tenga en una misma provincia o en las ciudades de Ceuta y de Melilla.

e) Una para los funcionarios destinados en las misiones diplomáticas en cada país, representaciones permanentes, oficinas consulares e instituciones y servicios de la Administración del Estado en el extranjero. Cuando no se alcance el censo mínimo de 50, los funcionarios votarán en los Servicios Centrales de los respectivos Departamentos Ministeriales.

f) Una en cada provincia para el personal al servicio de la Administración de Justicia.

627. Las juntas de personal: composición y duración del mandato. La junta de personal se compone de un número de representantes que dependen del número de funcionarios censados en una unidad electoral conforme a una escala que va de un mínimo de 5 representantes a un máximo de 75 (art. 39.5 EBEP).

Las juntas elegirán de entre sus miembros un presidente y un secretario y elaborarán su propio Reglamento de Procedimiento que deberá ser aprobado por los votos favorables de, al menos, dos tercios de sus miembros (art. 39.6 EBEP)

La duración de su mandato electoral será de 4 años, prorrogables si a su término no se hubiesen promovido nuevas elecciones, si bien los representantes con mandato prorrogado no se computarán a efectos de determinar la capacidad representativa de los sindicatos. Los representantes podrán ser reelegidos en sucesivos periodos electorales. La prórroga finalizará en el momento de la proclamación de resultados de las siguientes elecciones (art. 42 EBEP).

628. Promoción electoral. Electores y elegibles. Presentación de candidaturas. La promoción de las elecciones corresponde a los sindicatos más representativos a nivel estatal y de Comunidad Autónoma (cuando la unidad electoral afectada esté ubicada en su ámbito geográfico), así como a los que, sin serlo, hayan obtenido el 10 por 100 o más de los representantes en el conjunto de las Administraciones Públicas, los que hayan obtenido al menos un 10 por 100 en la correspondiente unidad electoral y los funcionarios de la unidad electoral por acuerdo mayoritario (art. 43.1 EBEP).

Los legitimados para promover elecciones tendrán derecho a que la Administración Pública correspondiente les suministre el censo de personal de las unidades electorales afectadas, distribuido por organismos o centros de trabajo (art. 43.2 EBEP).

Serán electores y elegibles los funcionarios que se encuentren en situación de servicio activo, careciendo de tal condición los funcionarios nombrados por Real Decreto (art. 44 EBEP).

Las candidaturas habrán de ser presentadas por las organizaciones sindicales legalmente constituidas o por coaliciones de éstas o por un grupo de lectores de la misma unidad electoral siempre que su número sea equivalente al menos al triple de los miembros a elegir (art. 44 EBEP).

629. El procedimiento electoral. El procedimiento electoral se regulará reglamentariamente, teniendo en cuenta una serie de criterios generales fijados por la ley (art. 44 EBEP):

a) La elección se realizará mediante sufragio personal, directo, libre y secreto que podrá emitirse por correo o por otros medios telemáticos.

b) Las juntas de personal se elegirán mediante listas cerradas a través de un sistema proporcional corregido.

c) Los órganos electorales serán las Mesas Electorales que se constituyan para la dirección y desarrollo del procedimiento electoral y las oficinas públicas permanentes para el cómputo y certificación de resultados.

d) Las impugnaciones se tramitarán conforme a un procedimiento arbitral, excepto las reclamaciones contra las denegaciones de inscripción de actas electorales que podrán plantearse directamente ante la jurisdicción social.

630. Las facultades de las juntas de personal. Las facultades atribuidas a las juntas de personal se asemejan mucho a las atribuidas a los comités de empresa por los arts. 64 ET y concordantes, con las salvedades lógicas por razón de la naturaleza de la Administración y de la relación funcionarial.

Básicamente, son las siguientes (art. 40 EBEP):

a) Derecho de información pasiva:

- Recibir información trimestral sobre la política de personal, sobre la evolución de las retribuciones y del empleo y sobre los programas de mejora del rendimiento.

- Ser informados de todas las sanciones impuestas por faltas muy graves.

b) Derecho de información activa o consulta:

- Emitir informe, a solicitud de la Administración Pública correspondiente, sobre los traslados totales o parciales de las instalaciones y sobre la implantación o revisión de los sistemas de organización y métodos de trabajo.

- Tener conocimiento y ser oídos en el establecimiento de la jornada laboral y horario de trabajo así como en el régimen de vacaciones y permisos.

c) Derecho de vigilancia y control del cumplimiento de las normas vigentes en materia de condiciones de trabajo, prevención de riesgos laborales, seguridad social y empleo, y ejercer, en su caso, las acciones legales oportunas ante los organismos competentes.

d) Derecho de colaboración con la Administración correspondiente para conseguir el establecimiento de cuantas medidas procuren el mantenimiento o incremento de la productividad.

e) Las juntas de personal, colegiadamente, por decisión mayoritaria de sus miembros, tienen reconocida por la ley legitimación para iniciar, como interesados, los correspondientes procedimientos administrativos y para ejercitar las acciones en vía administrativa o judicial en todo lo relativo al ámbito de sus funciones.

631. El sigilo profesional. El art. 41.3 del EBEP establece también el deber de sigilo profesional de los miembros de las juntas de personal y de ésta en su conjunto *«en todo lo referente a los temas en que la Administración señala expresamente el carácter reservado»*, aún después de expirar su mandato. Sin que ningún documento calificado de reservado entregado por la Administración pueda ser utilizado *«fuera del estricto ámbito de la Administración o para fines distintos a los que motivaron su entrega»*.

De este precepto conviene resaltar:

1º) La obligación alcanza tanto a la junta de personal como tal, cuanto a los representantes individuales, por lo que la responsabilidad por incumplimiento de este deber variará en cada caso.

2º) La ley habla de *«temas»* reservados y no de documentos o informaciones. Esto significa que es posible que la Administración pueda declarar genéricamente reservada toda la información referente a un determinado tema. Si bien en todo caso se exigirá la *«expresa»* declaración administrativa de su carácter reservado.

Ello no obstante, se exigirá una mínima justificación de la Administración para calificar de reservada una determinada materia —justificación que en último término habrá de valorarse judicialmente en caso de incumplimiento del deber de sigilo y sanción posteriormente impuesta—, y no podrán entenderse reservadas todas las materias conexas a la declarada reservada, exigiéndose una *«relación directa»* con la misma (DEL REY).

632. Las garantías y facilidades de los miembros de las juntas de personal. Las garantías y facilidades previstas para los miembros de las juntas de personal se asemejan igualmente, aunque con matices propios, a las del art. 68 del ET referidas al comité de empresa.

En cuanto a las facilidades, el EBEP establece las siguientes:

a) Libertad de acceso y de circulación por las dependencias de su centro de trabajo dentro del horario habitual de trabajo, con excepción de las zonas reservadas legalmente (art. 41.1 a) EBEP).

b) Libertad de distribución de publicaciones referidas a materias sindicales y profesionales (art. 41.1 b) EBEP).

c) Derecho a un crédito de horas retribuidas, dentro de la jornada de trabajo, en función del número de funcionarios, según una escala legal que va de 15 horas a 40. La acumulación en favor de *«los miembros de la junta de personal de la misma candidatura que así lo manifiesten»* podrá realizarse *«previa comunicación al órgano que ostente la jefatura de personal ante la que aquel ejerza su representación»* (art. 41.1 d) EBEP).

En el ámbito de las Administraciones Públicas y organismos, entidades, universidades, fundaciones y sociedades dependientes de las mismas, todos aquellos derechos sindicales, que bajo ese título específico o bajo cualquier otra denominación, se contemplen en los Acuerdos para personal funcionario y estatutario suscritos con representantes u organizaciones sindicales, cuyo contenido exceda de los establecidos en el EBEP, relativos a tiempo retribuido para realizar funciones sindicales y de representación, nombramiento de delegados sindicales, así como los relativos a dispensas totales de asistencia al trabajo y demás derechos sindicales, se ajustarán de forma estricta a lo establecido en dichas normas (art. 10.1 Real Decreto-Ley 20/2012, de 13 de julio).

En cuanto a las garantías, el EBEP establece las siguientes:

a) Frente a la discriminación en su formación o en su promoción económica o profesional por razón del desempeño de su representación (art. 41.2 EBEP).

b) A no ser trasladados ni sancionados por causas relacionadas con el ejercicio de su mandato representativo, ni durante la vigencia del mismo, ni en el año siguiente a su extinción, exceptuando la extinción que tenga lugar por revocación o demisión (art. 41.2 c) EBEP).

633. Los delegados de personal. Régimen jurídico. Los delegados de personal se elegirán en aquellas unidades electorales donde el número de funcionarios sea igual o superior a seis e inferior a 50.

El número de delegados será de 1 (hasta 30 funcionarios) o de 3 (de 31 a 49 funcionarios), que ejercerán su representación conjunta y mancomunadamente (art. 39.2 EBEP).

Sus normas reguladoras son las mismas ya señaladas para las juntas de personal en materia de promoción, funciones, garantías y facilidades y duración del mandato representativo, salvo en cuanto al procedimiento electoral, ya que los delegados de personal serán elegidos mediante listas abiertas y sistema mayoritario (art. 44 EBEP).

IV. EL DERECHO DE REUNIÓN

634. Normativa aplicable. El derecho de reunión o de asamblea de los funcionarios públicos en un determinado centro no tiene un reconocimiento constitucional específico, siendo su tratamiento objeto del art. 46 del EBEP.

635. Régimen jurídico. Están legitimados para convocar una reunión las organizaciones sindicales (directamente o a través de los delegados sindicales), los delegados de personal, las juntas de personal y los empleados públicos de las Administraciones respectivas en número no inferior al 40 por 100 del colectivo convocado (art. 46.1 EBEP).

El precepto se separa de lo que dispone el art. 77 del ET para el personal laboral que no atribuye legitimación para convocar los sindicatos, si bien, como ya vimos (ver supra), el personal laboral de las Administraciones Públicas se regula por este precepto del EBEP, referido genéricamente a los *«empleados públicos»*, comprensivo por tanto del personal funcionario y laboral.

Las reuniones en el centro de trabajo se autorizarán fuera de las horas de trabajo, salvo acuerdo entre el órgano competente en materia de personal y quienes estén legitimados para convocarlas, las reuniones (art. 46.2 EBEP).

Por lo demás, la celebración de la reunión *«no perjudicará la prestación de los servicios y los convocantes de la misma serán responsables de su normal desarrollo»* (art. 46.2 EBEP).

V. EL DERECHO DE PARTICIPACIÓN INSTITUCIONAL

636. Normativa aplicable. Si bien el EBEP deja la puerta abierta para que la legislación de desarrollo establezca mecanismos de participación institucional, al referirse a ella en el art. 31, definiéndola como *«el derecho a participar, a través de las organizaciones sindicales, en los órganos de control y seguimiento de las entidades y organismo a que legalmente se determine»*, lo cierto es que el EBEP ha derogado los preceptos de la LMRFP y de la LORAP que regulaban el Consejo Superior de la Función Pública y los Consejos Autonómicos de Función Pública (disposición derogatoria única EBEP), habiendo desaparecido como órganos de participación institucional de los sindicatos, por lo que habrá que esperar al desarrollo del EBEP por parte de las correspondientes legislaciones.

Se han creado dos órganos de cooperación entre las distintas Administraciones Públicas: la Conferencia Sectorial de la Administración Pública y la Comisión de Coordinación del Empleo Público.

En distintas Comunidades Autónomas existen Consejos de Función Pública de carácter tripartito (con representantes de la Administración Autonómica, de las Entidades Locales y del personal a su servicio) o de carácter bipartito (con representantes de la Administración Autonómica y del personal a su servicio), con funciones de informe y propuesta en materia de personal.

Por lo demás, la «*concertación social*» también ha funcionado a las Administraciones Públicas llegando a diversos Acuerdos sobre las condiciones de trabajo de los funcionarios públicos.

VI. EL DERECHO DE NEGOCIACIÓN COLECTIVA

1. *Problemática general*

637. La concepción unilateralista de la relación funcionarial. La concepción clásica acerca de la naturaleza de la relación funcionarial (la concepción unilateralista o estatutaria) parte del dato de que uno de los sujetos de esta relación es la Administración Pública y que, por tanto, el funcionario público no es otra cosa que un elemento más de la propia organización administrativa. Esta concepción se basa, naturalmente, en la idea de que la Administración Pública se encuentra en una posición superior a la del funcionario, dado que sirve a «*intereses generales*». De ahí que, de acuerdo con esta concepción, la voluntad del funcionario público en la constitución y regulación de esta relación jurídica funcionarial resulte absolutamente irrelevante. Lo decisivo para determinar la naturaleza de la relación funcionarial es, así, la denominada «*relación orgánica*» (aquella en virtud de la cual el funcionario forma parte de una organización administrativa y desarrolla la «*potestad pública*» de la Administración), siendo irrelevante la denominada «*relación de servicio*» (aquella en virtud de la cual el funcionario no es sino un trabajador más que realiza un trabajo a cambio de una retribución). Se tratará, por tanto, de una relación de Derecho Público y no de una relación de Derecho Privado.

Esta tesis unilateralista o estatutaria ha ido evolucionando históricamente, desde una «*unilateralismo rígido*» hasta una «*plena negociación colectiva*», según los distintos países.

A ello han contribuido fundamentalmente los dos siguientes factores históricos:

1º) En primer lugar, lo que se ha denominado la «*proletarización de los funcionarios públicos*» producida a lo largo del Siglo XX en mayor o menor medida en todas las Administraciones Públicas, con la extensión de la actividad administrativa: de ocuparse la Administración Pública de la Defensa, el Interior, la

Justicia y los Asuntos Exteriores a desarrollar su actividad en múltiples sectores de actividad.

2°) En segundo lugar, la *«sindicalización de los funcionarios públicos»*, reconocida en las normas internacionales de la OIT (Convenios 87, 98, 151 y 153) y en las distintas Constituciones europeas. No hay duda, en este sentido, de que la libertad sindical y el derecho de huelga han contribuido a que los funcionarios públicos entren con una *«posición de fuerza»* a participar en la determinación de las condiciones de trabajo y a limitar la concepción unilateralista o estatutaria de la Función Pública.

638. La aceptación generalizada de la concepción unilateralista de la función pública. Esta tesis unilateralista o estatutaria se aceptará acríticamente por la doctrina administrativista mayoritaria en Francia, en Italia o en España, considerando que la relación entre la Administración y el funcionario es una relación de Derecho Público derivada del ejercicio por el funcionario de la *«puissance publique»* de la Administración.

Como consecuencia de la aceptación de esta doctrina en la normativa reguladora de la Función Pública, el funcionario público solo tendrá frente a la Administración los derechos y deberes determinados por las fuentes unilaterales (la ley y el reglamento), esto es, por el *«estatuto»*.

La posición de superioridad de la Administración se manifestará así desde el inicio de la relación (el nombramiento es lo importante y la toma de posesión es secundaria) y continuará a la hora de regular los derechos y deberes del funcionario, prescindiendo absolutamente de la voluntad de éste.

639. La situación en Francia. Así, en Francia, a los funcionarios se les ha aplicado tradicionalmente el Derecho Administrativo, en buena parte elaborado por el Consejo de Estado con una única preocupación: la de garantizar el funcionamiento continuo, eficaz y regular de los servicios públicos.

La concesión a los funcionarios públicos de una serie de *«garantías estatutarias»* ha sido lo que ha caracterizado al régimen jurídico funcionarial frente al régimen jurídico laboral. Estas *«garantías»* han sido las siguientes:

1°) En primer lugar, el sometimiento automático del funcionario a los derechos y deberes establecidos por el estatuto (leyes y reglamentos), sin margen alguno para la autonomía colectiva o individual (contractual).

2°) En segundo lugar, la inexistencia de *«derechos adquiridos»* por los funcionarios, ya que los derechos de éstos nacerán, vivirán y morirán con el *«estatuto»* (ley y reglamentos) y los *«derechos adquiridos»* no nacen de norma sino de contrato, inexistente en esta relación.

4º) En tercer lugar, la aplicación del «*principio de igualdad de trato*» a los funcionarios públicos pertenecientes a un mismo Cuerpo.

5º) En cuarto lugar, finalmente, la atribución competencial de los conflictos entre Administración y funcionarios públicos a la jurisdicción contencioso-administrativa.

Ello no obstante, es posible encontrar en la Función Pública Francesa una serie de aspectos que dejan entrever una modesta introducción del Derecho del Trabajo dentro de ella.

Los factores que propiciaron la entrada del Derecho del Trabajo en la Función Pública Francesa fueron los siguientes:

a) El reconocimiento del «*sindicalismo funcionarial*» y del «*derecho de huelga*», a partir del Estatuto General de Funcionarios de 1946.

b) La «*desfuncionarización*» llevada a cabo de una doble manera: bien mediante la «*privatización*» de los servicios públicos (concesiones administrativas a particulares, sociedades de economía mixta, transformación de organismos públicos en establecimientos sometidos al Derecho Privado), bien mediante la admisión del «*personal contratado laboral*» en determinados sectores de la Administración Pública.

c) La «*penetración de instituciones del Derecho del Trabajo en el Derecho Administrativo Funcionarial*»(en materia de seguridad e higiene en el trabajo, en materia de preavisos, etc.), sobre todo, a través de una «*tímida participación*» de los funcionarios en la determinación de sus condiciones de trabajo a través de la «*concertación*» (acuerdos sin eficacia jurídica, con sola eficacia política: acuerdos «*entre caballeros*», si bien «*armados*» por el derecho de huelga), y de la «*consulta*» (a través de los Consejos Superiores de las Funciones Públicas), sin llegar en ningún momento, desde luego, a algo parecido a la «*negociación colectiva*», si bien el art. 8 del actual Estatuto General de los Funcionarios Públicos (aprobado por Ley de 13 de julio de 1983) permite «*alguna forma de negociación*» sobre las retribuciones y condiciones de trabajo de los funcionarios públicos.

640. La situación en Italia. En el caso de Italia, nos encontramos, por el contrario, con un ejemplo paradigmático de la recepción y posterior abandono de la concepción unilateralista o estatutaria de la relación funcionarial. Las Reformas llevadas a cabo en la Función Pública Italiana en 1992-1993 y en 1997-1998 alteraron por completo el modelo tradicional del empleo público con la intención de introducir en la Administración un régimen jurídico de Derecho Privado.

Esta reforma privatizadora supuso el abandono de la tesis estatutaria tradicionalmente establecida y la imposición del principio general de la contractualización de la relación funcionarial. Las condiciones e trabajo de los funcionarios ya no serán reguladas unilateralmente por los Poderes Públicos sino que en su determinación también participarán los propios funcionarios públicos a través de la negociación colectiva.

Ciertamente, la Constitución Italiana (en su art. 97) establece una *«reserva de ley»* para la regulación de la relación jurídica funcionarial en orden a *«garantizar el buen funcionamiento y la imparcialidad de la Administración»*. Esta *«reserva de ley»* se interpretó históricamente como que únicamente las leyes y los reglamentos podían regular el empleo público. La *«imparcialidad»* y el *«buen funcionamiento de la Administración»* se erigieron así en el fundamento o justificación de las especialidades del empleo público.

Más adelante, sin embargo, se interpretaría que la *«reserva de ley»* únicamente impide dejar por completo la regulación del empleo público a la voluntad de las partes (colectiva e individual), debiendo existir siempre una mínima intervención del legislador. Ahora bien, una vez cubierta ésta, nada impide que su desarrollo sea realizado por la *«autonomía colectiva»* (los convenios colectivos) y por la *«autonomía individual»* (el contrato individual).

Un Dictamen del Consejo de Estado de 31 de agosto de 1992, sobre la Reforma del Empleo Público, vino a considerar que *«no era constitucionalmente posible una total unificación del empleo público y del empleo privado»*.

El legislador italiano, no obstante, hizo caso omiso del Dictamen del Consejo de Estado al afrontar la Reforma del Empleo Público y procedió a la equiparación de ambos regímenes jurídicos. En todo caso, de la Reforma se excluyeron determinados funcionarios (aquellos que ejercitan *«poderes públicos»* tales como militares, policías, diplomáticos, magistrados, abogados y procuradores del Estado y, absurdamente también, por razones distintas, los profesores de Universidad) que se mantuvieron dentro del Estatuto. Para los demás funcionarios públicos se sustituyó el nombramiento por un contrato individual y se procedió a regular las condiciones de trabajo con el convenio colectivo y con el contrato individual.

La idea de la que partía la Reforma era la de que la práctica de la negociación colectiva de los funcionarios públicos no solo permitiría la participación de éstos en la determinación de sus condiciones de trabajo, sino que, además, frente al *«caos normativo anterior»*, permitiría lograr una *«gestión más eficaz de la Administración»*.

Una reciente Ley de Delegación, de 4 de marzo de 2009, calificada por algunos de *«Ley de la Contrarreforma»*, ha modificado sustancialmente la normativa anterior, alterando el sistema de fuentes de las relaciones funcionariales (art. 1).

Hasta esta Ley, el convenio colectivo podía establecer autónomamente las condiciones de trabajo de los funcionarios público y solamente una intervención legislativa específica podía limitar la potencialidad de la negociación colectiva. A partir de la Ley del 2009, la negociación colectiva necesitará de una autorización legal para negociar aquellas materias que pretendan modificar una ley. Se pretende con ello combatir los *«excesos del pasado»*, esto es, de una negociación descentralizada y no articulada y, a veces, sin límites y de devolver a la ley su tradicional preeminencia sobre la negociación colectiva.

Ello no obstante, la Ley del 2009, en su art. 2, cuando encomienda al Gobierno su desarrollo legal, le propone que *«se oriente siempre a la convergencia de esta regulación con la del sector privado»*, manteniendo así el *«espíritu privatizador»* de la Reforma de los años 90, pero en el bien entendido de que esta *«homogeneización»* de condiciones entre el sector público y el sector privado se hará por el Gobierno a través de normas reglamentarias y no por la negociación colectiva.

2. *La situación española*

2.1. La evolución histórica

641. La tradicional posición histórica vinculada a la tesis unilateralista de la función pública. Por lo que se refiere a España, la configuración de un régimen estatutario tiene su origen histórico en el Siglo XIX, al pretender garantizar la *«neutralidad»* de la Administración frente a *«injerencias políticas»* (el denominado *«spoil system»* o *«sistema del botín»*, conforme al cual el partido que llegaba al Gobierno cesaba a todos los funcionarios públicos que nombró el Gobierno anterior y nombraba a los suyos). La *«inamovilidad»* del funcionario público sería, en este sentido, el rasgo distintivo esencial entre el funcionario público y el trabajador privado.

Toda la legislación histórica española de funcionarios públicos se ha basado en la tesis estatutaria o unilateralista. Desde el Estatuto de Bravo Murillo de 1852, pasando por los Estatutos de O'Donnell de 1866 y de Maura de 1918, hasta la Ley de Funcionarios Civiles del Estado de 1964 (modificado posteriormente por sucesivas Leyes de reforma de la Función Pública) se han mantenido fieles a la tesis estatutaria.

2.2. La normativa aplicable

642. El fundamento constitucional. Será con la Constitución Española de 1978 que se procederá a una *«reinterpretación»* de la tradicional *«doctrina estatutaria de la Función Pública»*, concediendo a los funcionarios públicos los derechos colectivos, lo que pondrá en crisis inmediata las bases dogmáticas de la tesis estatutaria.

La Constitución se decanta sin duda por la tesis estatutaria («*la ley regulará el estatuto de los funcionarios públicos*», dirá el art. 103), siendo interpretada por algunos como la consagración constitucional sin límites de la tesis estatutaria, impidiendo en consecuencia que en la Administración Pública pueda haber personal contratado laboral y que se introduzca la negociación colectiva para los funcionarios públicos. Con una postura menos radical se ha manifestado el Tribunal Constitucional en su Sentencia 99/1987, de 11 de junio, considerando que lo que existe en la Constitución es una «*preferencia*» por el régimen estatutario.

El derecho de negociación colectiva viene reconocido en el art. 37.1 de la Constitución a «*los representantes de los trabajadores y empresarios*». La cuestión reside, a la vista de esta ambigua dicción legal, en aceptar o rechazar la inclusión dentro de la misma de los funcionarios públicos, teniendo en cuenta que el art. 103.3 establece una expresa reserva de ley para la regulación del «*estatuto de la función pública*». Caben en este punto varias interpretaciones:

a) Tesis de la prohibición constitucional: una primera interpretación entendería que reserva de ley y negociación son ideas contrapuestas, considerando que la legislación excluye la negociación. Esta interpretación conduciría a afirmar la inconstitucionalidad de un derecho de negociación colectiva en el campo de la función pública. Así, el art. 37.1 CE no se referiría a los funcionarios públicos y a las Administraciones Públicas y el art. 103.3 CE prohibiría constitucionalmente la negociación colectiva de los funcionarios públicos.

b) Tesis del reconocimiento constitucional en el art. 37.1 CE: una segunda interpretación, por el contrario, entendería que la reserva de ley a lo único que se refiere es al reparto de poderes normativos entre el legislativo y el ejecutivo, entre ley y reglamento, lo que no impide la presencia de la negociación colectiva. Del mismo modo que en el campo laboral los convenios colectivos deben respetar las normas estatales de derecho necesario, coexistentes con aquellos, existiendo también en materia laboral una reserva de ley en la Constitución («*La ley regulará un estatuto de los trabajadores*»: art. 35.2) que no impide la negociación colectiva. Así, el art. 37.1 CE incluiría también a los funcionarios públicos y a las Administraciones Públicas y el art. 103.3 no prohibiría constitucionalmente la negociación colectiva de los funcionarios públicos.

c) Tesis de la ausencia de tratamiento constitucional: una tercera interpretación, aun admitiendo que el art. 37.1 CE no reconoce el derecho de negociación colectiva a los funcionarios públicos, llevaría a admitir que el legislador ordinario posee plena libertad para establecer ese derecho o no a la hora de regular el estatuto de la función pública. Ambas opciones serían en este sentido igualmente constitucionales, ya que la ausencia del derecho de negociación colectiva en la Constitución no puede equivaler a su prohibición, admitiendo el significado de la reserva de ley del art. 103.3 CE en el sentido de la interpretación anterior. Así, el art. 37.1 CE no incluiría a los funcionarios públicos y a las Administraciones Públicas y el art. 103.3 CE no prohibiría constitucionalmente la negociación colectiva de los funcionarios públicos.

643. Las normas internacionales. Ciertamente, el acudir a los Convenios Internacionales sobre la materia a la hora de interpretar, *«ex art. 10.2»* de la Constitución, el art. 37.1 referido al derecho de negociación colectiva poco soluciona, dado que en ninguno de ellos se reconoce expresamente el derecho de negociación colectiva de los funcionarios públicos.

El Convenio nº 98 de la OIT sobre la aplicación de los principios del derecho de sindicación y de negociación colectiva, excluye a los funcionarios públicos.

El Convenio nº 154 de la OIT sobre el fomento de la negociación colectiva, si bien no excluye a los funcionarios, permite que la legislación fije modalidades particulares de aplicación del Convenio.

La Carta Social Europea recoge el derecho a la negociación colectiva (art. 6º) y lo refiere a los funcionarios públicos, aunque España ha declarado en su ratificación que interpretará y aplicará este artículo *«de manera que sus disposiciones sean compatibles con los artículos 28, 37, 103.3 y 127 de la Constitución española»*, esto es, bajo *«reserva de interpretación»* a la luz de estos preceptos constitucionales.

El Convenio nº 151 de la OIT, por último, sobre la protección del derecho de sindicación y los procedimientos para determinar las condiciones de empleo en la Administración Pública, con carácter programático, señala en su art. 7º que, a los efectos de permitir a los funcionarios públicos participar en la determinación de las condiciones de trabajo, los Estados se obligan a establecer alternativamente, bien *«procedimientos de negociación»*, bien *«otros métodos»* de participación.

Así pues, a la luz de las normas internacionales, un Estado no está obligado necesariamente a reconocer el derecho a la negociación colectiva si bien, alternativamente, deberá en tal caso establecer otros métodos de participación de los funcionarios públicos en la determinación de las condiciones de trabajo.

644. La postura del Tribunal Constitucional y de los Tribunales Ordinarios: la STC de 27 de julio de 1982. La interpretación efectuada inicialmente por la STC de 27 de julio de 1982, si bien no es clara en sus últimas consecuencias, parece enmarcarse en la tercera de las interpretaciones enunciadas, esto es, en la tesis de la ausencia de tratamiento constitucional.

Promovido conflicto positivo de competencia por el Gobierno de la Nación contra el Decreto 83/1981, de 15 de julio, del Gobierno Vasco, sobre regulación colectiva de las condiciones de trabajo de la Administración Pública, donde establecía una cierta negociación colectiva en el marco de la función pública, la Sentencia lo declara inconstitucional por las siguientes razones:

1) En primer lugar, por ser de la competencia del Estado la determinación de las bases en materia de condiciones de empleo de personal al servicio de las Corporaciones Locales, según el art. 149.1.18 de la Constitución.

2) En segundo lugar por considerar que «*la Constitución no reconoce a los funcionarios públicos el derecho a la negociación colectiva de sus condiciones de empleo*» (fundamento jurídico nº 12), no pudiendo fundamentarse el derecho de negociación colectiva en el art. 37.1, en el art. 28.1.

De la Sentencia cabe deducir con toda claridad que la regulación del tema es competencia del Estado y no de las Comunidades Autónomas y que, a juicio del Tribunal Constitucional, no existe un derecho de negociación colectiva derivable de la Constitución. Lo que no cabrá deducir de ella es la necesaria inconstitucionalidad de una ley del Estado que eventualmente reconociera tal derecho en uso de su libertad legislativa.

No hay que confundir, en todo caso, la negociación colectiva «*stricto sensu*» —donde la Administración viene vinculada jurídicamente por los acuerdos, bien con una eficacia jurídica interna, modelo de convenio colectivo normativo o contractual, bien con una eficacia jurídica externa, modelo de reglamento negociado, donde la negociación constituye trámite preceptivo y vinculante so pena de nulidad del acto por defecto de procedimiento—, con las llamadas negociaciones informales no vinculantes, sean o no preceptivas, cuya naturaleza de consulta y, no de acuerdo parece obvia.

Respecto de estas últimas el Tribunal Constitucional nada objeta en su sentencia. Al contrario señala que «*el legislador puede optar en amplio espectro por diferentes medidas de muy distinto contenido, que resuelvan adecuadamente la participación de los órganos representativos de los funcionarios en la fijación de las condiciones de empleo, como lo demuestra el derecho comparado, en que existen diversos sistemas determinados por las negociaciones informales no previstas en la ley que representa nuevos consejos sin fuerza de obligar; la presentación de sugerencias o recomendaciones; las consultas oficiales a organismos paritarios creados por la ley, que sólo asesoran en acuerdos negociados regulados por la ley, y que por regla generalizada, necesitan de una norma estatal o de una autoridad superior que apruebe el convenio, que en todo caso sufre la exclusión en mayor o menor medida en materias importantes, sustrayéndolas del ámbito de la negociación*» (fundamento jurídico nº 9).

En esta misma línea se ha movido el Tribunal Supremo (por todas, SSTS, u.d., de 19 de abril de 1991, Ar/6238, de 20 de enero, 1 de febrero, 6 y 30 de junio, 4 de julio y 18 de octubre de 1995. Ar/609, 1210, 4874, 5107, 6155 y 7566) al señalar que la negociación colectiva de los funcionarios públicos *«no tiene encaje en el art. 37.1 de la CE…, no tiene la amplitud, extensión ni alcance de la negociación colectiva del derecho laboral, siendo aquella más limitada y estrecha que ésta»*.

645. La legislación ordinaria y la negociación colectiva: LRFP, Leyes de Función Pública autonómicas, Ley de Bases de Régimen Local, LOLS, LORAP y EBEP. Así pues, había de ser la legislación ordinaria la que introdujera, en su caso, el derecho de negociación colectiva.

Esto sucedió, inicialmente, con la ley de Medidas de Reforma de la Función Pública, cuyo art. 3.2.b) señalaba que el Gobierno determinaría *«las instrucciones a que deberán atenerse los representantes de la Administración del Estado cuando proceda la negociación con la representación sindical de los funcionarios públicos en sus condiciones de empleo, así como dar validez y eficacia a los acuerdos alcanzados mediante su aprobación expresa y formal, estableciendo las condiciones de empleo para los casos en que no se produzca acuerdo en la negociación»*. Así, el precepto establecía:

1º) Un reconocimiento implícito de la negociación colectiva en la función pública.

2º) Una atribución de competencias al Gobierno para determinar las instrucciones a seguir por los representantes de la Administración en la negociación.

3º) Una atribución de legitimación para negociar a la representación sindical y no a la unitaria de los funcionarios públicos.

4º) Una referencia expresa a la negociación colectiva con eficacia jurídica externa y no interna, como ya vimos (*«dar validez y eficacia a los acuerdos alcanzados mediante su aprobación expresa y formal»*).

5º) No establecía, finalmente, el precepto los supuestos posibles de negociación, —*«cuando proceda»*—, indicando tan sólo que *«en los casos en que no se produzca acuerdo en la negociación»* las condiciones de empleo se determinarán unilateralmente por la Administración.

En idéntico sentido se expresaron las Leyes Autonómicas sobre Función Pública y la nueva Legislación de Régimen Local, ratificando el derecho a una cierta negociación colectiva de los funcionarios públicos si bien remitiéndose acto seguido a *«la legislación sobre la materia»*.

En parecido sentido, si bien concretando algo más, y reconociendo explícitamente el derecho de negociación colectiva, se manifestó la LOLS de 1985. En su art. 2.2.d) señala que las organizaciones sindicales en el ejercicio de la actividad sindical tienen derecho a *«la negociación colectiva... en los términos previstos en las normas correspondientes»*. El art. 6.3) establece que los sindicatos más representativos gozarán de capacidad representativa a todos los niveles para *«participar como interlocutores en la determinación de las condiciones de trabajo en las Administraciones Públicas a través de los oportunos procedimientos de consulta o negociación»*. El art. 8.2.b), por su parte, indica que *«las secciones sindicales de los sindicatos más representativos que se establezcan en las Administraciones Públicas... tendrán (derecho) a la negociación colectiva, en los términos establecidos en su legislación específica»*. Y, finalmente, la disposición adicional segunda, 2, establece que *«en el plazo de un año y en desarrollo de lo previsto en el art. 103.3 de la Constitución, el Gobierno remitirá a las Cortes un proyecto de ley en el que se regulen los órganos de representación de los funcionarios de las Administraciones Públicas»*.

Más tarde, el Capítulo III de la LORAP —modificado posteriormente por las leyes 7/1990, 11/1994 y 21/2006— aceptó y reguló *«la negociación colectiva y la participación en la determinación de las condiciones de trabajo»* de los funcionarios públicos. La ley concebía tres sistemas de determinación de las condiciones de trabajo de los funcionarios públicos en atención a las distintas materias: 1º) un sistema de negociación, 2º) un sistema de consulta y c) un sistema de determinación unilateral.

Actualmente, la Ley 7/2007, de 12 de abril, que aprueba el Estatuto Básico del Empleado Público (EBEP), es la norma que regula la negociación colectiva de los funcionarios públicos. Y todo el personal funcionarial de las distintas Administraciones Públicas, con las excepciones de los jueces, magistrados y fiscales, de los miembros del Ejército y de la Guardia Civil y de los miembros de la Policía (salvo de la Policía Local) tienen reconocido el derecho de negociación colectiva.

2.3. El sistema de negociación

646. Las características peculiares del sistema de negociación colectiva de los funcionarios públicos. De la denominada negociación colectiva de los funcionarios públicos, en comparación con la negociación colectiva de los trabajadores, llaman la atención los aspectos siguientes:

a) Las partes negociadoras.

b) Las unidades de negociación.

c) El contenido negocial.

d) El procedimiento de negociación.

e) La naturaleza jurídica de los pactos y acuerdos colectivos.

f) La vigencia temporal de los pactos y acuerdos colectivos.

a) Las partes contratantes

647. La capacidad negocial del lado de los funcionarios públicos. En cuanto a las partes negociadoras, del lado de los funcionarios públicos, el EBEP establece la sindicalización exclusiva de la negociación colectiva, sin que se reconozca legitimación para negociar a otro tipo de representantes del personal funcionarial (como pudieran ser los representantes unitarios elegidos: las juntas de personal y los delegados de personal).

Así, establecerá que en las mesas de negociación están legitimados *«las organizaciones sindicales más representativas a nivel estatal, las organizaciones sindicales más representativas de Comunidad Autónoma, así como los sindicatos que hayan obtenido el 10 por 100 o más de los representantes en las elecciones para delegados de personal y juntas de personal, en las unidades electorales comprendidas en su ámbito de constitución»* (art. 33.1 EBEP).

648. La capacidad negocial del lado de las Administraciones Públicas. Del lado de las Administraciones Públicas, el EBEP establece dos novedades muy importantes:

1ª) Por una parte, se reconoce legitimación para negociar a las asociaciones de municipios y a las entidades locales de ámbito supramunicipal. De esta manera, se sale al paso de las dificultades para que haya negociación colectiva en pequeños municipios y se consigue, además, alejar del Ayuntamiento pequeño la negociación, facilitando así una negociación más objetiva y rigurosa, lejos de las lógicas presiones de los vecinos, y una mayor homogeneización de las condiciones del personal en los pequeños municipios (art. 34.2 EBEP).

2ª) Por otra parte, las Administraciones Públicas podrán encargar la actividad de negociación colectiva a *«órganos creados por ella, de naturaleza estrictamente técnica»*, que ostentarán su representación en la negociación de acuerdo con las instrucciones políticas correspondientes y sin perjuicio de la ratificación de los acuerdos alcanzados por los órganos administrativos competentes (art. 33.2 EBEP).

Esta experiencia ya se ha dado en otros países (en Italia, por ejemplo, a través de una Agencia específica para estos fines: la Agencia para la Representación Negocial de la Administración Pública o ARAN), agilizando y profesionalizando así la negociación colectiva frente al desconocimiento de las técnicas negociadoras de muchos responsables políticos (municipales, sobre todo) y facilitando una negociación *«menos condicionada»* por elementos políticos (próximas elecciones) o por razones personales.

649. La constitución y composición de las Mesas de Negociación. El EBEP regula las líneas generales de la constitución y composición de las Mesas de Negociación. Así:

a) Por una parte, las Mesas de Negociación quedarán válidamente constituidas cuando, además de respetar el derecho de todas las organizaciones sindicales legitimadas a participar en ellas en proporción a su representatividad, tales organizaciones sindicales representen, como mínimo, la mayoría absoluta de los miembros de los órganos unitarios de representación en el ámbito de que se trate (art. 35.1 EBEP).

No basta así con un reparto proporcional de los puestos del *«banco social»* de la Mesa de Negociación entre los sindicatos legitimados, sino que es necesario que el acuerdo celebrado respete también en su adopción la correspondiente representatividad. Así, ya no será posible una negociación colectiva *«aberrante»* con un solo sindicato minoritario, que, al límite, podía no tener representación alguna en la concreta unidad a que el acuerdo se refería, como podía suceder hasta ahora.

Sin embargo, esta exigencia legal puede provocar, en sentido contrario, como ya sucede en el sector privado, que no sea posible la válida constitución de una determinada Mesa de Negociación por distintas causas (ausencia de elecciones representantes unitarios con la consiguiente falta del parámetro necesario para medir la representatividad, existencia de una mayoría de representantes unitarios elegidos en candidaturas independientes o autoexclusión de determinados sindicatos).

Un sector de la doctrina ya ha avanzado la solución a este problema, señalando que en estos supuestos habría que entender que nos encontramos ante *«supuestos de desacuerdo en la negociación»*, lo que permitiría a la Administración recuperar su facultad reguladora unilateral de las condiciones de trabajo.

b) Por otra parte, las variaciones de representatividad sindical, a efectos de la modificación de las Mesas de Negociación, serán acreditadas por las organizaciones sindicales interesadas, mediante el correspondiente certificado de una Oficina Pública cada dos años a partir de la fecha de constitución inicial de la mesa (art. 35.2 EBEP).

De esta manera, se garantiza una cierta continuidad, no excesiva o abusiva desde la perspectiva de la representatividad real, de las Mesas de Negociación.

c) La designación de los componentes de la Mesa de Negociación corresponderá a las partes negociadoras, que podrán contar con la presencia de asesores, con voz y sin voto (art. 35.3 EBEP).

d) Por lo demás, el número de componentes de una mesa, por cada parte, no podrá exceder de quince (art. 35.4 EBEP).

b) Las unidades de negociación

650. La fijación legal de las unidades de negociación. En cuanto a la estructura de la negociación colectiva de los funcionarios públicos, el EBEP viene a delimitar las Mesas o Unidades de Negociación posibles (art. 36):

1°) En primer lugar, habrá una Mesa General de Negociación en la Administración General del Estado así como en cada una de las Comunidades Autónomas y Entidades Locales, para determinar las condiciones de trabajo comunes a los funcionarios de su ámbito.

2°) En segundo lugar, dependiendo de las Mesas Generales de Negociación, por acuerdo de las mismas, podrán constituirse Mesas Sectoriales, *«en atención a las condiciones específicas de trabajo de las organizaciones administrativas afectadas o a las peculiaridades de sectores concretos de funcionarios públicos y a su número»*, para determinar las condiciones de trabajo comunes a los funcionarios de ese sector que no hayan sido objeto de acuerdo en la Mesa General respectiva o en los casos en que ésta última expresamente les reenvíe o delegue.

3°) En tercer lugar, habrá una Mesa General de Negociación de las Administraciones Públicas y unas Mesas Generales de Negociación en la Administración General del Estado y en cada una de las Comunidades Autónomas y Entidades Locales, con competencia para pactar con efectos tanto para el personal funcionarial como para el personal laboral.

4°) En cuarto lugar, finalmente, se prevé expresamente la posibilidad de que los pactos y acuerdos colectivos, en sus respectivos ámbitos y en relación con las competencias de cada Administración Pública, puedan establecer la estructura de la negociación colectiva, así como fijar las reglas que han de resolver los conflictos de concurrencia entre las negociaciones de distinto ámbito y los criterios de primacía y complementariedad entre las diferentes unidades negociadoras. Cabrá, así, un *«pacto o acuerdo colectivo marco»* que *«reparta los papeles»* entre las Mesas Territoriales y entre éstas y las Mesas Sectoriales en la negociación de los distintas condiciones de trabajo.

651. Las competencias de las distintas mesas de negociación. La competencia de cada una de las mesas estará condicionada por las competencias de la correspondiente Administración negociadora y se referirá a la determinación de las condiciones de trabajo de los funcionarios públicos del ámbito de que se trate (art. 34.3 EBEP).

c) Contenido negocial

652. El art. 37 del EBEP. En cuanto al contenido negocial posible (lo que se puede y no se puede negociar), el art. 37 del EBEP distingue entre materias objeto de negociación y materias excluidas de la negociación.

653. Las materias objeto de negociación. Por lo que se refiere a las materias negociables, se distinguen hasta cuatro tipos de materias (art. 37.1 EBEP):

1º) En primer lugar, materias negociables, sin eficacia jurídica normativa directa por tratarse de materias sobre las que existe una reserva de ley material, de modo que lo que se negocia en el fondo únicamente es el texto del Proyecto de Ley. Esto sucede con:

a) El incremento de las retribuciones del personal que proceda incluir en el Proyecto de Ley de Presupuestos Generales del Estado de cada año.

b) Aquellas materias que afecten a las condiciones de trabajo y a las retribuciones de los funcionarios, cuya regulación exija norma con rango de ley.

2º) En segundo lugar, materias negociables, con eficacia jurídica normativa directa pero a nivel de propuesta. Esto sucede con los derechos sindicales y de participación.

3º) En tercer lugar, materias negociables, con eficacia jurídica normativa directa pero a nivel de criterios generales. Esto sucede con:

a) El acceso, la carrera, la provisión, los sistemas de clasificación de puestos de trabajo y los planes de recursos humanos.

b) La evaluación del desempeño del trabajo.

c) Los planes y fondos para la formación profesional y para la promoción interna.

d) Las prestaciones sociales y pensiones de clases pasivas.

e) La acción social.

f) Las ofertas de empleo público de carácter anual.

4º) En cuarto lugar, materias negociables, con eficacia jurídica normativa directa y sin limitaciones:

a) La determinación y aplicación de las retribuciones de los funcionarios.

b) Los planes de previsión social complementaria.

c) Las materias de prevención de riesgos laborales establecidas en la normativa estatal.

d) El calendario laboral, los horarios, las jornadas, las vacaciones, los permisos, la movilidad funcional y geográfica.

654. Las materias excluidas de negociación. Por lo que respecta a las materias excluidas de la negociación, el EBEP (art. 37.2) excluye de la negociación colectiva a:

a) Las decisiones de las Administraciones Públicas que afecten a *«sus potestades de organización»*.

b) La regulación del ejercicio de los derechos de los ciudadanos y de los usuarios de los servicios públicos.

c) El procedimiento de formación de los actos y disposiciones administrativas.

d) La determinación de las condiciones de trabajo del personal directivo.

e) Los poderes de dirección y control propios de la relación jerárquica.

f) La regulación y determinación concreta, en cada caso, de los sistemas, criterios, órganos y procedimientos de acceso al empleo público y la promoción profesional.

Esta forma de regular las materias negociables y no negociables resulta criticable por ser excesivamente abstracta, lo que plantea sin duda problemas de interpretación en la práctica de la negociación, sobre todo, respecto de lo que deba entenderse por *«potestades de organización»* de las Administraciones Públicas y por *«poderes de dirección»* de las mismas).

655. El contenido mínimo obligatorio de los pactos y acuerdos colectivos. Por su parte, el EBEP (art. 38.4 y 5) establece un contenido mínimo obligatorio para los pactos o acuerdos colectivos:

a) Deberán determinar las partes que los conciertan, el ámbito personal, funcional y territorial y temporal, la forma y plazo del preaviso y las condiciones de la denuncia de los mismos.

b) Se establecerán *«Comisiones Paritarias de Seguimiento»* de los pactos y acuerdos colectivos, con la composición y funciones que las partes determinen, pero sin atribuirles legalmente facultades interpretativas generales.

d) El procedimiento de negociación

656. El procedimiento de negociación: régimen jurídico. En cuanto al procedimiento de negociación, el EBEP señala lo siguiente:

1º) En primer lugar, se establece que el proceso de negociación se abrirá en la fecha que, de común acuerdo, fijen la Administración correspondiente y la mayoría de la representación sindical, esto es, los miembros de las Mesas de negociación. A falta de acuerdo, la negociación se iniciará en el plazo máximo de un mes desde que la mayoría de una de las partes legitimadas lo promueva, salvo que existan causas legales o pactadas que lo impidan (art. 34.6 EBEP).

2º) En segundo lugar, se establece expresamente la vigencia del principio de la buena fe en la negociación para ambas partes, concretando que deben proporcionarse mutuamente la información que precisen relativa a la negociación (art. 34.7 EBEP).

3º) En tercer lugar, se establece explícitamente que los pactos acuerdos colectivos deberán ser remitidos a una Oficina Pública para su publicación en el Boletín Oficial que corresponda en función de su ámbito territorial (art. 38.6 EBEP).

4º) En cuarto lugar, para el caso de no alcanzarse acuerdo en la mesa de negociación, una vez agotados los procedimientos de solución extrajudicial de los conflictos (mediación y, en su caso, arbitraje), corresponde a las Administraciones Públicas establecer las condiciones de trabajo de los funcionarios, recuperando así su potestad normativa reglamentaria unilateral (art. 38.7 EBEP).

5º) En quinto lugar, se establece la posibilidad de adhesión de una Administración o Entidad Pública a los acuerdos alcanzados dentro del territorio de cada Comunidad Autónoma o los acuerdos alcanzados a nivel supramunicipal (art. 34.2 EBEP).

e) La naturaleza jurídica de los pactos y acuerdos colectivos

657. Los pactos y acuerdos colectivos. En cuanto a la naturaleza jurídica de los pactos y acuerdos colectivos, el EBEP distingue entre *«pactos»* y *«acuerdos»* colectivos, en atención a las materias pactadas: los *«pactos colectivos»*, sobre materias de la competencia del órgano administrativo negociador y de aplicación directa, pudiendo ser publicados como tales; y los *«acuerdos colectivos»*, sobre materias de la competencia de los órganos de gobierno de las Administraciones Públicas, que deberán aprobarlos expresa y formalmente (art. 38.32 y 3 EBEP).

Los pactos responden, así, al modelo de convenios de *«eficacia jurídica interna»* y los acuerdos al modelo de convenios de *«eficacia jurídica externa»*, esto es, de *«reglamentos negociados»*, donde la negociación constituye tan solo un trámite preceptivo y vinculante so pena de nulidad de acto por defecto de procedimiento.

Además, el EBEP distingue, dentro de los *«acuerdos colectivos»*, entre *«aquellos que versan sobre materias que deben ser reguladas por ley»*, que carecerán de eficacia jurídica normativa directa teniendo solamente una eficacia jurídica obligacional (el órgano de gobierno correspondiente deberá elaborar, aprobar y remitir a los órganos parlamentarios correspondientes un proyecto de ley que recoja lo acordado) y *«los que versan sobre materias sin reserva de ley material o formal»*, con eficacia jurídica normativa directa.

Por lo demás, cuando exista falta de ratificación de un acuerdo o, en su caso, una negativa expresa de los órganos de gobierno de la Administración Pública a incorporar lo acordado en el Proyecto de Ley correspondiente, se deberá iniciar la renegociación de las materias tratadas en el plazo de un mes, si así lo solicitara al menos la mayoría de una de las partes, lo que constituye otra novedad normativa del EBEP (art. 38.3 in fine EBEP).

En caso de inexistencia de acuerdo, y una vez agotados los procedimientos de solución extrajudicial de los conflictos, corresponderá a los órganos de gobierno de las Administraciones Públicas establecer las condiciones de trabajo de los funcionarios (art. 38.7 EBEP). La negociación queda así en manos de la Administración Pública que conserva su posición de supremacía, mortificando la autonomía colectiva de los funcionarios, que resulta evidentemente limitada.

658. La publicación oficial de los pactos y acuerdos colectivos. El art. 38.6 del EBEP prevé la publicación oficial tanto de los pactos colectivos celebrados como de los acuerdos colectivos ratificados, previa remisión de los mismos a la oficina pública correspondiente que cada Administración competente determine.

f) La vigencia temporal de los pactos y acuerdos colectivos

659. La vigencia temporal de los pactos y acuerdos colectivos. En cuanto a la vigencia temporal de los pactos y acuerdos colectivos, el EBEP viene a establecer lo siguiente:

1º) En primer lugar, que los pactos y acuerdos colectivos, salvo acuerdo en contrario, se prorrogarán de año en año si no mediara denuncia expresa de una de las partes (art. 38.11 EBEP).

2º) En segundo lugar, que la vigencia del contenido de los pactos y acuerdos colectivos tendrá la duración que los mismos hubieren establecido (art. 38.12).

3º) En tercer lugar, que los pactos y acuerdos colectivos que sucedan a otros anteriores los derogan en su integridad, salvo en los aspectos que expresamente se acuerde mantener (art. 38.13 EBEP).

4º) Y, en cuarto lugar, finalmente, que, para aquellos casos excepcionales en los que el cumplimiento del pacto o acuerdo colectivo pudiera provocar consecuencias gravemente dañosas para el interés público (*«por causa grave de interés público derivada de una alteración sustancial de las circunstancias económicas»*), el órgano de gobierno de las Administraciones Públicas podrá suspender o modificar el cumplimiento de los pactos y acuerdos ya firmados *«en la medida estrictamente necesaria para salvaguardar el interés público»* y debiendo informar a las organizaciones sindicales de las causas de la suspensión o modificación (art. 38.10 EBEP). Se entenderá que concurre causa grave de interés público derivada de la alteración sustancial de las circunstancias económicas cuando las Administraciones Públicas deban adoptar medidas o planes de ajuste, de equilibrio de las cuentas públicas o de carácter económico financiero para asegurar la estabilidad presupuestaria o la corrección del déficit público (Disposición Adicional Segunda Real Decreto-Ley 20/2012, de 13 de julio).

Se trata de una *«válvula de seguridad»* del régimen de negociación colectiva de los funcionarios públicos, semejante al *«ius variandi»* que la Administración pública tiene en la contratación pública. Precepto que no debería interpretarse extensivamente so pena de desvirtuar el libre ejercicio del derecho de negociación colectiva.

3. *La negociación colectiva conjunta del personal laboral y funcionarial*

660. El art. 38 del EBEP. El EBEP viene a reconocer expresamente la existencia fáctica de una negociación colectiva conjunta del personal funcionario y laboral de las distintas Administraciones Públicas, llevando a la letra de la ley lo que ya existía en la práctica.

En efecto, el art. 36 del EBEP establece Mesas Generales de Negociación para la negociación conjunta del personal funcionario y laboral: una Mesa General de Negociación de las Administraciones Públicas (párrafo 1) y otras Mesas Generales de Negociación en la Administración General del Estado y en cada una de las comunidades Autónomas, Ciudades de Ceuta y Melilla y Entidades Locales (párrafo 5).

Por su parte, el art. 38 del EBEP señala que *«los pactos y acuerdos que contengan materias y condiciones generales de trabajo comunes al personal funcionario y laboral, tendrán la consideración y efectos previstos en este artículo para los funcionarios y en el artículo 83 del Estatuto de los Trabajadores para el personal laboral»*.

VII. EL DERECHO DE HUELGA

1. *Normativa aplicable*

661. Fundamento constitucional: el art. 28.2 CE y el derecho de huelga de los funcionarios públicos. La Constitución española no reconoce explícitamente el derecho de huelga a los funcionarios públicos, sino que hay que deducirlo dificultosamente —y no pacíficamente— del texto constitucional a base de delicadas interpretaciones.

En efecto, el art. 28.2 de la CE señala que *«se reconoce el derecho a la huelga de los trabajadores para la defensa de sus intereses»*, planteando el problema interpretativo de aclarar si cuando la Constitución habla de *«trabajadores»* lo hace en un sentido técnico restringido de trabajadores dependientes y por cuenta ajena sometidos a la legislación laboral o en un sentido sociológico amplio comprendiendo también a los funcionarios públicos, personal estatutario, y a los todavía contratados administrativos.

Las opiniones doctrinales se encuentran divididas en este punto. Mientras un sector doctrinal minoritario (ALONSO OLEA, CASAS BAAMONDE, MONTOYA, EMBID) se manifiesta partidario de la primera interpretación restringida del término *«trabajadores»*, concluyendo que la Constitución ni prohíbe ni reconoce el derecho de huelga de los funcionarios, pudiendo tener éste un origen legal, la mayoría se inclina abiertamente por una interpretación amplia y sociológica del término constitucional.

Los argumentos manejados por este último sector han sido los siguientes:

a) En primer lugar, una interpretación sistemática del precepto por cuanto hay otros pasajes en la Constitución que hablan de *«trabajadores»*, habiéndose interpretado este término en sentido amplio. Así, el art. 7 se refiere a *«sindicatos de trabajadores»*, incluyendo entre ellos a los funcionarios públicos y demás personal estatutario. Se observa en este mismo sentido que la referencia del art. 28.2 al *«mantenimiento de los servicios esenciales de la comunidad»* como único límite al derecho parece apuntar hacia que la Constitución no pretendiera imponer límites subjetivos sino objetivos al derecho de huelga.

b) En segundo lugar, una interpretación finalista. Así, se señala que la libertad sindical y el derecho de huelga van unidos, ya que este último forma parte del contenido esencial del derecho fundamental de libertad sindical.

c) Finalmente, una interpretación del precepto constitucional a la luz de las normas internacionales ratificadas por España, que reconocen el derecho de huelga a los funcionarios públicos y que, según el art. 10.2 de la Constitución, deben servir de criterios interpretativos de los preceptos constitucionales en materia de derechos fundamentales y, entre ellos, el derecho de huelga. Tal ocurre con el art. 6.4 de la Carta Social Europea, si bien ratificada bajo *«reserva de interpretación»*, y con el art. 8º del Pacto Internacional de Derechos Económicos, Sociales y Culturales de 1966. Según estos preceptos cabría suprimir o restringir el derecho de huelga de aquellos funcionarios públicos que trabajen en servicios esenciales para la comunidad (orden público, salud pública o seguridad nacional), pero no cabría una supresión del derecho de huelga de todos los funcionarios públicos por el sólo hecho de serlo.

Algún autor (MARTÍN VALVERDE), por su parte, ha interpretado que si bien el derecho de huelga de los funcionarios públicos no está reconocido en el art. 28.2 CE, lo está indirectamente en los arts. 7 y 28.1 CE, por cuanto el derecho de huelga, según el TCO, forma parte del contenido esencial de la libertad sindical.

662. La posición del Tribunal Constitucional: la STC de 8 de abril de 1981. Uno de los motivos del recurso de inconstitucionalidad presentado contra el RDL-RT era el considerar inconstitucional la exclusión de los funcionarios públicos del derecho de huelga reconocido en el RDLRT a los trabajadores del sector privado.

No obstante ello, la STC de 8 de abril de 1981, que resolvió este recurso, *«pasó de puntillas»* sobre este motivo y eludió afirmar la inconstitucionalidad de una norma que excluía a los funcionarios públicos del derecho de huelga que la Constitución les había reconocido: *«El Real Decreto-Ley 17/1977, según claramente resulta de su artículo 1°, regula el derecho de huelga en el ámbito de las relaciones laborales, y este tipo de relaciones se encuentran en la actualidad delimitadas por las reglas del Estatuto de los Trabajadores, que expresamente excluyen (cfr. art. 1° apartado 3), la relación de servicios de los funcionarios públicos… Lo anterior significa que el eventual derecho de huelga de los funcionarios públicos no está regulado —y, por consiguiente, tampoco prohibido—, por el Real Decreto-Ley 16/77. Si no hay regulación —y tampoco prohibición—, mal puede hablarse de inconstitucionalidad por esta causa».*

663. El derecho de huelga de los funcionarios públicos en la legislación ordinaria. Hasta la fecha, el derecho de huelga de los funcionarios públicos ha sido expresamente reconocido en varios preceptos de la legislación ordinaria:

a) En primer lugar, en la Disposición Adicional decimosegunda de la LMRFP, según la cual *«los funcionarios que ejerciten el derecho de huelga no devengarán ni percibirán las retribuciones correspondientes al tiempo en que hayan permanecido en esa situación, sin que la deducción de haberes que se efectúe tenga, en ningún caso, carácter de sanción disciplinaria ni afecte al régimen respectivo de sus prestaciones sociales».*

Este precepto posee un doble interés. De un lado, por ser el primer precepto legal ordinario que reconoce expresa y abiertamente el derecho de huelga de los funcionarios públicos. De otro, por abordar el concreto tema de las retenciones de haberes de los funcionarios en situación de huelga legal, tema enquistado en una interpretación formalista del Tribunal Supremo que defendía la nulidad de las retenciones por entender que se trataba de una sanción acordada sin las formalidades legales del expediente administrativo.

Este precepto de legal fue objeto de recurso de inconstitucionalidad, argumentándose que en la medida que la disposición adicional comentada afectaba a un derecho fundamental —el derecho de huelga— necesitaba una ley orgánica, dado el principio de reserva de la ley orgánica del art. 81 de la Constitución.

La STC de 11 de junio de 1987 declaró sin embargo la plena constitucionalidad del precepto, rechazando que la materia regulada esté incluida en la reserva de ley orgánica del art. 81 de la CE, argumentando que ésta debe ser interpretada

en un sentido restrictivo, excluyendo las materias conexas que no afectan frontalmente a los derechos fundamentales y libertades públicas: «*La citada disposición adicional decimosegunda no viene a regular o desarrollar aquel derecho (de
huelga), sino a reconocer expresamente la legitimidad del descuento de haberes
por la cesación colectiva en el trabajo, deduciendo las consecuencias sobre la retribución que, de acuerdo con los criterios generales deducibles del ordenamiento,
se derivan de la situación de suspensión de la relación de empleo en que se sitúa
el funcionario en huelga*».

Por lo demás, el art. 31 de la LMRFP establecía que eran faltas muy graves de
los funcionarios públicos «*la participación en huelgas, a los que la tengan expresamente prohibidas por la ley*» (apartado k) y «*el incumplimiento de la obligación
de atender los servicios esenciales en caso de huelga*» (apartado l).

b) En segundo lugar, el art. 496 d) de la Ley Orgánica del Poder Judicial   el
derecho de huelga al «*personal al servicio de la Administración de Justicia*» (excepto jueces, magistrados y fiscales), *conforme a las normas sobre funcionarios
del Estado*», «*en los términos contenidos en la legislación general del estado para los funcionarios públicos*», garantizándose el mantenimiento de los servicios
esenciales de la Administración de Justicia.

c) En tercer lugar, en el art. 2.2.d) de la LOLS de 1985, donde se incluye en el
contenido básico de la libertad sindical (de los funcionarios públicos también) «*el
ejercicio del derecho de huelga*», si bien «*en los términos previstos en las normas
correspondientes*», aún no aparecidas.

d) Finalmente, en algunas Leyes de Función Pública autonómicas se reconoció
expresamente el derecho de huelga de los funcionarios públicos y actualmente,
con carácter general, en el art. 15 c) del EBEP.

664. Los funcionarios, militares, judiciales y policiales. En cuanto los funcionarios militares («*las Fuerzas o Institutos armados o los demás Cuerpos sometidos a disciplina militar*», dice el art. 28.1 CE), dado que el art. 28.1 permite
exceptuarlos o limitar su derecho de libertad sindical, estando con ello en sintonía
con la normativa sindical internacional, parece lícito que la normativa ordinaria
(Código de Justicia Militar o Reglamento de la Guardia Civil) les prohíba acudir
a la huelga.

Idéntica argumentación, si bien no avalada en este caso por la normativa sindical internacional, cabría hacer acerca de la prohibición de la huelgas respecto
de Jueces, Magistrados y Fiscales (excluidos del derecho de libertad sindical por
el art. 127.1 CE).

Realmente, la normativa aplicable guarda silencio sobre el tema, si bien un
significativo silencio que contrasta con el art. 496.d) de la LOPJ en el que se reconoce el derecho de huelga al resto del personal al servicio de la Administración de

Justicia. Ello no obstante, como es sabido, ha habido huelgas de jueces y magistrados sin respuesta sancionatoria por parte del Estado.

Menor fundamentación aún posee la prohibición de huelgas a los funcionarios de policía (Cuerpo Nacional de Policía) hecha por el art. 6.8 de la LOCFS. Los funcionarios policiales no tienen constitucionalmente previstas limitaciones a su derecho de libertad sindical sino simples *«peculiaridades»*, como el resto de los funcionarios públicos (art. 28.1. CE). Teniendo en cuenta que las peculiaridades no pueden afectar al contenido esencial del derecho de libertad sindical y que, dentro de éste se encuentra el derecho de huelga, según doctrina del propio TCO (por todas, STC de 8 de abril de 1981 o de 11 de mayo de 1983), podría dudarse razonablemente de la constitucionalidad de este precepto legal, pese a que la justificación de tal prohibición que aparece en la Exposición de Motivos de la ley sea *«discutiblemente razonable»* en términos políticos: *«en aras de los intereses preeminentes que corresponde proteger a los Cuerpos de Seguridad, al objeto de asegurar la prestación continuada de sus servicios, que no admiten interrupción».*

2. Régimen jurídico

665. El régimen jurídico de la huelga de funcionarios públicos. A la vista de todo lo anterior, cabe preguntarse por el régimen jurídico de la huelga de los funcionarios públicos. Sobre esta importante cuestión cabría señalar lo siguiente:

1º) Que el derecho de huelga de los funcionarios está reconocido en el art. 28.2 CE y por el art. 15 c) del EBEP, pero que existe un vacío normativo (no hay ley orgánica que desarrolle y regule el ejercicio del derecho de huelga de los funcionarios públicos), solo cubierto parcialmente por el art. 95.2 m) del EBEP, calificando de falta muy grave *«el incumplimiento de la obligación de atender los servicios esenciales en caso de huelga»*).

2º) Esto significa que, mientras no haya ley orgánica de desarrollo constitucional, los funcionarios públicos podrán ejercitar su derecho de huelga, en base al art. 28.2 CE, dentro de los límites allí establecidos o que establezcan los restantes preceptos constitucionales.

3º) Solo que estos límites constitucionales, dada su gran inconcreción y, ambigüedad, deberán ser interpretados judicialmente por los tribunales, en tanto no haya ley orgánica.

4º) En esta interpretación, los tribunales (o el legislador en su día) tendrán estos dos límites: a) La interpretación del alcance de los límites no podrá suponer la negación absoluta del derecho de huelga de los funcionarios y b) la interpretación del alcance de los límites no podrá ser más generosa con los funcionarios que con los trabajadores con contrato de trabajo. Otra solución quizás atentaría al principio de igualdad (pese a la doctrina del TCO de no aplicar este principio cuando se comparan regímenes jurídicos distintos, esto es, personal laboral y funcionarial).

5º) Dentro de este amplio margen señalado, lo más prudente será aplicar a los funcionarios, bien por analogía (según unos), bien como directriz o marco de referencia (según otros), lo dispuesto en el RDLRT de los límites al derecho de huelga del personal laboral, en temas de motivaciones de la huelga (huelgas políticas, de solidaridad, motivadas por conflictos jurídicos o novatorias) o de procedimiento y modalidades de huelga (legitimación, preaviso, publicidad, comité de huelga, convocatoria, piquetes, ocupación de locales, huelgas articuladas —intermitentes, rotatorias o estratégicas—, servicios mínimos y servicios esenciales, esquirolaje o terminación de la huelga).

Así viene operando la jurisprudencia de los Tribunales, aplicando el RDLRT como derecho supletorio a las huelgas de funcionarios y a las huelgas del personal estatutario (por todas, STS (S. 3ª) de 10 de mayo de 1986, Ar/2363).

Así, por ejemplo, los RRDD sobre servicios esenciales se refieren tanto al personal laboral como al personal funcionario o estatutario, aludiendo en todos ellos, como fundamento de los mismos, al art. 10.2 del RDLRT.

6º) Ahora bien, la aplicación del RDLRT no puede ser mecánica sino con las razonables salvedades que impongan las peculiaridades de las *«condiciones estatutarias»*. Así, por ejemplo:

a) En todas las huelgas de funcionarios, por tratarse de *«servicios públicos»*, será aplicable lo dispuesto en el art. 4º del RDLRT sobre preaviso especial de 10 días naturales como mínimo y de la publicidad al usuario del servicio.

b) No está, sin embargo, tan claro el que en todas las huelgas de funcionarios deba dictarse un RD de servicios esenciales, por cuanto no todas las actividades realizadas deban ser calificadas de tales. Acaso existe en este punto, un equívoco provocado por la literalidad del art. 10.2 del RDLRT que habla de *«empresas encargadas de la prestación de cualquier género de servicios públicos»* frente a la literalidad del art. 28.2 CE que habla de *«asegurar el mantenimiento de los servicios esenciales de la comunidad»*; equívoco que ha llevado a considerar que son servicios esenciales todos los servicios públicos. Así, por ejemplo, se han entendido servicios esenciales, dudosamente al menos, los que prestan el Centro de Proceso de Datos del Ministerio de Educación y Ciencia o el Museo del Prado, en sendos RRDD de servicios esenciales.

c) ¿Cómo configurar la *«huelga novatoria»* en el caso de los funcionarios dada la existencia en todo caso de un Estatuto de la Función Pública y de un *«sucedáneo»* de negociación colectiva por cuanto los pactos y acuerdos colectivos regulados por el EBEP no poseen eficacia jurídica interna como tales ni duración temporal prevista en muchas ocasiones? ¿Todas las huelgas de funcionarios públicos serían novatorias y, por tanto, ilegales?

d) En todo caso, la terminación de la huelga por acuerdo *«con eficacia de convenio colectivo»*, a que se refiere el art. 8.2 del RDLRT será aplicable a las huelgas de funcionarios restrictivamente, esto es, admitiendo únicamente el *«acuerdo»* si, por razón de la materia, se trata de algo *«negociable»*, esto es, susceptible de *«pacto»* o *«acuerdo»* y con la eficacia propia de estos pactos o acuerdos.

e) En tema de legitimación para convocar las huelgas, si bien habría que admitir la legitimación genérica de los propios funcionarios, de los representantes sindicales y de los representantes unitarios de los mismos por analogía con lo dispuesto en el art. 3.2.a) del RDLRT cabría no obstante dudar de que los delegados de personal y las juntas de personal estén facultados para acordar la declaración de huelga, a la vista de las funciones asignadas por el art. 40 del EBEP y, sobre todo, en la medida en que son los sindicatos los únicos legitimados para la *«negociación colectiva»*.

7º) Por último, los efectos de las huelgas legales e ilegales se regirán por su normativa específica, establecida en el EBEP.

Así, en caso de huelga legal, el art. 30.2 del EBEP establece:

a) Primero, que cabrá la retención de los haberes sin necesidad de expediente disciplinario, ya que *«no tendrá carácter de sanción»*.

En cuanto a las vacaciones, los periodos de huelga legal mantenidos por los funcionarios no permiten la reducción del número días. El art. 50 del EBEP establece que todos los funcionarios tendrán derecho a disfrutar como mínimo, durante cada año natural, de unas vacaciones retribuidas de veintidós días hábiles o de los días que correspondan proporcionalmente si el tiempo de servicio durante el año fue menor. La norma establece el principio de proporcionalidad entre el tiempo en que los funcionarios se encuentran en servicio activo y la duración de las vacaciones, por lo que, dado que en la situación de huelga legal el funcionario permanece en situación de servicio activo, no cabe la posibilidad de descontar por razón de huelga el tiempo correspondiente a las vacaciones (en este sentido, SSTS (S. 3ª) de 16 y 17 de diciembre de 1991 (Ar/686 y 687) y de 21 de junio de 1993, Ar/5152).

b) Segundo, que la huelga no afectará al *«régimen respectivo de sus prestaciones sociales»*. Así, a diferencia del RDLRT (art. 6.3), el EBEP establece que el período de huelga no afecta a la cobertura de la Seguridad Social. Lo que significa que se continuará cotizando y, en su caso, percibiendo las prestaciones devengadas durante ese tiempo.

En caso de huelga ilegal, las sanciones imponibles serán las previstas en los arts. 93 y ss. del EBEP.

VIII. EL DERECHO A PLANTEAR CONFLICTOS COLECTIVOS

666. El art. 45 del EBEP. El art. 45 del EBEP ha establecido dos procedimientos extrajudiciales distintos para la solución de los conflictos colectivos de los funcionarios públicos:

1º) En primer lugar, se recuerda que en los conflictos jurídicos de aplicación e interpretación de los pactos y acuerdos colectivos podrán intervenir, si las partes negociadoras les hubiesen atribuido esa facultad, las comisiones paritarias de seguimiento (art. 45.1 EBEP).

2º) En segundo lugar, el EBEP prevé la posibilidad de que las Administraciones Públicas y las organizaciones sindicales acuerden la creación de sistemas de solución extrajudicial de los conflictos colectivos (art. 45.1 EBEP), siempre que se ajusten a los siguientes criterios generales:

a) Podrán pactarse dos tipos de procedimientos (art. 45.3 EBEP):

- Bien una mediación obligatoria (cuando lo solicite una de las partes), si bien las propuestas de solución del mediador o mediadores podrán ser libremente aceptadas o rechazadas por las partes.

- Bien un arbitraje voluntario, aunque comprometiéndose de antemano a aceptar el contenido del laudo arbitral.

b) El ámbito objetivo de estos procedimientos extrajudiciales abarcará tanto los conflictos de intereses (*«los derivados de la negociación»*) como los conflictos jurídicos (*«los derivados de la aplicación e interpretación de los pactos y acuerdos»*). En todo caso, la ley establece una lógica excepción para los conflictos jurídicos y de intereses derivados de la negociación de aquellas materias en las que exista una *«reserva de ley»* (art. 45.2 EBEP).

c) El acuerdo logrado a través de la mediación y el laudo o resolución arbitral tendrán la misma eficacia jurídica y tramitación que los pactos o acuerdos colectivos, *«siempre que quienes hubiesen adoptado el acuerdo o suscrito el compromiso arbitral tuviesen la legitimación que les permita acordar, en el ámbito del conflicto, un pacto o acuerdo conforme a lo previsto en el Estatuto»* (art. 45.4 EBEP).

d) Los acuerdos y laudos arbitrales podrán ser objeto de impugnación judicial, siendo las causas posibles de impugnación la ilegalidad, los defectos de procedimiento y, en el caso de los laudos arbitrales, la actuación *«ultra vires»* del árbitro o árbitros (art. 45.4 EBEP).

e) La ley prevé, finalmente, que los procedimientos anteriores serán objeto de reglamentación previamente negociada con las organizaciones sindicales representativas (art. 45.5 EBEP).

667. El procedimiento judicial. La solución de los conflictos colectivos jurídicos sobre los Pactos y Acuerdos colectivos de funcionarios es de la competencia de la jurisdicción contencioso-administrativa (arts. 1 y 2 de la LJCA y 2 y 3 de la LJS).

La LJCA no establece un procedimiento especial de conflicto colectivo, como sucede en la LJS, por lo que el procedimiento a seguir será el procedimiento abreviado regulado en el art. 78 de la LJCA, siendo preciso para ello agotar primero la vía administrativa previa.

Aunque la jurisdicción competente para el personal laboral de las Administraciones Públicas es la jurisdicción social, una impugnación judicial de los pactos y acuerdos colectivos de negociación conjunta para el personal funcionarial y laboral se encuentra excluida de la jurisdicción laboral y sometida a la jurisdicción contencioso-administrativa (art. 3 e) de la LJS).

Tema 11
LA TUTELA DE LA LIBERTAD SINDICAL

SUMARIO: I. CONSIDERACIONES GENERALES. II. LA TUTELA ADMINISTRATIVA DE LA LI-BERTAD SINDICAL. III. LA TUTELA JUDICIAL DE LA LIBERTAD SINDICAL. 1. La tutela judicial ordinaria: el procedimiento especial de tutela de la libertad sindical. 2. La tutela judicial constitucional. IV. LA PROTECCIÓN INTERNACIONAL DE LA LIBERTAD SINDICAL. 1. El control de la OIT. 2. El control del Consejo de Europa. 3. Otros controles internacionales.

I. CONSIDERACIONES GENERALES

668. Los mecanismos de tutela. La tutela de la libertad sindical puede realizarse a nivel nacional o internacional.

En cuanto a la tutela nacional de la libertad sindical, ésta podrá realizarse tanto en vía judicial como administrativa, frente a los actos del Estado (actos legislativos, reglamentarios, administrativos y judiciales) y frente a los actos de los particulares (empresarios, asociaciones empresariales, sindicatos y cualquier otra persona o entidad pública o privada).

A continuación se analizan las vías judicial y administrativa, prescindiendo únicamente del control de constitucionalidad de las leyes antisindicales que se ejercerá a través del recurso de inconstitucionalidad (arts. 161 y 162 CE) o de las cuestiones de inconstitucionalidad (art. 163 CE).

II. LA TUTELA ADMINISTRATIVA DE LA LIBERTAD SINDICAL

669. El empresario como sujeto infractor. La LISOS prevé un mecanismo de tutela administrativa de la libertad sindical.

Las infracciones que suponen violación del derecho de libertad sindical vienen incluidas dentro de las denominadas legalmente *«infracciones laborales»*.

Ello significa que el sujeto infractor y responsable queda reducido al empresario. Así pues, cualquier otra lesión del derecho de libertad sindical realizada por sujeto distinto no será considerada infracción administrativa en el orden social a estos efectos (ESCUDERO y MONTALVO).

670. Las infracciones en la LISOS. Las infracciones laborales de contenido sindical que puede cometer el empresario pueden ser:

1) Infracciones graves:

– *«La transgresión de los derechos de información, audiencia y consulta… de los delegados sindicales en los términos en que legal o convencionalmente estuvieren establecidos»* (art. 7.7).

– *«La transgresión de los derechos… de las secciones sindicales en materia de crédito de horas retribuidas y locales adecuados para el desarrollo de sus actividades, así como de tablones de anuncios, en los términos legal o convencionalmente establecidos»* (art. 7.8).

– *«La vulneración de los derechos de las secciones sindicales en orden a la recaudación de cuotas, distribución y recepción de información sindical, en los términos en que legal o convencionalmente estuvieren establecidos»* (art. 7.9).

2) Infracciones muy graves:

– *«Las acciones u omisiones que impidan el ejercicio del derecho de reunión… de las secciones sindicales, en los términos en que legal o convencionalmente estuvieren establecidos»* (art. 8.5).

– *«Las decisiones unilaterales de la empresa que impliquen discriminaciones directas o indirectas desfavorables por razón… de la adhesión o no a sindicatos y a sus acuerdos»* (art. 8.12). En este último punto debe tenerse presente la doctrina del Tribunal Constitucional según la que la violación del derecho de libertad sindical por el empresario puede producirse no sólo respecto de trabajadores afiliados al sindicato, sino también respecto de trabajadores no afiliados que sigan una actuación lícita de un sindicato. Y es que *«de no entenderse así el alcance del art. 28.1 CE, no sólo se dejaría desprotegidos a los trabajadores, sino que, indirectamente, se afectaría de forma grave a los propios sindicatos y a las funciones que la CE les reconoce, puesto que las actividades no declaradas ilícitas dirigidas a todos los trabajadores —que son, sin duda, las de mayor relieve—, podrían verse frustradas al no ofrecer a todos los destinatarios la referida garantía constitucional»*.

671. La posible dualidad jurisdiccional. El procedimiento administrativo sancionador, establecido en la LISOS y desarrollado por RD 928/1998, de 14 de mayo, termina con una resolución contra la que cabrán los oportunos recursos administrativos y su fiscalización jurisdiccional posterior. Todo ello *«sin perjuicio de las responsabilidades de otro orden que puedan concurrir»* (art. 1.2 LISOS).

Con la LJS ha desaparecido el mal endémico de la dualidad de órdenes jurisdiccionales que, resolviendo sobre una misma situación de hecho, podían llegar a pronunciamientos distintos, situación derivada del hecho de que un comportamiento empresarial presuntamente antisindical podía ser objeto de la correspondiente sanción administrativa, confirmada o no por el orden jurisdiccional contencioso-administrativo; y, al mismo tiempo, motivar una reclamación ante el orden jurisdiccional social, que podía llegar a una solución distinta.

En este sentido, el nuevo art. 2 n) de la LJS establece la competencia del orden jurisdiccional social para conocer de las impugnaciones de las *resoluciones administrativas de la autoridad laboral... recaídas en el ejercicio de la potestad sancionadora en materia laboral y sindical*.

III. LA TUTELA JUDICIAL DE LA LIBERTAD SINDICAL

672. Las vías judiciales posibles. La consideración del derecho de libertad sindical como derecho fundamental implica que es uno de los derechos dotados de la *«máxima protección»* judicial, de modo que su tutela judicial puede alcanzarse por tres vías:

1ª) Ante los Tribunales ordinarios, mediante el procedimiento ordinario.

2ª) Ante los Tribunales ordinarios, mediante un procedimiento especial de tutela de la libertad sindical, basado en los principios de preferencia y sumariedad.

3ª) Ante el Tribunal Constitucional, a través del recurso de amparo.

Prescindiendo ahora del procedimiento ordinario, se analizan a continuación el procedimiento especial de tutela de la libertad sindical y el recurso de amparo.

1. *La tutela judicial ordinaria: el procedimiento especial de tutela de la libertad sindical*

673. El objeto del proceso. El Tribunal Constitucional (SSTC de 25 de marzo de 1993, de 25 marzo 1986 o de 21 mayo 1988) incluye el contenido esencial y el contenido adicional del derecho de libertad sindical (incluidos los derechos sindicales que pudiesen estar establecidos en convenio colectivo: SSTS de 18 de mayo de 1992, Ar/3562 o de 2 de junio de 1997, Ar/4617) como posible objeto de esta modalidad procesal.

674. Las materias excluidas de esta modalidad procesal. El art. 184 LJS señala que, *«no obstante lo dispuesto en los artículos anteriores, las demandas por despido y por las demás causas de extinción del contrato de trabajo, las de disfrute de vacaciones, las de materia electoral, las de impugnación de Estatutos de los sindicatos o de su modificación, las de movilidad geográfica, las de derechos de conciliación de la vida personal, laboral y familiar a las que se refiere el art. 139, las de impugnación de convenios colectivos y las de sanciones impuestas por los empresarios a los trabajadores en que se invoque lesión de derechos fundamen-*

tales y libertadas públicas se tramitarán, inexcusablemente, con arreglo a la mo-
dalidad procesal correspondiente a cada una de ellas, dando carácter preferente
a dichos procesos y acumulando en ellos, según lo dispuesto en el apartado 2 del
art. 26, las pretensiones de tutela de derechos fundamentales y libertades públicas
con las propias de la modalidad procesal respectiva».

Resulta así que hay pretensiones excluidas de la utilización de esta modalidad procesal, aunque por su objeto hubiesen podido tener, en principio, cabida en la misma. Lo que va a suponer que el enjuiciamiento de muchos de los actos empresariales presuntamente discriminatorios o violadores del derecho de libertad sindical del trabajador, al producirse con ocasión de materias concretas, va a quedar excluido de esta modalidad procesal para remitirse a la suya correspondiente. Ello implica que las exclusiones que hace el art. 184 LJS deben ser objeto de una interpretación restrictiva, sin que puedan entenderse comprendidas dentro del mismo materias distintas a la enumeradas (por todas, STS de 18 de mayo de 1992, Ar/3562).

Coherente con lo anterior, las demandas en este procedimiento especial de tutela de la libertad sindical no serán acumulables a ninguna otra (art. 178 LJS).

En cualquier caso, es preciso dejar constancia que el Tribunal Constitucional ha señalado que *«cuando el legislador del art. 184 LJS remite a las modalidades procesales correspondientes el conocimiento de las demandas que allí se citan lo hace en función justamente de la materia en litigio para una mejor atención de aquella y por diversas razones que justifican la propia existencia de una distinta modalidad procesal o la extensión del objeto de conocimiento, pero no, desde luego, porque pueda otorgarse a un mismo derecho fundamental una menor garantía jurisdiccional en función de cual sea el acto o conducta del que pueda haberse derivado la lesión que se alega»* (STC 257/2000, de 30 de octubre).

Lo que ha llevado a aplicar a las modalidades remitidas por el art. 184 LJS algunas de las particularidades de la modalidad procesal de tutela del derecho de libertad sindical orientadas a procurar una más eficaz protección jurisdiccional de aquellos. Esto ha sucedido con la necesaria presencia del Ministerio Fiscal en estos procesos (STS, u.d., de 29 de junio de 2001, Rec. 1886/2000), con la posibilidad para el sindicato de acudir como coadyuvante en las demandas planteadas por el trabajador (art. 14 LOLS; STC 257/2000, de 30 de octubre) o con la posibilidad de recibir una indemnización complementaria a la readmisión y abono de los salarios de tramitación en los despidos nulos (STS, u.d., de 12 de junio de 2001, Rec. 3827/2000).

675. La legitimación activa. Están legitimados para iniciar este procedimiento *«cualquier trabajador o sindicato que, invocando un derecho o interés legítimo,* *considere lesionados los derechos de libertad sindical»* (art. 177 LJS; STS de 2 de febrero de 2000, Rec. 245/1999).

La noción de interés legítimo es más amplia que la de interés directo (STC de 11 de octubre de 1982) y está conectada con el derecho a la tutela judicial lo que obliga a interpretar con amplitud las fórmulas que las leyes procesales utilicen en orden a la atribución de legitimación activa (STC de 25 de febrero de 1987).

La legitimación procesal en base a ostentar un interés legítimo tiene un campo de actuación particularmente abonado en materia de tutela de los derechos de libertad sindical, ya que el de libertad sindical es un derecho que tiene dos vertientes, individual y colectiva, que pueden ser objeto de atentados. Pero al estar ambas vertientes estrechamente conectadas y no explicarse la una sin la otra, las eventuales lesiones en uno de sus aspectos influyen también en el otro. Así cabrán actuaciones pluriofensivas del empresario que pueden afectar a la vez a intereses individuales y colectivos (STS de 18 de febrero de 1994, Ar/1061).

La ley reconoce legitimación al sindicato al que pertenezca el trabajador individual y a los sindicatos más representativos para actuar procesalmente como coadyuvantes del mismo, sin posibilidad de recurrir ni de continuar el procedimiento con independencia de la parte principal (art. 177.2 LJS; STC 257/2000, de 30 de octubre).

Los representantes unitarios no poseen legitimación para iniciar un procedimiento de tutela de la libertad sindical. En el art. 177 LJS no hay ninguna referencia a ellos y, según el Tribunal Constitucional, *«la libertad sindical no ampara la actuación de otros sujetos sindicales a quienes la práctica o la legalidad vigente atribuyen funciones sindicales, como es el caso del Comité de empresa»* (SSTC de 9 de mayo de 1994, o 74/1996; SSTS de 17 de julio de 1996, Ar/6115 o de 16 de marzo de 1998, Ar/2993).

En cuanto a la legitimación de *«cualquier sindicato»* o de *«cualquier otro sindicato que ostente la condición de más representativo»* para recabar la tutela de los derechos de libertad sindical, el Tribunal Supremo mantiene la aplicación de las reglas del art. 154 de la LJS que legitima únicamente a los sindicatos cuyo ámbito de actuación coincida o sea más amplio que el del conflicto (STS de 2 de febrero de 2000, Rec. 245/1999). Para ello la jurisprudencia viene exigiendo que los Estatutos sindicales deban acompañarse, en extenso o en extracto en aquello que fuera esencial, *«con objeto de acreditar que los órganos de representación eran, precisamente, aquellos que actuaron en su nombre, tenían facultades bastantes y podían, por tanto, obligar»* (STS de 31 de marzo de 1982, Ar/1308).

Debe también tenerse presente que, en materia de ejercicio de acciones judiciales en nombre de los sindicatos, la jurisprudencia viene exigiendo el previo acuerdo del órgano a quien estatutariamente corresponda expresar una voluntad en tal sentido (STC de 17 de julio de 1981; STS de 31 de marzo de 1982, Ar/1308).

El Ministerio Fiscal será siempre parte en estos procesos (art. 177.3 LJS), como exigencia de orden público cuyo defecto provocará la nulidad de las actuaciones (STS, u.d., de 26 de diciembre de 1996, Rec. 403/1996).

676. La legitimación pasiva. La legitimación pasiva corresponderá a las personas físicas o jurídicas, públicas o privadas, a las que se les impute una conducta antisindical.

677. El plazo de prescripción de la acción. Según el Tribunal Constitucional, un derecho fundamental no puede contemplarse en abstracto, sino en función de cada una de las situaciones jurídicas en que entre en juego y, por tanto, en conexión con los ámbitos normativos que regulan cada una de ellas y, entre ellos, los plazos para el ejercicio de la acción correspondiente (SSTC de 15 de febrero de 1983 o de 5 de febrero de 1985).

Por ello, el art. 179.2 LJS dispone que «*la demanda habrá de interponerse dentro del plazo general de prescripción o caducidad de la acción previsto para las conductas o actos sobre los que se concrete la lesión del derecho fundamental o libertad pública*».

De este modo, el trabajador individual que considere lesionado su derecho de libertad sindical por actuaciones del empresario deberá contar con los plazos de prescripción o caducidad de acciones establecidos en el art. 59 del ET (SSTS, u.d., de 20 de junio de 2000, Ar/5960 o de 11 de octubre de 2000, Ar/8292).

678. Un procedimiento preferente y sumario. El art. 53.2 de la CE prevé que la tutela de los derechos fundamentales y libertades públicas puede recabarse ante los Tribunales ordinarios «*mediante un procedimiento basado en los principios de preferencia y sumariedad*».

La preferencia se recoge en el artículo 179.1 LJS: «*la tramitación de estos procesos tendrá carácter urgente a todos los efectos, siendo preferente respecto de todos los que se sigan en el Juzgado o Tribunal. Los recursos que se interpongan se resolverán por el Tribunal con igual preferencia*».

La sumariedad procesal de este procedimiento es cualitativa y cuantitativa.

La sumariedad por razones cualitativas se identifica por las siguientes notas, en contraposición con el proceso plenario:

a) En primer lugar, por su carácter facultativo. El procedimiento especial de tutela de la libertad sindical tiene carácter facultativo ya que cabe prescindir de él y acudir al procedimiento ordinario. Así, los arts. 13 de la LOLS y 177.1 de la LJS emplean una redacción facultativa («*podrá*») (STC 90/1997, de 6 de mayo; SSTS de 21 de marzo de 1995, Ar/2175, de 2 de junio de 1997, Ar/4617 o de 3 de febrero de 1998, Ar/1430).

b) En segundo lugar, por la limitación del objeto del proceso. La sumariedad cualitativa implica dejar fuera del juicio aquellos extremos que sólo cabe enjuiciar por la vía del proceso plenario. Así, según los arts. 178 y 183 LJS, *«el objeto del presente proceso queda limitado al conocimiento de la lesión del derecho fundamental o libertad pública, sin posibilidad de acumulación con acciones derivadas de otra naturaleza o con idéntica pretensión basada en fundamentos diversos a la tutela de la citada libertad»*.

Del ámbito, pues, del proceso sumario queda excluido el control de la estricta legalidad, en tanto esa legalidad no determine, precisamente, la procedencia o no de los derechos cuya protección se demanda (por todas, STS de 10 de julio de 2001, Ar/9583). De modo que los motivos de impugnación invocados sólo pueden ser aquellos que signifiquen infracción del derecho de libertad sindical (SSTC de 16 de junio de 1982 o de 28 de febrero de 1984).

La sumariedad cuantitativa, por su parte, implica el acortamiento de los plazos y la supresión de requisitos y trámites.

Así, si la demanda se admite a trámite, los actos de conciliación y juicio *«habrán de tener lugar dentro del plazo improrrogable de los cinco días siguientes»*, debiendo dictarse sentencia, que no podrá ser *in voce* (art. 50 LJS), en el plazo de tres días, sentencia que se publicará y notificará inmediatamente a las partes (art. 181 LJS). A todos estos efectos no juega en esta modalidad procesal la inhabilidad del mes de agosto (art. 43.4 LJS).

Además, se eliminan de estos procesos las exigencias de conciliación y la reclamación administrativa previas (arts. 64.1 y 70 LJS).

Y la sentencia que recaiga en el proceso de tutela del derecho de libertad sindical será ejecutiva desde que dicte, según la naturaleza de la pretensión reconocida, no obstante, el recurso que contra ella pudiera interponerse (art. 303.1 LJS).

679. La suspensión judicial de los efectos del acto impugnado. El art. 180.1 de la LJS establece que *«en el mismo escrito de interposición de la demanda, el actor podrá solicitar la suspensión de los efectos del acto impugnado»*, estando previsto para resolver sobre esta petición una comparecencia de las partes en el plazo de cuarenta y ocho horas, *«en la que sólo se admitirán alegaciones y pruebas sobre la suspensión solicitada»*, debiendo resolver el órgano jurisdiccional, de viva voz, adoptando, en su caso, las medidas oportunas para reparar la situación (STC de 16 de junio de 1982).

Se trata así de evitar que, en base a la inmediata ejecutividad de determinadas decisiones, puedan perjudicarse, al menos transitoriamente, derechos fundamentales del trabajador.

En todo caso, se trata de una posibilidad limitada:

1º) Son muy numerosos jurisprudencialmente los actos empresariales presuntamente violadores de la libertad sindical del trabajador con ocasión de despidos disciplinarios y resoluciones contractuales ex art. 50 del ET, supuestos incluidos en el art. 184 de la LJS que los excluye de su tramitación de acuerdo con esta modalidad procesal, única para la que está prevista esta posibilidad de suspensión de los efectos de la decisión empresarial.

2º) Incluso cuando la demanda deba tramitarse de acuerdo con esta modalidad procesal, la petición de suspensión del acto impugnado sólo se podrá deducir «*cuando las presuntas lesiones impidan la participación de candidatos en el proceso electoral o el ejercicio de la función representativa o sindical respecto de la negociación colectiva, reestructuración de plantillas u otras cuestiones de importancia trascendental que afecten al interés general de los trabajadores y que puedan causar daños de imposible reparación*» (art. 180.2 LJS).

Así pues, la suspensión judicial de los efectos del acto impugnado sólo será posible cuando la presunta lesión al derecho de libertad sindical tenga una trascendencia colectiva, en perjuicio de la lesión en el aspecto individual.

680. El necesario pronunciamiento sobre el fondo del asunto. El art. 182.1 a) de la LJS solo da dos opciones al órgano juzgador: «*la sentencia declarará la existencia o no de la vulneración denunciada*». No cabe que, una vez admitida a trámite la demanda de acuerdo con esta modalidad procesal, pueda el Juez o Tribunal eludir el pronunciamiento sobre el fondo del asunto, mediante la alegación de la falta de requisitos formales en el acto que se impugna como lesivo. Lo cual no es más que la generalización de la doctrina que en materia de despidos presuntamente discriminatorios viene manteniendo de antiguo el Tribunal Constitucional y que exige pronunciamiento sobre el fondo del asunto con independencia de la forma que haya podido revestir el despido (STC de 27 de marzo de 1985).

El Tribunal Constitucional ha precisado en este sentido que, incluso «*los actos de disposición de la pretensión (renuncia, allanamiento, desistimiento o transacción) no son suficientes, por sí solos, para finalizar el proceso. Antes al contrario, debe el Ministerio Público y, en última instancia, el órgano judicial comprobar si existen o no sospechas de violación de alguna norma tuteladora de los derechos fundamentales, en cuyo caso puede oponerse a tales actos de disposición y ordenar la reanudación del curso del proceso. En cualquier caso, y si no fuera éste el criterio del órgano judicial, puede naturalmente dictar una resolución de finalización anormal del proceso, pero habrá de dar una respuesta, por mínima que sea, a la inexistencia (o falta de concurrencia de los indicios de lesión, como ocurre en el presente caso) de vulneración del derecho fundamental, tal como, por lo demás, establece el art. 182.1 de la LJS»* (Auto del TC 408/1986, de 7 de mayo).

681. La actividad probatoria. Para que el Juez o Tribunal pueda apreciar discriminación o lesión de derechos fundamentales del demandante en el acto impugnado, se hace preciso llevar a cabo una actividad probatoria. Por ello *«en el acto del juicio, una vez justificada la concurrencia de indicios de que se ha producido violación del derecho fundamental o libertad pública, corresponderá al demandado la aportación de una justificación objetiva y razonable, suficientemente probada, de las medidas adoptadas y de su proporcionalidad»* (art. 181.2 LJS).

La postura procesal de las partes no se altera en orden a la práctica de la prueba, debiendo probar el demandante, en primer lugar, lo fundado de la pretensión deducida.

La peculiaridad va a residir en que la prueba del demandante será, generalmente, prueba de presunciones, poniendo de relieve la serie de indicios (STS 9 de febrero de 1996, Ar/10079) de los que pueda racionalmente presumirse la existencia de la violación denunciada. Pero el hecho de que sea ésta la modalidad de prueba habitual en este tipo de procesos, en ningún caso libera al demandante de su práctica, tal como reiteradamente viene admitiendo la jurisprudencia ordinaria (SSTS de 19 junio de 1989, Ar/4810, de 21 de marzo de 1989, Ar/1901, de 27 de noviembre de 1989, Ar/6530, de 25 de marzo de 1998, Ar/3012 o de 31 de marzo de 1999, Ar/1007) y constitucional (SSTC de 21 marzo de 1986, 142/2001, de 18 de junio o 136/2001, de 18 de junio).

Resulta así que en la modalidad procesal de tutela del derecho de libertad sindical no existe ninguna inversión de la carga de la prueba; postura que, en materia de despidos discriminatorios, había sido asumida ya por la propia jurisprudencia (STC de 18 de diciembre de 1986).

Precisamente porque esa inversión de la carga de la prueba no existe, señala el art. 181.2 LJS que *«corresponderá al demandado la aportación de una justificación objetiva y razonable, suficientemente probada, de las medidas adoptadas y de su proporcionalidad»*.

La actitud del demandado puede dirigirse a lo siguiente: bien a evidenciar que su comportamiento no ha implicado la violación del derecho de libertad sindical del trabajador; o bien a que concurre algún tipo de circunstancias que justifican el tratamiento diferenciado. Postura esta última que implica admitir que la diferenciación ha existido, pero que, por las circunstancias concurrentes, debe privársele de cualquier tipo de calificación antijurídica (SSTC 180/1994, de 20 de junio, 90/1997, de 6 de mayo, 82/1997, de 22 de abril, 202/1997, de 25 de noviembre, 74/1998, de 31 de marzo, 87/1998, de 21 de abril, 80/2001, de 26 de marzo o

190/2001, de 1 de octubre). Es el órgano judicial el que, ante la existencia de indicios, debe exigir al demandado la aportación de justificación objetiva y razonable (STC 11/1998, de 13 de enero); debiendo el demandado (el empresario) aportar esa justificación también en el caso de actuación de decisiones discrecionales o no causales (SSTC 87/1998, de 21 de abril o 29/2000, de 31 de enero).

682. La sentencia. Si la sentencia fuese desestimatoria, habrá que entender que entra en juego la doctrina del Tribunal Constitucional, según la que el juzgador no debe limitarse a afirmar que no son suficientes las pruebas aportadas por el actor, sino que ha de expresar los motivos por los cuales entiende que no existe la aparente violación de derechos fundamentales (STC de 21 de marzo de 1986).

Si, por el contrario, la sentencia fuese estimatoria: a) *«declarará la existencia o no de vulneración de derechos fundamentales y libertades públicas, así como el derecho o libertad infringidos, según su contenido constitucionalmente declarado, dentro de los límites del debate procesal y conforme a las normas y doctrina constitucionales aplicables al caso, hayan sido o no acertadamente invocadas por los litigantes»*; b) *«declara la nulidad radical de la actuación del empleador, asociación patronal, Administración Pública o cualquier otra persona, entidad o corporación pública o privada»*; c) *«ordenará el cese inmediato de la actuación contraria a derechos fundamentales o libertades públicas o en su caso la prohibición de interrumpir una conducta o la obligación de realizar una actividad omitida, cuando una u otra resulten exigibles según la naturaleza del derecho o libertad vulnerados»*; d) *«dispondrá el restablecimiento del demandante en la integridad de su derecho y la reposición de la situación al momento anterior a producírsela lesión del derecho fundamental, así como la reparación de las consecuencias derivadas de la acción u omisión del sujeto responsable, incluida la indemnización que procediera en los términos señalados en el art. 183»* (art. 182.1 LJS).

La sentencia tendrá así un contenido complejo, ya que será normalmente declarativa y de condena (STS, u.d., de 20 de junio de 2000, Ar/5960).

En orden a la fijación de la indemnización, señala el art. 183 de la LJS lo siguiente:

a) Que cuando la sentencia declare la existencia de vulneración, el juez deberá pronunciarse sobre la cuantía de la indemnización en función tanto del daño moral unido a la vulneración del derecho fundamental, como de los daños y perjuicios adicionales derivados.

b) Que el tribunal se pronunciará sobre la cuantía del daño, determinándolo prudencialmente cuando la prueba de su importe exacto resulte demasiado difícil o costosa, para resarcir suficientemente a la víctima y restablecer a ésta, en la medida de lo posible, en la integridad de su situación anterior a la lesión, así como para contribuir a la finalidad de prevenir el daño.

c) Que esta indemnización será compatible, en su caso, con la que pudiera corresponder al trabajador por la modificación o extinción del contrato de trabajo o en otros supuestos establecidos en el ET y demás normas laborales.

d) Que cuando se haya ejercitado la acción de daños y perjuicios derivada de delito o falta en un procedimiento penal no podrá reiterarse la petición indemnizatoria ante el orden jurisdiccional social, mientras no se desista del ejercicio de aquélla o quede sin resolverse por sobreseimiento o absolución en resolución penal firme, quedando mientras tanto interrumpido el plazo de prescripción de la acción en vía social.

2. La tutela judicial constitucional

683. La eficacia entre particulares de los derechos fundamentales. La tutela del derecho de libertad sindical como derecho fundamental puede recabarse a través del recurso de amparo ante el Tribunal Constitucional, aunque la lesión provenga de un particular.

Diversas sentencias del Tribunal Constitucional aluden en este sentido a la *«nulidad radical de todo acto —público, o en su caso, privado— violatorio de las situaciones jurídicas reconocidas en la sección 1ª del capítulo 2º del Título 1º»* (por todas, STC 225/2001, de 26 de noviembre).

684. El objeto del proceso. El objeto del proceso de amparo constitucional aparece limitado al reconocimiento por parte del Tribunal Constitucional del derecho o libertad violado y a la adopción de las medidas necesarias para restablecer o preservar su ejercicio.

Ello va a implicar que en el proceso de amparo constitucional no se revise con carácter general la legalidad aplicada, si bien con las excepciones siguientes:

a) Cuando el Tribunal ordinario hiciese una interpretación de la misma que, a juicio del recurrente, lesionase un derecho o libertad fundamental.

b) Cuando la interpretación que de la legalidad ordinaria haya hecho el Tribunal ordinario no se haya adecuado a la que, del mismo precepto, puede hacer el Tribunal Constitucional mediante una sentencia de las denominadas interpretativas.

c) A través de lo que se ha denominado *«amparo contra leyes»*. Tema que pueden tener trascendencia para recurrir en amparo contra resoluciones judiciales que aplicasen preceptos de la LOLS que el particular recurrente estimase que lesionan aspectos del derecho fundamental de libertad sindical.

685. La alegación del derecho fundamental. El carácter subsidiario del proceso constitucional de amparo requiere haber agotado la vía judicial procedente. Y en ello está implícita la oportuna alegación del derecho fundamental violado.

Al respecto, el Tribunal Constitucional ha señalado que «*en determinados supuestos la cuestión jurídico constitucional queda planteada aún sin referencia alguna a la Constitución, mediante la simple invocación de la infracción de una norma legal que de manera evidente contenga la configuración concreta de un derecho constitucionalmente garantizado, pero respecto de cuyo contenido concreto la Constitución se remita, de modo explícito o implícito, a normas de rango legal*».

Según ello, la alegación del derecho fundamental violado podría entenderse hecha cuando se alegase lesión de lo dispuesto en la LOLS. Ello debe implicar que la regulación que hace esta Ley respete el contenido esencial de este derecho.

Pero, al mismo tiempo, se pretende también señalar que la LOLS en cuanto norma reguladora específica de un derecho fundamental, forma parte del bloque de constitucionalidad al que hay que entender que se refiere el plus de tutela establecido en el art. 53.2 de la CE.

Apreciación confirmada por el propio Tribunal Constitucional al indicar que «*es perfectamente claro que los sindicatos pueden recibir del legislador más facultades y derechos que engrosan el núcleo esencial del art. 28.1 de la Constitución y que no contradicen el texto constitucional*». De modo que, en definitiva, el derecho fundamental «*resulta integrado no sólo por su contenido esencial, sino también por esos derechos o facultades básicas que las normas crean y puedan alterar o suprimir, por no afectar al contenido esencial del derecho*».

686. El contenido de la sentencia. En cuanto al posible contenido de la sentencia resolviendo el recurso de amparo, la Ley Orgánica del Tribunal Constitucional establece que, si se otorga el amparo, la sentencia podrá contener alguno o algunos de los pronunciamientos siguientes:

a) La declaración de la nulidad del acto, con determinación, en su caso, de la extensión de sus efectos.

b) El reconocimiento del derecho o libertad pública, de conformidad con su contenido constitucionalmente declarado.

c) El restablecimiento del recurrente en la integridad de su derecho o libertad con la adopción de las medidas apropiadas, en su caso, para su conservación.

IV. LA PROTECCIÓN INTERNACIONAL DE LA LIBERTAD SINDICAL

1. *El control de la OIT*

687. Los procedimientos existentes. El control de la libertad sindical por parte de la OIT se realiza a través de unos procedimientos generales y de otros especiales para la libertad sindical.

688. Los procedimientos generales. Los procedimientos generales son dos:

a) En primer lugar, el examen regular de los informes de los distintos Gobiernos sobre la aplicación de los Convenios internacionales por ellos suscritos, en la medida en que cuando un Estado ratifica un Convenio de la OIT se compromete a dar tales informaciones anualmente al Consejo de Administración de la OIT.

b) En segundo lugar, el examen de las reclamaciones y quejas presentadas por las organizaciones sindicales por incumplimiento por parte de los Estados de dichos Convenios.

Ambos procedimientos generales exigen que el Estado afectado haya ratificado los correspondientes Convenios de la OIT referidos a la libertad sindical (números 87, 98, 135 y 151).

689. Los procedimientos especiales. Entre los procedimientos especiales hay que considerar, fundamentalmente, dos tipos de procedimientos:

a) El procedimiento de protección de la libertad sindical, que se basa fundamentalmente en la presentación de quejas.

b) La realización de encuestas y estudios sobre distintas materias (sobre la independencia de las organizaciones sindicales, sobre la situación sindical de un país, etc.).

Interesa, sobre todo, el primero de los procedimientos especiales reseñados.

690. El procedimiento de protección de la libertad sindical. El procedimiento de protección de la libertad sindical es un procedimiento especial, establecido por la OIT de acuerdo con la ONU. Su particularidad reside en que es aplicable incluso a Estados que no hayan ratificado los Convenios de la OIT en materia de libertad sindical, basándose en su cualidad de miembros y en el hecho de que la Constitución de la OIT (completada por la Declaración de Filadelfia de 1944) consagra el principio de libertad sindical.

Este procedimiento se realiza a través de dos órganos: el Comité de Libertad Sindical y la Comisión de Investigación y Conciliación en materia de Libertad Sindical:

a) El Comité de Libertad Sindical designado por el Consejo de Administración de entre sus miembros, de composición tripartita, consta de nueve miembros: tres representantes de los Gobiernos, tres de las organizaciones obreras y tres de las patronales.

Tiene funciones cuasijudiciales. El procedimiento que utiliza es el del examen de las quejas y de las respuestas presentadas por los Gobiernos afectados. Además, salvo casos especiales, el Comité cuenta con informes presentados por personas independientes y funcionarios de la OIT que acuden al país contra el que se presenta la queja.

En un principio, se limitaba a un examen preliminar de las quejas y reclamaciones planteadas al Consejo de Administración. Posteriormente, informa sobre el fondo de la cuestión y presenta el informe al Consejo de Administración que, casi siempre, lo aprueba sin discusión.

Por consiguiente, el Comité se limita a informar al Consejo, el cual, como consecuencia, dirige al Gobierno interesado una recomendación, en la que suele solicitar del mismo que modifique su legislación o prácticas, o que adopte medidas para corregir ciertas situaciones (la detención de sindicalistas, por ejemplo).

En un número apreciable de casos (VALTICOS) los Estados interesados han tenido en cuenta dichas recomendaciones. La importancia del procedimiento seguido estriba en que obliga a los miembros de la OIT a dar cuenta de sus acciones, aunque no hayan ratificado los Convenios 87 y 98.

b) La Comisión de Investigación y Conciliación en materia de Libertad Sindical es otro órgano de la OIT establecido en 1950. Está compuesto por personas designadas por el Consejo de Administración *«en función de sus competencias y que deben actuar con absoluta independencia»*. Lo integra un número de 3 a 5 miembros.

La función de la Comisión es el estudio de las quejas presentadas normalmente por las organizaciones de trabajadores, aunque también realiza funciones de conciliación. En cualquier caso necesita el consentimiento del Estado interesado.

2. El control del Consejo de Europa

691. El Tribunal Europeo de Derechos Humanos. El Convenio Europeo para la protección de los Derechos Humanos y las Libertades Fundamentales, firmado por los países del Consejo de Europa, en Roma, en 1950 (modificado por Protocolo de 11 de mayo de 1994), que en su art. 11.1 reconoce el derecho a *«fundar sindicatos y a afiliarse a los mismos»*, establece un Tribunal Europeo de Derechos Humanos para atender reclamaciones contra las infracciones del Convenio.

El Tribunal podrá conocer de la demanda que presente cualquier persona física o grupo de particulares que se considere víctima de una violación por uno de los estados signatarios de los derechos reconocidos en el Convenio o en sus protocolos.

La Sentencia que dicte el Tribunal será definitiva, salvo que en casos excepcionales se acuerde su remisión a la Gran Sala.

692. El control de la Carta Social Europea. El control previsto en la Carta Social Europea (los arts. 5 y 6 reconocen los derechos de libertad sindical, negociación y huelga), es más complejo y consiste en la presentación bienal de un informe por los Estados signatarios al Secretario General del Consejo de Europa que pasará para su estudio a un Comité de Expertos (art. 24); las conclusiones del Comité de Expertos se someten a examen del Subcomité Social Gubernamental del Consejo de Europa (art. 27), compuesto por un representante de cada uno de los Estados signatarios; este Subcomité presenta al Comité de Ministros un informe con sus conclusiones (art. 27.3); y, finalmente, el Comité de Ministros, sobre estas bases y previa consulta a la Asamblea Consultiva, podrá formular Recomendaciones a los Estados signatarios (art. 29).

3. Otros controles internacionales

693. El Consejo Económico y Social de la ONU. En cuanto al control del cumplimiento por los Estados signatarios del Pacto Internacional de Derechos Económicos Sociales y Culturales de la ONU de 1966 (el art. 8 reconoce los derechos de libertad sindical y huelga), éste viene realizado por el Consejo Económico y Social de la ONU, a través del examen de los informes sobre Derechos Humanos que los Estados signatarios están obligados a proteger acerca de las medidas adoptadas y los progresos realizados (arts. 16 y ss.).

El Consejo Económico y Social podrá pasar estos informes a la Comisión de Derechos Humanos para su estudio.

En todo caso, las medidas internacionales destinadas a asegurar el cumplimiento del Pacto se reducen a Recomendaciones de carácter general, sin posibilidad de aplicar sanciones de ningún tipo a los concretos Estados incumplidores.

694. El Comité de Derechos Humanos. El control del cumplimiento del Pacto Internacional de Derechos Civiles y Políticos de la ONU de 1966 (el art. 22 reconoce el derecho de libertad sindical) se realiza por un Comité de Derechos Humanos creado por el propio Pacto (art. 28) y compuesto por dieciocho miembros nacionales de los Estados signatarios que conocerá de los informes presentados por éstos y de las acusaciones de unos Estados a otros, transmitiendo el Comité, a su vez, su propio informe y los comentarios generales que estime oportunos a los Estados signatarios (art. 40).